Manual Imprescindible de

Office 2010

MANUAL IMPRESCINDIBLE

Responsable Editorial:
Eugenio Tuya Feijoó

Diseño de cubierta:
Ignacio Serrano Pérez

Manual Imprescindible de

Office 2010

Patricia Scott Peña

Todos los nombres propios de programas, sistemas operativos, equipos hardware, etc. que aparecen en este libro son marcas registradas de sus respectivas compañías u organizaciones.

Edición española:

Juan Ignacio Luca de Tena, 15. 28027 Madrid
Depósito legal: M-21.025-2010
ISBN: 978-84-415-2779-9
Printed in Spain
Impreso en: Gráficas Hermanos Gómez, S. L. L.

Índice de contenidos

Introducción

Guía de uso del manual

Con este manual se pretende el mejor aprovechamiento de una de las más extendidas y eficaces herramientas ofimáticas existentes en el mercado: Microsoft Office 2010. Los usuarios que hayan trabajado anteriormente con las versiones precedentes del paquete de aplicaciones Office encontrarán en esta obra todas las claves de la nueva edición del producto, conocerán sus novedades más destacadas y descubrirán la mejor manera de explotar sus posibilidades. Quienes no cuenten con esta experiencia encontrarán en estas páginas los datos necesarios para comenzar su andadura en el manejo de este tipo de software.

Resulta difícil abarcar todas las posibilidades ofrecidas por los potentes programas integrados en esta familia en una sola obra. Sin embargo, el objetivo de este manual es que, tras su lectura, le sea posible no sólo trabajar con sus funciones básicas sino también con las más avanzadas permitiéndole, incluso, proporcionar a sus documentos una apariencia profesional.

Estas páginas introductorias le indicarán cómo usar el manual y le ofrecerán una visión global del paquete Office 2010 y de las principales aplicaciones que lo componen.

A continuación, vamos a repasar los principales conceptos y novedades de Office que vamos a tratar en el libro.

Los dos primeros capítulos hacen referencia a los elementos comunes en algunas de las aplicaciones integradas en Office 2010, características como los elementos que integran la cinta de opciones, el nuevo menú Archivo, el empleo de la ayuda o la integración entre programas serán especialmente tratadas.

Una vez presentados los rasgos comunes, analizaremos cada componente del paquete. Comenzaremos con el procesador de textos, Word, con el que aprenderá a crear documentos y las distintas maneras de aplicar los formatos necesarios para que el texto resultante sea satisfactorio. Continuaremos con Excel, el programa con el que utilizará hojas de cálculo y abarcará desde los más sencillos cálculos a aquellos complejos procesos para los que será necesario recurrir a fórmulas y funciones implantadas previamente en la aplicación. Podrá verificar la corrección de los resultados generados y, con el fin de hacer más atractiva la representación de los mismos, se iniciará en el uso de gráficos y en la nueva opción que presenta esta aplicación, los Minigráficos.

Seguiremos con la aplicación de PowerPoint que nos ayuda a realizar atractivas presentaciones por pantalla y que presenta una novedad importante: la posibilidad de insertar vídeo.

Utilizaremos continuación el gestor de correo e información personal de Office 2010, Microsoft Outlook, cuya interfaz ha mejorado considerablemente en esta nueva versión. En los dos capítulos que se le dedican a este programa haremos hincapié en los aspectos más interesantes: desde la configuración de su cuenta de correo hasta el análisis de utilidades como la agenda. Pasaremos después al gestor de bases de datos de Office, Access. Conocerá los conceptos fundamentales de las bases de datos relacionales y cada uno de los objetos que conforman Access.

A continuación se presenta el programa Microsoft Publisher, con una interfaz totalmente renovada y que es útil para la creación de publicaciones, que le permite crear, diseñar y publicar materiales de comunicación y marketing de aspecto profesional. Con este programa puede crear materiales para imprimirlos, enviarlos por correo electrónico y a través de la Web con un entorno intuitivo.

El siguiente capítulo se dedica a SharePoint Workspace, OneNote e InfoPath, presentando un resumen de sus características más destacadas.

El último capítulo se dedica a presentar un resumen de las herramientas incluidas en Microsoft Office 2010, Microsoft Office 2010 Tools, desde los certificados digitales para proyectos VBA hasta la aplicación Picture Manager.

Convenios utilizados en este libro

Este libro se caracteriza por su facilidad de uso y comprensión. En la página de presentación de cada capítulo podrá leer una introducción de los contenidos tratados en él y su relación con el resto de la obra.

Con el fin de agilizar el proceso de aprendizaje hemos diseñado algunas características especiales que le vamos a detallar a continuación:

- Las figuras que aparecen a lo largo del manual muestran la apariencia de la pantalla de su ordenador según se desarrollan las diferentes tareas con el programa.
- Los menús, cuadros de diálogo, ventanas y sus opciones correspondientes se representan con un tipo de letra distinto. Por ello, hablaremos de la opción Abrir del menú Archivo.
- Algunos comandos se activan mediante combinaciones de teclas. En este manual las teclas que forman parte de dichas combinaciones se separan con un guión (-), por ejemplo, **Control-E** significa que debe mantener pulsada la tecla **Control** y, sin soltarla, pulsar la tecla **E**. Una vez ejecutado el comando, soltará ambas teclas más o menos al mismo tiempo.
- Si hay que seleccionar un conjunto de menús y comandos de menús, en el libro aparecen seguidos en el orden de selección. Para separarlos se usa

el signo mayor que (>) entre ellos. Así, para seleccionar hablaremos de seleccionar Documento de Word del menú Guardar como hablaremos de seleccionar Guardar como>Documento de Word del menú Archivo.

Además de todos estos puntos, el manual también incorpora una serie de iconos para resaltar una determinada información y avisarle de posibles problemas. Estos iconos son los que presentamos a continuación.

Advertencia:

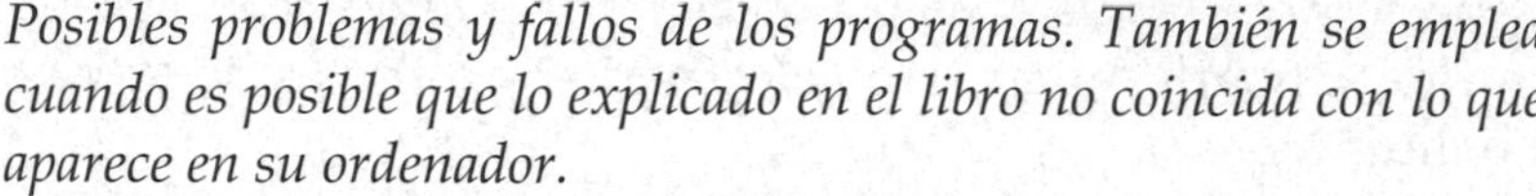

Posibles problemas y fallos de los programas. También se emplea cuando es posible que lo explicado en el libro no coincida con lo que aparece en su ordenador.

Truco:

Ideas o recetas que, procedentes en su mayoría de la experiencia, pueden resultarle útiles en el trabajo con su ordenador o que sirven para ahorrar tiempo en las distintas acciones con el programa.

Nota:

Información adicional que no está incluida en el texto y que puede resultar interesante o necesaria.

Qué es Microsoft Office y cuáles son sus componentes

Microsoft Office es un conjunto de aplicaciones informáticas tanto para empresas como para usuarios que deseen elaborar sus propios documentos. Una familia de programas como esta ofrece la ventaja de la compatibilidad entre los distintos programas que la componen. Las aplicaciones Office integran las herramientas necesarias para desarrollar tareas ofimáticas de cualquier naturaleza.

Microsoft Office 2010 presenta varias versiones. La versión Hogar y estudiantes incluye Excel, Word, PowerPoint y OneNote. La versión Hogar y pequeña empresa incluye además Microsoft Outlook 2010. La versión estándar, añade los programas Publisher y Access a los anteriores.

Las ediciones profesionales, Microsoft Office Professional 2010 y Professional Plus 2010, incluyen todas las aplicaciones anteriores además de Access, añadiendo además esta última versión los programas InfoPath y SharePoint Workspace.

La versión de Microsoft Office 2010 que vamos a ejecutar sobre el sistema operativo Windows 7 en este manual es Microsoft Office 2010 Professional Plus, que contiene los programas Word, Excel, PowerPoint, Publisher, Access, Outlook, OneNote, InfoPath y SharePoint.

Las características más destacadas de los programas que componen dicha versión son:

- **Word:** Es el procesador de textos más usado en el entorno Windows. Se emplea para crear y gestionar todo tipo de documentos de texto.
- **Excel:** Es la hoja de cálculo con la que realizará cálculos y analizará la información que desee.
- **Access:** Es un gestor de bases de datos relacionales con el que podrá controlar y administrar la información.
- **PowerPoint:** Es la aplicación que le permitirá diseñar, crear y editar sus propias presentaciones con el ordenador y que podrá emplear en cursos, charlas o presentaciones.
- **Outlook:** Es el programa que podrá utilizar para gestionar su información personal y para administrar su correo electrónico. Mantendrá al día su agenda, contactos y tareas más relevantes.
- **Publisher:** Es otra posibilidad que ofrece Office para crear y modificar algunos tipos de documentos como boletines, folletos y hasta sitios Web.
- **OneNote:** Será su agenda personal para tomar notas privadas o de trabajo.
- **InfoPath:** Es el programa que le hará posible diseñar y rellenar formularios dinámicos con los que recopilar y reutilizar la información de todo un grupo.
- **SharePoint Workspace:** Es la aplicación cliente para Microsoft SharePoint Server 2010 y Microsoft SharePoint Foundation 2010 que permite la sincronización en tiempo real del contenido de escritorio con los documentos y listas.
- **Herramientas de Microsoft Office:** Incluye una serie de programas auxiliares que complementan a los principales con funciones específicas.
    - Certificado digital para proyectos VBA de firma personal para las macros elaboradas por el usuario.

- Configuración de idioma.
- Galería multimedia de Microsoft.
- Microsoft Office Picture Manager.
- Centro de carga de Microsoft.

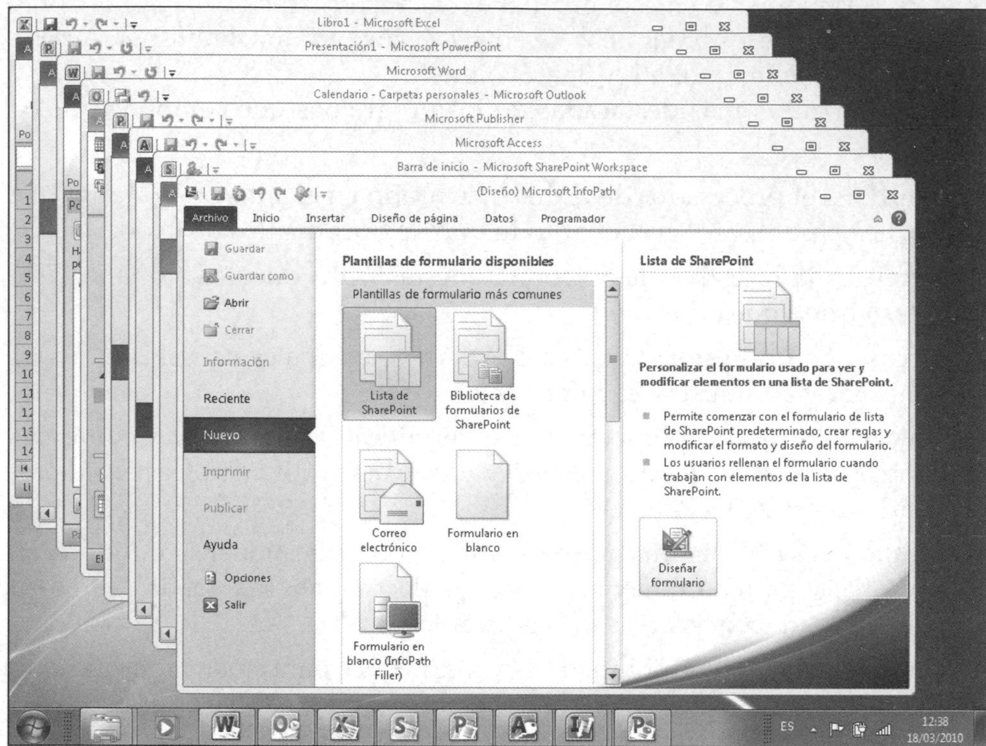

Figura I.1. Programas de Microsoft Office 2010 abiertos en el Escritorio de Windows 7.

Capítulo 1

Novedades de Office 2010

En este capítulo aprenderá a:

- Conocer la nueva interfaz de los programas.
- Conocer la cinta de opciones para ejecutar tareas habituales.
- Conocer el nuevo menú Archivo.
- Conocer la Vista protegida
- Conocer las nuevas opciones de pegado.

Todas las aplicaciones de Microsoft Office 2010 ofrecen un entorno muy cómodo para el usuario ya que puede ejecutar cualquier tipo de tarea ofimática de forma rápida y sencilla, desde la escritura de un simple texto con Word hasta la creación de extraordinarias presentaciones con PowerPoint. En este capítulo presentaremos los elementos comunes de las aplicaciones incluidas en Microsoft Office 2010 así como algunas de las nuevas características con respecto a las versiones anteriores de este extraordinario producto.

Mejoras en la interfaz

Si ya ha utilizado antes Office 2007, al abrir cualquiera de las aplicaciones de Microsoft Office 2010, comprobará que sus interfaces han variado ligeramente. En primer lugar, se ofrece un fondo en color gris, mucho más afín a la interfaz del propio sistema operativo Windows 7. Otra de las novedades que apreciará es la desaparición del **Botón de Office**. En su lugar, ahora podrá ver la ficha Archivo, que siempre se encuentra resaltada en un color en combinación con el esquema de colores de cada aplicación. Enseguida trataremos este importante cambio en la interfaz, pero antes vamos a comenzar con los elementos comunes que componen la cinta de opciones, que desde la mencionada versión anterior de Microsoft Office, ha reemplazado el diseño de menús y barras de herramientas, típico en versiones más antiguas de Office. La cinta de opciones contiene fichas que incluyen todos los comandos conocidos y nosotros le ayudaremos a encontrarlos fácilmente.

Elementos de la cinta de opciones

En la parte superior de los programas que componen Microsoft Office 2010, podrá ver una cinta compuesta de fichas que contienen en su interior los comandos utilizados con más frecuencia, como puede ver en la figura 1.1. Podríamos considerar la cinta de opciones como un centro de control ya que agrupa todos los elementos básicos y los presenta en primer plano, al alcance de la mano. Esta cinta de opciones está compuesta por tres elementos:

- **Fichas:** Se encuentran en la parte superior y recogen las tareas principales que se ejecutan en un determinado programa.
- **Grupos:** Conjuntos de comandos relacionados que agrupan todos los comandos más necesarios para ejecutar una determinada tarea y permanecen expuestos y disponibles, proporcionándole así una ayuda visual. Algunas

veces, al reducir el tamaño de la ventana, los grupos pueden aparecer como botones con flechas desplegables sobre las que debe hacer clic para mostrar los comandos que contienen, como puede ver en la figura 1.2.

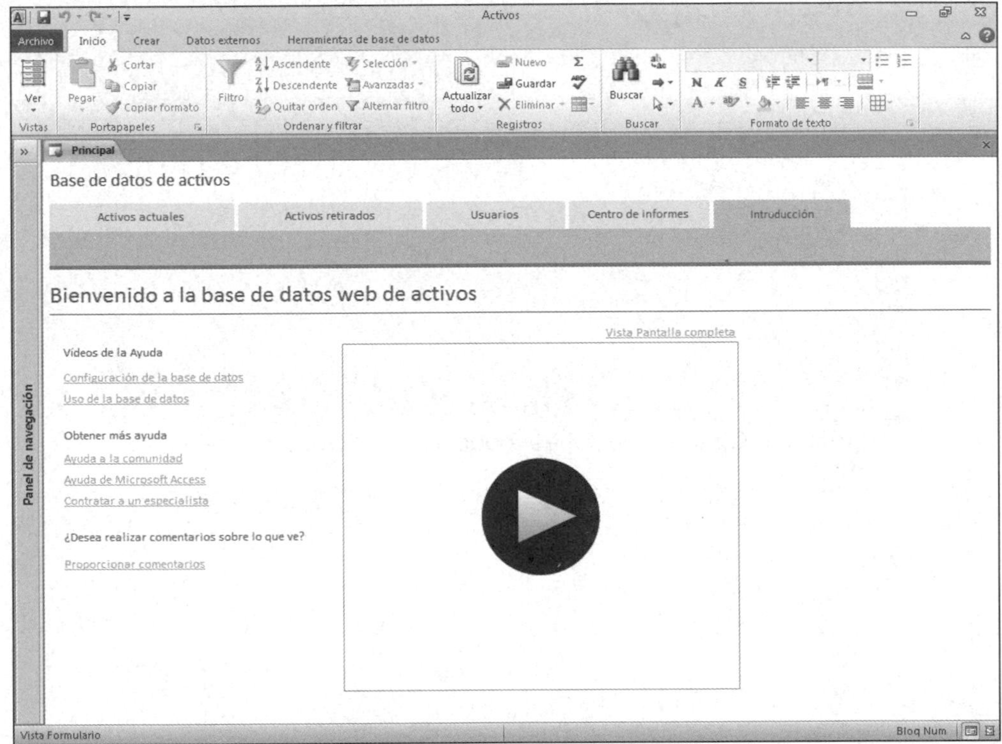

Figura 1.1. Cinta de opciones en Microsoft Access 2010.

- **Comandos:** Están organizados en grupos y pueden ser un botón, un menú o un cuadro en el que se especifica información.

Otros comandos aparecen sólo cuando se pueden necesitar, como respuesta a alguna acción. Por ejemplo, si inserta un gráfico en Word o en Excel, aparecerá la ficha Herramientas de gráficos ofreciendo todos los comandos necesarios para trabajar con el gráfico (véase la figura 1.3). Al dejar de trabajar con éste, las herramientas desaparecerán. Al seleccionar de nuevo el gráfico, las herramientas volverán a estar disponibles.

Algunos grupos muestran el icono de una pequeña flecha en su esquina inferior derecha, denominado **Iniciador de cuadro de diálogo**, que abre un cuadro de diálogo flotante o un panel de tareas en la parte izquierda de la ventana, con comandos utilizados con menos frecuencia.

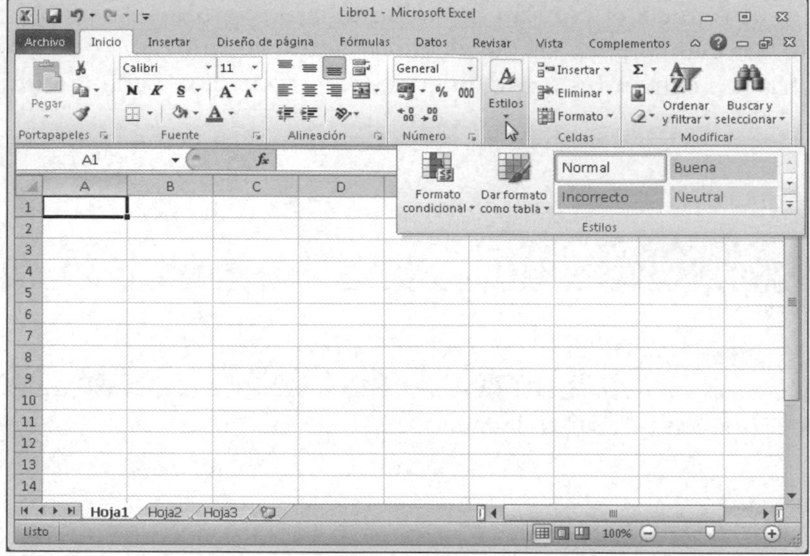

Figura 1.2. Cinta de opciones reducida en Microsoft Excel 2010.

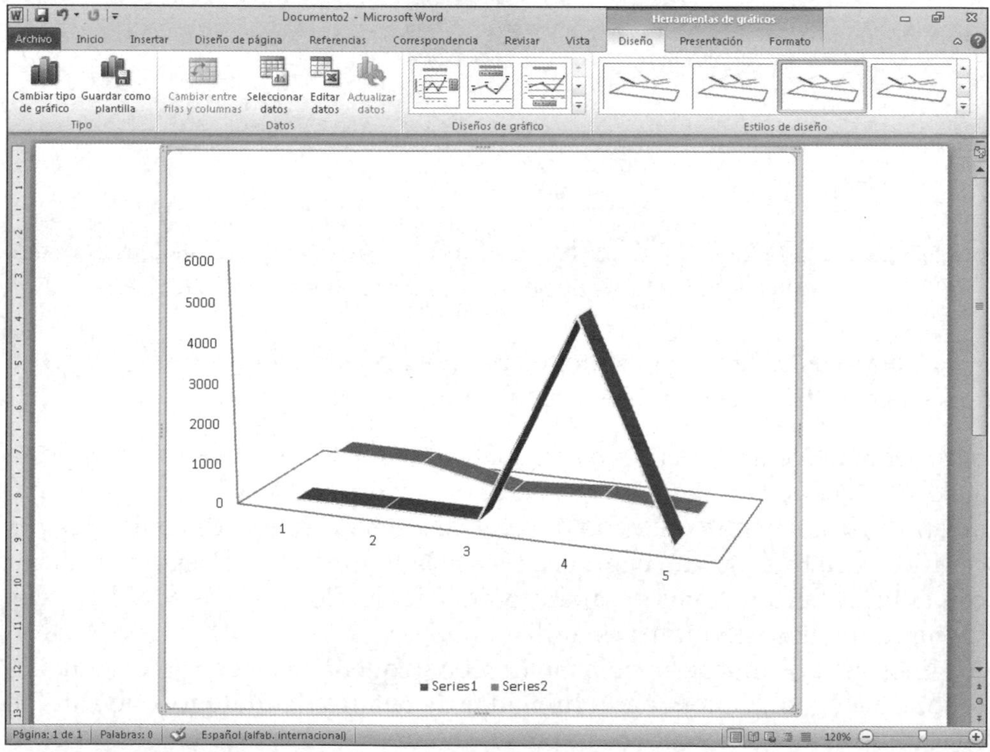

Figura 1.3. Ficha Herramientas de gráficos en Microsoft Word 2010.

Otra de las interesantes opciones es poder obtener una vista previa activa de una selección antes de hacer clic en la opción finalmente, evitando así la necesidad de deshacer cambios y probar de nuevo.
Para usar la vista previa activa, sitúe el puntero del ratón sobre una opción tras una selección de datos (por ejemplo, en la opción de Estilos dentro de la ficha Inicio de Word). El documento cambia para mostrar el resultado que obtendrá. Cuando encuentre la opción deseada, sólo tiene que hacer clic sobre ella para seleccionarla.

Nuevo menú Archivo

El menú Archivo, que se encuentra en la parte izquierda de la cinta de opciones con un color distinto al del resto de fichas, es la opción que sustituye al **Botón de Office** de la versión Office 2007 del producto. Al hacer clic en esta ficha, se abre una nueva ventana completa con los comandos básicos, que puede ver en la figura 1.4.

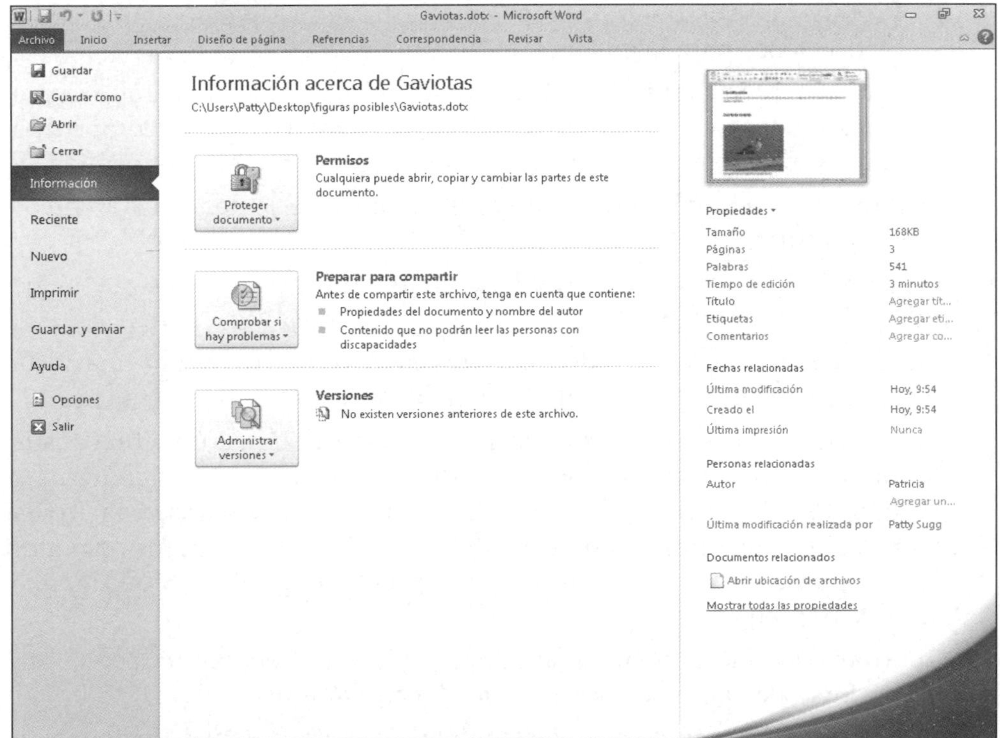

Figura 1.4. Nuevo menú Archivo en Microsoft Word 2010.

Éstos son los comandos del menú Archivo en Microsoft Office 2010 y las tareas que puede realizar con ellos.

- **Guardar:** Guarda el documento actual. Si es la primera vez que guarda el archivo, se abrirá el cuadro de diálogo Guardar como, donde podrá buscar la ubicación del archivo y escribir su nuevo nombre.
- **Guardar como:** Abre el cuadro de diálogo del mismo nombre, donde puede buscar una ubicación para el nuevo archivo y escribir su nombre.
- **Abrir:** Abre el cuadro de diálogo del mismo nombre, que le permite buscar y abrir un archivo guardado anteriormente.
- **Cerrar:** Cierra el documento sin salir de la aplicación actual.
- **Información:** Muestra una página con información sobre el documento. Esta página está compuesta de los siguientes elementos:
    - **Modo de compatibilidad:** Permite convertir un documento antiguo en la versión actual de Office. No obstante, debe tener cuidado al utilizar esta opción, ya que algunas de las características del documento anterior pueden quedar deshabilitadas en el nuevo.
    - **Proteger el documento:** Le permite establecer diversos permisos y restricciones para la edición del documento.
    - **Preparar para compartir:** Ofrece diversas opciones para comprobar la accesibilidad del documento y su compatibilidad. También comprueba la información personal del documento y sus propiedades ocultas.
    - **Administrar versiones:** Examina las versiones recientes de los archivos sin guardar.
- **Reciente:** Muestra una lista de documentos y lugares en los que se ha trabajado recientemente.
- **Nuevo:** Muestra una lista de plantillas disponibles así como una vista previa de la plantilla seleccionada en la parte derecha de la ventana.
- **Imprimir:** Muestra las opciones de impresión del documento actual desde donde podrá elegir la impresora que desea utilizar así como configurar las distintas opciones de impresión. Asimismo, podrá ver una vista previa del trabajo a imprimir a la derecha de la ventana y cambiar las opciones de configuración del documento a través el vínculo Configurar página que se encuentra en su parte inferior.
- **Guardar y enviar:** Este menú le permite guardar y enviar el documento actual. Sus opciones son las siguientes (véase la figura 1.5):
    - **Enviar mediante correo electrónico:** Presenta diversas opciones de envío del documento mediante correo electrónico, como adjuntar una

copia a un correo electrónico, crear un correo electrónico con un vínculo al documento (siempre que el documento se guarde en una ubicación compartida), adjuntar una copia como archivo PDF, adjuntar una copia como XPS o enviar el documento como fax de Internet.

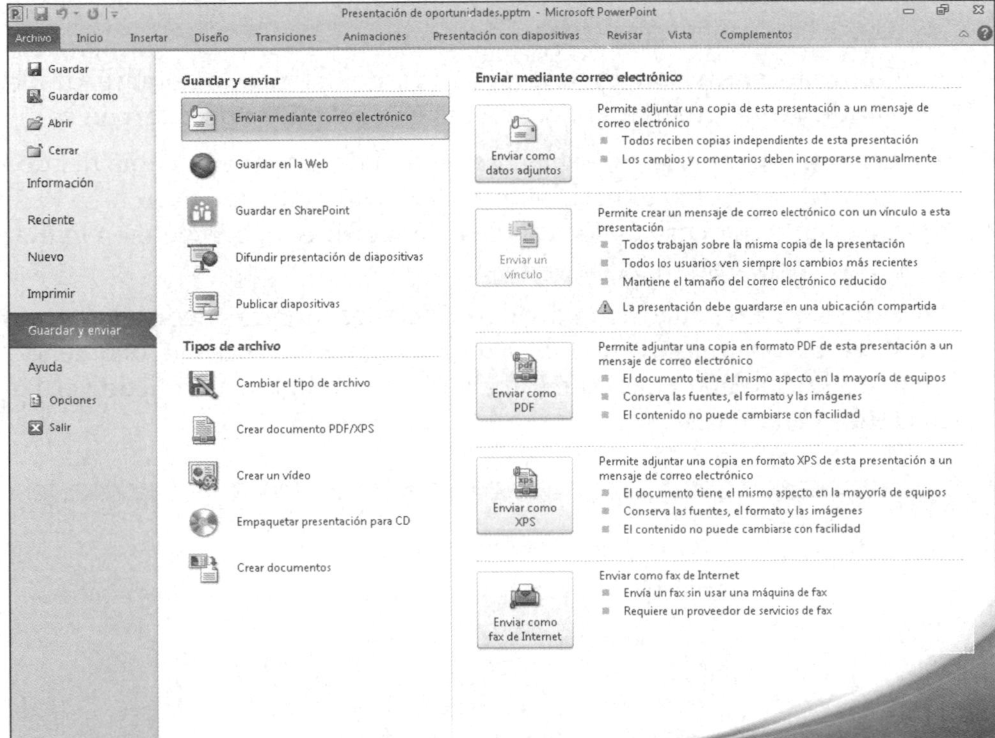

Figura 1.5. Menú Guardar y enviar en Microsoft PowerPoint 2010.

- **Guardar en la Web:** Guarda una copia del documento en Windows Live para poder acceder a él desde cualquier equipo o compartir el documento con otros usuarios.
- **Guardar en SharePoint:** Guarda el documento en un sitio de SharePoint para facilitar la colaboración en el documento de otros usuarios.
- **Publicar como entrada de blog:** Crea una entrada de blog a partir del documento actual.
- **Cambiar el tipo de archivo:** Cambia el tipo de archivo del documento actual.
- **Crear un documento PDF/XPS:** Crea un documento PDF o XPS a partir del documento actual.

- **Ayuda:** En este menú puede encontrar todas las opciones de ayuda de Microsoft Office, ver las novedades del producto, buscar recursos o personalizar el idioma, la presentación y las opciones de configuración de las aplicaciones.
- **Complementos:** Al hacer clic en este menú de lista desplegable, podrá acceder a las siguientes opciones:
  - **Guardar como:** Abre el cuadro de diálogo del mismo nombre, desde donde puede guardar el documento en cualquier tipo de archivo.
  - **Enviar:** Esta opción ofrece la posibilidad de enviar una copia del documento a otras personas, convertir el documento en un archivo PDF y enviarlo por correo electrónico o convertir el documento en PDF y enviarlo para su revisión.
- **Opciones:** Abre el cuadro de diálogo Opciones, donde puede configurar las distintas opciones de la aplicación. Su contenido varía dependiendo de la aplicación en la que esté trabajando. En la figura 1.6 puede ver las opciones para Access.

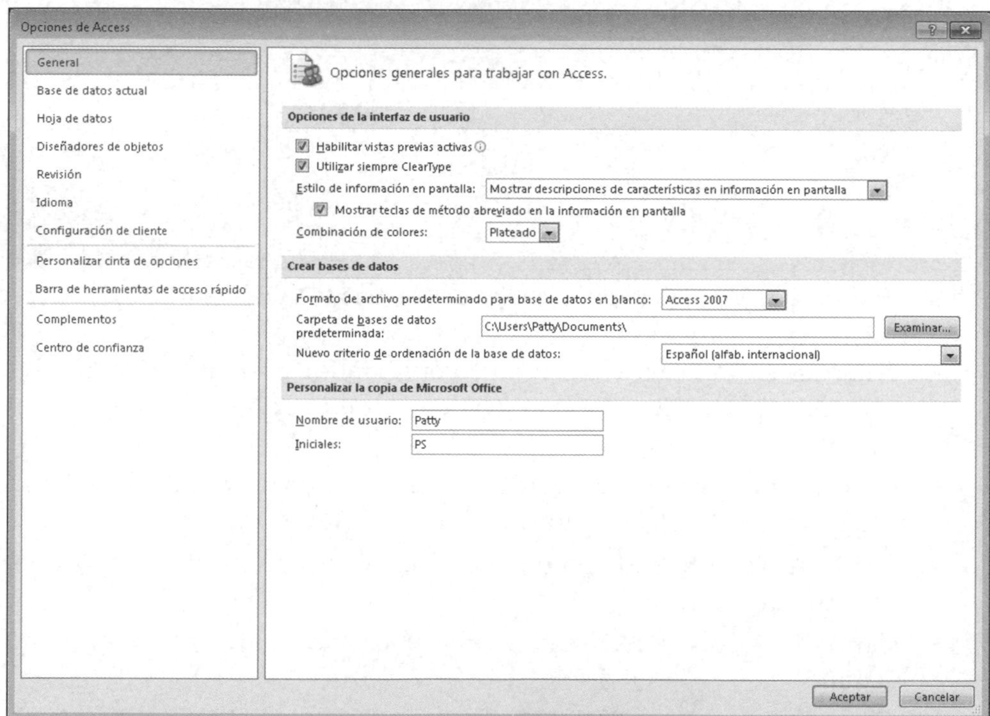

Figura 1.6. Cuadro de diálogo Opciones en Microsoft Access 2010.

- **Salir:** Cierra el documento y la aplicación en la que esté trabajando. Si no ha guardado el documento, el programa le preguntará si quiere hacerlo.

Añadir comandos a la barra de herramientas de acceso rápido

Si utiliza con frecuencia comandos que no se encuentran disponibles con facilidad, puede agregarlos de una manera muy sencilla a la barra de herramientas de acceso rápido, que se encuentra sobre la cinta de opciones. En dicha barra, los comandos se mantienen siempre visibles y rápidamente disponibles. De manera predeterminada, esta barra de herramientas de acceso rápido contiene los botones **Guardar**, **Deshacer** y **Rehacer**.

Para añadir un comando a la barra de herramientas de acceso rápido, haga clic en la flecha desplegable que se encuentra a la derecha de la misma y seleccione uno de los comandos disponibles o haga clic en Más comandos. Seleccione uno de los comandos y haga clic en **Agregar**.

Para seleccionar un comando desde un grupo, haga clic con el botón derecho del ratón sobre el comando y seleccione Agregar a la barra de herramientas de acceso rápido.

Nota:

Para eliminar un elemento de la barra de herramientas de acceso rápido, haga clic con el botón derecho del ratón sobre dicho elemento y seleccione Eliminar de la barra de herramientas de acceso rápido.

Métodos abreviados de teclado

Los métodos abreviados de teclado se denominan sugerencias de teclas. Al pulsar la tecla **Alt**, aparecerán todos los identificadores de las sugerencias de teclas para todas las fichas de la cinta de opciones y la barra de herramientas de acceso rápido.

Al presionar la tecla de la ficha que desea mostrar, aparecerán todos los identificadores de sugerencias de teclas para los botones de la ficha. A continuación, puede utilizar la tecla correspondiente al botón que desea. Los métodos abreviados utilizados en versiones anteriores que comenzaban con **Control** siguen intactos, por ejemplo, **Control-C** sirve para copiar en el Portapapeles y **Control-V** para pegar desde el Portapapeles. No obstante, algunos de los métodos abreviados ahora abren un panel de tareas en la parte izquierda de la ventana, como el comando **Control-B** en Windows, para realizar búsquedas en el documento.

Formatos de archivos

En Word, Excel y PowerPoint de Microsoft Office 2010 se puede abrir un archivo creado en las versiones de Office 95 hasta 2007. Al guardar un archivo creado en una versión anterior, la opción predeterminada el cuadro de diálogo Guardar como es guardarlo como un archivo de la versión anterior, pero también puede guardarlo como un archivo de la versión 2010 con la extensión `*.docx` en Word, `*.xlsx` en Excel y `*.pptx` en PowerPoint. Al guardar un archivo con una versión anterior, un comprobador de compatibilidad le informará de las características de la versión 2010 que estarán deshabilitadas o que van a coincidir.

Access utiliza el formato de archivo: `*.accdb`. Las bases de datos creadas en Access 2010 utilizarán automáticamente dicho formato. Si los archivos se guardaron en Access 2000 o Access 2002-2003, podrá abrirlas y trabajar con ellas en el antiguo formato `*.mdb`. Sin embargo, para utilizar las características de Access 2007 y 2010 en archivos `*.mdb`, primero debe utilizar el comando Guardar como para convertir la base de datos al nuevo formato.

Quienes utilicen ODF podrán guardar documentos en la versión 1.1 de ODF de Word, Excel y PowerPoint. Además, podrán abrir, editar y guardar archivos con formatos de texto de OpenDocument (`*.odt`), hoja de cálculo de OpenDocument (`*.ods`) y presentaciones de OpenDocument (`*.odp`).

Asimismo, podrá guardar el documento actual como archivo `.pdf` simplemente seleccionando dicha opción desde el cuadro de diálogo Guardar o Guardar como.

Vista protegida para documentos

Microsoft Office 2010 incluye una Vista protegida, que funciona cada vez que se abre un documento potencialmente peligroso, bloqueando el archivo para su edición si éste no tiene una autorización previa como se muestra en la figura 1.7.

La **Vista protegida** es una vista de sólo lectura y no se usa para todos los archivos sino sólo para los que Microsoft considera "escenarios de alto riesgo". Para poder editar este tipo de archivos, el usuario deberá hacer clic en **Habilitar edición**. Si no está seguro de la procedencia del documento, sólo tiene que cerrarlo para evitar problemas en su sistema.

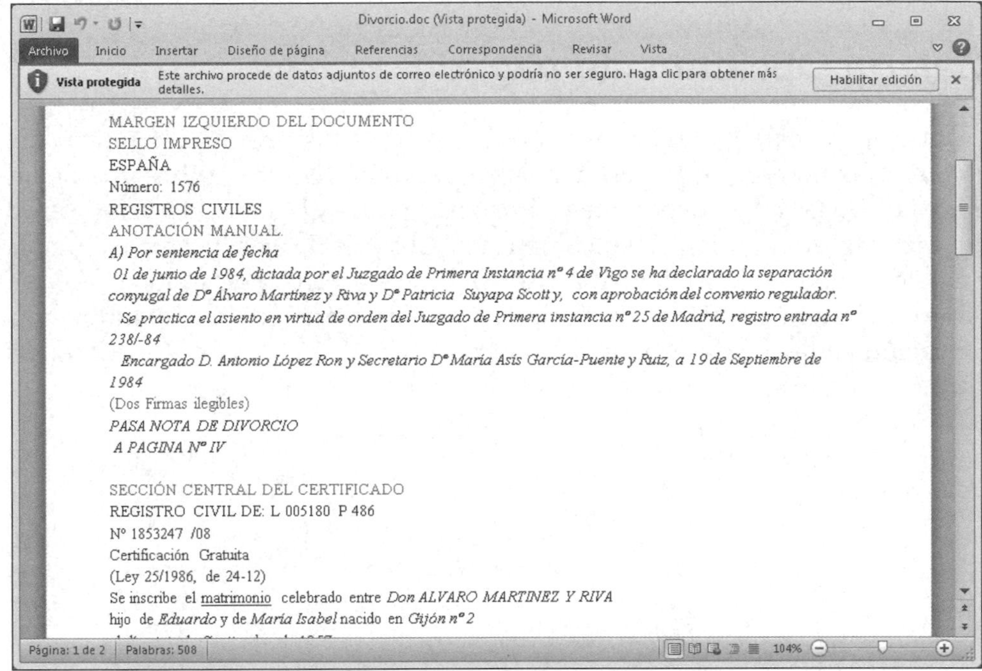

Figura 1.7. Vista protegida en Microsoft Word 2010.

Los mencionados escenarios son los siguientes:

- Archivos descargados de Internet.
- Algunos recursos compartidos de red.
- Datos adjuntos abiertos desde Outlook 2010.
- Archivos abiertos desde ubicaciones no seguras, como carpetas temporales de Internet.
- Archivos bloqueados por la directiva de bloqueo de archivos.
- Errores de validación de documentos de Office.

Aparte de estos escenarios con un riesgo potencial, también podrá abrir un documento en Vista protegida seleccionando esta opción en la lista desplegable del menú Abrir que podrá seleccionar desde Archivo>Abrir.

Nuevas opciones de pegado

Esta nueva edición de Office ofrece una característica muy útil para los usuarios: la posibilidad de ver el resultado de la acción de pegado antes de ejecutarla. Para ello, se ha introducido la galería Opciones de pegado.

Galería Opciones de pegado

La nueva galería Opciones de pegado ofrece vistas previas dinámicas del elemento que desea pegar. Al desplazar el botón del ratón sobre una de las opciones de pegado disponibles, el usuario podrá obtener una vista previa del formato de pegado con su contenido real antes de ejecutar dicha opción. La galería aparece en la cinta de opciones al hacer clic en el menú Pegar, dentro del menú contextual al hacer clic con el botón derecho del ratón en la ubicación en la que desea realizar el pegado y en la opción de Recuperación de pegado que aparece junto al contenido ya pegado en el documento.

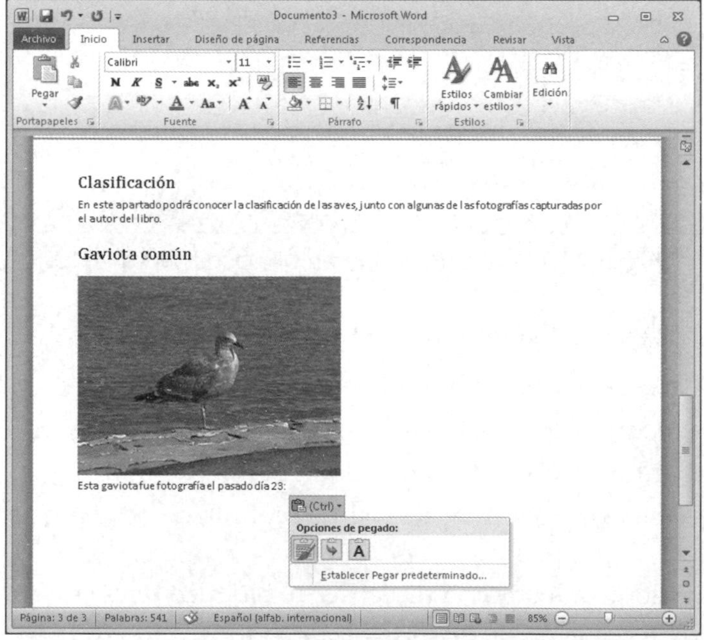

Figura 1.8. Recuperación de pegado en Word con la galería Opciones de pegado.

A lo largo del libro le enseñaremos a utilizar esta galería en las distintas aplicaciones.

Capítulo 2

Características básicas de Office 2010

En este capítulo aprenderá a:

- Iniciar Office y trabajar con documentos nuevos o existentes.
- Conocer los elementos y herramientas comunes a las aplicaciones de Office.
- Utilizar las fichas, grupos, comandos y cuadros de diálogo de Office.
- Recurrir a la ayuda incluida en las distintas aplicaciones.
- Imprimir los documentos generados con Office.
- Organizar y trabajar con archivos y carpetas.

En este capítulo vamos a conocer las características básicas de Office, que son comunes a casi todas las aplicaciones que lo conforman. Ejecutaremos el programa, trabajaremos con documentos, conoceremos las ventanas de las distintas aplicaciones y analizaremos los elementos más importantes que integran la interfaz de usuario.
A continuación, aprenderemos a utilizar la ayuda de Office y a imprimir documentos. Para terminar, repasaremos la organización y gestión de archivos y carpetas.

Iniciar un programa de Office

Microsoft Office 2010 agrupa todas sus aplicaciones dentro de la carpeta **Microsoft Office** a la que puede acceder desde el menú **Iniciar** del escritorio de Windows (véase la figura 2.1).

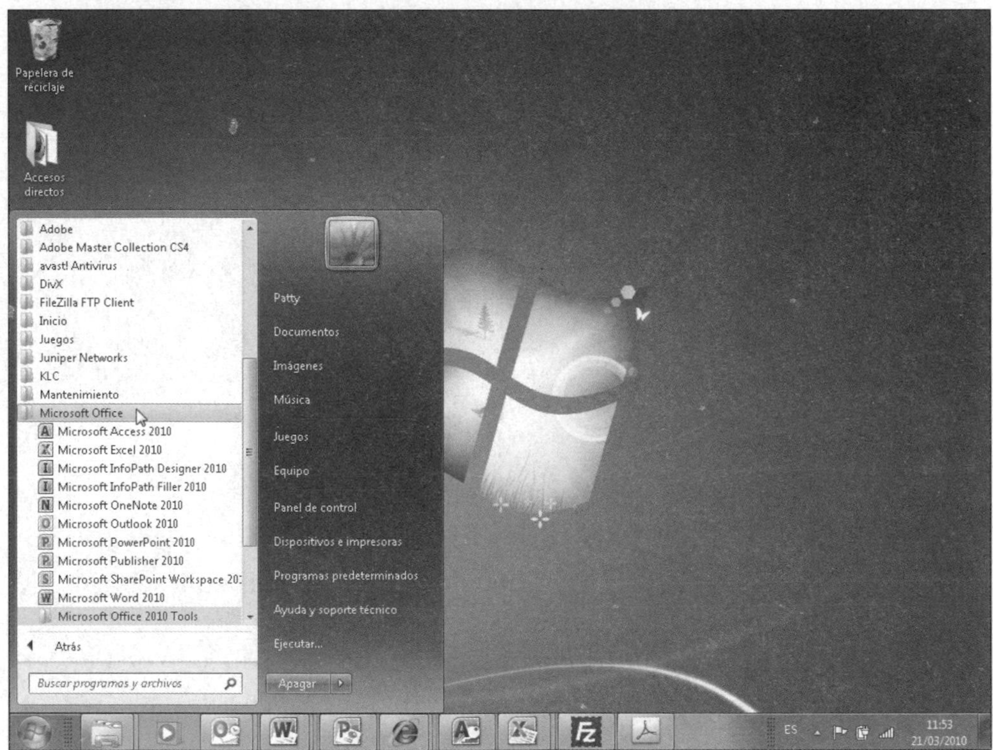

Figura 2.1. Menú Inicio en Windows 7 mostrando las aplicaciones de Microsoft Office 2010.

Advertencia:

Tenga en cuenta que los iconos que se muestran en pantalla no tienen que coincidir exactamente con los de su escritorio ya que el número y disposición de accesos directos de Windows dependen de la configuración personal del usuario.

Microsoft Office es una herramienta muy flexible que permite obtener el mismo resultado a través de diferentes caminos. Por ello, a lo largo del libro, vamos a proponerle algunos de los métodos más usuales para realizar las distintas tareas.

Crear un nuevo documento

Para acceder a la creación de un documento en cualquiera de las aplicaciones de Office tras el inicio de la aplicación se utiliza la ficha Archivo. Esta ficha reemplaza al **Botón de Office** de la versión 2007 del producto y está situada en la esquina superior izquierda de los programas de Office, resaltada en un color similar al del propio esquema de colores de la aplicación. Dentro del menú Archivo, sólo tiene que hacer clic en el botón **Nuevo** para ver las opciones disponibles para la creación de nuevos documentos. Estas opciones varían entre las distintas aplicaciones ya que se ajustan a la propia finalidad de las mismas.

Nota:

Tal como comprobaremos más adelante, Microsoft Outlook no muestra el botón **Nuevo** *en la ficha* Archivo *sino en la ficha* Inicio *correspondiente a cada una de sus opciones.*

El menú del botón **Nuevo** muestra las plantillas desde las que puede crear cualquier documento de Office y varían según el programa en el que esté trabajando, pero en general presentan las características que puede ver en la figura 2.2.

En la sección Plantillas disponibles podrá ver las plantillas de los documentos que puede crear desde la aplicación, incluida la del documento en blanco (ya sea una base de datos de Access, un documento de Word, una presentación de PowerPoint, etc.). También puede utilizar las opciones de la sección Plantillas de Office.com. Seleccione el tipo de documento que desea crear entre las opciones disponibles y haga clic en el botón **Crear** que se encuentra debajo de la vista previa del tipo de documento seleccionado, en la esquina superior derecha de la pantalla.

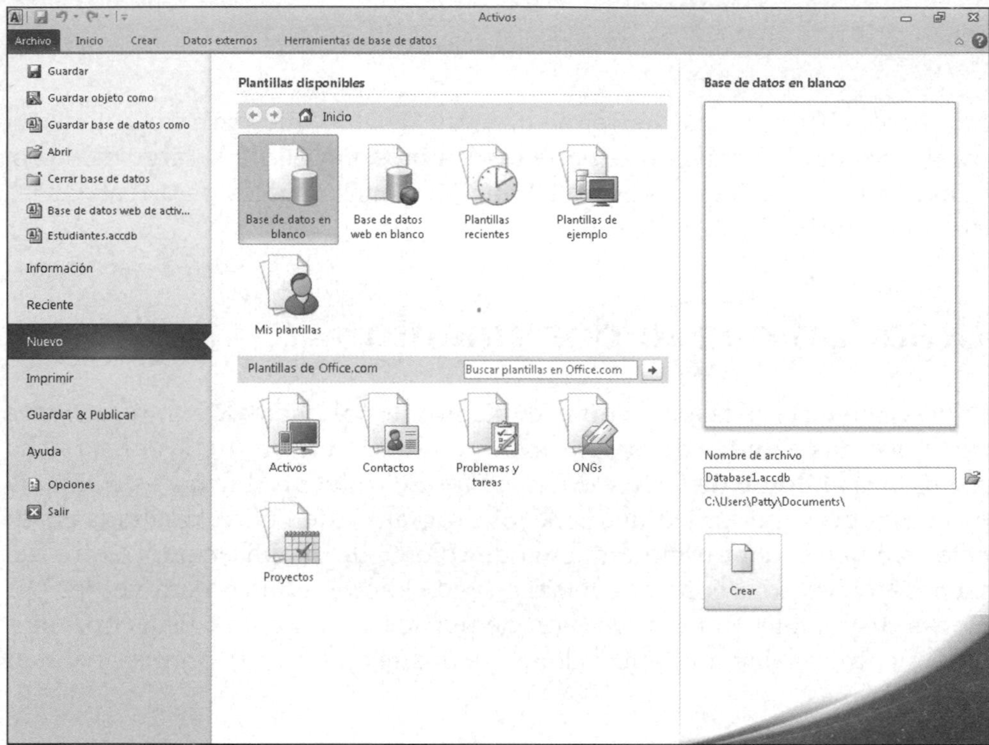

Figura 2.2. Opciones de creación de nuevos documentos en Microsoft Access 2010.

Truco:

Puede utilizar la sugerencia de teclas **Alt-A-N** *para abrir rápidamente la ventana de nuevos documentos desde cualquier ficha de la aplicación.*

Si le resulta más fácil abrir una aplicación desde el escritorio, puede crear un icono de acceso directo para simplemente hacer clic sobre él cuando desee abrir la aplicación. Para ello, siga estos pasos:

1. Sitúese en el escritorio Windows.
2. Seleccione la aplicación que desea que aparezca representada en el escritorio haciendo clic en el botón **Iniciar** de Windows y seleccionando Todos los programas>Microsoft Office.

3. Coloque el cursor sobre el programa deseado y haga clic en el botón derecho del ratón. Aparecerá el menú contextual.
4. Seleccione la opción Enviar a y, posteriormente, Escritorio (crear acceso directo). El icono ya está creado y sólo tendrá que hacer doble clic sobre él para que se ejecute el programa.
5. Si desea cambiar el nombre que aparece bajo el icono, haga clic con el botón derecho del ratón sobre él y seleccione Cambiar nombre del menú contextual. Se activará automáticamente el cuadro de texto del nombre para que escriba el nuevo nombre.

Abrir un documento existente

El usuario puede necesitar utilizar en distintas ocasiones el mismo documento. De ser así, no precisará crearlo sino simplemente abrirlo. Para ello, puede utilizar la opción Documentos del menú **Iniciar** de la barra de tareas de Windows para localizar un documento y abrirlo haciendo doble clic sobre él.
Otra alternativa rápida para abrir documentos es la opción Reciente del menú Archivo (véase la figura 2.3). En este menú se muestra una lista de los archivos en los que ha trabajado el usuario recientemente dentro de la aplicación y para abrirlos sólo tendrá que hacer clic sobre el documento deseado.

Truco:

Si no se encuentra dentro de la ficha Archivo *y desea abrir rápidamente el menú* Reciente, *pulse la sugerencia de teclas* **Alt-A-R**.

Windows 7 guarda los programas utilizados más recientemente dentro de su menú **Iniciar**, en la parte superior izquierda del mismo. Si desea abrir un documento sobre el que acaba de trabajar recientemente, sólo tiene que hacer clic en la flecha desplegable que se encuentra a la derecha del icono de la aplicación correspondiente y hacer doble clic sobre él.

La interfaz de usuario

Las interfaces de usuario de las distintas aplicaciones de Office comparten una serie de características que le permitirán, una vez conocidos los elementos que la componen, usar sin esfuerzo adicional cualquiera de ellas. De hecho, la interfaz gráfica de un usuario de Office es muy similar a la del propio sistema operativo Windows. Las figuras 2.4 y 2.5 presentan, respectivamente, las ventanas que se obtienen al crear un documento nuevo de Word y de Excel.

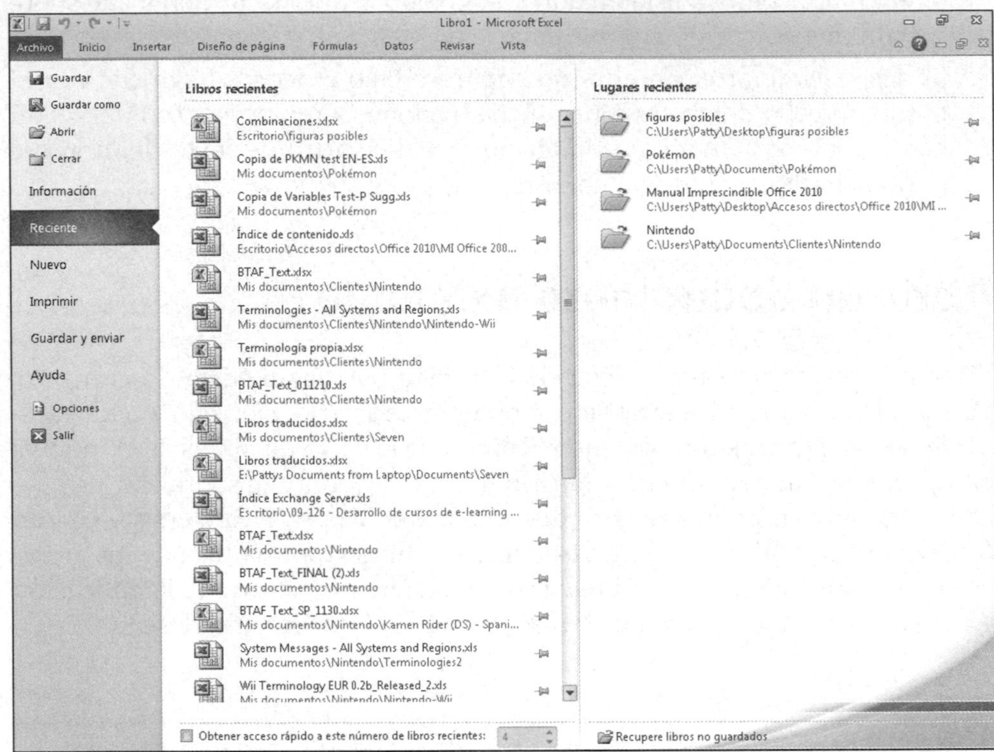

Figura 2.3. Menú Reciente dentro de la ficha Archivo en Microsoft Excel 2010.

Utilizaremos la ventana de Word para enumerar los elementos principales de las interfaces de Word, Excel, PowerPoint, Access y Outlook, comunes a todas las aplicaciones de Microsoft Office 2010.

- La barra de título que aparece en la parte superior de la ventana, es una banda de color gris que contiene el nombre del documento y de la aplicación concreta que se esté ejecutando, en este caso, Microsoft Word. También se observa en ella el nombre del archivo que está en uso, si es que lo tiene. En caso de que no tenga aún asignado el nombre, la aplicación propondrá uno por defecto que dependerá de cada una de ellas: Documento1 en Word, Presentacion1 en PowerPoint, Publicacion1 en Publisher, etc.

  Además de facilitarnos esta información, la barra de título puede utilizarse para mover la ventana en la que aparece el documento. En ese caso, haremos clic en dicha barra y, sin soltar el botón izquierdo del ratón, desplazaremos la ventana a la posición deseada. Tenga en cuenta que si la ventana está maximizada, se minimizará para poderla arrastrar.

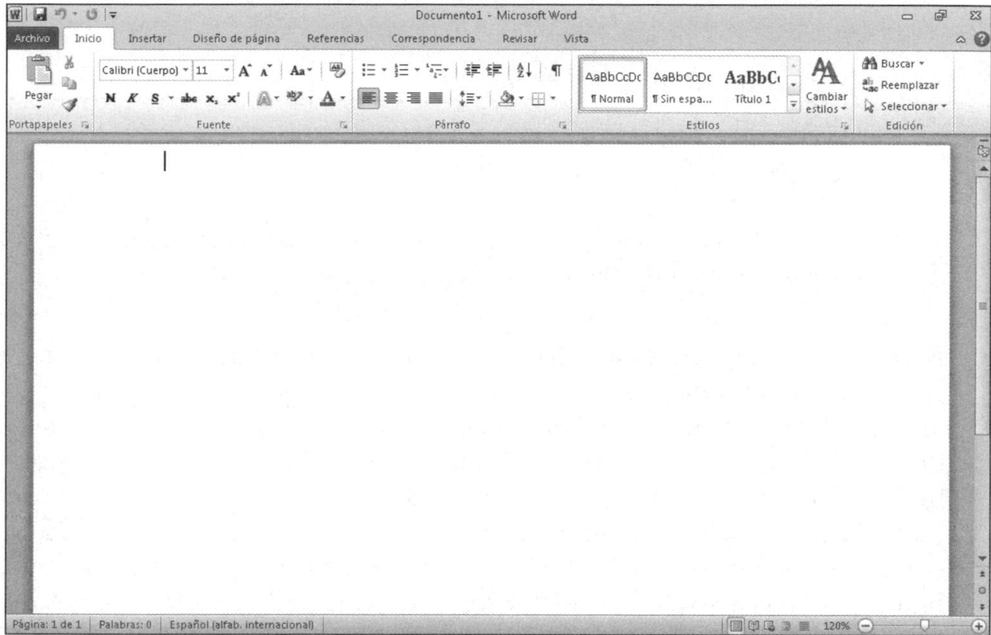

Figura 2.4. Ventana de Word al iniciar el programa.

Truco:

Para maximizar o minimizar rápidamente el tamaño de una ventana de aplicación, puede hacer doble clic sobre su barra de título.

- La **Barra de herramientas de acceso rápido** ofrece la posibilidad de incluir algunos comandos de uso más frecuente para acceder a ellos rápidamente. Para personalizar dicha barra, sólo tiene que hacer clic en su flecha desplegable y seleccionar el comando o la opción deseada.
- Los botones **Minimizar**, **Minimizar tamaño/Maximizar** y **Cerrar** se encuentran en la parte derecha de la barra de título.

  El botón **Minimizar** es el primero de los tres que encontrará, de izquierda a derecha, y le permite dejar en segundo plano la ventana de la aplicación con la que está trabajando. Al hacer clic sobre él, la ventana desaparece y su testigo queda en forma de botón de aplicación que contiene la información presente en la barra de título en la barra de tareas de Windows. Cuando desee volver a usar el documento, sólo debe hacer clic en dicho botón y seleccionar el documento deseado para que la ventana reaparezca en el mismo estado en el que se encontraba cuando la minimizó.

Advertencia:

Tenga presente que el hecho de minimizar no significa que el archivo deje de utilizar recursos del sistema, especialmente, memoria. Observará que si minimiza muchos documentos puede que su ordenador funcione más lentamente. En su mano está decidir si prefiere cerrar los documentos que no vaya a utilizar inmediatamente.

- El botón **Minimizar tamaño/Maximizar** es el botón que se encuentra en el centro y es el único de los tres que cambia de apariencia cada vez que se hace clic sobre él. **Maximizar** (▫) hace que la ventana que contiene el documento activo en ese momento ocupe la totalidad de la pantalla disponible en la aplicación que se está empleando. De esta forma, trabajará con mayor comodidad y aprovechará todo el espacio de visión que le ofrece el monitor. **Minimizar tamaño** (⧉) se ejecuta haciendo clic en el mismo botón y le permite que la ventana recupere el tamaño que tenía antes de maximizarla.

  El botón **Cerrar** es el que aparece en último lugar, en forma de cruz, y le permite cerrar y salir de la aplicación. En otro apartado de este capítulo veremos otras posibles formas de cerrar archivos.

Truco:

Puede cerrar la aplicación haciendo clic con el botón derecho del ratón en el icono de la misma que aparece en la parte izquierda de la barra de título y seleccionando Cerrar *del menú contextual. También puede restaurar el tamaño de la ventana haciendo clic con el botón derecho del ratón sobre cualquier parte de la barra de título para abrir el menú de control de la ventana de la aplicación con el que también podrá ejecutar diferentes acciones, como restaurar, mover, determinar el tamaño, minimizar y maximizar y cerrar la ventana.*

- La cinta de opciones le ayuda a encontrar fácilmente los comandos necesarios para ejecutar una tarea. Los comandos se organizan en grupos, que a su vez se reúnen en fichas. Cada ficha se relaciona con un tipo de actividad (como escribir o diseñar una página). Algunas fichas sólo se abren cuando es necesario. Por ejemplo, Herramientas de imagen sólo se abre al seleccionar una imagen. El uso de estas fichas y grupos merece un apartado propio que podrá consultar más adelante en el libro.

Truco:

Para minimizar la cinta de opciones haga clic en el botón **Minimiza la cinta de opciones** *(), que se encuentra en la esquina superior derecha de la cinta de opciones, junto al botón de* **Ayuda** *(), o pulse las teclas* **Control-F1**. *Para expandir la cinta, haga clic en el botón* **Expandir la cinta** *(), o pulse de nuevo* **Control-F1**.

- La ficha Archivo, tal como hemos indicado anteriormente y explicado en otro capítulo del libro, es la que se encuentra en la esquina superior izquierda, con un color distinto al de las demás. Al hacer clic en dicha ficha, verá los comandos básicos disponibles para abrir, guardar, enviar e imprimir el archivo.
- El botón **Ayuda de Microsoft [Nombre de la aplicación]** está en el extremo superior derecho de la cinta de opciones, debajo de los botones **Minimizar**, **Minimizar tamaño/Maximizar** y **Cerrar**. Es una forma rápida de consulta a la ayuda.

Truco:

Para obtener ayuda rápidamente, pulse la tecla **F1**.

- El área de trabajo es la parte central de la ventana en la que el usuario puede introducir, dar formato y operar con los datos de su interés. En la figura 2.4 se observa un gran espacio en blanco que es la superficie que se corresponde con el área de escritura. En dicha área de escritura aparece siempre una barra parpadeante que se denomina punto de inserción. En otras aplicaciones, el aspecto del área de trabajo varía según sea su naturaleza. Así, Excel, como muestra la figura 2.5, se caracteriza por una cuadrícula de celdas; PowerPoint, por una diapositiva en blanco, etc.
- Las barras de desplazamiento se encuentran a la derecha (barra de desplazamiento vertical) y debajo (barra de desplazamiento horizontal) del

área de trabajo del documento y permiten el desplazamiento vertical y horizontal por el documento.

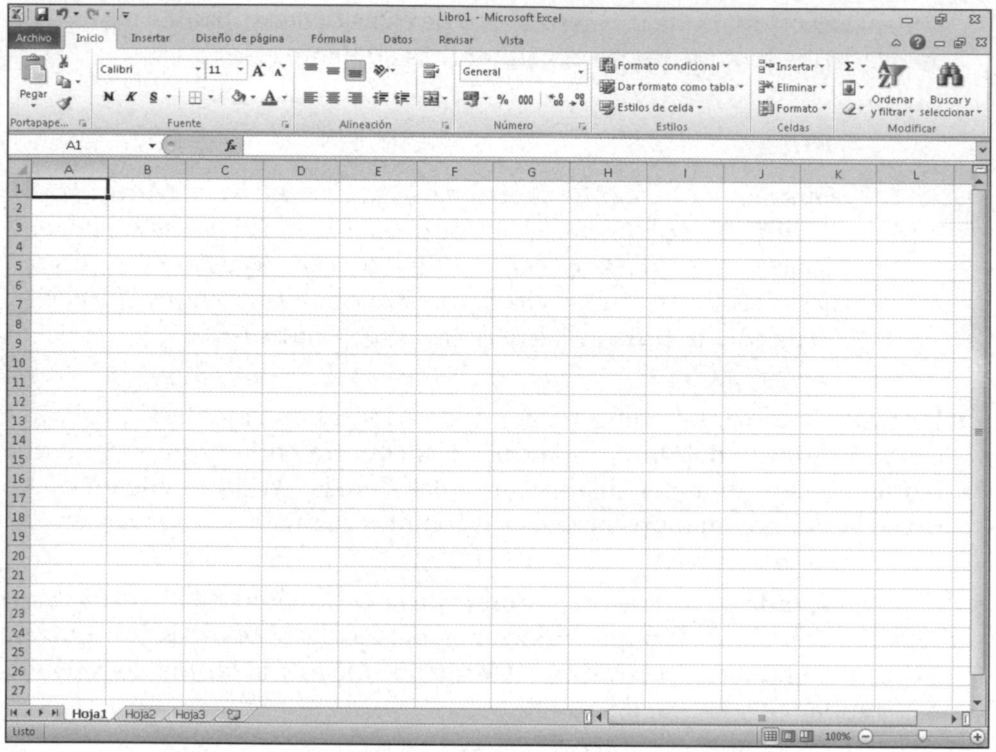

Figura 2.5. Ventana de Excel al iniciar el programa.

- La barra de estado se sitúa en la parte inferior de la ventana de la aplicación y aporta información acerca de su estado como, por ejemplo, el número total de páginas, el número total de palabras, la página que se visualiza en ese momento, el idioma seleccionado, etc. Asimismo, en esta barra, a la derecha, se encuentran los distintos botones de vistas y la barra de Zoom.

Trabajar con distintas ventanas y aplicaciones

En la figura 2.5 puede ver que la ventana de aplicación de Excel contiene las tres hojas de cálculo con las que se abre de forma predeterminada un libro de Excel. Cada una de ellas es una ventana de documento y la que está activa es la denominada Hoja1.

En las aplicaciones Office puede mantener varias ventanas de documento abiertas al mismo tiempo. Para pasar de una a otra, algunas de las aplicaciones proporcionan la ficha Vista, que muestra la relación de documentos abiertos en la aplicación en uso dentro del comando **Cambiar ventanas** del grupo Ventana. Sólo tiene que seleccionar el nombre del archivo que desea visualizar en ese momento (véase la figura 2.6).

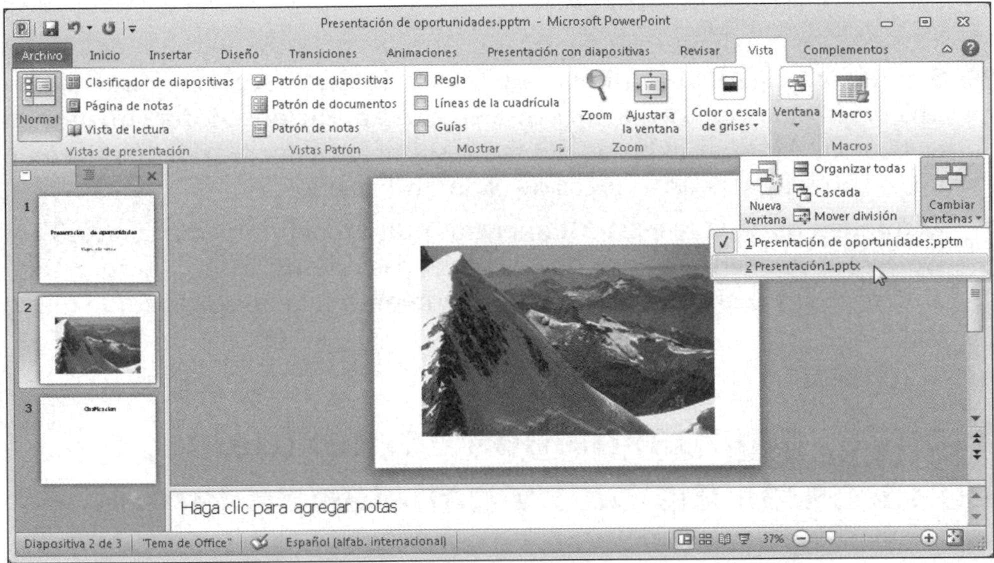

Figura 2.6. Comando Cambiar ventanas en PowerPoint.

Si lo que quiere es ver todas las ventanas abiertas al mismo tiempo, puede hacer clic en **Organizar todo** e, incluso, ordenarlas en cascada.

Además de trabajar con archivos generados por el mismo programa, también es posible hacerlo con distintas ventanas de aplicación simultáneamente, lo que le permite utilizar distintos tipos de documentos sin tener que cerrar unos para abrir otros. Para ello podrá utilizar diversos métodos.

- En la parte inferior de la pantalla encontrará una barra de la que le hemos hablado anteriormente, la barra de tareas de Windows. En ella se ubican entre otros, el botón del menú **Iniciar** y los botones de las aplicaciones que se están ejecutando en cada momento.

  El botón que aparece resaltado es el de la aplicación que se encuentra en primer plano y está en uso. Aunque no es una barra de Office, podrá utilizarla para devolver al primer plano, alguna de las aplicaciones minimizadas previamente.

Truco:

Puede configurar la barra de manera que se mantenga siempre visible o que se oculte automáticamente. Para ello, haga clic con el botón derecho del ratón sobre la barra de tareas y seleccione Propiedades. *En la ficha* Barra de tareas, *seleccione* Bloquear la barra de tareas *u* Ocultar automáticamente la barra de tareas, *respectivamente, y haga clic en* **Aceptar**.

- Si pulsa la tecla **Alt** y a continuación la tecla **Tab**, aparecerá en primer plano un cuadro con todos los iconos de todas las aplicaciones y documentos en ejecución. Al situar el botón del ratón sobre los iconos, verá una línea de texto con los datos específicos de cada uno de ellos.

  Mantenga pulsada la tecla **Alt** mientras pulsa repetidamente la tecla **Tab**. De esta forma, el recuadro de selección pasa de un icono a otro. Suelte ambas teclas cuando seleccione el documento o la aplicación que desee utilizar.

Fichas, grupos, menús contextuales, cuadros de diálogo y paneles de tareas

Como ha podido comprobar, las aplicaciones de Office están compuestas por fichas, grupos y, además, por menús contextuales, cuadros de diálogo y paneles de tareas. En este apartado conocerá la diferencia entre estas opciones y cómo usarlas.

Uso de las fichas y los grupos en Office

Las fichas son elementos determinantes en las aplicaciones de Microsoft Office. De hecho, la gran mayoría de comandos se encuentran dentro de las fichas, agrupados dentro de sus correspondientes grupos. Para seleccionar una ficha y ver su contenido, sólo tiene que hacer clic en su nombre.

Observará que al abrir una ficha, algunos grupos se contraen (es decir, no se ven todas las opciones que contiene). Cuando ocurre esto verá una flecha desplegable. Si hace clic sobre ella, se desplegará completamente el contenido de la ficha y podrá ver entonces todas sus opciones.

Casi todas las acciones de Office pueden realizarse con sugerencias de teclas. Ésta no es un excepción, por lo que, si lo desea, podrá abrir y utilizar los comandos de las fichas sin necesidad de utilizar el ratón, simplemente pulsando la tecla **Alt** y posteriormente la tecla correspondiente a la opción deseada.

No es necesario que memorice las sugerencias de teclas para ejecutar una acción ya que aparecerán sus teclas inmediatamente tras pulsar **Alt**. Por ejemplo, para insertar una imagen en PowerPoint, pulse la tecla **Alt**. Verá que aparecen las teclas de las fichas correspondientes en la cinta de opciones. En este ejemplo, deberá pulsar **B** para abrir las opciones de la ficha Insertar y posteriormente la tecla **G** para abrir el cuadro de diálogo Insertar imagen, desde donde podrá localizar y seleccionar una nueva imagen para su inserción en la presentación (véase la figura 2.7).

Figura 2.7. Sugerencias de teclas en PowerPoint.

Truco:

Para cerrar la presentación de las sugerencias de tecla, vuelva a pulsar la tecla **Alt**.

Advertencia:

En el menú Archivo*, al hacer clic en* **Alt***, sólo podrá ver las teclas correspondientes a las opciones del menú. Para poder ver las sugerencias de teclas de todas las fichas, deberá seleccionar una ficha distinta a* Archivo*, antes de pulsar la tecla* **Alt**.

Menús contextuales

Además de las fichas que presentan grupos de comandos, las distintas aplicaciones Office presentan un menú denominado menú contextual. Se trata de un método rápido de acceso a los comandos y se abre al hacer clic con el botón derecho del ratón.

Tenga en cuenta que su nombre, contextual, se debe a que el contenido del menú depende del elemento desde el cual se invoca. Es decir, no aparecerán los mismos comandos en un menú contextual llamado desde una tabla Excel que el que aparece en una diapositiva de PowerPoint.

Cuadros de diálogo

Ya hemos visto cómo se pueden ejecutar comandos directamente tras ser seleccionados, pero en ocasiones, cuando Office ejecuta un comando puede ser necesario facilitarle al programa más información sobre la operación que se desea ejecutar. En esos casos, el nombre del comando aparece en un menú desplegable seguido de puntos suspensivos, indicando así que, tras su selección, se abrirá un cuadro de diálogo. Asimismo, los grupos que presentan el icono **Iniciador de cuadro de diálogo** ( ), abren un cuadro de diálogo al hacer clic sobre dicho icono.

En los distintos cuadros de diálogo de Office, podrá especificar todas las opciones que desea que se cumplan en la ejecución del comando al que hacen referencia.

Para ejemplificar los cuadros de diálogo vamos a usar dos de los más utilizados en Word. El comando Buscar y reemplazar del grupo Edición dentro de la ficha Inicio, que busca el texto que deseamos localizar en el documento con el que trabajamos y lo reemplaza por el texto que escribamos (véase la figura 2.8) y el comando Fuente del grupo Fuente dentro de la ficha Inicio, que nos permite retocar la apariencia del documento en el que estamos trabajando y que puede abrir haciendo clic en el **Iniciador de cuadro de diálogo** del grupo

Fuente (véase la figura 2.9). Con estas dos imágenes, repasaremos los elementos más significativos de los cuadros de diálogo.

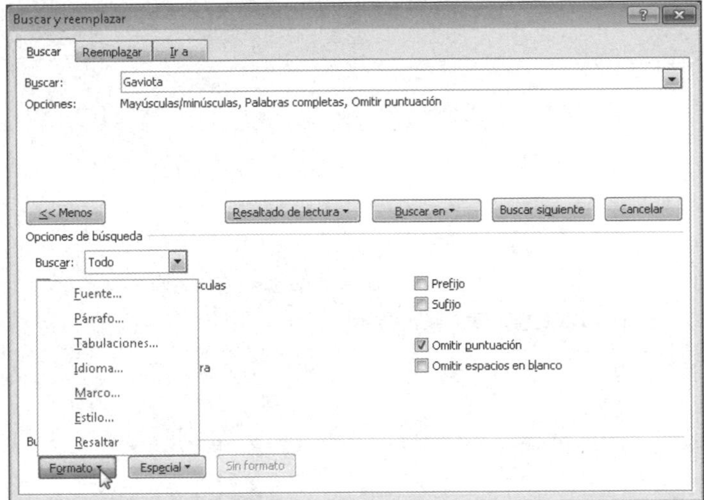

Figura 2.8. Cuadro de diálogo Buscar y reemplazar de Word.

Nota:

Para abrir el cuadro de diálogo Buscar y reemplazar *en Word seleccione la opción* Búsqueda avanzada *del grupo* Edición *dentro de la ficha* Inicio. *En esta edición de Microsoft Office, tal como comprobaremos más adelante en el libro, si utiliza el antiguo método abreviado de teclas* **Control-B** *en Word se abrirá en su lugar un nuevo panel de tareas,* Navegación, *en la parte izquierda de la pantalla, desde el que puede realizar su búsqueda. Un método alternativo es utilizar el método abreviado de teclas* **Control-L** *que abre el cuadro de diálogo* Buscar y reemplazar *en la ficha* Reemplazar. *Posteriormente sólo tendrá que hacer clic en la ficha* Buscar *para realizar su búsqueda.*

Tenga en cuenta que los cuadros de diálogo pueden contener tantas opciones que necesiten cuadros de diálogo adicionales para ofrecérselas todas. En esas ocasiones, observará iconos que le resultarán familiares, como por ejemplo, el botón **Más** del cuadro Buscar y reemplazar tiene una doble flecha hacia abajo que le indica que el cuadro contiene más posibilidades de las que se presentan en un primer momento. Si hace clic en el botón, el cuadro se expande por completo y le indica que puede comprimirlo cambiando la apariencia de dicho botón, que pasa a denominarse **Menos** y muestra una doble flecha, en esta ocasión, hacia arriba. Por otra parte, las opciones Color de fuente y Color de subrayado de la ficha Fuente del cuadro de diálogo del mismo nombre incluyen los puntos suspensivos de los que hemos hablado anteriormente (véase la figura 2.9).

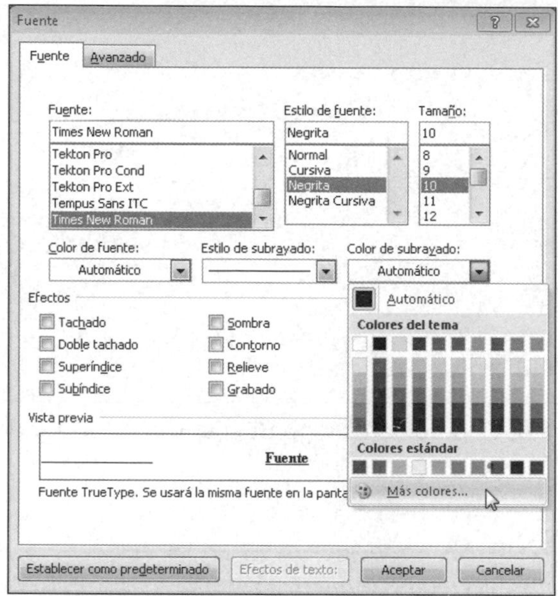

Figura 2.9. Cuadro de diálogo Fuente de Word.

Vamos a comenzar el repaso de los elementos que constituyen un cuadro de diálogo.

- **Cuadro de texto:** Se emplea para escribir texto directamente con ayuda del teclado. En la figura 2.8 escribiremos el texto que deseamos buscar en el documento activo dentro del cuadro de texto Buscar.
- **Cuadro de lista:** Contiene multitud de elementos entre los que se puede seleccionar uno haciendo clic sobre él. En el caso de que sea desplegable, habrá que hacer clic en la flecha hacia abajo que aparece a su derecha para elegir la opción deseada. En la figura 2.8 puede observar que existe una flecha desplegable en el cuadro de lista de la opción Buscar. En la figura 2.9 puede ver el cuadro de lista de las opciones Color de fuente, Estilo de subrayado y Color de subrayado.

  Dependiendo del cuadro de lista, podrá escribir en él como si se tratara de un cuadro de texto o únicamente seleccionar un elemento de la lista sin poder escribir nada. Hay algunos que le ofrecerán, incluso, una paleta desplegable expandida.

- **Casillas de verificación y botones de opción:** Ambos se emplean para activar y desactivar opciones de los cuadros de diálogo haciendo clic sobre ellos con el ratón. Las casillas de verificación, también denominadas cuadros de comprobación, son cuadradas y cuando están activadas tienen una marca de selección en su interior. En la figura 2.8 aparecen varias casillas de verificación activadas. Los botones de opción son redondos y cuando se activan, presentan un punto negro en su interior.

  La diferencia fundamental entre estos tipos de elementos es que, mientras puede seleccionar varias casillas de verificación al mismo tiempo, los botones de opción son excluyentes, es decir, si selecciona una opción, no puede seleccionar ninguna otra de las que se le presentan en el mismo formato.

- **Botón desplegable:** Actúa como un menú desplegable y al pulsar sobre él aparecen las opciones que se pueden seleccionar. Estos botones suelen presentar una o varias flechas a la derecha de su nombre.

  En la figura 2.8 se muestran varios ejemplos y uno de ellos, el botón **Formato**, presenta expandido su contenido.

- **Botón de comando:** Al pulsar sobre él la aplicación ejecuta alguna acción asociada al comando que representa el botón. Estos botones son por excelencia, **Aceptar** y **Cancelar**. Ambos se emplean para cerrar el cuadro de diálogo, pero mientras el primero implica que se apliquen las órdenes dadas a través del cuadro de diálogo, el segundo ignorará las especificaciones introducidas en él.

- **Fichas o pestañas:** Forman parte del mismo cuadro de diálogo a semejanza de un fichero manual, en el que es visible la primera y del resto sólo conocemos el título. Para activar cada una de ellas puede hacer clic en la pestaña que aparece en la parte superior del cuadro de diálogo. En la figura 2.9 encontramos dos fichas, Fuente y Avanzado.

- **El botón de ayuda:** Es el icono en forma de interrogación de cierre que aparece a la izquierda del botón **Cerrar** en el extremo superior derecho del cuadro de diálogo. Al hacer clic sobre él, accederemos a la ayuda relativa a dicho cuadro.

Para utilizar un cuadro de diálogo, debe rellenar todos aquellos elementos que sean precisos, verificar que las opciones elegidas sean las correctas y hacer clic en el botón de comando **Aceptar** para que la aplicación realice las acciones pertinentes.

Paneles de tareas

Los paneles de tareas aparecen de forma automática cada vez que se hace clic en un comando que activa un panel de tareas, como por ejemplo, al hacer clic en el **Iniciador de cuadro de diálogo** del grupo Portapapeles en la ficha Inicio, al hacer clic en el comando Referencia del grupo Revisión en la ficha Revisar o al hacer clic en el comando **Buscar** de la ficha Inicio (véase la figura 2.10) de Microsoft Word que abre el panel de tareas Navegación.

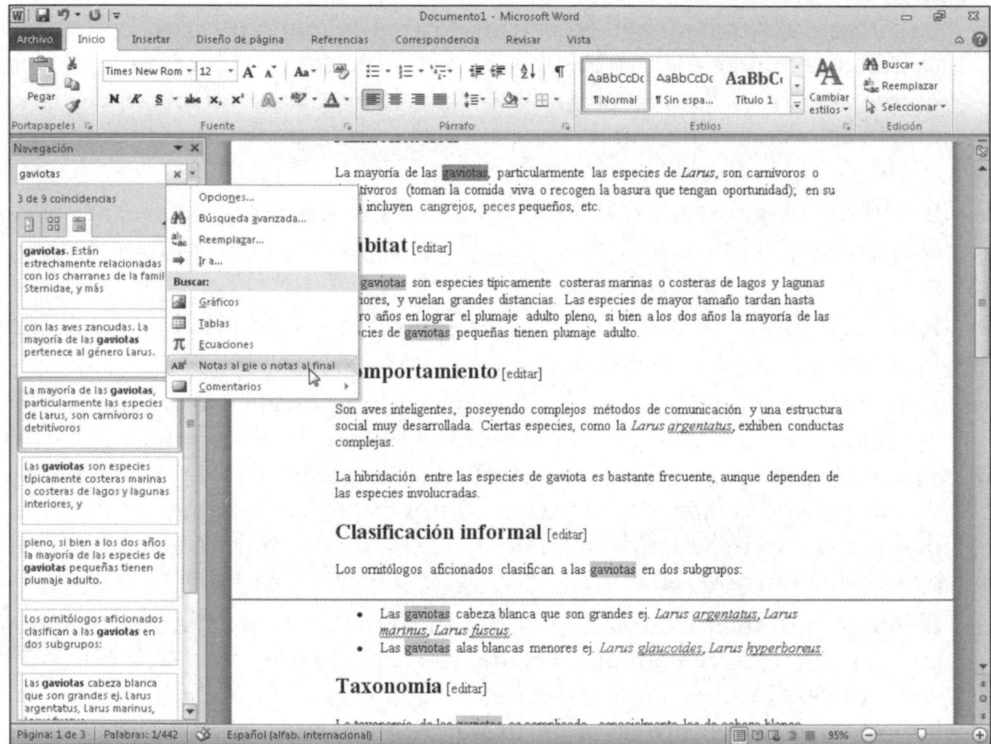

Figura 2.10. Nuevo panel de tareas Navegación en Word.

Nota:

El panel de tareas Navegación *es específico de Word. En el resto de aplicaciones de Microsoft Office, al hacer clic en el comando* **Buscar**, *se abrirá el cuadro de diálogo* Buscar y reemplazar.

Estos paneles agrupan las tareas más habituales con el objeto de agilizar el trabajo. Con objeto de facilitar el uso del programa se han seleccionado para cada aplicación los paneles que contienen los comandos utilizados con más frecuencia. Estos paneles se pueden incrustar a la derecha o a la izquierda del área de trabajo.

Los elementos que incluyen son los siguientes:

- **Barra de título:** Aparece en su parte superior y ofrece una flecha desplegable a su derecha que permite seleccionar las opciones de Mover, Tamaño y Cerrar. En el extremo derecho de la barra de título se encuentra el botón **Cerrar** con el que puede ocultar el panel.
- **Barra de iconos:** Algunos paneles permiten navegar a través de los paneles visitados por el usuario como si se tratara de páginas Web. De hecho, la apariencia es la de un navegador que nos ofrece las opciones de ir hacia adelante o hacia atrás en las búsquedas realizadas. Otros paneles ofrecen distintos iconos para realizar tareas específicas.
- **Cuadros de texto y de listas desplegables:** Diversos cuadros de texto y listas desplegables ofrecen la posibilidad de efectuar búsquedas y efectuar selecciones.
- **Vínculos:** Los vínculos a otros sitios se encuentran en la parte inferior del panel, como los mostrados en la figura 2.11.

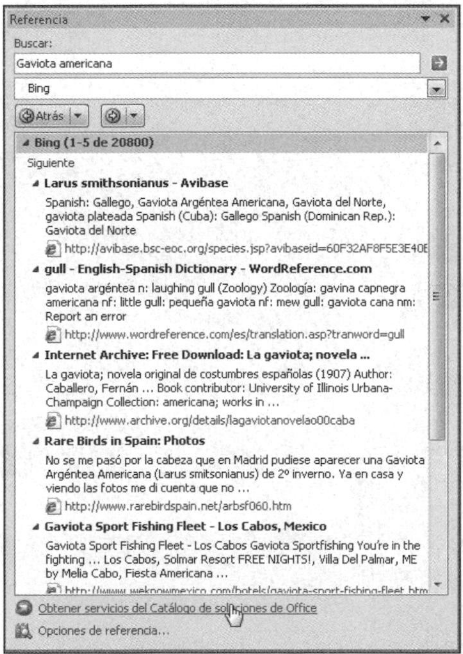

Figura 2.11. Panel de tareas Referencia en Word.

Truco:

Para desacoplar un panel de tareas y poderlo mover, sólo tiene que arrastrarlo desde su barra de título hacia el interior de la pantalla. Para volver a acoplar el panel en su ubicación predeterminada, haga doble clic sobre su barra de título.

Portapapeles

Al trabajar con datos es habitual tener que usarlos en distintas ocasiones. Por ello, quizá necesite copiar y almacenar determinada información de manera que pueda recuperarla en el momento en que le sea necesaria.

El Portapapeles de Office le permite guardar hasta 24 elementos y en este panel los visualizará de modo que haciendo clic con el ratón sobre el que desee pegar la acción se ejecutará de manera automática donde se encuentre el punto de inserción. Para abrir este panel, haga clic en el **Iniciador de cuadro de diálogo** del grupo Portapapeles dentro de la ficha Inicio. El panel Portapapeles se abrirá a la izquierda del área de trabajo (véase la figura 2.12).

Figura 2.12. Portapapeles de Office en PowerPoint.

El panel presenta debajo de su título dos botones que le permitirán pegar o eliminar todo su contenido. Si sólo desea eliminar uno de los elementos almacenados, coloque el ratón sobre él y visualizará una flecha hacia abajo, a la derecha del contenido, que le dará a elegir entre pegarlo en el texto o eliminarlo definitivamente.

Barra de herramientas, regla y barra de estado

Las barras de herramientas de las aplicaciones de Office anteriores a la versión 2007 han sido sustituidas por las fichas y grupos de la cinta de opciones, aunque sí presenta un par de barras de herramientas para facilitarnos la tarea: la barra de herramientas de acceso rápido y la minibarra de herramientas.

Barra de herramientas de acceso rápido y minibarra de herramientas

La barra de herramientas de acceso rápido se encuentra en la esquina superior izquierda y, de forma predeterminada, nos ofrece las opciones correspondientes a guardar el documento, deshacer acciones y rehacer acciones. Esta barra de herramientas se puede personalizar para incluir los comandos utilizados con más frecuencia y así tenerlos al alcance de su mano.

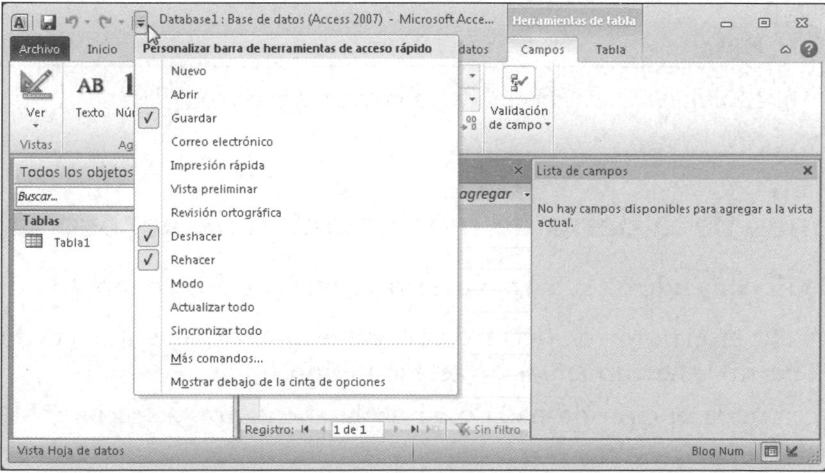

Figura 2.13. Menú para personalizar la barra de herramientas de acceso rápido en Access.

Dentro del área de trabajo de Word, al seleccionar texto, se puede mostrar u ocultar una barra de herramientas cómoda, pequeña y semitransparente, denominada minibarra de herramientas. Esta minibarra de herramientas facilita el trabajo con fuentes, estilos de fuente, tamaño de fuente, alineación, color de texto, niveles de sangría y viñetas (véase la figura 2.14).

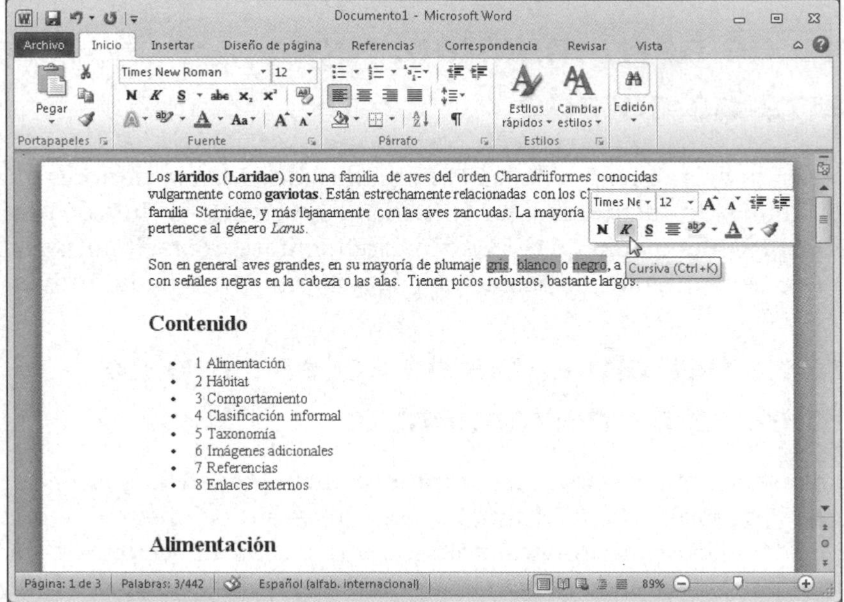

Figura 2.14. Minibarra de herramientas en Word.

Nota:

La minibarra de herramientas no se puede personalizar.

Opciones de la barra de herramientas de acceso rápido

Para añadir comandos a la barra de herramientas de acceso rápido:

1. Haga clic en el botón de flecha desplegable que se encuentra a la derecha de la barra de herramientas de acceso rápido.
2. Seleccione la opción deseada o, si no la encuentra, seleccione Más comandos.
3. Se abre el cuadro de diálogo Opciones de Word con la ficha Barra de herramientas de acceso rápido abierta.

4. Seleccione Todos los comandos en la lista desplegable de Comandos disponibles en.
5. Busque el comando que desee agregar a la barra de herramientas de acceso rápido y haga clic en **Agregar**.
6. Tras seleccionar y agregar los comandos deseados, haga clic en **Aceptar** para cerrar el cuadro de diálogo.

Para eliminar un comando agregado, haga clic con el botón derecho del ratón en el comando que desea eliminar y seleccione Eliminar de la barra de herramientas de acceso rápido del menú contextual.
Para mostrar la barra de herramientas de acceso rápido debajo de la cinta de opciones, seleccione Mostrar debajo de la cinta de opciones del menú de flecha desplegable de la barra de herramientas.

Regla

Algunas aplicaciones Office pueden mostrar una regla horizontal, que se sitúa a lo largo de la parte superior de la ventana del documento, entre la cinta de opciones y el texto del documento con el que trabaja. La regla le permite, entre otras cosas, establecer o mover tabulaciones, aplicar distintos tipos de sangrías al texto seleccionado y modificar el ancho de las columnas.
Al desplazarse por el documento, la regla refleja automáticamente las características del párrafo en el que se encuentra el punto de inserción en cada momento, permitiendo al usuario modificar tales especificaciones.

Truco:

Para mostrar u ocultar rápidamente la regla en Word, haga clic en el icono **Regla** *( ) que se encuentra encima de la barra de desplazamiento vertical.*

Los elementos que forman parte de la regla son, de izquierda a derecha:

- Un botón que, al hacer clic sucesivamente sobre él, adopta la apariencia de: tabulación izquierda, centrar tabulación, tabulación derecha, tabulación decimal, barra de tabulaciones, sangría de primera línea y sangría francesa.
- Los márgenes izquierdo y derecho.
- La representación de las sangrías y tabulaciones.

Para abrir o cerrar dicha regla:

1. Seleccione la ficha **Vista**.
2. Seleccione o anule la selección de la casilla **Regla** dentro del grupo **Mostrar** (véase la figura 2.15).

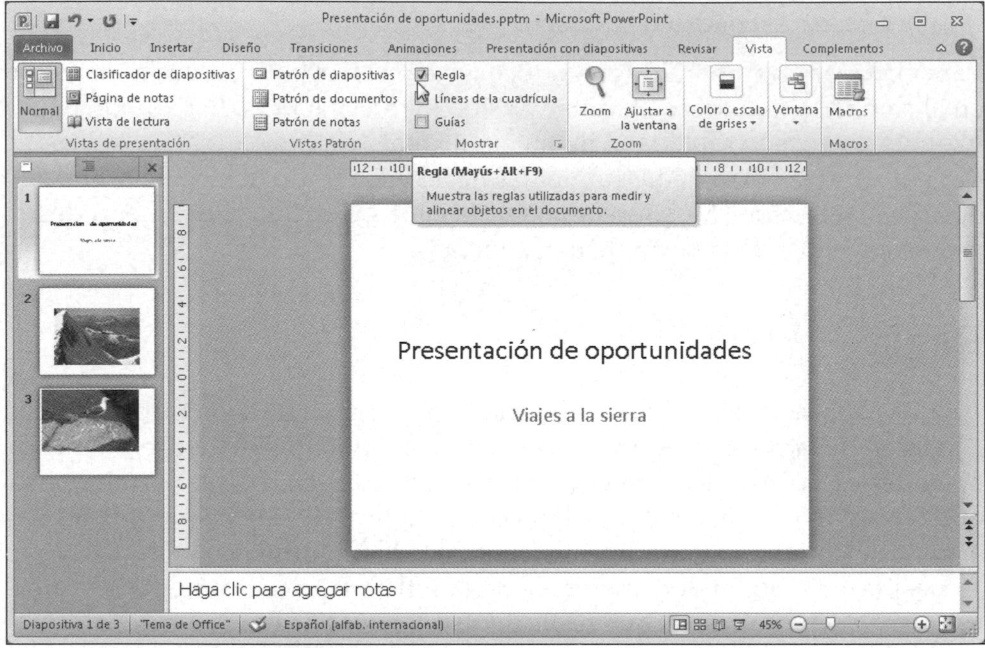

Figura 2.15. Presentación de la regla en PowerPoint.

Barra de estado

La barra de estado contiene información acerca del documento activo en la pantalla en cada momento. Destacamos algunas de los datos más interesantes:

- Número de página actual y su relación con el número total de páginas del documento.
- Número de palabras del documento.
- Idioma predeterminado por el usuario.
- Estado de la ortografía y gramática.
- Accesos directos a las vistas.
- Botones de Zoom (**Alejar** y **Acercar**).
- Control deslizante del Zoom.

Para personalizar esta barra de estado, haga clic con el botón derecho del ratón sobre ella y seleccione las opciones deseadas.

Indicadores y botones en el área de trabajo

Durante la creación o edición de documentos, podrá reconocer algunos identificadores que le permiten al usuario ejecutar diversas acciones sin necesidad de abrir otros programas o grupos de fichas. Estos iconos se muestran automáticamente mientras se trabaja en las aplicaciones Office, aunque sólo algunas acciones las llevan asociadas. Es muy interesante que ofrezcan opciones que sólo son accesibles mediante estos botones. En la tabla 2.1 se recoge una lista de algunos de los botones o iconos que se puede encontrar en una aplicación de Office. Al hacer clic en la flecha desplegable de algunos de los botones, encontrará opciones adicionales a la acción que acaba de realizar.

Tabla 2.1. Indicadores y botones en el área de trabajo.

Icono y nombre	Acción
(Ctrl) **Opciones de pegado**	Ofrece opciones para el elemento pegado y aparece tras pegar un elemento en el área de trabajo de las principales aplicaciones de Office.
Opciones de Autocorrección, Autoformato y Ajuste	Ofrece las opciones de Autocorrección, Autoformato y Autoajuste y aparece tras efectuarse una de dichas acciones en el área de trabajo de las principales aplicaciones de Office.
Opciones de autorrelleno	Ofrece distintas opciones que puede utilizar tras utilizar la opción Autorrelleno en Excel.
Opciones de comprobación de errores	Ofrece distintas opciones que puede utilizar tras comprobar un error en un cálculo numérico realizado en Excel.
Opciones de tabla	Este botón indica que el texto que le sigue es una tabla. Al hacer doble clic sobre él, se abrirá la ficha Herramientas de tabla. Si hace clic sobre él con el botón derecho del ratón, podrá seleccionar otras opciones para la tabla.

Ayuda

Cada una de las aplicaciones que integran Office 2010 dispone de su correspondiente ayuda, que se utiliza en todas de la misma forma y tiene una apariencia muy similar. En los ejemplos que aparecen a continuación hemos empleado la ayuda de PowerPoint y Excel. La forma de acceso es la misma en todos los programas; sólo cambiará el contenido específico.

Obtener ayuda con una Tabla de contenido

Para obtener ayuda con una Tabla de contenido siga estos pasos:

1. Haga clic en el botón **Ayuda de Microsoft [Nombre de la aplicación]** (?) que se encuentra en la esquina superior derecha de la ventana. Se abre la ventana Ayuda de [Nombre de la aplicación] (véase la figura 2.16).

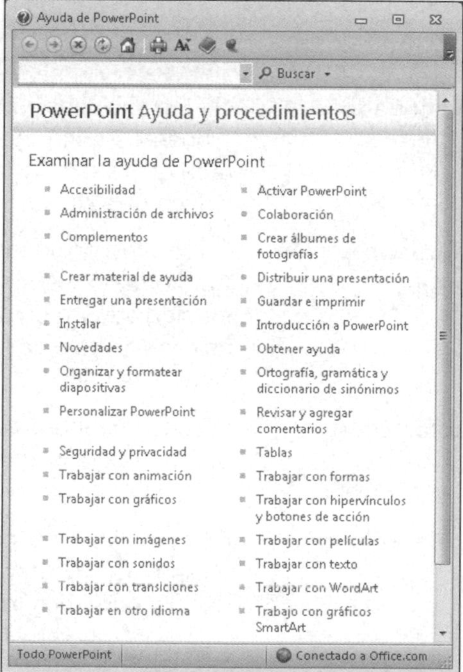

Figura 2.16. Contenido de la ayuda en PowerPoint.

2. Haga clic en el botón **Mostrar tabla de contenido** (), en la barra superior del cuadro de diálogo.

3. Escriba una palabra o frase para buscar ayuda en el cuadro Buscar.
4. Haga clic en el botón **Buscar**.
5. Seleccione el tema que le interese y haga clic sobre él.
6. Para cerrar la tabla de contenido, haga clic en el botón **Ocultar tabla de contenido** () o haga clic en el botón **Cerrar** de la tabla.

Nota:

También puede abrir la ventana Ayuda de [Nombre de la aplicación] *pulsando la tecla* **F1** *cuando se encuentre dentro de cualquier documento Office.*

Personalizar el cuadro de ayuda

Puede mantener siempre visible la ventana de ayuda y personalizarla. Para ello, haga clic en el botón **Mantener visible** () que se encuentra en la parte superior de la ventana. Este botón se convertirá en el botón **No visible** () sobre el que podrá hacer clic para anular la acción anterior y viceversa.

Para personalizar el tamaño del texto en la ventana de ayuda, siga estos pasos:

1. Abra la Ayuda haciendo clic en el botón **Ayuda de [Nombre de la aplicación]** o pulsando la tecla **F1**.
2. Haga clic en el botón **Cambiar tamaño de fuente** () y seleccione un tamaño de fuente de la lista.

Obtener ayuda sobre un comando o un cuadro de diálogo

Para obtener ayuda sobre un comando, localice el comando deseado en la cinta de opciones, sitúe el puntero del ratón sobre dicho comando unos segundos y aparecerá una sugerencia en pantalla indicando la acción de dicho comando (véase la figura 2.17).

Para obtener ayuda en un cuadro de diálogo, sólo tiene que hacer clic en el botón de interrogación que se encuentra en la esquina superior derecha del mismo. Si existe un tema de ayuda disponible relacionado con el cuadro de diálogo, se mostrará.

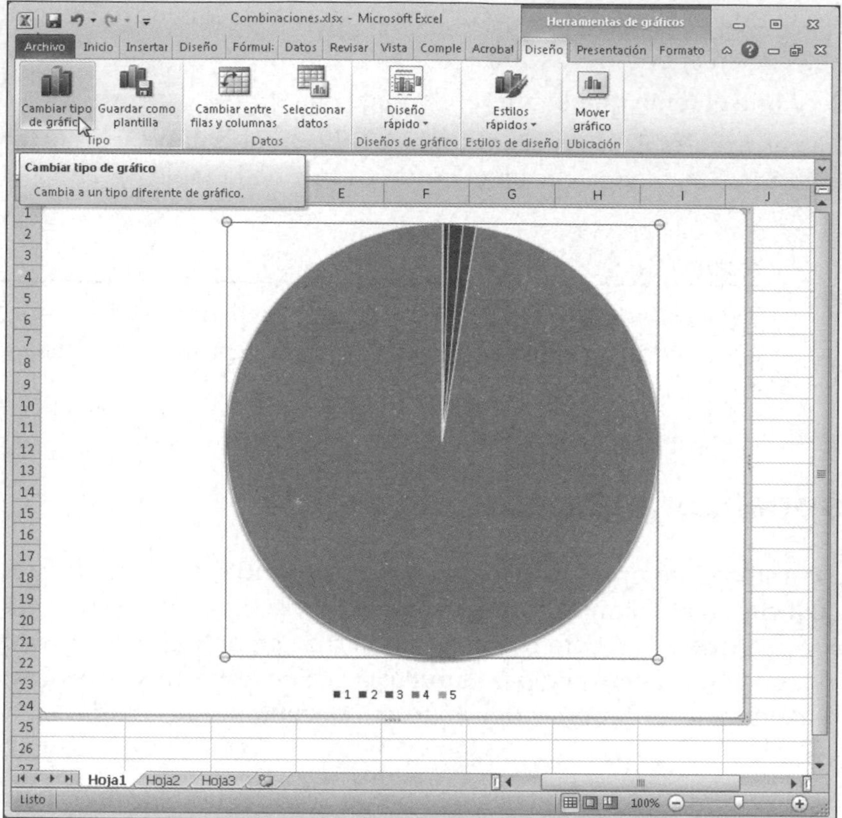

Figura 2.17. Sugerencia en pantalla de un comando en Excel.

En caso contrario, se mostrará la página principal de la ayuda. Busque ayuda utilizando el cuadro Buscar.

Nota:

Dentro de un cuadro de diálogo también puede pulsar **F1** *para ver la ayuda relacionada o la página principal de ayuda.*

Ayuda en el sitio oficial de Microsoft Office

Puede buscar ayuda, plantillas y cursos online en la Ayuda de Microsoft Office. Para ello, haga clic en la flecha desplegable del botón **Buscar** y seleccione la opción deseada de entre las ofrecidas por el grupo Contenido de Office.com (véase la figura 2.18):

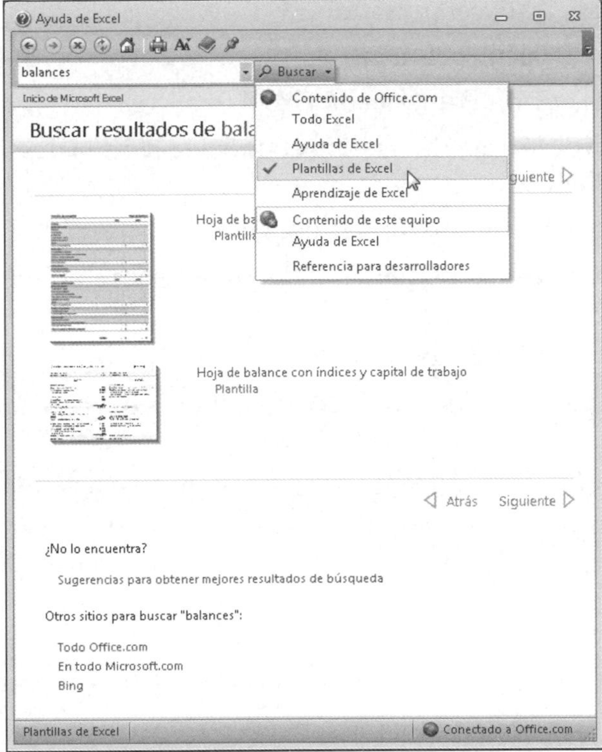

Figura 2.18. Opciones del menú Buscar en la Ayuda de Excel.

- **Todo [Nombre de la aplicación].**
- **Ayuda de [Nombre de la aplicación].**
- **Plantillas de [Nombre de la aplicación].**
- **Aprendizaje de [Nombre de la aplicación].**

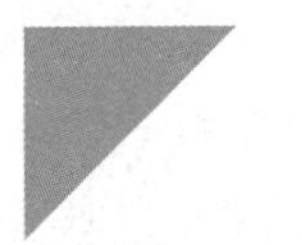

Nota:

Para poder utilizar estas opciones, deberá disponer de una conexión activa a Internet y un explorador Web predeterminado en su equipo. En caso contrario, sólo podrá utilizar las opciones recogidas en el grupo Contenido de este equipo *del menú desplegable del botón* **Buscar.**

Todas estas opciones abrirán el sitio Web oficial de Microsoft Office en el explorador predeterminado del equipo. Aquí vamos a utilizar la ayuda de Excel como ejemplo y vamos a buscar nuevas plantillas. Para ello:

1. Abra la ayuda de Excel pulsando **F1**.
2. Haga clic en la flecha del menú desplegable del botón **Buscar**.
3. Seleccione la opción Plantillas de Excel.
4. En el cuadro de búsqueda, escriba el tipo de plantilla deseada (en nuestro ejemplo, **balances**).
5. Haga clic en el botón **Buscar** o pulse **Intro**.
6. Aparecerán todas las plantillas disponibles sobre el tema en Microsoft Office.
7. Haga clic en alguno de los vínculos.
8. Se abrirá la página principal de Microsoft Office (véase la figura 2.19).

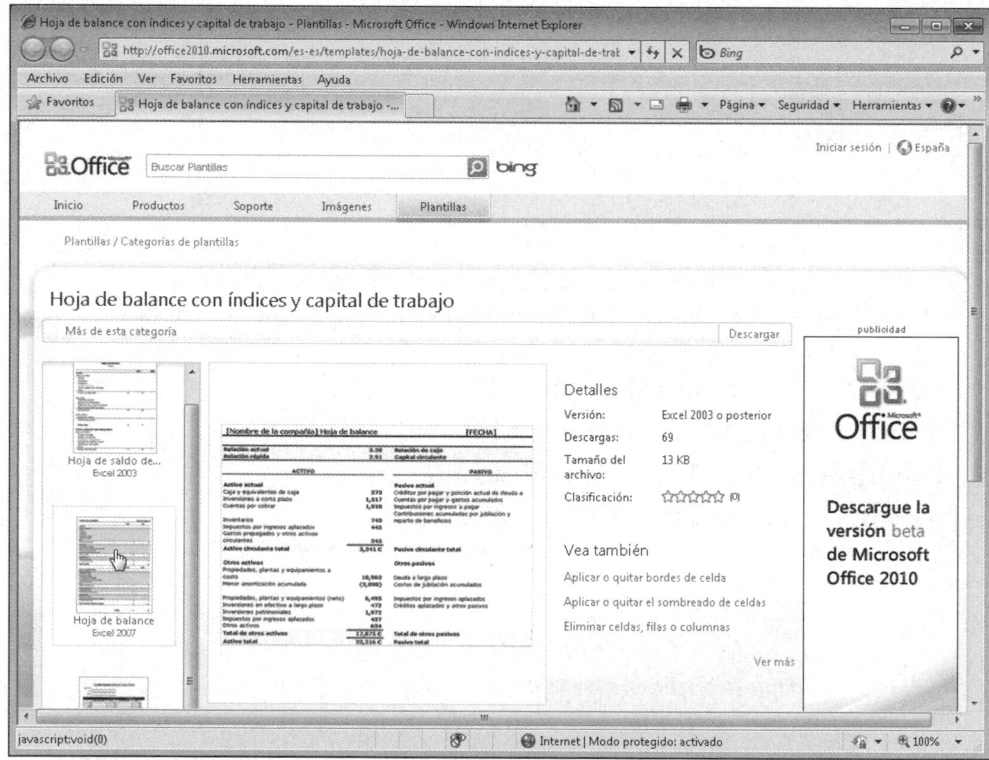

Figura 2.19. Página principal de plantillas de Excel en Microsoft Office.

9. Seleccione la plantilla que le interese haciendo clic sobre su imagen o sobre su vínculo y posteriormente descárguela en su equipo haciendo clic en el botón **Descargar**.

Como ha podido comprobar en la figura 2.18, los resultados de la búsqueda que aparecen en la parte inferior del cuadro de diálogo de Ayuda, muestran además otras opciones:

- **Sugerencias para obtener mejores resultados de búsqueda:** El hacer clic en este vínculo, accederá a la ayuda correspondiente a las sugerencias que proporciona Microsoft para optimizar las búsquedas de ayuda.
- **Todo Office.com:** Abre el sitio Web oficial de Microsoft Office en el explorador Web predeterminado del equipo.
- **En todo Microsoft com:** Abre el sitio Web oficial de búsquedas para productos de Microsoft en el explorador Web predeterminado del equipo.
- **Bing:** Abre el motor de búsqueda Bing en el explorador Web predeterminado, desde donde podrá consultar en toda la Web.

Imprimir documentos

Para imprimir rápidamente los documentos generados con las aplicaciones Office, puede añadir el botón **Impresión rápida** a la barra de acceso rápido. Para ello, haga clic en la flecha del menú desplegable de la barra de herramientas de acceso rápido y seleccione Impresión rápida. A partir de ese momento, el botón **Impresión rápida** ejecutará la tarea de forma rápida y sencilla, siempre que la impresora esté correctamente configurada y encendida.
No obstante, para seleccionar opciones avanzadas de impresión, tendrá que recurrir al menú Archivo. Al hacer clic en **Imprimir**, podrá ver una página con todas las opciones de impresión disponibles (véase la figura 2.20).

- **Imprimir:** Puede seleccionar las copias que desea imprimir en la casilla Copias y hacer clic en el botón **Imprimir** cuando haya seleccionado todas las opciones de impresión para el documento.
- **Impresora:** Desde este menú desplegable podrá seleccionar la impresora en la que desea imprimir el documento. Asimismo, si hace clic en el vínculo Propiedades de impresora, abrirá el cuadro de diálogo correspondiente, donde podrá configurar las propiedades de la impresora seleccionada en el menú desplegable.
- **Configuración:** Ofrece un menú desplegable para seleccionar diversas formas de impresión de elementos del documento.
- **Páginas:** En este cuadro de texto podrá escribir las páginas que desea imprimir.

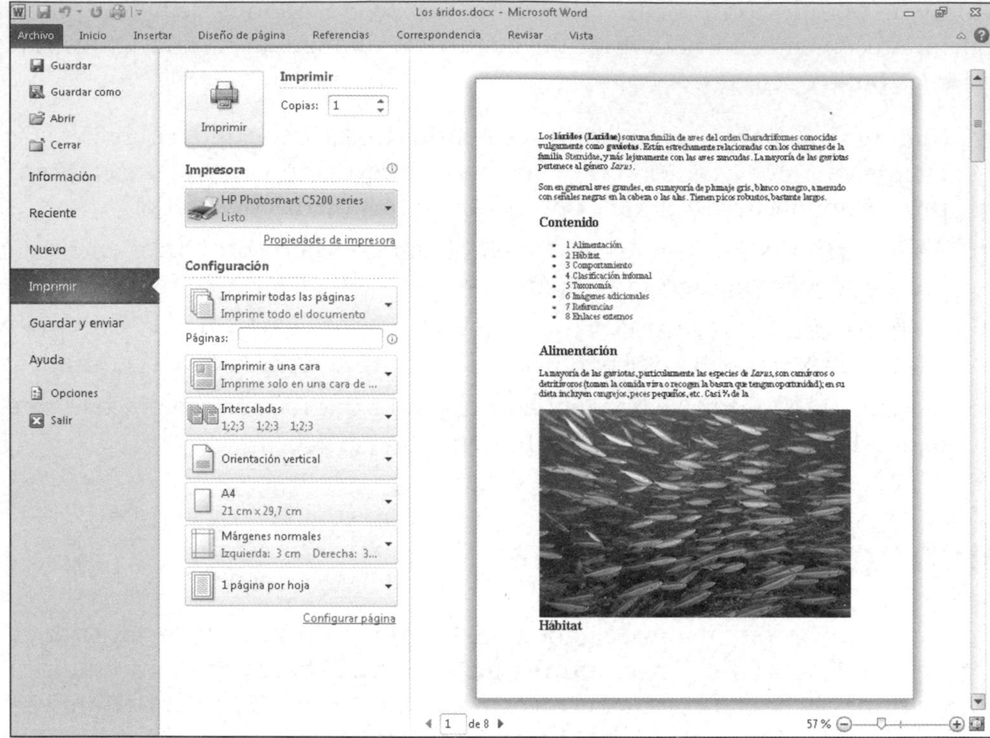

Figura 2.20. Opciones de impresión en Word.

- **Menús desplegables:** En estos menús podrá seleccionar otras opciones de impresión.
- **Configurar página:** Al hacer clic en este vínculo, se abrirá el cuadro de diálogo Configurar página con diversas opciones de configuración de las páginas a imprimir.

Organización de archivos y carpetas

Gestionar los archivos y carpetas de su ordenador correctamente es una tarea fundamental; de ello depende que pueda localizar y administrar sus documentos de la forma más eficaz posible. Si está acostumbrado a trabajar con Windows, puede que no necesite leer estas páginas. No obstante, quizá le convenga repasar algunas de las características de los cuadros de diálogo de Office 2010 que vamos a revisar a continuación. Si desconoce cómo administra Windows 7 los archivos, no se preocupe porque el objetivo de estas páginas es precisamente que sea capaz de organizar sus documentos de manera que pueda utilizarlos sin dificultad y recuperarlos en cualquier momento y desde cualquier carpeta.

Nota:

Quizá le resulten familiares términos que son sinónimos de los empleados hasta ahora. Cuando se habla de directorios y subdirectorios equivale a decir carpetas y subcarpetas. Y lo mismo ocurre con los ficheros o archivos.

Introducción

Aunque este manual no pretende profundizar en Windows 7, conviene que conozca algunas de las características de este sistema operativo con respecto a los archivos. Cómo se disponen para su almacenamiento en el ordenador, de qué manera guardarlos y, después, recuperarlos, etc.
En efecto, los requisitos de una buena gestión de archivos dependen del sistema operativo que sirve de soporte a la ejecución de los demás programas.

Estructura jerárquica de los archivos en Office

Los archivos no son más que los documentos que va creando y modificando con los distintos programas instalados en su ordenador. Al guardarlos en el disco duro de su equipo mediante la opción Guardar de la ficha Archivo, se les asigna un nombre que permite su posterior recuperación. Cuando Office detecta que el archivo todavía no se ha guardado, abre de forma predeterminada el cuadro de diálogo Guardar como con el fin de poderle asignar uno.
Las carpetas son las que permiten clasificar los archivos generados de modo que puedan ser recuperados para su uso posterior. En definitiva, las carpetas contienen los archivos y facilitan su organización lógica, permitiéndole crear subcarpetas, que a su vez dependan de una carpeta mayor.
En Windows 7 la carpeta que contiene al resto de carpetas y archivos se denomina Equipo. De esta carpeta dependerán, en una estructura de árbol, todas las unidades de disco de su ordenador (el disco duro, las unidades de CD-ROM o la unidad de disquetes A) y, a su vez, todas las carpetas y archivos contenidos en esas unidades.
Acceda a la ventana de la carpeta Equipo a través del menú **Iniciar** de Windows. Abra la carpeta Documentos haciendo clic en la opción Documentos

que se encuentra debajo de **Biblioteca** en el panel izquierdo de la pantalla. Aquí es donde el usuario guardará principalmente los documentos generados en las distintas aplicaciones de Office. Es muy recomendable que cada usuario genere sus propias subcarpetas y almacene en ellas sus archivos. La finalidad es doble: que no se pierdan y que no se mezclen los archivos que contienen su trabajo con los archivos propios del sistema. En estas carpetas de nivel inferior, podrá, a su vez, crear nuevas subcarpetas en las que ordenar sus documentos. Tenga en cuenta que, cuantos más archivos genere, más difícil será gestionarlos, y que establecer un criterio de ordenación con suficientes apartados es lo ideal para conseguirlo.

La tarea de crear nuevas carpetas y subcarpetas es sencilla. Dentro de **Documentos**, haga clic en **Nueva carpeta**. Se creará un nuevo icono de carpeta con el nombre predeterminado `Nueva carpeta`. Escriba el nombre del nuevo directorio y pulse **Intro** para crear la nueva carpeta (véase la figura 2.21).

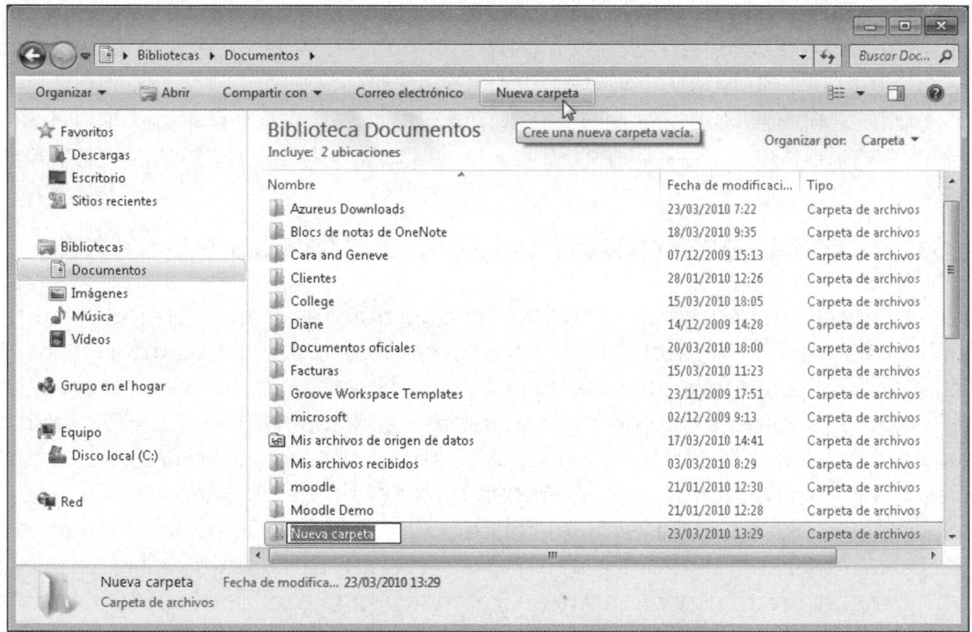

Figura 2.21. Creación de nuevas carpetas en Windows 7.

Si quiere subdividir su nueva carpeta en otras que dependan de ella, repita los pasos explicados anteriormente, pero esta vez seleccionando antes la carpeta que acaba de crear. La estructura y complejidad de su sistema de archivos dependerá, sobre todo, del número y la naturaleza de los archivos que necesite clasificar.

Abrir un documento

Existen diversos métodos para abrir archivos creados con Office y guardados en el disco duro del ordenador o en cualquier otro dispositivo de almacenamiento.

- Si desea abrir un archivo que acaba de guardar y no ha abierto la aplicación, haga clic en el botón **Iniciar** de Windows, posteriormente en la flecha del menú desplegable de la aplicación en la que acaba de guardar el documento y seleccione éste dentro del menú Reciente (véase la figura 2.22).

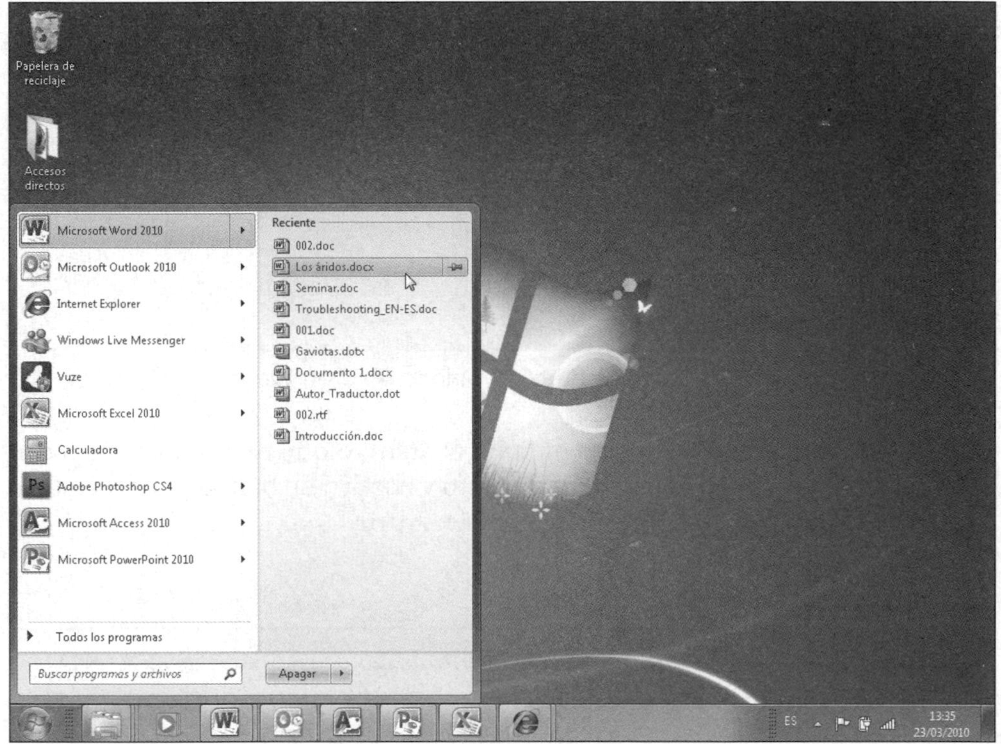

Figura 2.22. Menú desplegable de documentos recientes en Windows 7.

- Es posible que los archivos que necesita abrir estén en una subcarpeta contenida en la carpeta Documentos, tal como le hemos recomendado. Si es así, seleccione primero la opción Documentos del menú del botón **Iniciar** de Windows para poder acceder al archivo deseado. Si la estructura de sus carpetas tiene varios niveles, deberá ir seleccionando las carpetas sucesivas hasta llegar a la que le interese en cada momento.

- Una vez abierta una aplicación Office, es posible abrir otros documentos a través del menú ofrecido por la ficha Archivo dentro de la opción Reciente, si desea abrir un documento en el que ha trabajado recientemente, o haciendo clic en **Abrir** para abrir el cuadro de diálogo del mismo nombre y buscar desde ahí el documento que necesita abrir (véase la figura 2.23).

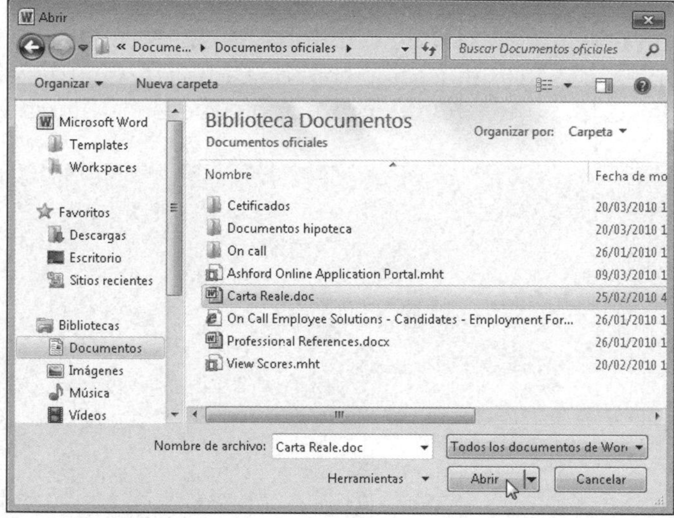

Figura 2.23. Cuadro de diálogo Abrir en Word.

Si la carpeta que se abre no contiene el archivo que busca, localícelo con ayuda de los vínculos, cuadros de texto y cuadro de búsqueda del cuadro de diálogo. Posteriormente haga clic en **Abrir**.

Truco:

Puede iniciar directamente el cuadro de diálogo Abrir *con la sugerencia de teclas* **Control-A** *cuando se encuentre en una ficha que no sea* Archivo *en cualquiera de las aplicaciones de Microsoft Office.*

Búsqueda de archivos

Es posible que quiera abrir un documento y no recuerde o, simplemente, no sepa dónde lo guardó. Cuando desconozca la ubicación exacta del archivo, puede utilizar el cuadro de búsquedas que se encuentra en la esquina superior derecha de cualquier ventana de Windows 7 (véase la figura 2.24). Para empezar, seleccione Documentos en la parte izquierda de la ventana y escriba el nombre del archivo en el cuadro de búsqueda que se encuentra en la esquina superior derecha. Si no encuentra el documento, pruebe a seleccionar el disco duro para iniciar la búsqueda desde ahí.

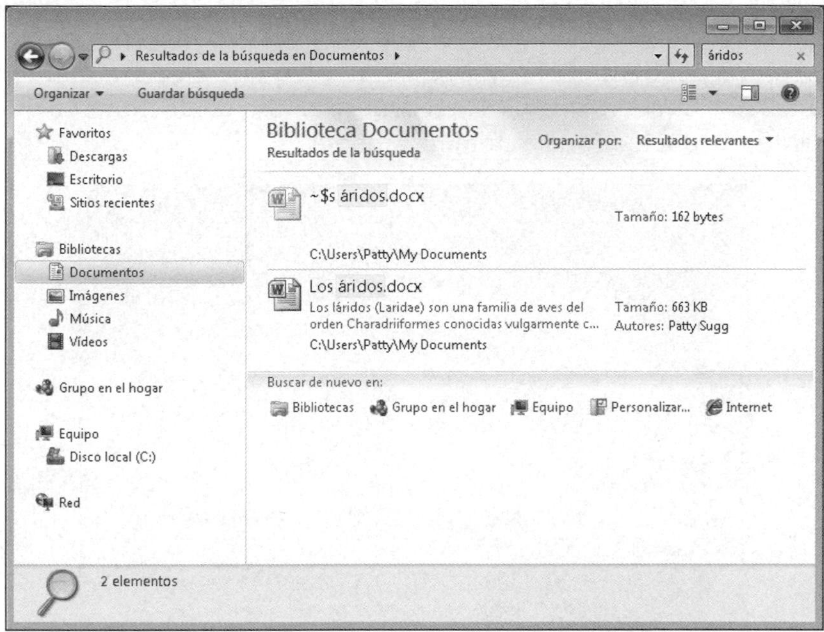

Figura 2.24. Cuadro de búsquedas en Windows 7.

Si ejecuta la búsqueda desde dentro de alguna aplicación Office, utilice el cuadro de diálogo Abrir y escriba una clave de búsqueda en el cuadro de búsquedas que se encuentra en la esquina superior derecha del mencionado cuadro de diálogo.

Guardar un documento

Para guardar archivos Office emplearemos varios métodos que dependerán de si el documento ha sido modificado y sólo quiere guardar los cambios que ha efectuado o es un archivo de nueva creación y hay que guardarlo por primera vez.

- Guardar un documento que ha sido modificado no plantea mayores problemas. Haga clic en Guardar de la ficha Archivo cuando haya finalizado los cambios que desee efectuar en el archivo.

Si desea guardar rápidamente, puede hacer clic en el botón **Guardar** de la barra de herramientas de acceso rápido o pulsar **Control-G**.

- Guardar un documento de nueva creación por primera vez o una versión, con distinto nombre, de un archivo preexistente requiere de la ejecución del comando Guardar como del menú presentado por la ficha Archivo. Se abrirá un cuadro de diálogo en el que deberá especificar, en el cuadro de texto correspondiente, el nombre del archivo que va a guardar (véase la figura 2.25). Observe que Office reconoce el tipo de documento que se ha generado y lo selecciona automáticamente.

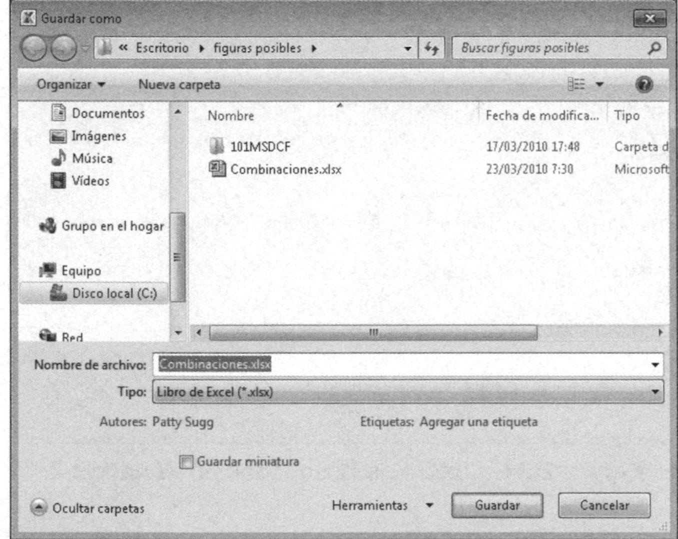

Figura 2.25. Cuadro de diálogo Guardar como de Excel.

Las precauciones que debe tener en cuenta al guardar cualquier tipo de documento son las siguientes:

- No olvide darle un nombre distintivo al nuevo archivo.
- Al guardar, sobrescribirá la versión anterior del archivo.
- Al salir de las aplicaciones Office, el programa le pregunta si desea conservar los últimos cambios (acepte, si no quiere perderlos).

Nota:

Si todavía no ha guardado el archivo y hace clic en el botón **Guardar** *de la barra de herramientas de acceso rápido, se abrirá el cuadro de diálogo* Guardar como.

Cerrar un documento y salir de la aplicación

Los procedimientos para cerrar documentos y salir de las aplicaciones son:

- A través del comando Salir que se encuentra en la ficha Archivo.
- Haciendo clic en el botón **Cerrar** de la ventana de documento, es decir, la cruz situada en el extremo superior derecho de la pantalla.
- Con la sugerencia de teclas **Alt-F4**.
- Haciendo clic en el icono de la aplicación que se encuentra en la esquina superior izquierda de la pantalla y seleccionando Cerrar.

Nota:

El comando **Cerrar** *de la ficha* Archivo *sólo cerrará el documento, pero no la aplicación.*

Compartir información en Office

Office 2010 ofrece una completa compatibilidad entre las aplicaciones que lo integran. De hecho, la ventaja de esta clase de programas es que se puede intercambiar información entre una tipología de software muy heterogénea. Las herramientas generan documentos con distinto origen y naturaleza, aunque fácilmente integrables. En los ejemplos de este apartado consideraremos a Word como el receptor de información compartida entre aplicaciones Office.

Integración de archivos

Hay tres posibles métodos para intercambiar información entre las aplicaciones Office, que comparten algunas características, pero cada uno tiene un carácter diferente. Debe decidir si prefiere que los datos se actualicen automáticamente o no necesita de esa utilidad. Dichos métodos son los mostrados en los siguientes apartados.

Insertar archivos o documentos

Para insertar un archivo en otra aplicación debe elegir y marcar con el punto de inserción el lugar donde desea que aparezca dicho archivo en el documento receptor. Una vez decidida la ubicación, haga clic en la flecha desplegable del botón **Insertar objeto** () del grupo Texto dentro de la ficha Insertar y seleccione Insertar texto de archivo (véase la figura 2.26).

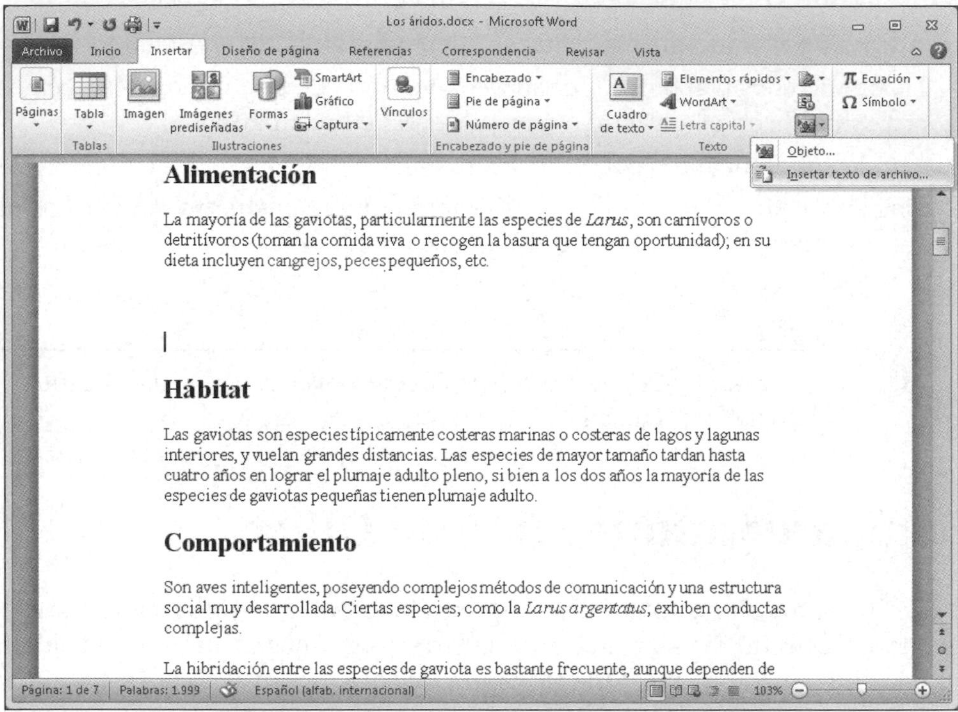

Figura 2.26. Insertar texto de archivo en Word.

Se abrirá el cuadro de diálogo Insertar archivo desde donde puede seleccionar el archivo a insertar seleccionándolo y haciendo clic en el botón **Insertar**. Para insertar una imagen, haga clic en el botón **Imagen** del grupo Ilustraciones en la ficha Insertar para abrir el cuadro de diálogo Insertar imagen, desde donde puede seleccionar el archivo de imagen a insertar seleccionando dicho archivo y haciendo clic en **Insertar**. Al insertar el archivo no se crea ningún tipo de relación entre el documento insertado y el que lo recibe. De hecho, los posibles cambios que se realicen en el documento insertado no van a actualizarse de manera automática en el documento de destino.

Vincular archivos

Al vincular un archivo en un documento de una aplicación Office se crea un enlace entre ambos archivos que conlleva que cualquier modificación realizada en el archivo original se refleje de forma automática en el documento receptor. De hecho, si se hace doble clic sobre el objeto vinculado se ejecutará la aplicación con que se generó.

Podrá utilizar un método muy similar al anterior, de inserción de archivos, pero especificando que la inserción se efectúe como vínculo. La diferencia metodológica consiste en hacer clic en la flecha del botón desplegable **Insertar** de los cuadros de diálogo Insertar imagen o Insertar archivo (que hemos explicado anteriormente) y seleccionar la opción Insertar y vincular en el cuadro de diálogo de inserción de imagen o la opción (véase la figura 2.27) Insertar como vínculo en el cuadro de diálogo de inserción de archivo.

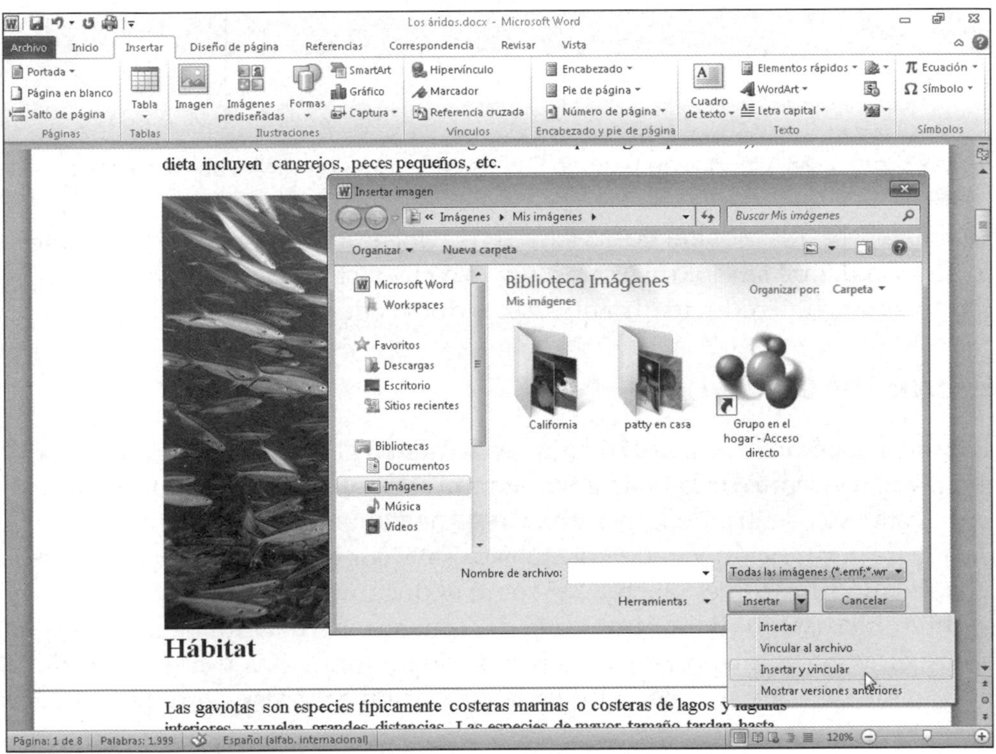

Figura 2.27. Cuadro de diálogo Insertar imagen.

Otra alternativa consiste en vincular un objeto, para lo que emplearemos el mismo botón de **Insertar objeto** del grupo Texto en la ficha Insertar que utilizamos anteriormente, pero seleccionando esta vez la opción Objeto. En la pantalla se abrirá el cuadro de diálogo Objeto que puede ver representado en la figura 2.28.

Tras seleccionar la pestaña Crear desde un archivo haga clic en la tecla **Examinar** para localizar el archivo sobre el que quiere efectuar la vinculación con el documento activo. Cuando lo haya encontrado y seleccionado, active la casilla de verificación Vincular al archivo.

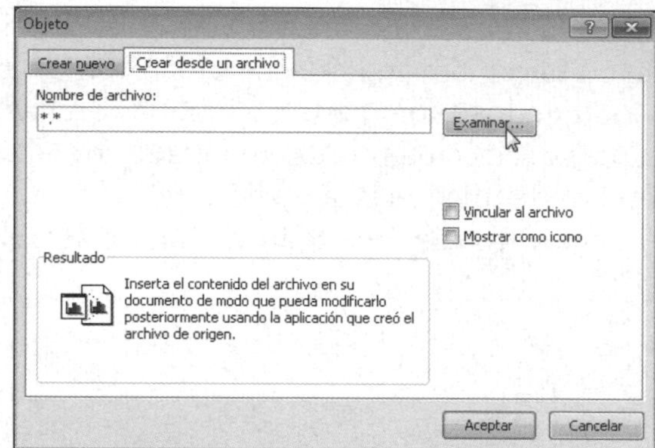

Figura 2.28. Cuadro de diálogo Objeto para vincular archivos existentes.

Si activa la casilla Mostrar como icono en el documento que contiene el vínculo, se visualizará tan solo el icono elegido como testigo del archivo vinculado. Para ver su contenido, tendrá que hacer doble clic sobre él.

Incrustar archivos

Para incrustar archivos, puede utilizar de nuevo el botón **Insertar objeto** del grupo Texto dentro de la ficha Insertar para abrir el cuadro de diálogo Objeto, pero esta vez, dentro de la pestaña Crear desde un archivo, no seleccione la casilla de verificación Vincular al archivo. Tal y como ocurría al insertar archivos, las modificaciones efectuadas sobre el documento original no afectan al archivo incrustado. Para cambiar el documento incrustado, haga doble clic sobre él, y podrá disponer de las barras de herramientas y utilidades de la aplicación con que se creó, aunque la aplicación activa sea otra (en nuestro caso, Word).

Si desea crear el archivo a la vez que lo incrusta, utilice la pestaña Crear nuevo del cuadro de diálogo Objeto (véase la figura 2.29). Desde este cuadro de diálogo, podrá incrustar nuevos archivos desde los objetos propuestos. Para ver una representación del icono de los programas proporcionados, seleccione la casilla de verificación Mostrar como icono.

El incrustar este tipo de archivos, ninguna de las modificaciones que realice en el programa de origen, se verán reflejadas en el programa de destino (Word, en nuestro ejemplo). Tal como veremos a lo largo del libro, también puede incrustar otros elementos en el archivo, como hipervínculos, marcadores, imágenes prediseñadas, formas, gráficos, SmartArt, etc. Para ello, sólo tiene que hacer clic en el elemento deseado dentro de los grupos correspondientes en las fichas de Insertar, y realizar las correcciones necesarias en los objetos o imágenes incrustadas (véase la figura 2.30).

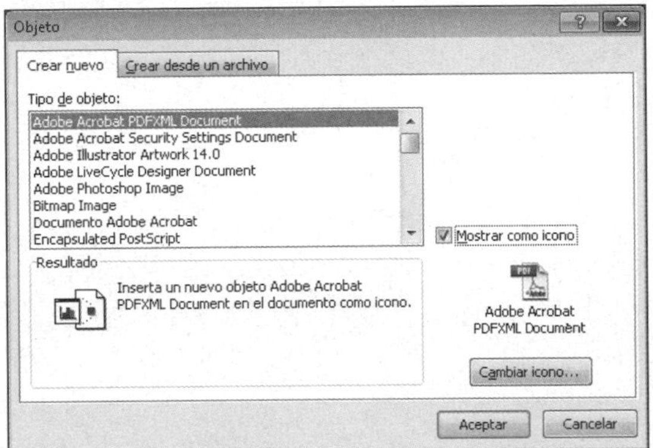

Figura 2.29. Cuadro de diálogo Objeto para incrustar archivos nuevos.

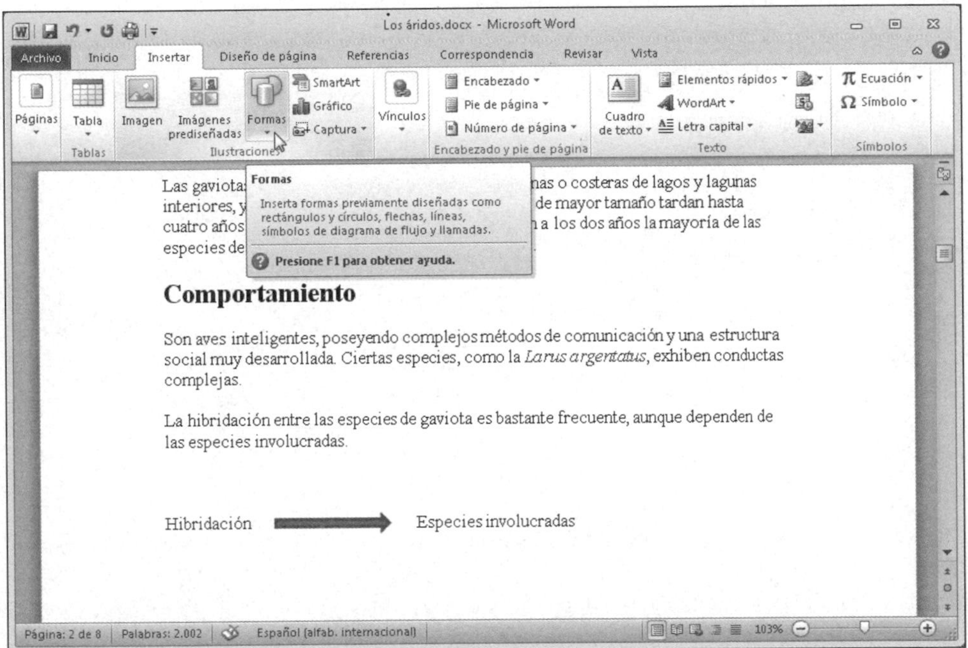

Figura 2.30. Los objetos insertados se incrustarán en el documento.

Capítulo 3

Microsoft Word 2010

En este capítulo aprenderá a:

- Iniciar Word y manejar las tareas básicas para escribir textos.
- Desplazarse por los documentos de Word.
- Seleccionar y borrar texto en los documentos de trabajo.
- Editar documentos utilizando los comandos apropiados.
- Deshacer, rehacer y repetir acciones.
- Buscar y reemplazar texto.
- Utilizar el panel de tareas Navegación.
- Corregir la ortografía y la coherencia gramatical de sus documentos.

Microsoft Word 2010 es el procesador de textos de Office 2010, es decir, la aplicación Office que se utiliza para redactar textos de cualquier tipo. Comenzaremos aprendiendo a abrir el programa, a generar textos y a aplicar sobre ellos procedimientos básicos de selección, copiado, pegado, búsqueda y reemplazo. Posteriormente aprenderemos a utilizar el panel de tareas Navegación para realizar búsquedas y desplazamientos por el documento. Para terminar, aprenderemos a utilizar las herramientas de corrección ortográfica y gramatical que Word pone a nuestra disposición.

Iniciar Word

Ya hemos comprobado en otro capítulo del libro que existen diversos métodos para abrir Word Office 2010. El método más común es seleccionar Todos los programas>Microsoft Office>Microsoft Word 2010 desde el menú Iniciar de Windows o abrir un documento de Word existente desde el explorador de Windows haciendo doble clic sobre él. En el primer caso, se abrirá el programa con un documento activo sobre el que puede empezar a trabajar. En el segundo, se abrirá en la aplicación el documento seleccionado, listo para su edición. Con la aplicación abierta, podrá optar entre abrir algún documento previamente creado, utilizar cualquiera de las plantillas incorporadas en el programa o abrir un documento en blanco, con un nombre genérico que podrá cambiar al guardarlo, como el documento que aparece activo al abrir el programa. Esta última opción es la que ejecuta el programa de forma predeterminada. Para abrir un nuevo documento, haga clic en la opción **Nuevo** de la ficha Archivo y seleccione la opción deseada. En nuestro caso hemos elegido Documento en blanco.

Escribir texto

Para escribir texto en Word, basta con abrir un documento y empezar a escribir desde el teclado. No obstante, en este apartado vamos a identificar los elementos más importantes que tiene que conocer para mejorar su tarea y a los que haremos referencia a lo largo del capítulo (véase la figura 3.1).

Punto de inserción

El punto de inserción es el lugar del documento activo donde el programa empieza a escribir el texto que el usuario escribe desde el teclado. Su apariencia física es la de una barra vertical parpadeante que, al abrir el documento, se encuentra en el extremo superior izquierdo del área de escritura. A medida que escribe desde el teclado y van apareciendo las letras en el documento de trabajo, el punto de inserción se desplaza hacia la derecha, en el sentido de la escritura, como puede comprobar en la figura 3.1, donde el punto de inserción se encuentra al final del último párrafo escrito, listo para una nueva acción.

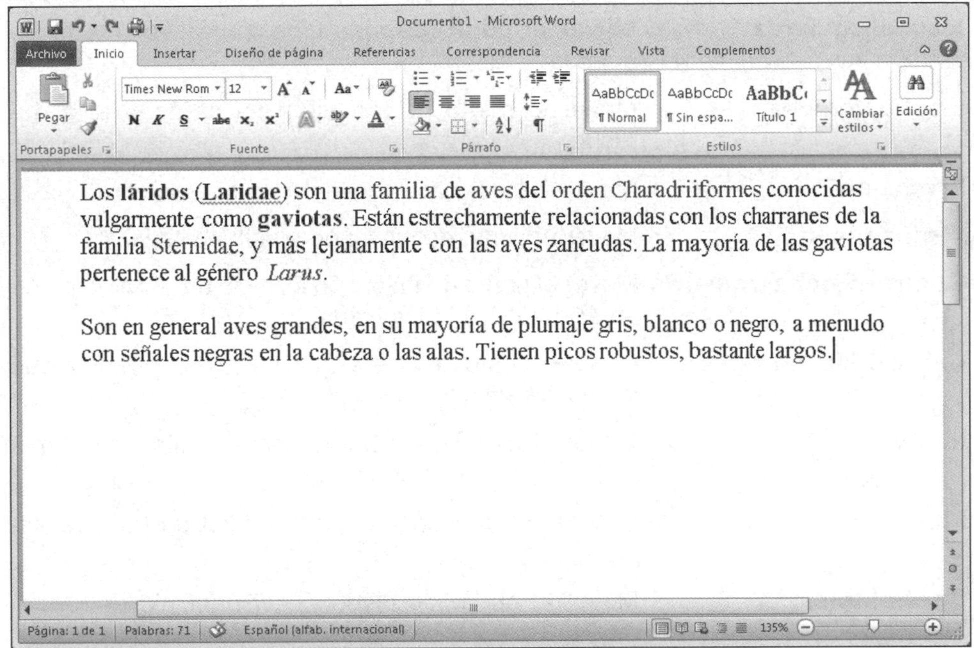

Figura 3.1. Escritura en el documento de Word predeterminado.

Si el documento ya tiene un texto escrito, puede que necesite insertar o modificar texto en un punto determinado de la página. Para ello, lo primero que debe hacer es colocar el punto de inserción en el lugar exacto donde se requiere el cambio. Existen dos formas de realizar este desplazamiento:

- El método más sencillo para mover el punto de inserción es utilizar el ratón. Cuando el puntero del ratón se encuentra sobre el área de escritura adopta, precisamente, la forma de una barra vertical (I) igual al punto de inserción, pero sin parpadeo. Para ubicar de nuevo el punto de inserción sólo debe situar el puntero del ratón en el punto exacto donde desee realizar los cambios y hacer clic con el botón izquierdo.
- También puede mover el punto de inserción utilizando el teclado. Al contrario de lo que pueda parecer en un primer momento, este método, una vez adquirida destreza en el uso del ordenador, es el más rápido. La

tabla 3.1 le facilita las diferentes teclas que pueden utilizarse para mover el punto de inserción.

Tabla 3.1. Teclas de desplazamiento del punto de inserción.

Tecla	Acción
Flecha izquierda	Mover el punto de inserción un carácter a la izquierda.
Flecha derecha	Mover el punto de inserción un carácter a la derecha.
Flecha arriba	Mover el punto de inserción a la línea anterior.
Flecha abajo	Mover el punto de inserción a la línea siguiente.
Control-Flecha izquierda	Mover el punto de inserción al inicio de la palabra que se encuentra a la izquierda.
Control-Flecha derecha	Mover el punto de inserción al inicio de la palabra que se encuentra a la derecha.
Inicio	Mover el punto de inserción al principio de la línea actual.
Fin	Mover el punto de inserción al final de la línea actual.
Control-Inicio	Mover el punto de inserción al principio del documento.
Control-Fin	Mover el punto de inserción al final del documento.
AvPág	Mover el punto de inserción una ventana hacia abajo.
RePág	Mover el punto de inserción una ventana hacia arriba.

Existe, por último, un método de acceso rápido a partes específicas del documento de trabajo. Esta opción es el comando **Ir a**, que puede activar utilizando cualquiera de estos tres métodos (véase la figura 3.2):

- Haciendo doble clic en el número de página, que es el primer elemento que contiene la barra de estado del programa.
- A través de la ficha Inicio. Haga clic en la flecha desplegable de Buscar y seleccione Ir a.
- Con la sugerencia de teclas **Control-I**.

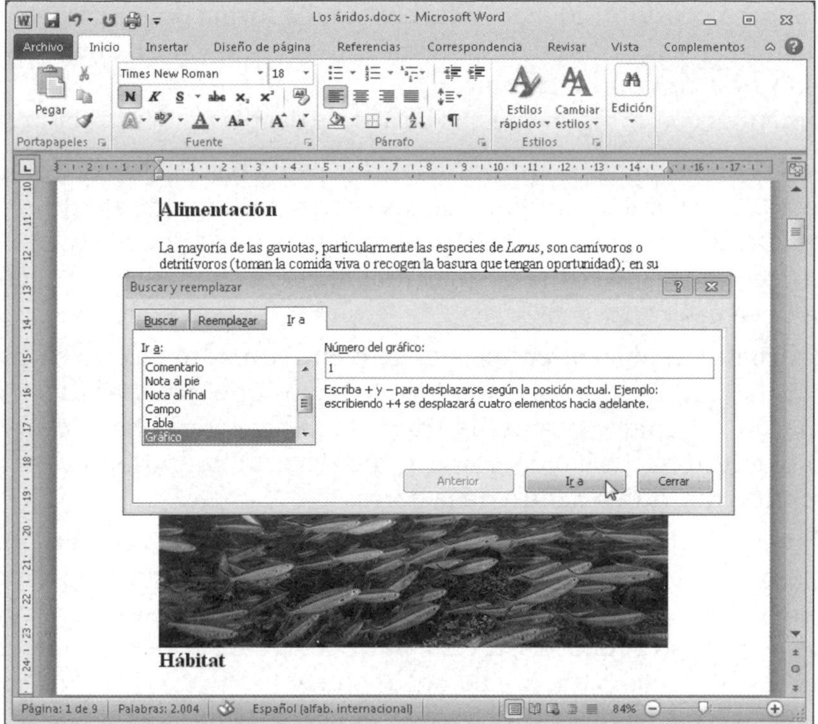

Figura 3.2. Documento de Word mostrando el cuadro de diálogo Ir a.

El resultado, en cualquier caso, es el cuadro de diálogo que aparece en la figura 3.2, que le permite decidir qué elemento (página, sección, nota al pie, etc.) y qué número de elemento le interesa. Una vez seleccionada la parte concreta a la que desea desplazarse, haga clic en la tecla **Ir a** y el punto de inserción se colocará al comienzo del elemento que se le ha indicado.

Truco:

Si está realizando búsquedas en el panel de Navegación, *puede abrir el cuadro de diálogo* Ir a *haciendo clic en el menú desplegable del cuadro de texto de búsquedas y seleccionado la opción* Ir a.

Desplazamientos

Cada vez que cambia la posición del punto de inserción, éste se desplaza por el texto. Pero también puede precisar desplazarse por el documento sin tener que mover el punto de inserción. Esta posibilidad es muy interesante, por ejemplo, para consultar lo que ya ha escrito. La forma de desplazarse por el texto es utilizar las barras de desplazamiento vertical y horizontal, de las que ya hablamos en un capítulo anterior.

Los elementos que componen estas barras de desplazamiento son tres:

- **Flechas de desplazamiento:** Son las dos pequeñas flechas de color negro que aparecen en los extremos de las barras. Indican el sentido en que se desplazará el contenido de la pantalla al hacer clic sobre cualquiera de ellas. Las flechas de la barra de desplazamiento vertical mueven el documento una línea cada vez.
- **Cuadro de desplazamiento:** Es el pequeño recuadro inserto en cada una de las barras. Para desplazarlo sólo tenemos que arrastrar dicho cuadro hacia un extremo u otro de la barra. Para arrastrarlo haga clic sobre él con el botón izquierdo del ratón y, sin dejar de pulsarlo, muévalo en la dirección que desee dentro de la barra.

  Además de utilizarse para los desplazamientos por la ventana, el cuadro de la barra vertical también le informa en cada momento de la posición relativa del contenido de la ventana con respecto del resto del documento. Por ejemplo, si el cuadro está en la parte central de la barra, estará, aproximadamente, en la parte media del documento.

  Al arrastrar el cuadro a lo largo de la barra de desplazamiento vertical u horizontal, Word le indicará, con una sugerencia de pantalla, en qué página del documento se encuentra en cada momento.
- **Seleccionar objeto de búsqueda:** En la barra de desplazamiento vertical, este comando se presenta como un pequeño círculo (○) situado entre dos iconos de dobles flechas azules. Este comando, abre un menú desplegable desde el que podrá elegir el tipo de desplazamiento deseado en el documento (véase la figura 3.3). Dichas opciones se recogen en la tabla 3.2:

Tabla 3.2. Opciones del comando Seleccionar objeto de búsqueda.

Icono y nombre	Acción
Ir a	Abre el cuadro de diálogo Ir a.
Buscar	Abre el cuadro de diálogo Buscar.
Examinar por modificaciones	Desplazamiento por las modificaciones realizadas en el documento.
Examinar por títulos	Desplazamiento por los títulos incluidos en el documento.

Icono y nombre	Acción
Examinar por gráficos	Desplazamiento por los gráficos del documento.
Examinar por tablas	Desplazamiento por las tablas del documento.
Examinar por campos	Desplazamiento por los distintos campos incluidos en el documento.
Examinar por notas al final	Desplazamiento por las notas al final incluidas en el documento.
Examinar por notas al pie	Desplazamiento por las notas al pie incluidas en el documento.
Examinar por comentarios	Desplazamiento por los comentarios incluidos en el documento.
Examinar por secciones	Desplazamiento por las secciones del documento.
Examinar por páginas	Desplazamiento por las páginas del documento.

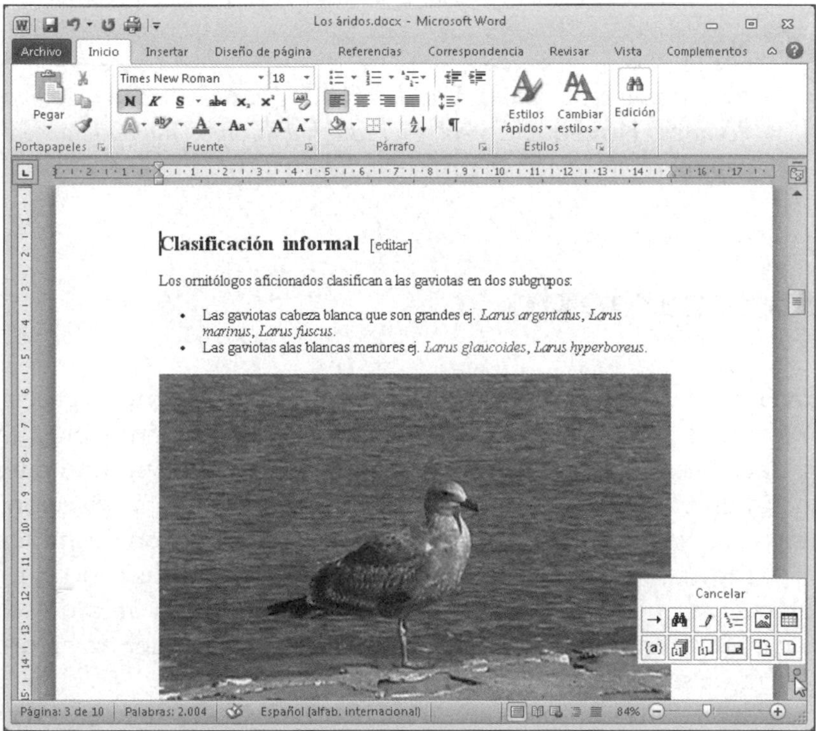

Figura 3.3. Opciones del comando Seleccionar objeto de búsqueda.

Para utilizar este último comando, siga estos pasos:

1. Haga clic en el icono de búsqueda de objetos y seleccione una de las opciones presentadas en el menú.
2. Haga clic en la doble flecha azul que apunta hacia arriba para realizar una búsqueda en el texto anterior a la ubicación del punto de inserción.
3. Haga clic en al doble flecha azul que apunta hacia abajo para realizar una búsqueda en el texto posterior a la ubicación del punto de inserción.

En cualquier caso, al utilizar estos métodos de desplazamiento, recuerde que se ha desplazado por el documento pero el punto de inserción no se moverá hasta que no lo mueva a otro lugar del documento de forma explícita, por lo que si escribe algún carácter sin mover este punto de inserción, dichos caracteres se escribirán en el lugar en que se encuentre en ese momento, no en el lugar al que se ha desplazado.

Las barras de desplazamiento le serán de gran utilidad para desplazarse a través de documentos de gran tamaño y para decidir qué partes necesita editar.

Nota:

En esta nueva versión de Word, también puede utilizar el nuevo panel de tareas Navegación *sobre el que hablaremos más adelante en el capítulo en el apartado correspondiente.*

Seleccionar texto

Para mover, copiar, borrar o dar formato a un texto ya escrito es preciso indicarle a Word qué parte es la que desea modificar. La edición se efectúa sobre el texto seleccionado, que aparecerá resaltado en azul. En las siguientes páginas vamos a aprender a seleccionar un texto y editarlo. Esta selección puede realizarse con el ratón, con el teclado o con una combinación de ambos. En la tabla 3.3 se indica cómo podemos efectuar selecciones utilizando el ratón.

Tenga en cuenta que al acercar el puntero del ratón a un área de selección aquél se convierte en una flecha, indicando así que se encuentra en un área o en una barra de selección.

La barra de selección es la zona que se encuentra más allá del margen izquierdo del documento (véase la figura 3.4).

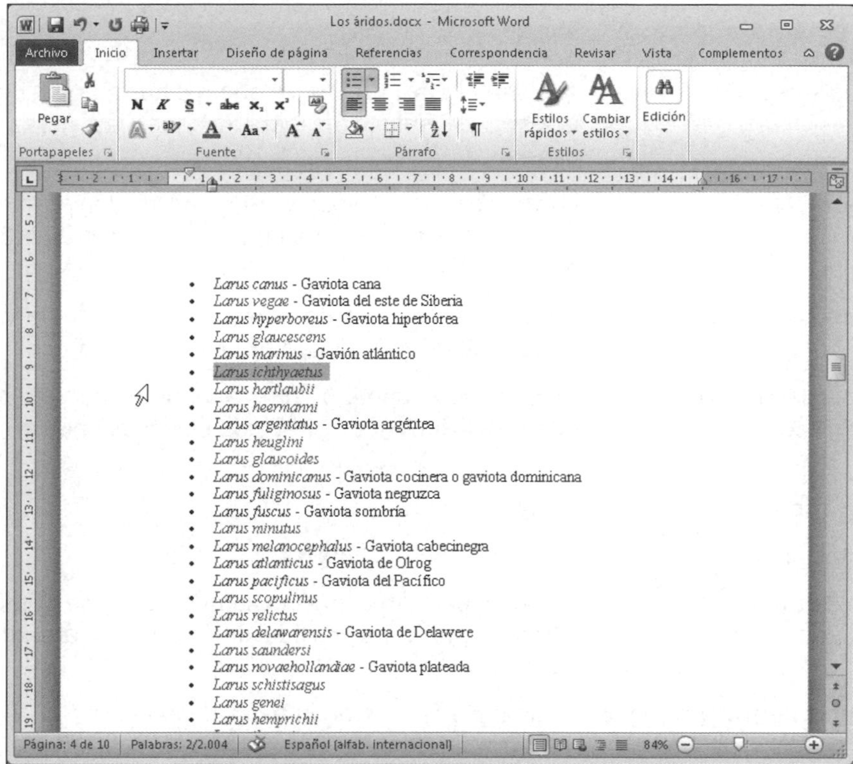

Figura 3.4. Barra de selección en Word.

Tabla 3.3. Seleccionar texto con el ratón.

Objeto de la selección	Método de selección
Una palabra	Haga doble clic de forma rápida con el botón izquierdo del ratón sobre la palabra que quiera seleccionar.
Varias palabras y/o letras contiguas	Coloque el punto de inserción en cualquiera de los extremos del conjunto a seleccionar. Pulse el botón izquierdo del ratón y, sin soltarlo, arrástrelo hasta el otro extremo. Cuando llegue al final, suelte el botón.
Una frase	Pulse la tecla **Control** al mismo tiempo que hace un solo clic sobre cualquier palabra de la frase.
Una línea	Sitúe el puntero del ratón en el margen izquierdo de la línea que desea seleccionar (barra de selección) y haga clic cuando el puntero se convierta en una flecha.

Objeto de la selección	Método de selección
Varias líneas	Arrastre con el ratón hacia abajo o hacia arriba desde la barra de selección, para escoger las líneas que desee.
Un párrafo	Haga triple clic rápidamente sobre cualquiera de las palabras del párrafo o bien doble clic desde la barra de selección.
Varios párrafos	Sitúese en la barra de selección, haga doble clic y arrastre el ratón hacia arriba o hacia abajo.
Varios párrafos no contiguos	Seleccione el primero como acabamos de ver. Pulse después la tecla **Control** y siga seleccionando el resto de párrafos de su interés.
Un gráfico	Haga clic sobre él.
Una tabla	Haga clic sobre el indicador de tabla.
Un bloque vertical	Pulse la tecla **Alt** al mismo tiempo que hace clic, para situar el punto de partida del bloque, y arrastre el ratón.
El documento completo	Haga triple clic desde la barra de selección.

Para seleccionar con el teclado, utilice las sugerencias de teclas facilitadas en la tabla 3.1 manteniendo, al mismo tiempo, pulsada la tecla **Mayús**. El bloque de selección se extenderá desde el punto de inserción hasta el lugar que delimite con la combinación elegida. Por ejemplo, si pulsa **Mayús-Control-Fin**, extenderá la selección desde el punto de inserción hasta el final del documento.

Truco:

Si quiere seleccionar todo el texto por medio del teclado, la sugerencia de teclas que debe pulsar es **Control-E.**

Tenga en cuenta que si el tamaño del documento es muy grande, para seleccionar texto puede resultarle muy útil combinar el ratón con el teclado. De hecho, si desea marcar un bloque de grandes dimensiones, varias páginas, por ejemplo, lo mejor será que utilice el teclado. Para ello, haga clic en uno de los extremos del texto que desea seleccionar. Localice posteriormente el otro extremo utilizando las técnicas de desplazamiento descritas anteriormente,

pero sin mover el punto de inserción. Mantenga pulsada la tecla **Mayús** y haga clic en el extremo final de la selección que desea realizar.
Si necesita añadir o suprimir parte del texto seleccionado, mantenga la tecla **Mayús** pulsada y marque las nuevas dimensiones del bloque de texto a seleccionar.

Borrar texto

Entre los métodos de edición de texto más usuales se encuentra el de borrado. Para llevarlo a cabo, Word dispone de diversas opciones.
Si desea eliminar unos pocos caracteres, utilice la tecla **Retroceso**, que borra uno a uno los caracteres que se encuentran a la izquierda del punto de inserción, o la tecla **Supr**, que borra el carácter situado a la derecha del punto de inserción.
Sin embargo, si lo que quiere es borrar grandes cantidades de texto, estos métodos son lentos. Deberá, en primer lugar, seleccionar el bloque que desea eliminar utilizando las técnicas descritas para la selección de texto y, a continuación, pulsar cualquiera de las teclas que le acabamos de presentar: **Retroceso** o **Supr**.
Observará que al eliminar texto, Word suprime el espacio que ocupaba el texto borrado y coloca el que estaba a continuación en su lugar.
Tenga en cuenta que si tiene seleccionado un bloque y sigue escribiendo, Word elimina el texto seleccionado y lo reemplaza con el nuevo.

Truco:

Para borrar rápidamente un texto que acaba de escribir, haga clic en el botón **Deshacer** *(**) ubicado en la esquina superior izquierda de la barra de título del documento.*

Cortar, copiar y pegar

En muchas ocasiones, al trabajar con documentos, precisará mover textos de un lugar a otro o, incluso, copiarlos para que aparezcan en varios lugares del mismo documento. Puede volver a escribirlos, pero Word le permite ahorrar esfuerzo y tiempo gracias a los comandos Cortar, Copiar y Pegar. No obstante, debe tener en cuenta que dichos comandos sólo serán operativos si ha efectuado previamente una selección en el documento.

El comando Cortar elimina el texto seleccionado y lo coloca en el Portapapeles para su posterior uso. Copiar lo copia, sin que desaparezca de la pantalla y también lo guarda en el Portapapeles. Pegar precisa que haya algún elemento archivado en el Portapapeles para poder insertarlo en el texto cuando se ejecuta. Puede acceder a estos comandos de diversas formas:

- Utilizar los botones **Cortar**, **Copiar** y **Pegar** del grupo Portapapeles en la ficha Inicio.
- Utilizar las teclas de sugerencia **Control-X**, **Control-C** y **Control-V** para los comandos Cortar, Copiar y Pegar respectivamente.
- Hacer clic con el botón derecho del ratón sobre la selección y seleccionar los comandos Cortar, Copiar o algunos de los comandos de pegado ofrecidos por Opciones de pegado del menú contextual.

Para copiar y pegar un texto siga estos pasos:

1. Seleccione el texto que desea copiar.
2. Utilice uno de los métodos de copia descritos anteriormente (hacer clic en **Copiar** del grupo Portapapeles en el menú Inicio, utilizar la sugerencia de teclas **Control-C** o utilizar el menú contextual). El texto se copiará en el Portapapeles sin desaparecer de la ubicación original.
3. Sitúe el punto de inserción donde desee copiar el texto.
4. Utilice uno de los métodos de pegar descritos anteriormente.

Todos los métodos de pegado, excepto algunos comandos de Opciones de pegado que explicaremos enseguida, pegarán el texto copiado manteniendo intacto su formato de origen. También es posible mover selecciones en lugar de copiarlas utilizando la opción "arrastrar y colocar". Para ello:

1. Seleccione el texto que desea mover.
2. Haga clic sobre el bloque y, sin soltar el botón izquierdo del ratón, arrastre el texto al lugar donde desee desplazarlo.
3. El puntero del ratón adopta una nueva forma: a la flecha se le añade un cuadrado en la esquina inferior derecha.
4. Cuando decida el lugar al que va a desplazar el bloque, suelte el ratón. El texto sigue seleccionado por si necesita volver a moverlo.
5. Para terminar, haga clic para situar el punto de inserción en el punto donde requiera seguir introduciendo texto.

El comando Pegar se utiliza para colocar texto copiado o cortado en una nueva posición dentro del documento. Pero también puede utilizar dicho comando para reemplazar un texto por otro. Para ello sólo tiene que seleccionar un bloque el texto que quiere sustituir y pegar encima el que haya copiado o cortado con anterioridad.

Opciones de pegado

Al ejecutar **Pegar**, Office 2010 presenta el botón **Opciones de pegado**, que le permite seleccionar cómo se va a efectuar el pegado y aplicar los formatos y estilos que desee, tal como explicamos a continuación. No obstante, también dispone del comando Pegado especial, dentro del botón **Pegar** del grupo Portapapeles en la ficha Inicio, donde podrá elegir diversas opciones de pegado, como pegar el texto copiado en formato RTF o HTML, entre otras.

Ya conoce una de las herramientas más comunes entre los programas diseñados para un entorno Windows y, claro está, para las aplicaciones integradas en Office. Se trata del Portapapeles, cuya función consiste en almacenar todo aquello seleccionado por el usuario con los comandos Cortar y Copiar. Puede memorizar texto, imágenes, gráficos o cualquier otro elemento presente en el documento activo, hasta un número máximo de 24 elementos. Cuando necesite insertar alguno de estos elementos en su documento sólo tiene que seleccionarlo en el panel de tareas del Portapapeles haciendo clic sobre él. El texto se pegará donde esté ubicado el punto de inserción.

Para abrir dicho panel, puede seguir cualquiera de estos métodos:

- Hacer clic en el **Iniciador de cuadro de di**álogo del grupo Portapapeles en la ficha Inicio.
- Pulsar **Alt-O-F-O**.

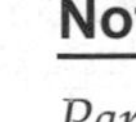

Nota:

Para eliminar un elemento del Portapapeles, *seleccione el elemento, haga clic en el botón de flecha desplegable que aparece a su derecha y seleccione* Eliminar.

Tal como hemos comentado anteriormente, Microsoft Office 2010 presenta nuevas opciones de pegado contenidas dentro de Opciones de pegado. Ésta es una nueva característica que nos ofrece la posibilidad de visualizar previamente el resultado que vamos a obtener en el pegado final simplemente pasando el botón del ratón sobre cada una de las tres opciones que ofrece y a las que puede acceder haciendo clic en el menú Pegar de la ficha Inicio o a través del menú contextual que se abre al hacer clic con el botón derecho del ratón tras copiar un elemento. Dichas opciones ofrecen distintos resultados de pegado, como podrá comprobar en las figuras que representan cada una de ellas y su nombre y número puede variar dependiendo del tipo de objeto copiado:

- **Mantener formato de origen:** Pega el texto copiado previamente manteniendo su formato de origen intacto (véase la figura 3.5).

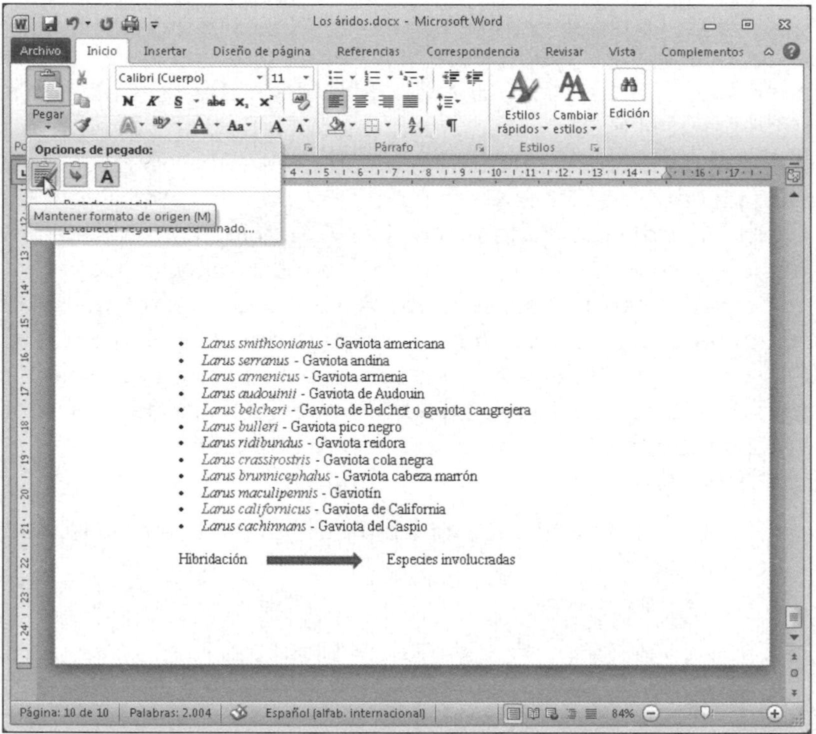

Figura 3.5. Resultado de la opción de pegado Mantener formato de origen.

- **Combinar formato:** Combina el formato original del texto copiado previamente con el del documento y lo ajusta en consecuencia, como puede ver en la figura 3.6. En esta opción, puede que las imágenes y gráficos copiados junto con el texto no se ajusten correctamente.
- **Mantener sólo texto:** Mantiene sólo el texto en formato simple. Como puede comprobar en la figura 3.7, no incluye el pegado de los elementos gráficos. Asimismo, si la selección copiada incluye una tabla, ésta se convertirá en una serie de párrafos.

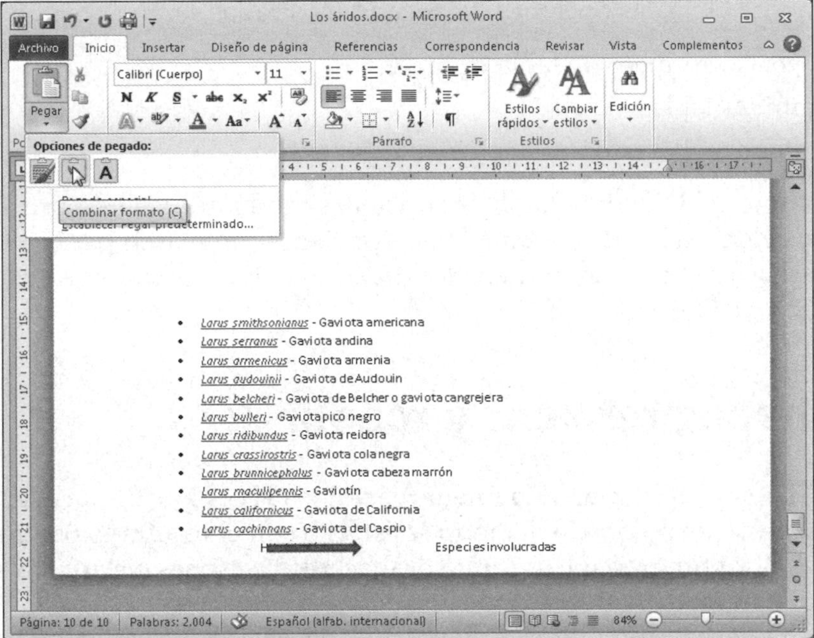

Figura 3.6. Resultado de la opción de pegado Combinar formato.

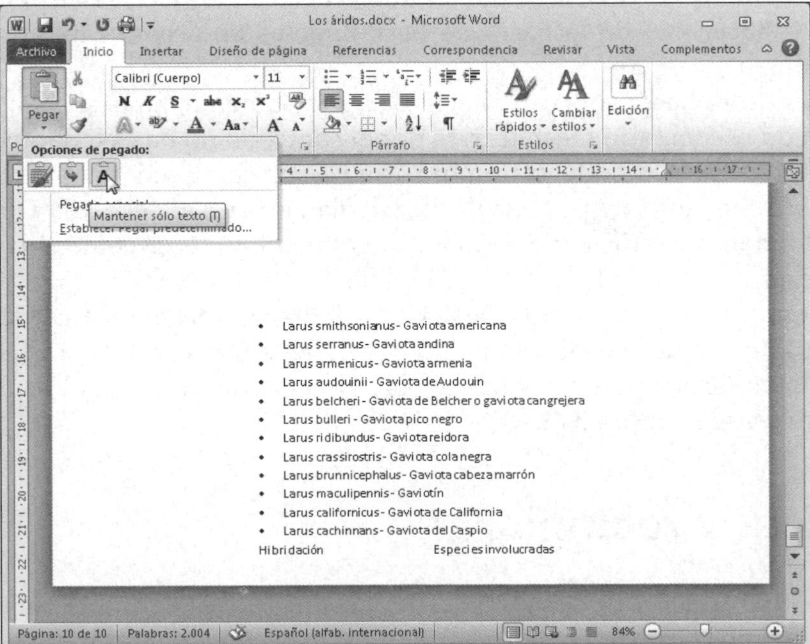

Figura 3.7. Resultado de la opción de pegado Mantener sólo texto.

Si copia una tabla, las opciones de pegado mostradas serán las siguientes:

- Conservar formato de tabla original.
- Combinar tabla.
- Mantener sólo texto.

Si copia una celda de una tabla, las opciones cambiarán de nombre ajustándolas a "celda", si copia una imagen, las opciones cambiarán para ajustarse a "imagen", y así sucesivamente con los distintos objetos copiados en cualquier aplicación de Office.

Deshacer, rehacer y repetir

Después de manipular un documento repetidas veces, puede suceder que se equivoque o que no quede del todo satisfecho con el resultado obtenido. En estos casos, el programa le permite deshacer las acciones ejecutadas que no sean de su agrado.

Si necesita deshacer la última acción realizada, seleccione el botón **Deshacer** ( ) de la barra de herramientas de acceso rápido o pulse **Control-Z**. Si lo que desea es volver a ejecutar lo que acaba de deshacer, haga clic en el botón **Rehacer** ( ) de la barra de herramientas de acceso rápido o pulse **Control-Y**.

El comando **Rehacer** sólo estará activo si, previamente, ha deshecho alguna acción con el comando **Deshacer**. Si por el contrario no ha ejecutado con anterioridad dicho comando, el nombre de su botón cambiará por el de **Repetir** ( ) y la flecha cambiará por una flecha circular, inversa al del botón **Deshacer**. Como su nombre indica, este comando repite tantas veces como necesite las últimas acciones llevadas a cabo en el documento.

Puede emplear los comandos **Deshacer** y **Rehacer** aplicados a varias acciones, no sólo a la última ejecutada. Para ello, debe hacer clic en la flecha desplegable de dichos botones y seleccionar diversas acciones para deshacer o rehacer (véase la figura 3.8).

Buscar y reemplazar

Independientemente del tamaño del documento que esté creando, en ocasiones puede resultarle necesario localizar determinadas palabras o conjuntos de caracteres. Quizá necesite consultar lo que ha escrito hasta un determinado momento o quiera reemplazar algunos términos. Para estos casos, Word le ofrece herramientas que hacen innecesaria la lectura de todo el documento. Estas herramientas son los comandos Buscar y Reemplazar.

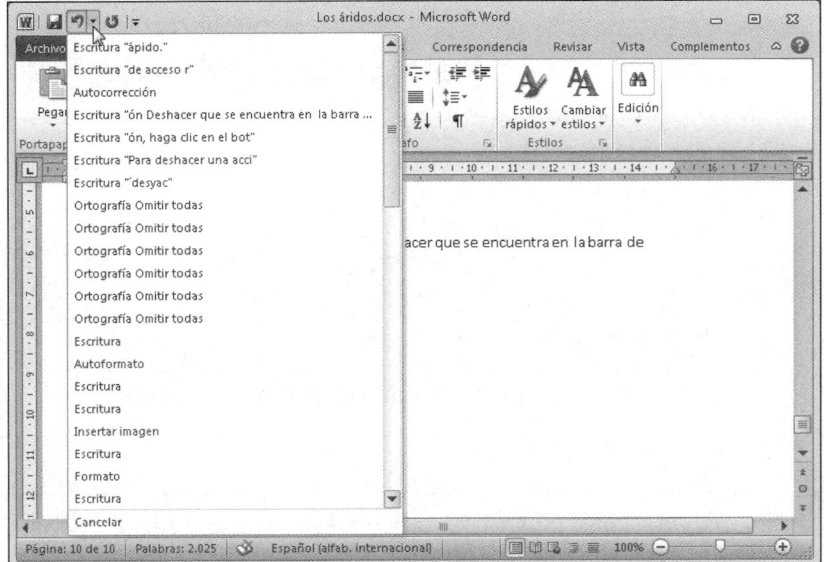

Figura 3.8. Menú desplegable de Deshacer.

El comando Buscar permite localizar prácticamente cualquier elemento en el documento, ya sean unas letras, una palabra completa o un conjunto de ellas mientras que el comando Reemplazar permite buscar y reemplazar palabras o cadenas de texto.

Estos comandos se pueden utilizar de dos formas: a través del cuadro de diálogo Buscar y reemplazar o a través del nuevo panel de tareas Navegación. Para abrir el primero, seleccione Búsqueda avanzada del menú desplegable de **Buscar** dentro del grupo Edición en la ficha Inicio o el comando Reemplazar dentro del mencionado grupo. Para abrir el panel de tareas Navegación, haga clic en el botón **Buscar** del grupo Edición en la ficha Inicio o simplemente pulse **Control-B**.

Cuadro de diálogo Buscar y reemplazar

Al hacer clic en Búsqueda avanzada del menú desplegable **Buscar** del grupo Edición dentro de la ficha Inicio o el botón **Reemplazar** dentro del mismo grupo, se abrirá el cuadro de diálogo Buscar y reemplazar (véase la figura 3.9).

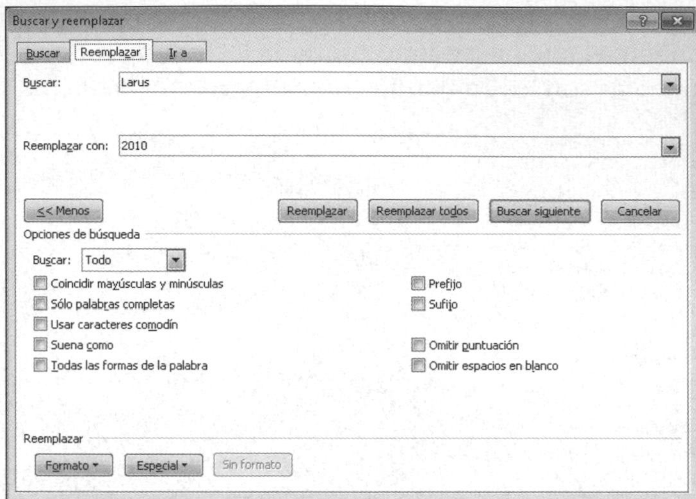

Figura 3.9. Cuadro de diálogo Buscar y reemplazar.

Truco:

Para ampliar el cuadro de diálogo, haga clic en el botón **Más**. *Para contraerlo, haga clic en el botón* **Menos**.

Los pasos que puede seguir a la hora de realizar una búsqueda son, básicamente, los siguientes:

1. Una vez abierto el cuadro de diálogo, seleccione la ficha Buscar, si no es la ficha activa, y escriba el texto que desea localizar en el cuadro de texto Buscar.
2. Seleccione el ámbito y la dirección del procedimiento en las Opciones de búsqueda. La opción que aparece de forma predeterminada para la búsqueda es todo el documento, pero puede elegir que lo haga hacia delante o hacia atrás. Si opta por hacerlo hacia delante, buscará desde el punto de inserción hasta el final del documento. Si selecciona hacia atrás, lo hará desde el punto de inserción hasta el principio del documento. En cualquier caso, si no busca en todo el documento, cuando llegue al final o al principio, respectivamente, el programa le pedirá confirmación para seguir buscando en la parte no escrutada.
3. Elija las opciones de búsqueda que considere necesarias para que el resultado de la búsqueda se ajuste lo más posible a lo que realmente busca. Puede, por ejemplo, pedir que localice sólo palabras completas o que tengan determinado formato.

4. Cuando haya terminado de definir las especificaciones de la búsqueda, haga clic en **Buscar siguiente** para que comience la búsqueda.

Truco:

Si desea ver resaltada la aparición del texto en todo el documento y facilitarle así su localización, haga clic en el botón **Resaltado de lectura** *y seleccione* Resaltar todo.

Cada vez que Word encuentre el texto solicitado, detendrá el proceso y le mostrará el resultado seleccionado. Si desea continuar buscando, haga clic de nuevo en **Buscar siguiente**. En caso contrario, puede detener la búsqueda haciendo clic en **Cancelar** o cerrar el cuadro de diálogo con el botón **Cerrar**.
Cuando no haya más resultados que mostrar, aparecerá un nuevo cuadro de mensaje informándole de que se ha llegado al final del documento.
En caso de que no encuentre ninguna coincidencia del texto introducido por el usuario, Word le informará de que, después de examinar todo el documento, no se ha encontrado el modelo facilitado.
El comando Reemplazar utiliza el mismo cuadro de diálogo, pero con la ficha Reemplazar activada. Se diferencia de la pestaña Buscar en que añade un nuevo cuadro de texto, Reemplazar con, en el que podrá escribir el texto con el que desea reemplazar el texto buscado.

Truco:

Si desea abrir directamente el cuadro de diálogo Buscar y reemplazar *con la ficha* Reemplazar *activa, utilice la sugerencia de teclas* **Control-L**.

Una vez que Word haya encontrado el texto buscado, puede ejecutar cuatro acciones, dependiendo de lo que quiera hacer:

- Hacer clic en el botón **Reemplazar** para sustituir esa instancia del texto por el texto contenido en el cuadro Reemplazar con.
- Hacer clic en **Reemplazar todos**, si lo que desea es que el cambio se produzca en todas las apariciones del contenido del cuadro Buscar.
- Hacer clic en **Buscar siguiente** en el caso de que no quiera modificar el texto localizado pero quiera encontrar más instancias del mismo.
- Hacer clic en el botón **Cancelar** para cerrar el cuadro de diálogo sin haber hecho ninguna sustitución.

Panel de tareas Navegación

No es la primera vez que mencionamos la incorporación de un nuevo elemento de panel de tareas en Office 2010: el panel Navegación. Este panel es un referente perfecto para realizar búsquedas en documentos grandes, aunque también nos puede servir para desplazarnos a sitios determinados del mismo, como a un título o a una página en concreto. En cualquier caso, es el lugar idóneo para realizar búsquedas y reemplazos.
Para abrir este panel puede seguir diversos procedimientos:

- Hacer clic en el botón **Buscar** del grupo Edición dentro de la ficha Inicio.
- Seleccionar el elemento Buscar del menú desplegable de **Buscar** dentro del grupo Edición en la ficha Inicio.
- Pulsar **Control-B**.

Independientemente del método utilizado, se abrirá el panel de tareas Navegación a la izquierda de la pantalla, desde el que puede realizar las siguientes acciones:

- **Desplazarse por los títulos del documento:** Al seleccionar la primera ficha del panel, podrá desplazarse fácilmente por los títulos del documento.
- **Examinar las páginas de los documentos:** Al seleccionar esta segunda ficha, podrá desplazarse fácilmente por las páginas del documento.
- **Examinar los resultados de la búsqueda actual:** Presenta los resultados de la búsqueda actual, correspondiente al texto o cadena de texto introducida en el cuadro de texto superior y le permite, además, establecer opciones de búsqueda o de reemplazo desde el menú desplegable del mencionado cuadro (véase la figura 3.10).

Como puede comprobar en la figura, al realizar la búsqueda de un término en el panel Navegación, no sólo se mostrarán los resultados en dicho panel sino que, además, se resaltarán las coincidencias con el texto buscado dentro del propio documento.
Para desplazarse rápidamente por los resultados, sólo tiene que hacer clic en las distintas coincidencias para poder verlas inmediatamente en el documento. Para avanzar uno a uno en los resultados, haga clic en la flecha que apunta hacia abajo o en la que apunta hacia arriba, dependiendo de la dirección que desee seguir.
Para abrir las opciones de búsqueda, haga clic en el menú desplegable del cuadro de texto y seleccione la opción deseada.

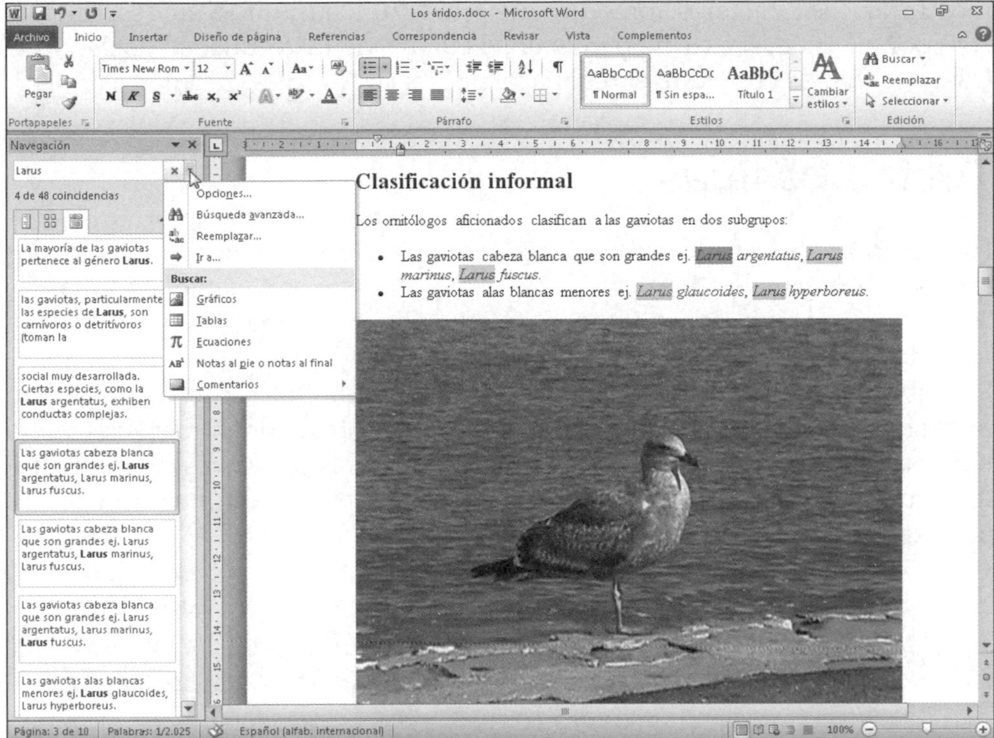

Figura 3.10. Opciones de búsqueda en el panel Navegación.

Uso de caracteres comodín

Al realizar una búsqueda, conviene restringir los criterios con los que se realiza, para que los resultados se correspondan con los deseados. Si define las condiciones que debe cumplir la búsqueda, localizará exclusivamente las coincidencias que le interesan. Ésa es la ventaja de realizar búsquedas avanzadas, en las que puede incluir no sólo texto, sino también formatos, estilos, coincidencia de mayúsculas y minúsculas, etc. De hecho, es posible que sólo le interese buscar formatos. Si es así, utilice el botón desplegable **Formato** del cuadro de diálogo Buscar y reemplazar, gracias al cual podrá seleccionar desde la fuente hasta el idioma del texto que busca.

También puede necesitar la lista que le ofrece el botón **Especial**, en la que puede seleccionar caracteres no imprimibles (como la marca de nota al pie o la marca de párrafo).

Una de las opciones más interesantes es la opción Usar caracteres comodín. Al seleccionar esta casilla de verificación y hacer clic en el botón **Especial**, se mostrarán los caracteres comodín que puede utilizar junto a su descripción. Así, por ejemplo, si escribe **per@o** en el cuadro de texto Buscar y selecciona Usar caracteres comodín, el resultado podrá ser "pero" o "perro".

Teclas básicas

Hemos ido presentándole algunas sugerencias de teclas que automatizan las tareas más habituales de Word. Estas combinaciones son viables en todas las aplicaciones integradas en Office 2010. Por ello, conviene que conozca estos métodos abreviados para ejecutar algunos comandos.
Lo habitual es que en un ordenador se introduzcan los caracteres que conforman el documento a través del teclado. Ésa es la razón por la que resulta más rápido utilizar estos métodos que acceder a ellos a través de los distintos grupos o fichas. En la tabla 3.4 le presentamos un resumen de los más importantes:

Tabla 3.4. Principales comandos ejecutables mediante sugerencias de teclas.

Sugerencia de teclas	Acción ejecutada
Alt	Muestra las teclas correspondientes a las distintas opciones de la cinta de opciones.
Control-A	Abrir el cuadro de diálogo Abrir.
Control-B	Abrir el panel de tareas Navegación.
Control-C	Copiar la selección al Portapapeles.
Control-E	Seleccionar todo el documento.
Control-F1	Minimiza y maximiza la cinta de opciones.
Control-G	Guardar un documento con el mismo nombre que tenía o, en caso de no haberlo guardado con anterioridad, abrir el cuadro de diálogo Guardar como para guardarlo con un nombre.
Control-I	Abrir el cuadro de diálogo Buscar y reemplazar con la ficha Ir a activada.
Control-L	Abrir el cuadro de diálogo Buscar y reemplazar con la ficha Reemplazar activada.
Control-P	Abrir las opciones de impresión del menú Archivo.
Control-V	Pegar desde el Portapapeles con el formato original.

Sugerencia de teclas	Acción ejecutada
Control-X	Cortar la selección.
Control-Y	Rehacer sólo la última acción ejecutada.
Control-Z	Deshacer la última acción ejecutada. Puede repetir la operación cuantas veces precise hasta que el texto quede en el estado original deseado.
F1	Abre la Ayuda de Microsoft Office.
F7	Activa la corrección ortográfica y gramatical.
Mayús-F1	Abre el panel Mostrar formato.

Corrección ortográfica y gramatical

Word incorpora potentísimas herramientas con el fin de evitar, en lo posible, faltas ortográficas y gramaticales. Para ello, incluye opciones que van desde revisar la ortografía mientras se escribe, hasta personalizar sus propios diccionarios.

Para señalar los posibles errores detectados en el documento, Word emplea líneas onduladas de subrayado: el subrayado en rojo para los errores ortográficos, el subrayado en verde para los gramaticales y el subrayado en azul para los errores de contexto. Mientras escribe, algunas palabras o expresiones aparecerán automáticamente subrayadas con alguno de estos colores.

Utilice el menú contextual (haciendo clic con el botón derecho del ratón sobre la palabra errónea) y comprobará que el programa le ofrece sugerencias para que solucione el error. Dichas opciones aparecen en la parte superior del menú contextual y, si decide hacer uso de alguna de ellas, sólo tiene que seleccionarla con el ratón para que cambie la palabra escrita en el documento. Sin embargo, también es posible que prefiera omitir dicho error, en cuyo caso no tiene más que pasar por alto la indicación seleccionando la opción correspondiente.

Si prefiere que Word no subraye los errores ortográficos y gramaticales, sólo tiene que desactivar esta opción. Para ello, siga estos pasos:

1. Seleccione la ficha Archivo y, a continuación, haga clic en **Opciones**.
2. En el cuadro de diálogo Opciones de Word, seleccione Revisión.
3. En el cuadro del panel derecho, puede seleccionar o anular la selección de las opciones deseadas.

4. Escoja la solución que más le interese y pulse el botón **Aceptar** para aplicar los cambios. Si cierra el cuadro de diálogo sin aceptar, los cambios que haya realizado, éstos no serán efectivos.

Si necesita establecer más opciones, haga clic en **Opciones de Autocorrección** para abrir el cuadro de diálogo Autocorrección.
Desde este cuadro de diálogo podrá establecer diversas opciones de autocorrección seleccionando o anulando la selección de las casillas de verificación o incluso establecer opciones de autocorrección automáticas, utilizando los cuadros de texto proporcionados, tal como explicamos a continuación.

Autocorrección

Word le ofrece la posibilidad de realizar correcciones automáticas de algunos errores producidos al teclear desde el cuadro de diálogo Autocorrección, que puede personalizar a su gusto (véase la figura 3.11).

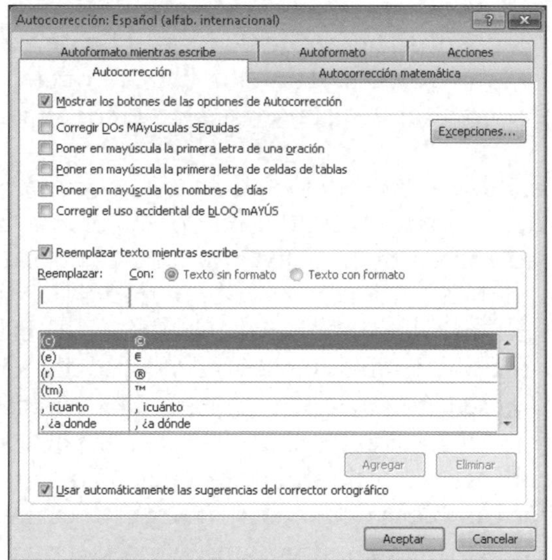

Figura 3.11. Cuadro de diálogo Autocorrección.

Por ejemplo, al escribir la palabra **cno**, la herramienta de autocorrección la sustituye de manera automática por **con**, y lo mismo ocurre con **qeu**, que se transforma en **que**.
Para configurar sus propias opciones de autocorrección, abra el cuadro de diálogo Autocorrección tal como le hemos indicado anteriormente. Este cuadro de diálogo le va a permitir, por ejemplo, que la primera letra de una oración

aparezca siempre en mayúsculas, o personalizar la relación de textos que quiere que Word reemplace automáticamente mientras escribe, etc.

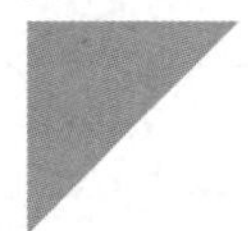

Truco:

Puede configurar la autocorrección de manera que le permita evitar tener que teclear los mismos términos una y otra vez. Será un atajo ingenioso con el que podrá ahorrar tiempo si crea una entrada de autocorrección que sustituya, por ejemplo, **qa** *por* **Querido amigo/a**.

Ortografía y gramática

Este comando puede ejecutarse desde el grupo Revisión de la ficha Revisar o pulsando la tecla **F7**. Al activarlo, Word recorre el contenido del documento y abre el cuadro de diálogo Ortografía y gramática en cuanto encuentra el primer error.

Si el texto no tuviera ningún error, se abriría un cuadro de diálogo informando que la revisión ortográfica ha finalizado. Si es así, pulse el botón **Aceptar** para poder seguir trabajando con el documento.

Pero lo normal es que Word resalte los posibles errores detectados. Veremos cómo funciona el cuadro de diálogo representado en el caso de los errores ortográficos, puesto que con los errores gramaticales se comportan de manera muy similar. El error ortográfico localizado se visualiza en el cuadro No se encontró, y las sugerencias de cambio aportadas por el diccionario del programa aparecen en el cuadro Sugerencias (véase la figura 3.12).

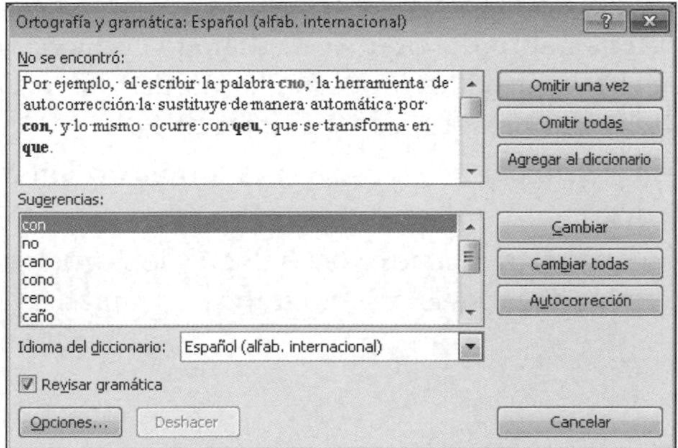

Figura 3.12. Cuadro de diálogo Ortografía y gramática.

Si la solución propuesta es adecuada, la seleccionaremos y haremos clic en el botón **Cambiar** para que efectúe la sustitución. Si comprueba que ese error puede repetirse a lo largo del documento, deberá hacer clic en el botón **Cambiar todas**, de forma que todas las apariciones se sustituyan automáticamente.
En caso de que las opciones propuestas por el programa no le satisfagan, puede elegir entre:

- Hacer clic en el botón **Omitir una vez** si lo que quiere es que la palabra no cambie y Word siga buscando errores.
- Hacer clic en el botón **Omitir todas** si desea que la palabra no se modifique y que no se vuelva a mostrar como error en el documento activo.
- Hacer clic en el botón **Agregar al diccionario** si prefiere que la palabra se añada, tal cual aparece en el texto, al diccionario para que Word no vuelva a considerarla un error ni en el documento activo ni en ningún otro.
- Si considera que es un error pero Word no le ofrece ninguna alternativa para cambiarlo, usted mismo puede editar el error en el cuadro No se encontró y, una vez modificado, hacer clic en el botón **Cambiar** (si es sólo para esa aparición) o **Cambiar todas** (si desea que se sustituya en todo el documento).

El cuadro de diálogo Ortografía y gramática proporciona otras opciones que le van a permitir ejecutar diferentes acciones:

- El botón **Autocorrección** hace que Word incluya la palabra no encontrada y la solución que se le ha dado en la tabla de autocorrección. En sucesivas ocasiones, el error se solucionará automáticamente de la misma forma que se ha hecho en ese caso.
- El botón **Opciones** abre un cuadro de diálogo con opciones avanzadas para que sea el propio usuario el que configure sus preferencias en la corrección de errores ortográficos y gramaticales.
- El botón **Deshacer** le permite deshacer la última acción realizada con el cuadro de diálogo.
- El botón **Cancelar** cierra el cuadro de diálogo y le devuelve al documento, dando por terminada la revisión ortográfica y gramatical.

Capítulo 4

Formato de documentos

En este capítulo aprenderá a:

- Dar formato al texto con las fuentes.
- Aplicar efectos al texto.
- Dar formato a los documentos aplicando formatos de párrafo.
- Configurar las páginas de un documento para una mejor presentación.
- Convertir documentos de texto en PDF o en XPS.
- Gestionar documentos utilizando estilos de párrafo y plantillas de documento.
- Utilizar los modos de visualización de los documentos.

Ya hemos analizado las operaciones básicas del procesador de textos Word que podemos aplicar sobre los documentos generados con este programa. Hemos aprendido a escribir, a editar los documentos copiando y moviendo texto y a corregir errores ortográficos y gramaticales.
En este capítulo nos ocuparemos de cómo dar formato a textos, párrafos, páginas y documentos extensos. Utilizaremos herramientas tan interesantes como las plantillas o los estilos e incluso convertiremos en PDF un documento de texto.
El destino final de los archivos creados con Word suele ser su impresión en papel, para lo que es recomendable que escriba el texto sin formatos para después darle el aspecto deseado y modificarlo cuantas veces sea necesario. Introduzca primero el contenido y ocúpese después de la apariencia. Con este fin, Microsoft Word dispone de una serie de opciones: formato de párrafo, disposición en columnas, etc. que le permitirán realizar estas tareas de manera automática. Por ejemplo, no pulse **Intro** cuando llegue al final de la línea de escritura, a no ser que desee introducir un punto y aparte, de esta manera el texto fluye de una línea a otra directamente.

Formatos de texto

Los caracteres son los elementos básicos que constituyen un texto: letras, signos de puntuación, etc. En este apartado aprenderemos a cambiar su aspecto y cuáles son las características de las fuentes (tamaños, estilos, tipos).
Tenga en cuenta que las opciones de formato que ejecute sobre los caracteres se aplican al texto seleccionado previamente.
Si no selecciona ningún texto, el nuevo formato se aplicará al texto que escriba a partir de ese momento.

Fuentes o tipos de letra

Una fuente es un conjunto de caracteres que tienen un estilo y tamaño comunes que la distingue del resto de las colecciones de fuentes. No olvide que al cambiar de estilo (cursiva, negrita, etc.) o de tamaño, la fuente cambia directamente aunque siga utilizando el mismo tipo de letra. Para mejorar su presentación, un texto puede contener diferentes tipos de letra. Por ejemplo, en este libro hemos utilizado distintas fuentes para el texto normal y los títulos.
Los pasos para cambiar la fuente de un texto escrito son los siguientes (véase la figura 4.1):

- Seleccionar el texto cuya fuente desea modificar. El bloque seleccionado aparecerá resaltado. Si todo el bloque seleccionado utiliza la misma fuente, verá su nombre en el cuadro Fuente del grupo Fuente dentro de la ficha Inicio. En caso de que en el texto haya más de una fuente, dicho cuadro aparecerá en blanco.
- Haga clic en el botón desplegable que hay junto al cuadro Fuente y aparecerá una lista con las distintas fuentes disponibles por orden alfabético.
- Seleccione la fuente que desee aplicar al texto, utilizando, si es preciso, la barra de desplazamiento vertical hasta encontrar la que más le guste.

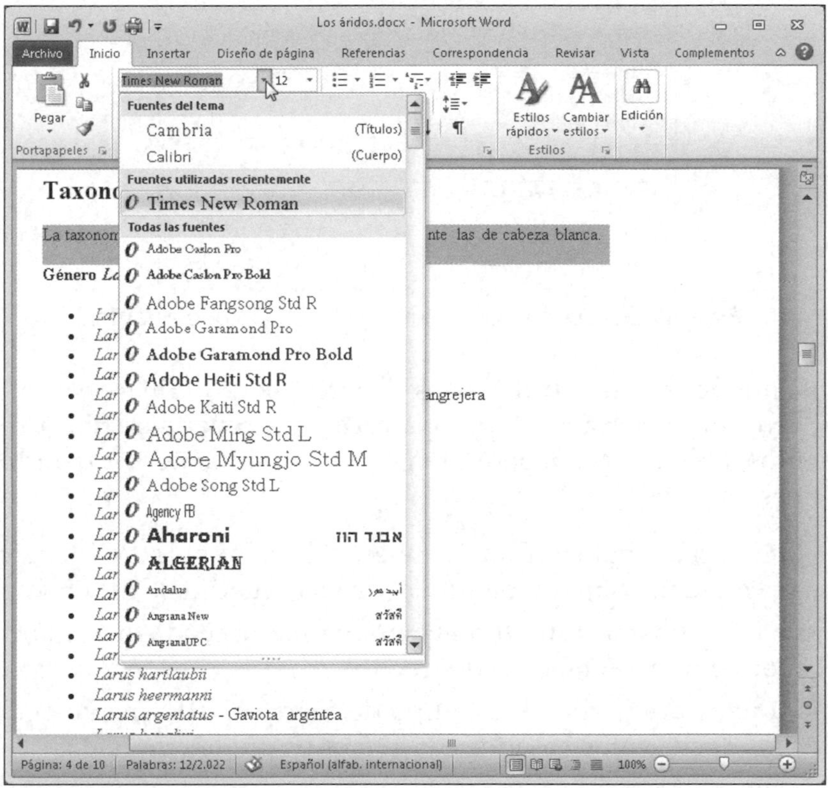

Figura 4.1. Menú desplegable de fuentes en Word.

Asimismo, puede emplear el cuadro de diálogo Fuente que se abre al hacer clic en el **Iniciador de cuadro de diálogo** del grupo del mismo nombre en la ficha Inicio. Dicho cuadro aparece en la figura 4.2. La principal ventaja de utilizar este cuadro de diálogo es que se incluye un cuadro de Vista previa en la parte inferior y en el que puede visualizar el aspecto de las distintas fuentes disponibles y los efectos que pueden aplicarse sobre ellas antes de seleccionar una fuente definitivamente.

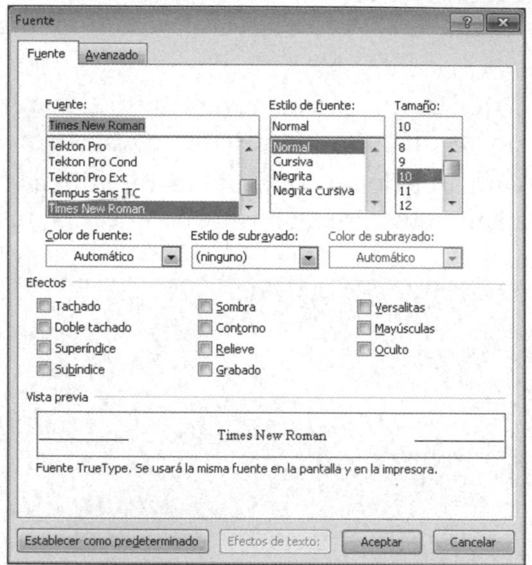

Figura 4.2. Ficha Fuente del cuadro de diálogo Fuente.

La fuente por defecto de Word 2010 es Calibri (Cuerpo). Sin embargo, puede preferir otro tipo de letra para que aparezca al empezar a escribir todos sus documentos. En ese caso, deberá predeterminar la fuente por defecto. Para ello, siga estos pasos:

1. En el cuadro de diálogo Fuente, seleccione el nombre de la fuente que desea configurar como predeterminada en el cuadro de lista Fuente.
2. Haga clic en el botón **Establecer como predeterminado** que se encuentra en la parte inferior izquierda del cuadro.
3. Seleccione si desea aplicar este tipo de fuente al documento actual o a todos los documentos basados en la plantilla predeterminada.
4. Haga clic en **Aceptar**.

Tamaño de fuente

Además del tipo de letra, en el cuadro de diálogo Fuente puede seleccionar el tamaño de los caracteres que va a emplear para redactar el documento. Para cambiar el tamaño de una fuente, puede hacerlo en el cuadro de lista Tamaño, que puede ver en la figura 4.2, junto a Estilo de fuente. Si lo prefiere, puede seleccionar el tamaño de la fuente desde el cuadro de lista Tamaño de fuente que se encuentra en el grupo Fuente de la ficha Inicio.

Para cambiar el tamaño de la fuente, simplemente seleccione el texto cuyo tamaño desea cambiar y seleccione un tamaño de fuente de entre los ofrecidos.

Estilo de fuente

El estilo de fuente se refiere a las características que se utilizan para conseguir que parte del texto resalte de determinada manera respecto al resto del documento. Word incorpora los estilos Normal, Negrita, Cursiva, Negrita Cursiva del cuadro de lista Estilo de fuente en el cuadro de diálogo Fuente, además de diferentes estilos de subrayado (subrayado simple, doble, sólo palabras, etc.) que se encuentran en el cuadro de lista Estilo de subrayado del mencionado cuadro de diálogo.

Asimismo, en el grupo Fuente de la ficha Inicio encontrará diversos botones para aplicar estilos de fuente, como **N** (para aplicar negrita), **K** (para aplicar cursiva), **S** (para aplicar subrayado), etc. Los botones que se muestran son los que aplican los estilos más usuales y puede combinarlos entre sí como desee. Tenga en cuenta que, si utiliza el botón **Subrayado**, aplicará el estilo de subrayado sencillo.

Para ejecutar otros estilos y colores de subrayado, utilice el cuadro de diálogo Fuente.

Si el texto seleccionado responde al estilo de cualquiera de los botones del grupo Fuente, el botón aparecerá resaltado. Puede anular dicho estilo haciendo clic de nuevo sobre el botón o botones que desee desactivar.

Truco:

Las sugerencias de teclas de los formatos de estilo que más se utilizan son:

Combinación	Estilo
Control-N	Negrita
Control-K	Cursiva
Control-S	Subrayado

Otras características de las fuentes

Además de los estilos, a través del cuadro de diálogo Fuente podrá seleccionar desde los efectos de fuente o su color y resaltado, hasta el espacio entre caracteres o, incluso, los efectos animados del texto.

Efectos, color y resaltado de fuente

Los efectos de fuente se seleccionan entre una relación de casillas de verificación en las que puede elegir las que más se ajusten a sus necesidades. Puede escoger más de un efecto, aunque algunos son incompatibles entre sí. Por ejemplo, un carácter no puede ser superíndice y subíndice al mismo tiempo. Los efectos que ofrece Word 2010 en el cuadro de diálogo Fuente son:

- Tachado: Dibuja una línea simple a lo largo del texto seleccionado.
- Doble tachado: Traza una línea doble sobre el texto seleccionado con anterioridad.
- Superíndice: Eleva los caracteres seleccionados sobre la línea base y los cambia a un tamaño de fuente menor.
- Subíndice: Coloca los caracteres seleccionados por debajo de la línea base y los cambia a un tamaño de fuente menor.
- Sombra: Agrega una sombra al texto seleccionado a la derecha y bajo el texto.
- Contorno: Resalta los bordes externo e interno de cada carácter.
- Relieve: Hace que el texto seleccionado se visualice dando la sensación de relieve.
- Grabado: Hace que el bloque resaltado parezca grabado.
- Versales: Aplica el formato de mayúsculas a los caracteres en minúsculas que estén seleccionados y los cambia a una fuente de menor tamaño.
- Mayúsculas: Aplica el formato de mayúsculas a los caracteres en minúsculas que estén seleccionados pero sin cambiarlos a otra fuente.
- Oculto: Impide que el bloque seleccionado y marcado como tal aparezca o en la pantalla o en la copia en papel. Para mostrar el texto oculto en pantalla, haga clic en la ficha Archivo y, a continuación, en **Opciones**. Seleccione Mostrar en el panel izquierdo y seleccione la casilla de verificación Texto oculto que se encuentra en la sección Mostrar siempre estas marcas de formato en la pantalla del panel derecho. Para imprimir el texto oculto, dentro del mismo cuadro de diálogo de opciones, seleccione Imprimir

texto oculto en la sección Opciones de impresión del panel derecho tras seleccionar Mostrar en el panel izquierdo.

Tenga en cuenta que en el grupo Fuente de la ficha Inicio, el comando **Cambiar mayúsculas y minúsculas** también le permite aplicar distintos efectos de fuente combinando mayúsculas y minúsculas y los comandos **Agrandar fuente** y **Encoger fuente** agrandan y reducen respectivamente el tamaño de la fuente.

El color de fuente permite modificar el color de los caracteres. Esta acción puede ejecutarse bien desde el cuadro de diálogo Fuente o bien desde el correspondiente botón del grupo Fuente en la ficha Inicio.

El botón para cambiar el color de los caracteres se denomina **Color de fuente** y su icono contiene una letra A en mayúsculas subrayada con el color seleccionado de forma predeterminada (A). La flecha que se encuentra a su lado permite desplegar una paleta de colores donde podrá elegir un color nuevo o personalizarlo a su gusto. En ese momento, la línea bajo la A pasa al color seleccionado.

Por último, el color de resaltado de texto permite destacar el texto seleccionado aplicándole un color de fondo distinto al del resto. Se crea un efecto similar al producido al pasar un rotulador marcador sobre el papel. Dicho comando se encuentra disponible a través del botón **Color de resaltado del texto** (ab) que se encuentra en el grupo Fuente de la ficha Inicio.

Al igual que sucede con el botón **Color de fuente**, una flecha a su lado despliega una paleta de colores donde podrá seleccionar otro, con lo que cambiará el aspecto del botón.

Advertencia:

No olvide que, si utiliza una impresora en blanco y negro, las características de color que haya aplicado sobre el texto se mostrarán, en el documento impreso, con distintas tonalidades de gris.

Espacio entre caracteres

La pestaña Espacio entre caracteres del cuadro de diálogo Fuente le permitirá determinar el espacio entre caracteres y su posición relativa. Por ejemplo, si le interesa aumentar el espacio entre caracteres, no necesitará teclear espacios en blanco entre las distintas letras. Bastará con seleccionar la opción Expandido de la lista desplegable Espaciado de la ficha Avanzado, pudiendo incluso ajustar los puntos de separación en el cuadro En (véase la figura 4.3).

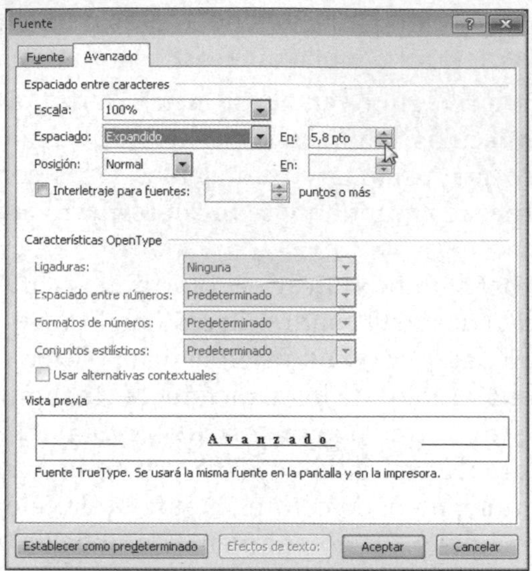

Figura 4.3. Ficha Avanzado del cuadro de diálogo Fuente.

Quizá necesite que algunas palabras aparezcan por encima de la línea de base, pero sin que disminuya el tamaño de la fuente (lo que lograríamos con el efecto Superíndice); en tal caso, seleccione el texto que desea modificar y elija la opción Elevado del cuadro de lista desplegable Posición.

Efectos de texto

Microsoft Word 2010 incorpora una nueva opción, **Efectos de texto** ( ), que se encuentra en el grupo Fuente dentro de la ficha Inicio y que aplica efectos visuales al texto seleccionado. Esta nueva opción ofrece una lista desplegable en la que podrá elegir distintos efectos para su aplicación al texto seleccionado (véase la figura 4.4):

- **Efectos:** En la parte superior de esta lista desplegable podrá elegir entre distintos efectos de relleno para el texto seleccionado.
- **Esquema:** Desde el menú desplegable de esta opción, podrá establecer el color del relleno y del contorno para el texto seleccionado así como el grosor de las líneas.
- **Sombra:** Ofrece diversas opciones para aplicar sombras al texto, como sombras interiores, exteriores o de perspectiva.
- **Reflexión:** Desde su menú desplegable podrá elegir entre distintos tipos de reflejos para el texto.

- **Iluminado:** Ofrece diversas opciones de iluminación para el texto seleccionado.

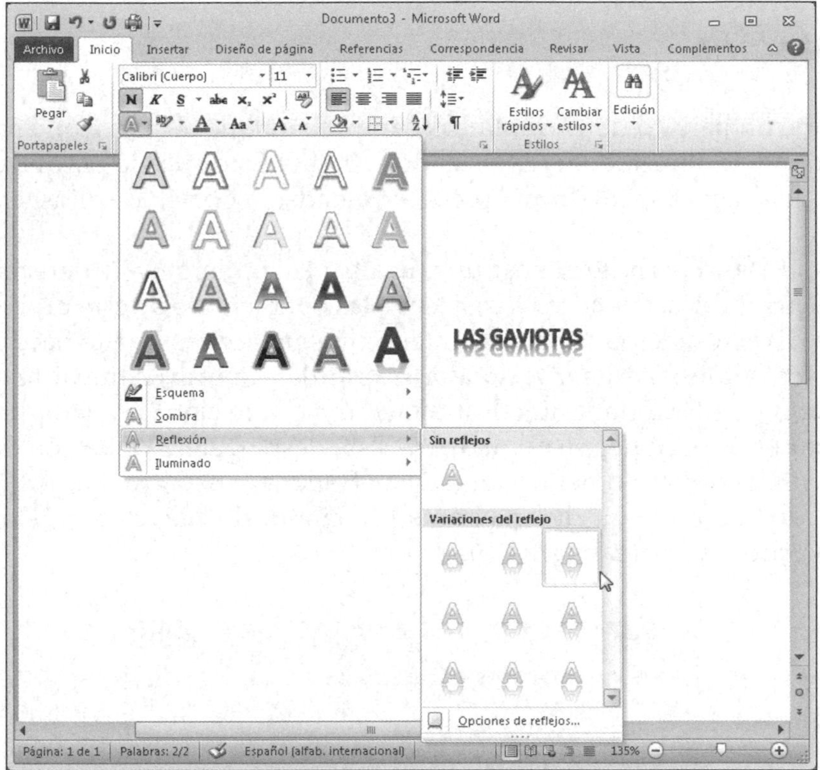

Figura 4.4. Efectos de texto en Word 2010.

Formatos de párrafo

Hasta el momento hemos aprendido a manipular el aspecto de los caracteres, de forma independiente o en el conjunto de una selección. En las páginas que siguen, comprobará la utilidad del correcto manejo de la unidad de párrafo. En Word, un párrafo es la porción de texto escrita entre dos pulsaciones de la tecla **Intro**. Para optimizar la presentación de sus documentos, podrá dar formato a los párrafos que los componen utilizando características como la alineación, las sangrías, el espaciado entre ellos y el interlineado o, incluso, los saltos de página.

Para dar formato a un párrafo, no es preciso seleccionarlo, basta con colocar el punto de inserción en su interior. Aunque, si desea que el cambio se extienda a varios párrafos, sí tendrá que seleccionar, al menos, parte del texto de dichos párrafos.

Alineación

Si escribe un párrafo de varias líneas comprobará que el lado izquierdo está perfectamente alineado, mientras el derecho no. Esto sucede porque el programa tiene activada, de forma predeterminada, la opción de alinear a la izquierda.

Microsoft Word permite alinear un párrafo a la izquierda, a la derecha, centrarlo o justificarlo. Como para casi todas las operaciones de este procesador, existen diversos métodos para ejecutar la misma acción. Puede hacerlo mediante los botones **Alinear texto a la izquierda**, **Centrar**, **Alinear texto a la derecha** o **Justificar** del grupo Párrafo en la ficha Inicio. También puede seleccionar estas opciones en el cuadro de lista desplegable Alineación del cuadro de diálogo Párrafo dentro de la ficha Sangría y espacio. Para abrir este cuadro de diálogo haga clic en el botón **Iniciador de cuadro de diálogo** del mismo grupo (véase la figura 4.5).

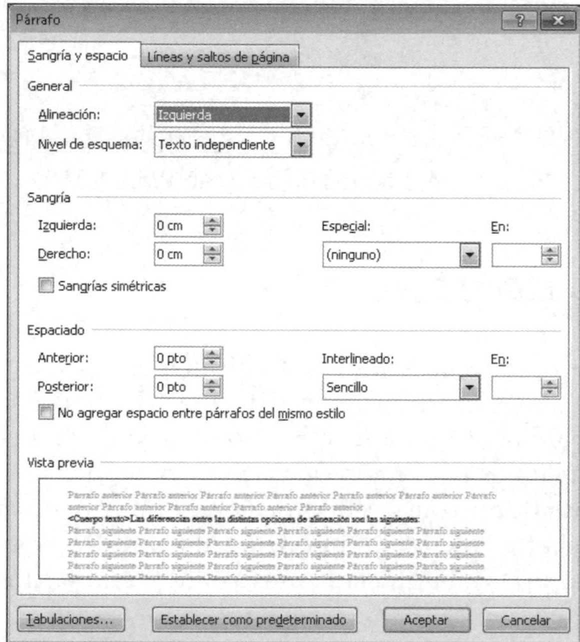

Figura 4.5. Ficha Sangría y espacio del cuadro de diálogo Párrafo.

Las diferencias entre las distintas opciones de alineación son las siguientes:

- La alineación de texto a la izquierda sólo alinea el lado izquierdo del texto y, como hemos visto, es la que aparece activada de forma predeterminada al empezar a escribir un documento.
- La alineación de texto a la derecha es la opuesta a la izquierda. Alinea el texto en el margen derecho del documento.
- La alineación centrada ajusta el texto en el centro del documento, dejando espacios iguales a ambos lados de las líneas.
- La alineación justificada alinea tanto el margen derecho como el izquierdo del texto. Para ello, el programa ajusta el espacio entre las palabras de cada línea. Es la opción más habitual.

Truco:

Las sugerencias de teclas para alinear párrafos son:

Combinación	Estilo
Control-Q	Alinear texto a la izquierda.
Control-T	Centrar texto.
Control-D	Alinear texto a la derecha.
Control-J	Justificar texto.

Sangrar un párrafo

En Word, cuando se habla de sangría, se hace referencia a los espacios en blanco, de determinada medida, que se incluyen de forma automática a los lados de un párrafo. Dichos espacios pueden configurarse a gusto del usuario.

Cada página tiene un espacio entre los límites del papel y el espacio reservado para el texto. Esta área se denomina margen. Por el contrario, las sangrías son espacios que se encuentran dentro del espacio reservado para el texto.

Si la sangría se encuentra a la izquierda, puede elegir entre la más habitual, sangría de primera línea, o sangría francesa (que separan del margen todas las líneas excepto la primera). Si la opción seleccionada en el cuadro de lista desplegable Especial es Ninguna, todas las líneas del párrafo comenzarán a la misma distancia respecto del margen. La distancia vendrá determinada

por los centímetros que el usuario seleccione en los cuadros de Sangría, que le permiten decidir las dimensiones de los espacios en blanco a ambos lados del texto, izquierdo y derecho.
Para configurar las sangrías de los párrafos en su documento, siga estos pasos:

- Sitúe el punto de inserción en el párrafo al que desea aplicar una sangría.
- Haga clic en el botón **Iniciador de cuadro de diálogo** del grupo Párrafo dentro de la ficha Inicio y seleccione la ficha Sangría y espacio.
- Defina los centímetros que deben tener las sangrías, haciendo uso de las flechas ascendente y descendente colocadas a la derecha de las casillas Izquierda o Derecho dentro de la sección Sangría, que utilizará dependiendo de si desea asignar la sangría a un lado, al otro o a los dos (en cuyo caso definirá el tamaño de sangría en ambas casillas).
- En la lista desplegable Especial, elija si quiere una sangría Primera línea, Francesa o (ninguno). Los centímetros que ocuparán los definirá en el cuadro En.
- En el cuadro Vista previa puede comprobar el resultado de cada una de las operaciones que ejecuta. Cuando haya configurado las sangrías, haga clic en el botón **Aceptar** para que Word asigne los valores seleccionados.

Otra forma, más rápida aunque permite menos capacidad de configuración al usuario, para realizar las sangrías son los botones **Disminuir sangría** y **Aumentar sangría** del grupo Párrafo en la ficha Inicio, que reducen o aumentan tan solo la sangría general izquierda.
Por último, es posible determinarlas directamente sobre el texto utilizando las marcas de sangría (en forma de flechas) presentes en la regla: **Sangría de primera línea** y **Sangría francesa**, en el extremo superior izquierdo de la regla, además de **Sangría izquierda** y **Sangría derecha**, a sendos lados de la regla. (Estos botones tienen forma de rectángulos hacia arriba o hacia abajo en la regla.)

Espacio entre párrafos e interlineado

Es cierto que puede separar párrafos entre sí pulsando varias veces la tecla **Intro**, pero esta tarea no es recomendable. La solución adecuada, si lo que quiere es aumentar el espacio entre párrafos es hacerlo a través de la sección Espaciado del cuadro de diálogo Párrafo.

Nota:

En Microsoft Word 2010, el espaciado predeterminado para la mayoría de los conjuntos de estilos rápidos es de 1,15 entre líneas y una línea en blanco entre párrafos. Si desea cambiar estas opciones, puede hacerlo rápidamente desde el comando **Espaciado entre líneas y párrafos** *del grupo* Párrafo *dentro de la ficha* Inicio.

El cuadro de texto Anterior le permite indicar, en puntos, la distancia con el párrafo anterior. Posterior se emplea de la misma forma, aunque respecto del párrafo posterior. Tenga en cuenta que si un párrafo tiene un espacio posterior y el siguiente lo tiene anterior, se separarán sumando ambos espacios. Decida las distancias que desea fijar haciendo uso de las flechas junto a los cuadros de diálogo y compruebe el resultado en el cuadro Vista previa antes de hacer clic en **Aceptar**.

Truco:

El comando **Espaciado entre líneas y párrafos** *del grupo* Párrafo *en la ficha* Inicio *ofrece un menú desplegable desde donde puede establecer diversas opciones de espaciado sin necesidad de abrir el cuadro de diálogo* Párrafo.

El interlineado permite determinar el espacio entre líneas y puede modificarse a través de la opción Interlineado del cuadro de diálogo Párrafo. Las opciones del cuadro de lista al desplegarse son las siguientes:

- Sencillo: Opción predeterminada de Word; proporciona un interlineado ligeramente superior a la fuente de mayor tamaño utilizada en cada línea.
- 1,5 líneas: Consigue un interlineado de tamaño aproximado 1,5 veces el sencillo.
- Doble: Es el doble del interlineado sencillo.
- Mínimo: Indica el interlineado mínimo que puede utilizarse en el párrafo. Si, por el tamaño de la fuente, el interlineado no fuera suficiente, se incrementará de manera automática hasta ajustarlo.
- Exacto: Es de tamaño fijo y se puede configurar con el cuadro En. A diferencia de la anterior opción, si el interlineado no es suficiente para mostrar el texto, lo corta por la parte superior.
- Múltiple: Ajusta el interlineado al porcentaje indicado en el cuadro En.

Tabulaciones

Word le proporciona la posibilidad de configurar las tabulaciones de sus documentos de forma exhaustiva. Por ello, no le será necesario utilizar la barra espaciadora para alinear o separar textos.

El uso más sencillo de los tabuladores es pulsar la tecla **Tab**. Cada vez que lo hace, el punto de inserción se desplaza a la derecha hasta la posición predeterminada en la regla.

En muchas ocasiones, será necesario utilizar las opciones avanzadas de tabulación que le ofrece el programa. Con este fin, podrá optar entre utilizar la regla o el comando **Tabulaciones** del cuadro de diálogo Párrafo, que abrirá el cuadro de diálogo Tabulaciones (véase la figura 4.6).

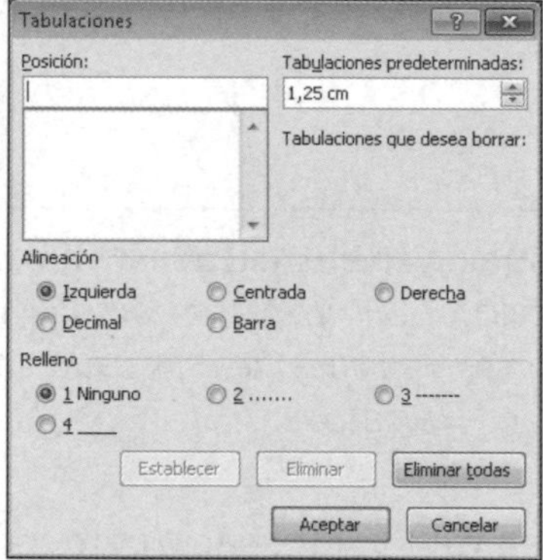

Figura 4.6. Cuadro de diálogo Tabulaciones.

Tipos de tabulaciones

Microsoft Word dispone de los siguientes tipos de tabulaciones:

- Izquierda: Se utiliza para los datos alfabéticos. Tabula los datos introducidos alineándolos a la izquierda, es decir, el texto tabulado se sitúa a la derecha del tabulador.
- Derecha: Se emplea para datos alfanuméricos, sin decimales. Tabula los datos introducidos alineándolos a la derecha, es decir, el texto tabulado se sitúa a la izquierda del tabulador.
- Decimal: Utilizado para datos alfanuméricos con decimales. Tabula los datos introducidos alineándolos a la izquierda de la coma que determina el inicio de los decimales, es decir, el texto tabulado se sitúa a la izquierda de la coma decimal.

- Centrada: Sirve para introducir datos alfanuméricos que se desea centrar alrededor del tabulador, es decir, el texto se inserta a derecha e izquierda del tabulador.
- Barra: Inserta una barra vertical en la posición de la tabulación. No se utiliza para posicionar el texto.

Establecer tabulaciones desde la regla

Para crear tabulaciones desde la regla, debe seguir los tres pasos que se indican a continuación:

1. Seleccione los párrafos a los que afectará la tabulación.
2. Decida el tipo de tabulador que va a utilizar. Para ello, haga clic en el cuadro de tabulaciones, situado a la izquierda de la regla, hasta que se muestre el tipo que desea incluir.

   El tabulador predeterminado es el izquierdo, representado por una L dentro del cuadro de tabulaciones. Si hace clic una vez sobre él, se activa el tabulador centrado (representado por una T invertida); si vuelve a hacer clic, se activa el derecho (simbolizado por una L girada sobre su eje vertical); si lo vuelve a hacer, se activa el tabulador decimal (similar al derecho pero con un punto a la derecha).
3. Haga clic en los lugares de la regla donde quiere situar los tabuladores.

Para conseguir un buen resultado en la asignación de tabulaciones, conviene que los párrafos a los que afecta dicha tabulación se hayan escrito con una sola pulsación de la tecla **Tab** cada vez que necesite separar los textos.
Si precisa modificar la situación de los tabuladores introducidos, seleccione el texto al que afecta cada tabulador y arrastre su marca en la regla hasta la nueva posición. Para eliminar la tabulación, arrástrela fuera de la regla y el texto se adaptará a las marcas de tabulación que permanecen.

Establecer tabulaciones desde el cuadro de diálogo Tabulaciones

Si lo prefiere, puede configurar la tabulación desde el cuadro de diálogo Tabulaciones, que se abre al hacer clic en el botón **Tabulaciones** del cuadro de diálogo Párrafo. Los pasos en esta ocasión son los siguientes:

- Como en el caso anterior, debe tener seleccionados los párrafos a los que afectará la nueva tabulación.

- En el cuadro Posición deberá indicar la posición en que desea crear el tabulador. Después, en el cuadro Alineación, seleccione el tipo que desea utilizar. Para que la creación sea efectiva, debe hacer clic en el botón **Establecer**. Una vez creado, el tabulador aparecerá en la lista de tabuladores activos situada bajo el cuadro Posición.
- Si desea eliminar alguno de los tabuladores, selecciónelo de la lista Posición y haga clic en el botón **Eliminar**. Si lo que quiere es borrarlos todos, haga clic en el botón **Eliminar todas**.
- Finalmente, para aplicar los cambios, pulse **Aceptar**.

La única opción accesible a través del cuadro de diálogo Tabulaciones que no puede utilizar con la regla es la de rellenar el espacio existente entre los textos tabulados. Para ello, la opción Relleno le ofrece distintas posibilidades para que los grupos de datos aparezcan separados como desee.

Posición relativa de los párrafos

La pestaña Líneas y saltos de página del cuadro de diálogo Párrafo (que se abre al hacer clic en el botón **Iniciador de cuadro de diálogo** del grupo Párrafo en la ficha Inicio) permite configurar la posición relativa de los párrafos con respecto al resto del texto. Las opciones ofrecidas son las siguientes:

- Control de líneas viudas y huérfanas: Impide que Word pueda imprimir la última línea de un párrafo en la parte superior de una página nueva (línea viuda) o la primera línea de un párrafo en la parte inferior de una página (línea huérfana).
- Conservar con el siguiente: Fuerza a que el párrafo en cuestión aparezca en la misma página que el que le sigue.
- Conservar líneas juntas: Evita que un párrafo pueda dividirse en dos páginas.
- Salto de página anterior: Permite que un párrafo aparezca siempre al comienzo de una página.

Numeración y viñetas

Uno de los métodos más utilizadas para destacar diversos párrafos consiste en utilizar viñetas y listas numeradas. Se trata de la solución más indicada para resaltar una serie de puntos (viñetas) o una secuencia de pasos numerados. En este manual hemos utilizado esta opción en diversas ocasiones.

En el grupo Párrafo de la ficha Inicio se encuentran los botones **Numeración**, **Lista multinivel** y **Viñetas**, que le permitirán aplicar de manera rápida las opciones predeterminadas de Word para las listas numeradas, las listas de varios niveles y las listas con viñetas. Recuerde seleccionar primero en un bloque el texto sobre el que ejecutarán estas acciones.

Sin embargo, si prefiere personalizar los formatos que desea aplicar, haga clic en el botón de lista desplegable de cada uno de estos botones y seleccione una de las opciones ofrecidas en la galería o haga clic en Definir nuevo formato de número, Definir nueva lista multinivel o Definir nueva viñeta para abrir el cuadro de diálogo específico para cada opción (véase la figura 4.7). Seleccione el formato que más le guste y haga clic en **Aceptar**.

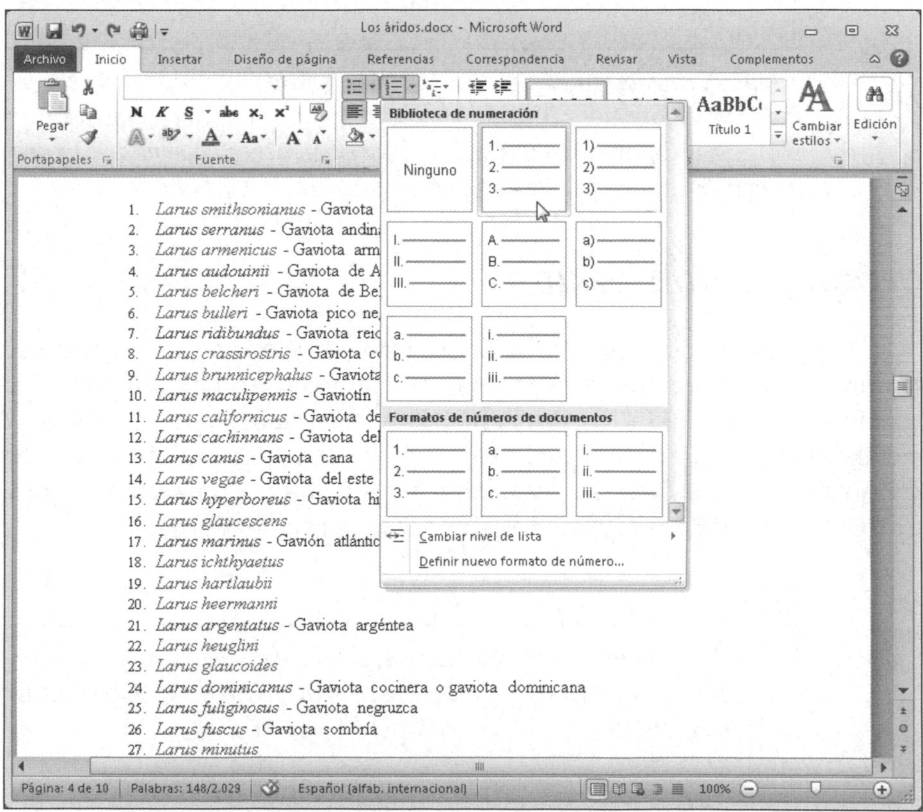

Figura 4.7. Menú desplegable de Numeración.

Juegue cuanto quiera con las posibilidades que le ofrece el programa a la hora de insertar estos formatos, pero tenga en cuenta estas recomendaciones básicas:

- Si desea aplicar viñetas y numeraciones sobre párrafos previamente escritos, selecciónelos primero.
- Si escribe en un documento en el que ha seleccionado una viñeta o numeración y pulsa la tecla **Intro** al final, el siguiente párrafo mantendrá el mismo formato.
- Puede utilizar varios niveles de numeración y viñetas con el botón **Lista multinivel**.
- Para modificar un nivel ya aplicado sobre el texto escrito, sitúe el punto de inserción al principio del párrafo en cuestión y pulse la tecla **Tab**. El programa reconocerá el cambio y aplicará el formato resultante.

Truco:

También puede cambiar el nivel de un párrafo colocando el punto de inserción sobre él y utilizando los botones que ya conoce: **Aumentar sangría** *y* **Disminuir sangría** *que se encuentran en el mismo grupo de la ficha* Inicio *que los botones de numeración y viñetas.*

Bordes y sombreados

Otra de las posibilidades de resalte de párrafos en Word es aplicarles bordes y sombreados. Los bordes son líneas que enmarcan un párrafo para destacarlo del resto. Dichas líneas pueden configurarse tanto por su estilo, color y ancho como por el número de líneas que pueden aparecer (cuadro entero, sólo bordes laterales, etc.). Los sombreados son tramas uniformes o colores que sirven de fondo para los textos enmarcados por los bordes.

Nota:

Recuerde que para aplicar sombreados más avanzados al texto ahora puede utilizar el nuevo comando **Efectos de texto** *del grupo* Fuente *en la ficha* Inicio.

Los bordes y sombreados de párrafo se aplican desde las respectivas fichas del cuadro de diálogo Bordes y sombreados que se abre al seleccionar dicha opción del menú desplegable del botón **Borde** en el grupo Párrafo de la ficha Inicio (véase la figura 4.8). En este cuadro de diálogo, los cuadros de Vista previa de cada pestaña le permiten comprobar el resultado de las opciones que está seleccionando.

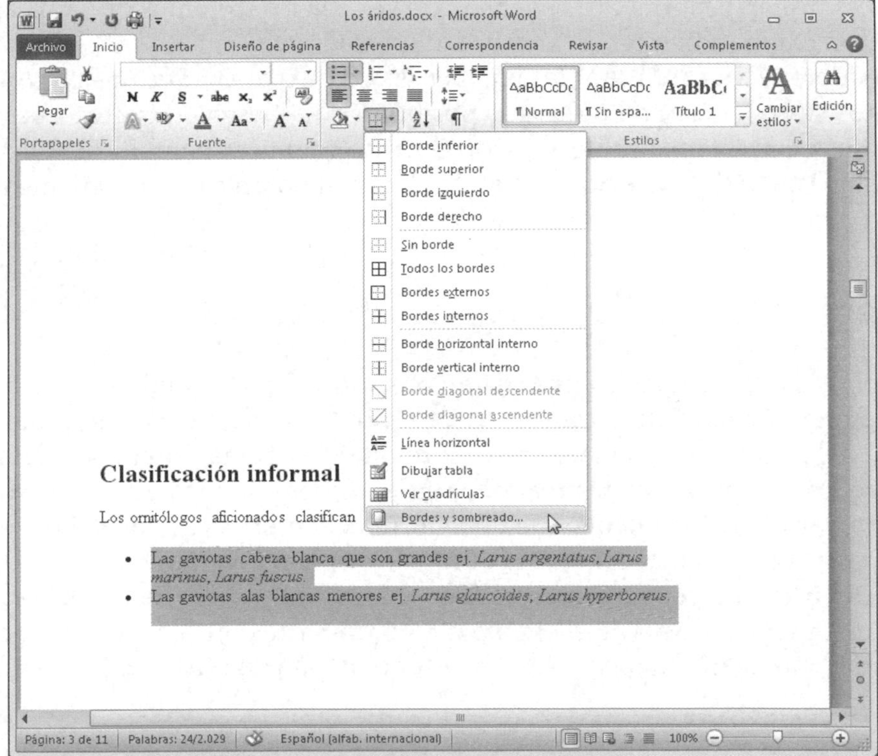

Figura 4.8. Selección de opciones del comando Bordes y sombreado.

Para aplicar una de sus opciones, coloque el punto de inserción en el párrafo que va a enmarcar y seleccione los valores, estilos y demás características que precise utilizar. Cuando todo esté a su gusto, haga clic en **Aceptar** para aplicar los cambios. Puede aplicar bordes y sombreados no solo sobre los párrafos, sino también sobre partes de texto, palabras e, incluso, caracteres.

En el cuadro de diálogo Bordes y sombreado aparece también la pestaña Borde de página. En esta ficha podrá seleccionar bordes que se aplicarán sobre la página donde se encuentre situado el punto de inserción en ese momento. Las opciones de configuración son similares a las de los bordes de párrafo.

Formatos de página

Después de conocer los procedimientos fundamentales para aplicar formato al texto y a los párrafos en que se dispone, nos ocuparemos ahora de cómo preparar las páginas de nuestro documento. Las características de las que vamos a tratar a continuación tienen que ver con los formatos que aplicamos a dichas páginas: márgenes, encabezados y pies, etc.

Aprenderemos a configurar las páginas Word de manera que nuestros documentos se beneficien de todas sus posibilidades. Tenga en cuenta que para visualizar correctamente algunos formatos de página en pantalla debe activar la vista **Diseño de impresión** haciendo clic en el botón correspondiente en la parte derecha de la barra de tareas.

Secciones

Por lo general, todas las páginas de un mismo documento utilizan el formato de página que haya determinado el usuario. No obstante, si desea que una parte del documento contenga otros formatos de página, como, por ejemplo, márgenes distintos, deberá crear distintas secciones. Por lo tanto, una sección es una parte del documento que tiene formatos diferentes a los del resto.

Para crear una sección, coloque el punto de inserción en el lugar donde desee introducirla y seleccione el comando deseado de la sección **Saltos de sección** desde el menú de lista desplegable del botón **Saltos** que se encuentra en el grupo **Configurar página** de la ficha **Diseño de página** (véase la figura 4.9).

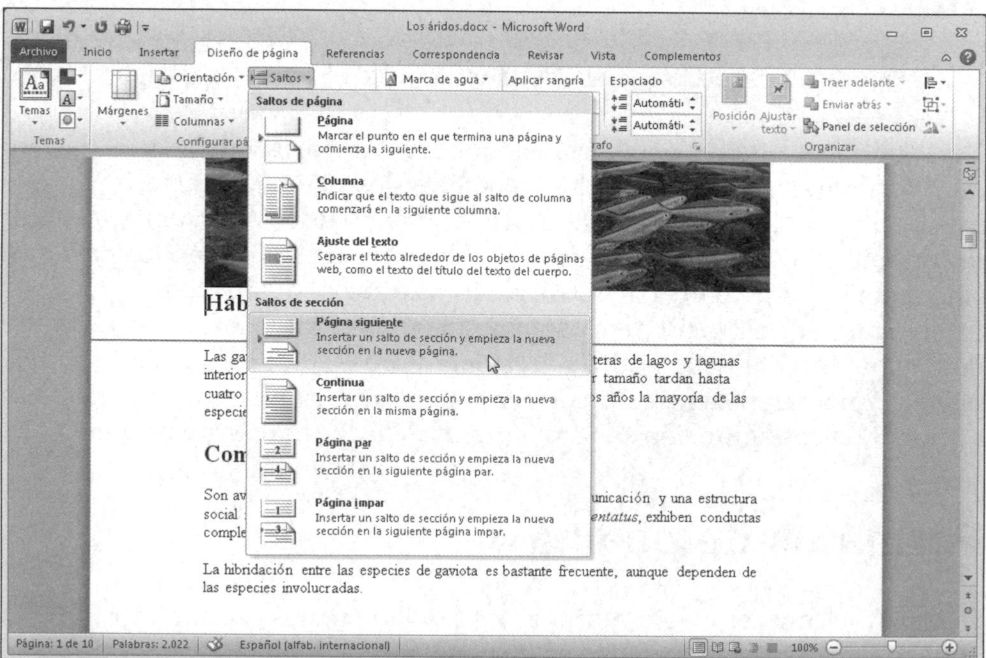

Figura 4.9. Menú desplegable de Saltos para crear secciones en una página.

Debe escoger atendiendo a si desea que la nueva sección comience en la página siguiente, en la posición donde se encuentra el punto de inserción en ese momento, en una nueva página par o en una nueva página impar.
Cuando haya creado las distintas secciones, podrá aplicar los formatos de página que le convengan para cada una de ellas.

Advertencia:

De forma predeterminada, cuando crea una sección, ésta tomará los formatos de la sección anterior. Cuando selecciona y borra un texto que contenía la marca de un salto de sección, la marca de sección desaparece y el contenido que pudiera no haber sido borrado pasa a la sección anterior, adoptando sus características de forma automática.

Saltos de página

Cuando el texto no cabe en una página, Word inserta automáticamente un salto de página. Pero quizá le interese forzar saltos de página de forma manual. Para ello, seleccione el comando apropiado de la sección Saltos de página desde el menú de lista desplegable del botón **Saltos** que se encuentra en el grupo Configurar página de la ficha Diseño de página.
Al insertar un salto de página, el texto situado a partir del punto de inserción pasa a la página siguiente. Tenga en cuenta que insertar un salto de página no equivale a crear una nueva sección, por lo que no podrá usar formatos de página distintos.

Truco:

La sugerencia de teclas para crear un salto de página rápidamente es **Control-Intro**.

Columnas

La mayoría de los documentos elaborados con Word presentan una única columna. Pero, en ocasiones, puede necesitar utilizar más de una columna en su texto.
Para introducir columnas, haga clic en el menú desplegable del botón **Columnas** del grupo Configurar página en la ficha Diseño de página y seleccione una de

las opciones ofrecidas. Si desea aplicar más columnas, seleccione la opción Más columnas para abrir el cuadro de diálogo Columnas (véase la figura 4.10). Especifique en dicho cuadro las opciones de formato que desea: su número, ancho y espaciado entre ellas, que aparezca una línea vertical que las separe, el ámbito de aplicación dentro del documento, etc.

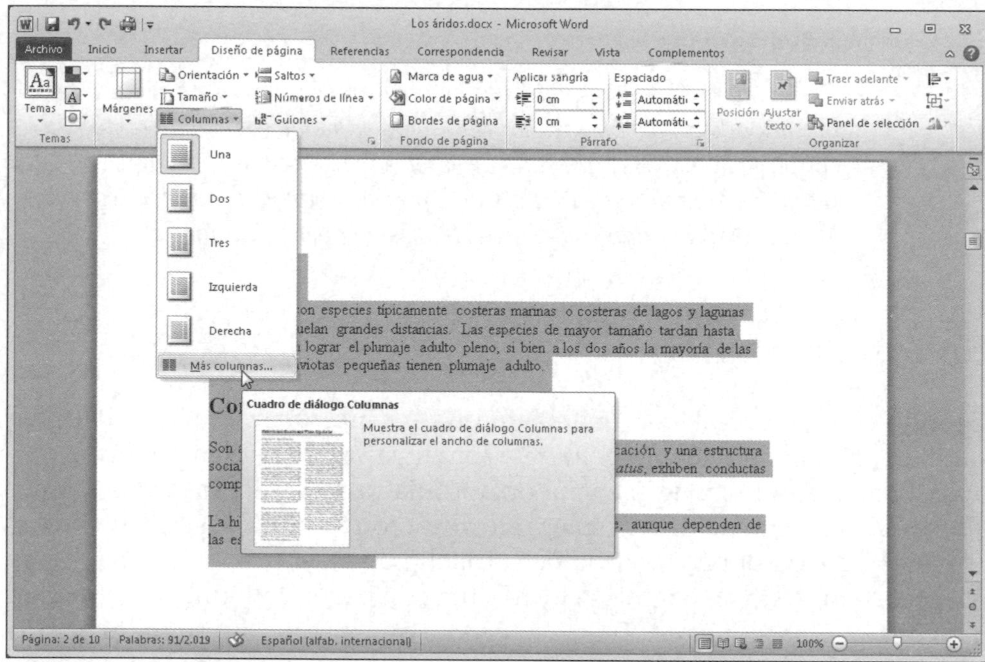

Figura 4.10. Menú desplegable del botón Columnas.

Word considera que las columnas son un nuevo formato de página, por lo que si desea aplicarlas tan solo en una zona concreta del documento, deberá crear primero una sección donde ubicarlas.

Encabezados y pies de página

Puede que desee que sus documentos muestren en todas sus páginas contenidos repetidos: el título, el autor, el número de página, etc. La ventaja de utilizar encabezados y pies de página es que solo tendrá que escribirlos una vez.
Para crearlos utilice los comandos correspondientes de la ficha Insertar dentro del grupo Encabezado y pie de página. Para insertar un número de página, haga clic en el menú desplegable del comando **Número de página** y seleccione una de las opciones propuestas o haga clic en la opción Formato del

número de página para abrir el cuadro de diálogo Formatos de los números de página (véase la figura 4.11).

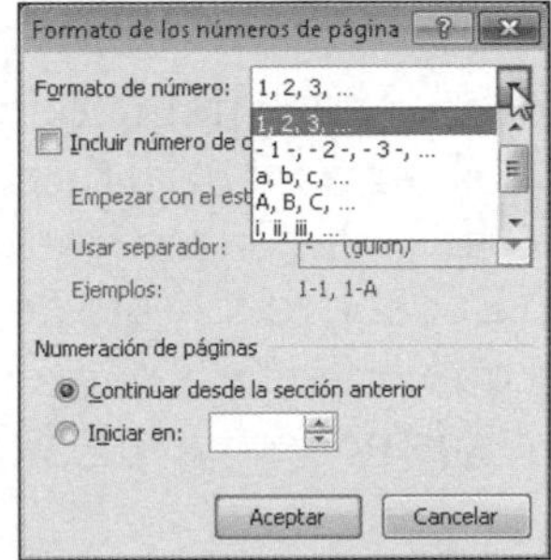

Figura 4.11. Cuadro de diálogo Formato de los números de página.

Para insertar un encabezado, seleccione una de las opciones propuestas por el menú desplegable del botón **Encabezado** y para insertar un pie de página, haga clic en el menú desplegable del botón **Pie de página**. En todos los casos, Word abrirá la ficha Herramientas para encabezado y pie de página (véase la figura 4.12), desde donde puede seleccionar o anular la selección de las opciones propuestas, e insertar un recuadro en la parte superior e inferior del documento indicando la zona del encabezado y del pie de página.

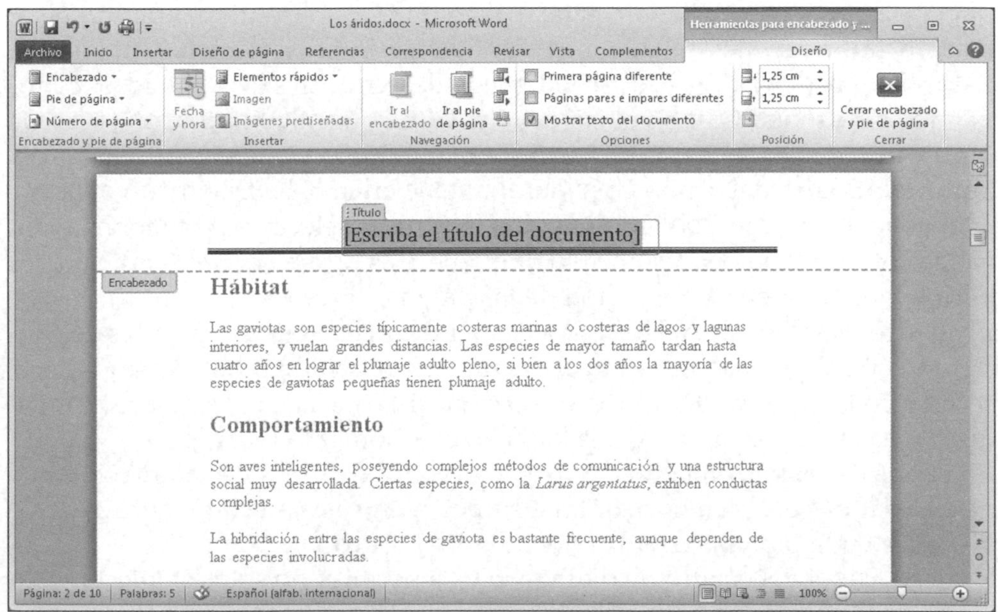

Figura 4.12. Herramientas para encabezado y pie de página.

Para pasar al pie de página, haga clic en el botón **Ir al pie de página** del grupo Navegación. Tras escribir el contenido del pie de página, puede hacer clic en el botón **Cerrar encabezado y pie de página** para que se apliquen los cambios realizados.

Los encabezados y pies de página suelen utilizarse para incluir información como los números de página, el número total de ellas, la fecha, etc. Puede hacerlo utilizando las opciones ofrecidas en las Herramientas para encabezado y pie de página o en el grupo Encabezado y pie de página de la ficha Insertar. En cualquier caso, no olvide que puede aplicar formato a los textos del encabezado y pie de página de la misma forma que a cualquier otro texto.

Configurar página

El cuadro de diálogo Configurar página, que se abre al hacer clic en el **Iniciador de cuadro de diálogo** del grupo con el mismo nombre en la ficha Diseño de página, le permite especificar características del documento, como los márgenes o el diseño del papel.

Márgenes y opciones de papel

El margen de una página es el espacio que existe entre los límites físicos del papel y el área reservada para el texto. Word le va a permitir configurar el tamaño de los márgenes del documento: superior, inferior, derecho e izquierdo. Para ello, pulse en las flechas ascendentes y descendentes de los cuadros cuyos valores desea modificar en el cuadro de diálogo Configurar página (véase la figura 4.13) o seleccione uno de los proporcionados en el menú desplegable del botón **Márgenes** del grupo Configurar página en la ficha Diseño de página.

El cuadro de diálogo Configurar página le permite seleccionar opciones avanzadas como Encuadernación, si lo que quiere es dejar márgenes adicionales para la posterior encuadernación de las páginas impresas.

El cuadro desplegable Aplicar a le va a permitir ejecutar las opciones de configuración seleccionadas a todo el documento (opción predeterminada), a la sección en la que está el punto de inserción (si es que la ha creado previamente), o a partir del lugar donde se halla en ese momento dicho punto.

En cuanto al papel, en la misma pestaña podrá definir si la orientación que desea usar es vertical u horizontal. La opción que elija afectará tanto a lo que visualice en la pantalla como al documento impreso.

La ficha Papel del cuadro de diálogo le va a permitir no sólo establecer el tamaño de las hojas sobre las que va a imprimir el documento sino también las bandejas de origen y algunas opciones de impresión.

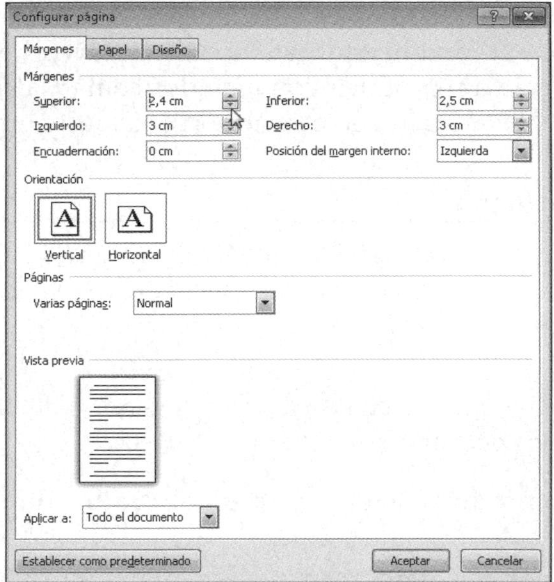

Figura 4.13. Cuadro de diálogo Configurar página.

Diseño de página

La pestaña Diseño del cuadro de diálogo Configurar página le servirá para especificar opciones como la distancia de los encabezados y pies de página respecto de los bordes de la página. Asimismo, podrá decidir que, al imprimir el documento, las líneas aparezcan numeradas y también el intervalo de dicha numeración (cada dos líneas, cada cinco).

Si, tras los cambios realizados, desea que la configuración que ha establecido sea la que utilicen todos sus documentos de Word, haga clic en el botón **Establecer como predeterminado**. El programa le pedirá su confirmación para que, a partir de ese momento, sea esa la opción predeterminada del formato de página.

Creación de documentos PDF

Esta nueva versión de Microsoft Office 2010 permite guardar archivos en formatos PDF o XPS sin necesidad de ningún software o complemento adicional. Los archivos de Formato de documento portátil, conocidos como PDF, conservan el formato del documento y permiten compartir archivos. Este formato es muy útil para evitar que se cambie el documento ya que se puede configurar para que nadie pueda modificarlo. Este tipo de archivo es muy útil para documentos que se van a reproducir con métodos comerciales de impresión y se acepta como formato válido en muchos organismos y organizaciones.

Advertencia:

Para volver a convertir un archivo PDF o XPS en un formato de archivo de Microsoft Office, necesitará un un software especializado o un complemento de otros fabricantes.

Para convertir un documento de Word (o cualquier otro documento de Office) puede seguir estos procedimientos:

- Guardarlo como documento `.pdf` en el cuadro de diálogo Guardar como.
- Utilizar el comando Guardar y enviar del menú Archivo.
- Enviar el documento como un archivo PDF adjunto mediante un mensaje de correo electrónico.

Guardar con el cuadro de diálogo Guardar como

Para guardar un documento como PDF desde Word, siga estos pasos (véase la figura 4.14):

1. Seleccione la ficha Archivo.
2. Haga clic en Guardar como.
3. En el cuadro de diálogo Guardar como, escriba un nombre para el archivo en el cuadro de texto Nombre de archivo.
4. Seleccione PDF (*.pdf) del menú desplegable Tipo.
5. Haga clic en **Guardar**.

Advertencia:

Para ver un archivo PDF, debe tener un lector de archivos PDF instalado en el equipo, como Acrobat Reader, que puede instalar gratuitamente desde Internet.

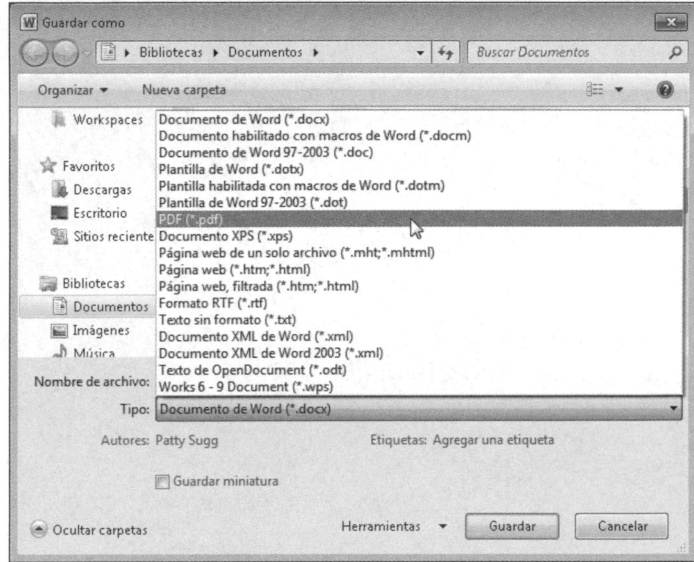

Figura 4.14. Guardar como PDF desde el cuadro de diálogo Guardar como.

Guardar desde la ficha Archivo

Para guardar un documento de Word como un archivo PDF desde la ficha Archivo, seleccione dicha ficha y, a continuación, siga estos pasos:

1. Haga clic en **Guardar y enviar**.
2. Haga clic en **Crear documento PDF/XPS** dentro de la sección Tipos de archivo en la columna central de la página, Guardar y enviar.
3. Haga clic en el botón **Crear documento PDF o XPS** en la columna de la derecha, debajo de Crear un documento PDF/XPS.
4. Dentro del cuadro de diálogo Publicar como PDF o XPS, escriba un nombre para el archivo que se va a crear dentro del cuadro Nombre de archivo y haga clic en **Publicar** (véase la figura 4.15).

Truco:

Para abrir rápidamente el cuadro de diálogo Publicar como PDF o XPS, utilice las sugerencias de teclas **Alt-A-V-B-M**.

El archivo se guardará como PDF en la ubicación seleccionada.

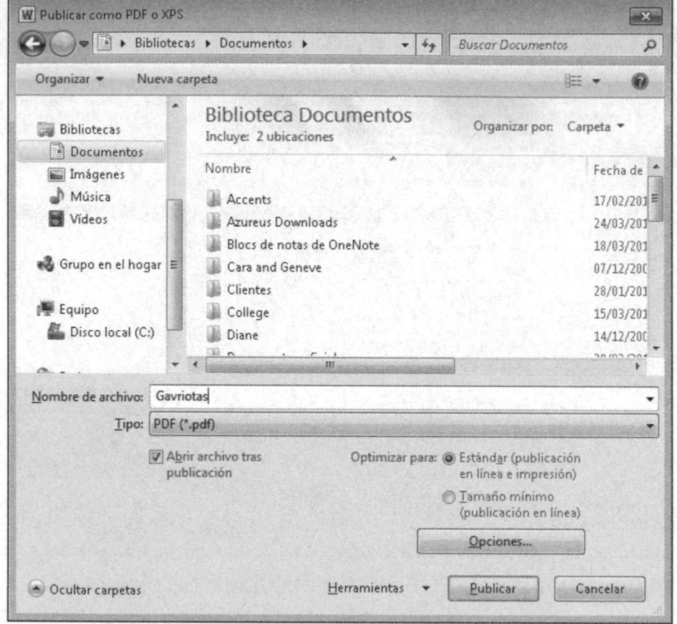

Figura 4.15. Cuadro de diálogo Publicar como PDF o XPS.

Adjuntar una copia del documento como PDF en un mensaje de correo electrónico

Office 2010 facilita el envío de un documento como PDF adjuntándolo en un mensaje de correo electrónico. Para ello, siga estos pasos:

- Seleccione la ficha Archivo y haga clic en **Guardar y enviar**.
- Haga clic en **Enviar como PDF** en la columna derecha, debajo de Enviar mediante correo electrónico.

El programa convertirá automáticamente el documento actual en un archivo PDF y lo insertará como archivo adjunto en la ventana de mensaje de correo electrónico, abriendo ésta para poder proceder con el envío (véase la figura 4.16).

Nota:

Para utilizar esta opción, deberá tener instalado un cliente de correo electrónico, como Microsoft Outlook, en su equipo y disponer de una conexión a Internet.

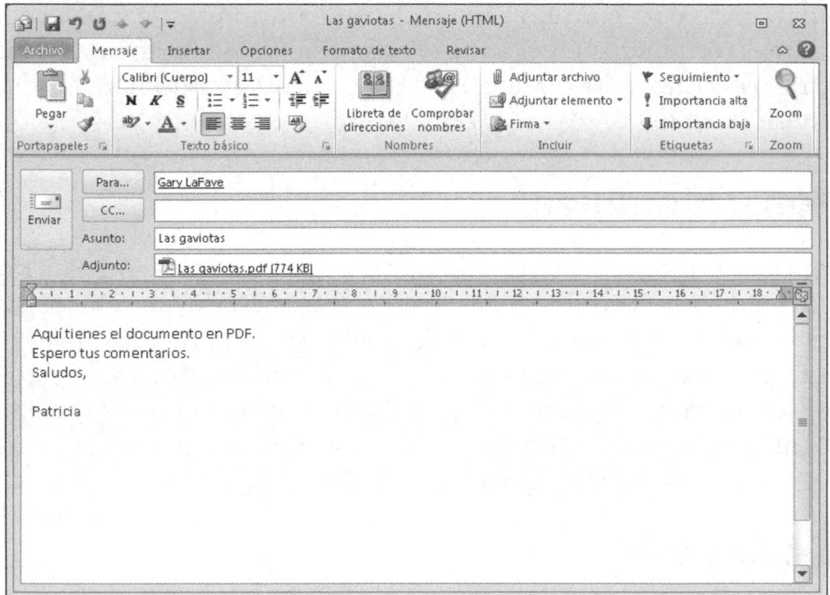

Figura 4.16. Documento adjunto convertido en PDF para su envío mediante correo electrónico.

Documentos XPS

XPS es una tecnología independiente de plataforma y, al igual que PDF, conserva el formato de un documento y permite compartir archivos. Este tipo de archivo conserva exactamente el formato deseado y los datos del archivo no se pueden modificar fácilmente. XPS inserta todas las fuentes en el archivo para que tengan el aspecto deseado, independientemente de si la fuente especificada está disponible o no en el equipo del destinatario. Asimismo, ofrece una imagen más precisa y una mejor representación de color en el equipo del destinatario que el formato PDF. Para convertir un documento de Office en XPS, sólo tiene que seguir los pasos que hemos explicado para PDF pero, esta vez, seleccionando `.xps` como archivo de destino.

Documentos extensos

Cuando se encuentra trabajando con documentos muy grandes, puede que necesite utilizar determinadas herramientas especiales para su mejor manipulación. Algunas consistirán en agrupar las características de formatos que se repiten con frecuencia. Otras tendrán como misión facilitar la localización de los temas contenidos en el texto. Todas ellas están orientadas a simplificar el trabajo utilizando mecanismos que permitan automatizar las tareas repetitivas.

Estilos y plantillas

Ya hemos visto que en Word podemos utilizar múltiples técnicas para dar formato a todo tipo de unidad, desde el carácter aislado hasta la totalidad de páginas de un documento. Es posible que algunas partes del texto (títulos, ejemplos, etc.) tengan siempre el mismo aspecto. Para evitar repetir una y otra vez las mismas características de formatos en secciones no contiguas del documento, el programa permite que asocie, puntualmente, varios de estos formatos en estilos de párrafo y plantillas de documento.

Estilos de párrafo

Los estilos de párrafo agrupan las características de los diversos tipos de párrafos utilizados en un documento. En la elaboración de este libro, habrá observado algunos rasgos comunes en párrafos diseminados a lo largo de todas sus páginas. Por ejemplo, todas las advertencias, notas y trucos comparten características que los distinguen del resto del texto; y todos los títulos tienen el mismo tipo de letra y tamaño de fuente.
Word 2010 le ofrece un grupo específico de Estilos dentro de la ficha Inicio que le facilitará enormemente su manejo. Simplemente con señalar con el puntero del ratón el estilo de la galería de estilos, podrá visualizar en el propio texto la apariencia de dicho estilo antes de seleccionarlo.

Estilos predefinidos

Word ofrece algunos estilos predefinidos. En el grupo Estilos puede ver dichos estilos desplazándose con ayuda de la barra de desplazamiento vertical del grupo o haciendo clic en el botón de flecha desplegable para ver la galería de estilos rápidos y acceder a otras opciones. Para aplicar un estilo predeterminado a párrafos del documento, selecciónelos y elija el estilo desde esta galería de estilos rápidos (véase la figura 4.17).

Crear y modificar estilos

Si prefiere crear un estilo nuevo y añadirlo a la galería de estilos rápidos, aplique las características que le interesa que contenga el estilo sobre un párrafo cualquiera. A continuación, haga clic en el botón desplegable de la galería de estilos rápidos y seleccione la opción Guardar selección como un nuevo estilo rápido. Se abrirá un cuadro de diálogo Crear nuevo estilo a partir del formato donde podrá decidir el nombre, características y ámbito de aplicación del nuevo estilo escribiendo dichas características en las opciones mostradas al hacer clic en **Modificar**. Efectúe las modificaciones deseadas y haga clic en **Aceptar** para aplicarlas.

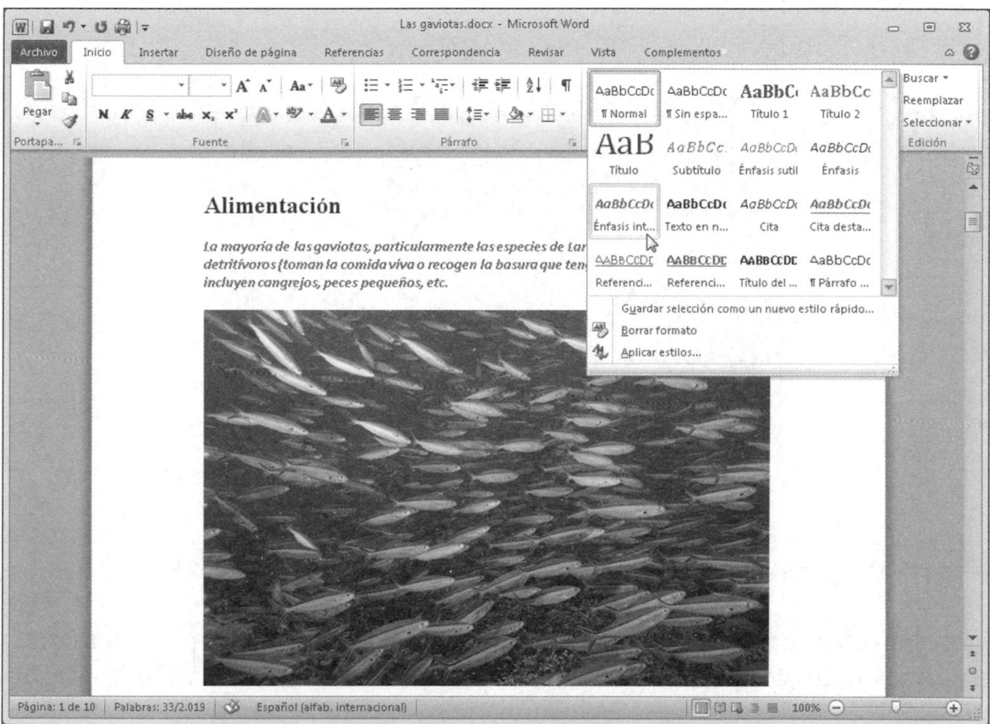

Figura 4.17. Estilos predefinidos en Word 2010.

Si lo que necesita es modificar un estilo ya creado, no tiene más que seleccionarlo de la lista de formatos del panel de tareas Estilos que puede abrir haciendo clic en el **Iniciador de cuadro de diálogo** del grupo Estilos, o bien pulsando **Alt-Control-Mayús-S**.

Haga clic en la flecha desplegable que aparece a la derecha del nombre del estilo y seleccione la opción Modificar (véase la figura 4.18). Se abrirá el cuadro de diálogo Modificar el estilo, donde podrá especificar los cambios que va a realizar respecto del estilo originario. Al seleccionar un estilo del panel Estilos, la flecha desplegable que aparece también le permite eliminarlo, agregarlo o quitarlo de la galería de estilos rápidos. Asimismo, podrá seleccionar con un solo clic todas las apariciones de dicho estilo, que el programa tiene contabilizadas en la primera línea del desplegable, siempre que el estilo en cuestión haya sido utilizado.

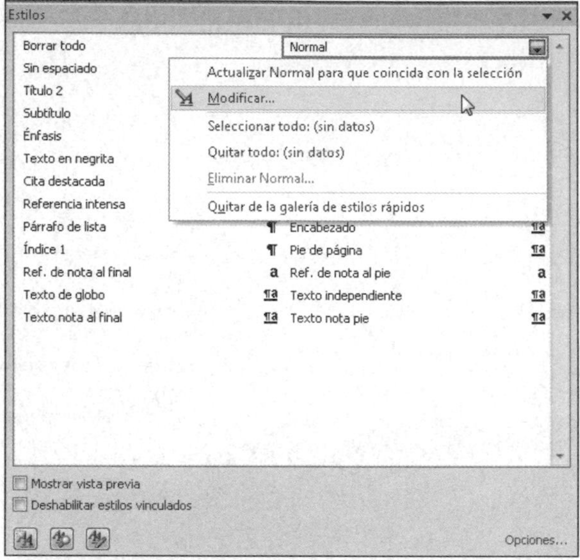

Figura 4.18. Panel de tareas Estilos.

Plantillas de documentos

Las plantillas son un tipo especial de documento que contienen los elementos comunes a un grupo de documentos. Son el modelo que permite conseguir un aspecto homogéneo en los documentos generados con él.

Plantillas predefinidas

La instalación típica de Word contiene diversas plantillas predefinidas. De forma predeterminada, la plantilla de Word 2010 se denomina `Normal.dotm`. El cuadro de diálogo que se abre al hacer clic en Archivo y, posteriormente, en la opción **Nuevo**, le permite explorar las distintas secciones que clasifican los modelos disponibles.

Todas las aplicaciones Office tienen una batería de plantillas. Word 2010 puede acceder a varias colecciones tanto del equipo como de Office.com. Seleccione una de las ofrecidas y podrá visualizar su apariencia en el cuadro de Vista previa (véase la figura 4.19). En la sección Plantillas disponibles, Word tiene activa de forma predeterminada la plantilla Documento en blanco.

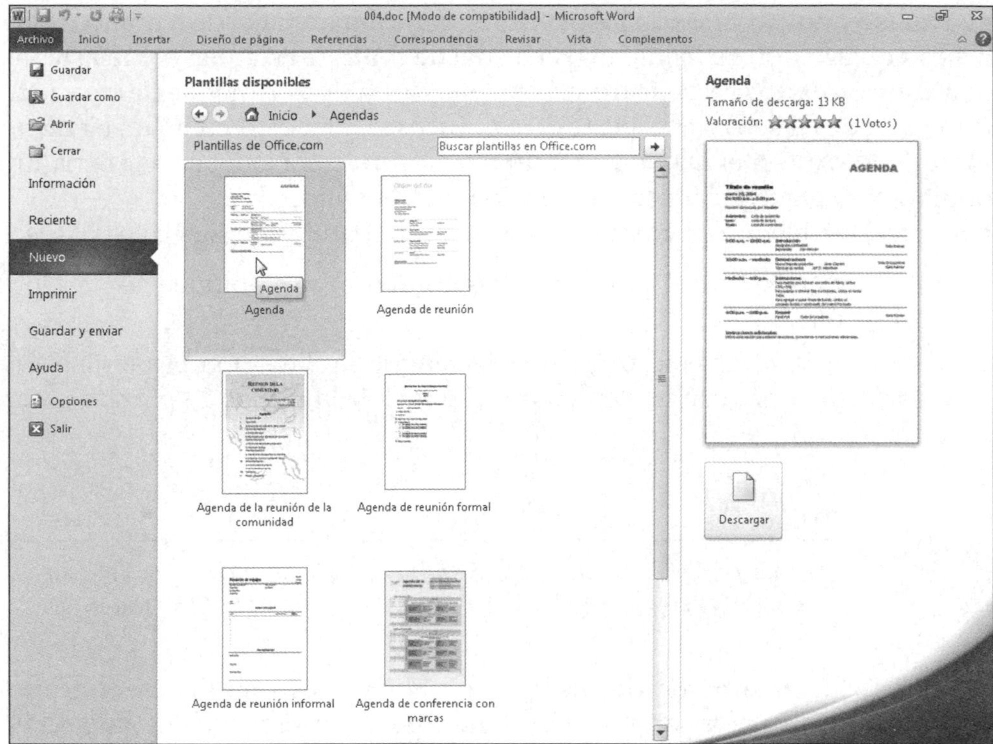

Figura 4.19. Visualización de plantillas en la opción Nuevo.

Crear una plantilla

La utilidad de crear su propia plantilla es evidente: generar un modelo personalizado para sus futuros documentos. La creación de plantillas sigue un procedimiento muy similar al de la creación de documentos:

1. Crear un documento que le sirva como plantilla, puede ser nuevo o estar basado en uno existente con anterioridad.
2. Incluir los elementos y formatos que contendrá la plantilla.
3. Guardar la plantilla con un nombre. Debe seleccionar Guardar como de la ficha Archivo y, tras escribir un nombre para la plantilla, seleccionar la opción Plantilla de Word (.dotx) en el cuadro de lista Tipo.

Bloques de creación

Los bloques de creación son partes reutilizables de contenido u otras partes del documento que se almacenan en galerías. Es posible tener acceso a dichos bloques y volver a utilizarlos en cualquier momento. También pueden guardarse y distribuirse con las plantillas. Para almacenar texto o gráficos que desea volver a utilizar, como una cláusula de contrato estándar o una lista de distribución extensa, puede utilizar Autotexto, un tipo de bloque de creación. Cada una de las selecciones de texto o gráficos se almacena como un elemento de Autotexto en el Organizador de bloques de creación y se le asigna un nombre único que facilita la localización del contenido.

Para crear un bloque de creación de contenido reutilizable siga estos pasos:

1. Seleccione el texto o el gráfico que desee guardar como bloque de creación reutilizable.
2. Para guardar el formato, incluyendo la sangría, la alineación, el interlineado y la paginación, con el elemento, debe incluir la marca de párrafo en la selección.

Truco:

Para abrir o cerrar la presentación de las marcas de párrafo haga clic en el botón **Mostrar todo** *(¶) del grupo* Párrafo *en la ficha* Inicio.

3. Haga clic en el botón desplegable de **Elementos rápidos** en el grupo Texto de la ficha Insertar y seleccione Guardar selección en una galería de elementos rápidos.
4. Escriba un nombre descriptivo en el cuadro de diálogo Crear nuevo bloque de creación, seleccione la galería en la que desea que aparezca el bloque de creación, una categoría (o cree una nueva), escriba una descripción del bloque y seleccione el nombre de la plantilla en la lista Guardar en.

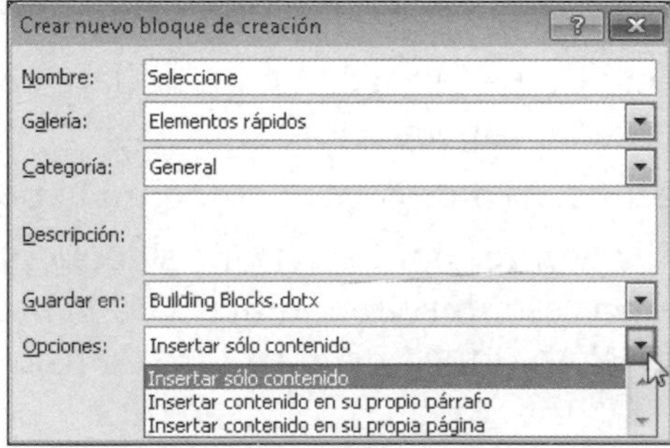

Figura 4.20. Cuadro de diálogo Crear nuevo bloque de creación.

5. En la lista Opciones, seleccione Insertar contenido en su propia página para que el bloque de creación se sitúe en una página distinta. Seleccione

Insertar contenido en su propio párrafo para el contenido que no debe formar parte de otro párrafo, aun cuando el cursor del usuario se encuentre en medio de un párrafo. Utilice Insertar sólo contenido para el resto del contenido.

Para organizar los bloques de creación de contenido reutilizable, seleccione la opción Organizador de bloques de creación del menú desplegable del botón **Elementos rápidos** en el grupo Texto de la ficha Insertar. Esta opción se utiliza para agilizar editar las propiedades de un bloque de creación, eliminarlo o insertarlo.
Para insertar un bloque de creación en el texto, haga clic en el botón desplegable de **Elementos rápidos** en la ficha Insertar dentro del grupo Texto y seleccione el bloque deseado haciendo clic sobre él.

Notas al pie

Word permite insertar notas en el texto bien a pie de página bien al final del documento. Las notas permiten hacer aclaraciones, añadir datos puntuales, introducir información adicional, etc. De forma predeterminada, el tamaño de la fuente es menor que la del cuerpo del texto; aunque admite todos los formatos de texto que hemos visto hasta el momento.
Para introducir notas, siga el siguiente procedimiento:

- Coloque el punto de inserción en el punto exacto donde desea que aparezca la llamada de la nota.
- En la ficha Referencias, haga clic en **Insertar nota al pie** que se encuentra dentro del grupo Notas al pie (agrega una nota al pie de la página) o en Insertar nota al final (agrega una nota al final del documento).
- Escriba la nota deseada.

Nota:

Para poder insertar notas debe estar trabajando en la vista Diseño de impresión. *Para ello, haga clic en el botón de la vista* **Diseño de impresión** *( ) en la parte inferior de la ventana, junto al botón* **Zoom**.

Para realizar cambios de formato en las notas al pie o notas al final, siga estos pasos:

1. Haga clic en el iniciador del cuadro de diálogo Notas al pie.
2. Haga clic en el formato que desee utilizar dentro del cuadro Formato de número.
3. Haga clic en **Insertar**.
4. Para utilizar una marca seleccionada, en el cuadro de diálogo Formato de número, haga clic en el botón **Símbolo** que se encuentra junto al cuadro **Marca personal** y seleccione una marca de los símbolos disponibles.
5. Haga clic en **Aceptar** y, posteriormente, en **Insertar**.

Word numera las notas de forma automática, aunque es posible modificar esta opción. Para ello, seleccione el tipo de numeración que necesita y en qué punto desea que se inicie el cómputo.
Si coloca el puntero del ratón sobre la llamada de nota, visualizará su contenido. Si elimina la llamada de nota, suprimirá también su contenido.

Índices y tablas de contenido

Los índices y tablas de contenido son habituales cuando se manejan varios documentos extensos, como, por ejemplo, este manual. Son herramientas útiles para localizar determinados contenidos en la totalidad del documento.
El índice proporciona al usuario un listado de palabras ordenado alfabéticamente y el número de la página donde se ubican. Su utilidad radica en la localización de términos que, de otro modo, requerirían búsquedas sistemáticas y exhaustivas. Suelen colocarse al final del documento, aunque no es obligatorio.
Para seleccionar las palabras que desea incluir en el índice, siga estos pasos:

1. Señale una palabra que formará parte del índice y haga clic en el botón **Marcar entrada** del grupo Índice en la ficha Referencias.
2. Seleccione las opciones deseadas en el cuadro de diálogo Marcar entrada de índice y, cuando haya terminado, haga clic en **Marcar** para marcar esa palabra, o en **Marcar todas** para marcar todas las apariciones de dicha palabra.
3. Siga los dos pasos anteriores para todas las palabras que desee incluir en el índice (el cuadro de diálogo permanecerá abierto para facilitarle la labor).
4. Cierre el cuadro de diálogo haciendo clic en el botón **Cerrar** (véase la figura 4.21).

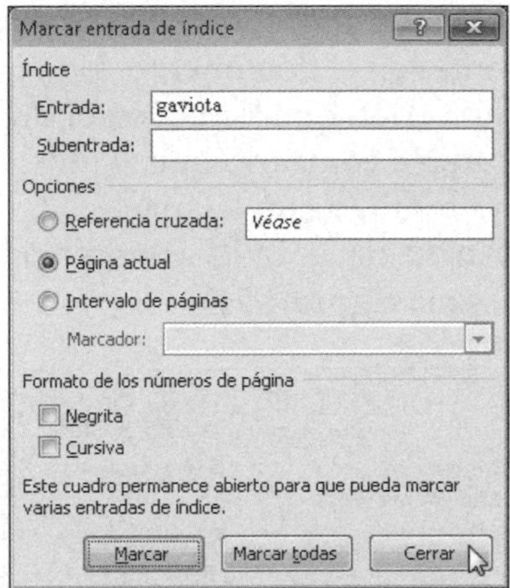

Figura 4.21. Cuadro de diálogo Marcar entrada de índice.

Para generar un índice tras marcar sus entradas y elegir su tipo y formato:

1. Coloque el punto de inserción en el lugar donde quiera insertar el índice.
2. Haga clic en el botón **Insertar índice** ( ) del grupo Índice en la ficha Referencias y seleccione las opciones deseadas del cuadro de diálogo Índice.

   La pestaña activada de este cuadro de diálogo es la de Índice. En ella podrá seleccionar el tipo de índice (Con sangría o Continuo) y el formato que desea que tenga (Estilo personal, Clásico, Sofisticado, etc.).
3. Cuando haya terminado, haga clic en **Aceptar** para insertar el índice en el punto de inserción elegido o haga clic en **Modificar** para modificar el estilo del índice antes de generarlo.

Nota:

Las pestañas de tablas que aparecen deshabilitadas se habilitarán una cada vez al seleccionar el comando de la ficha Referencias *correspondiente:* **Insertar Tabla de ilustraciones** *del grupo* Títulos *o* **Insertar tabla de autoridades** *del grupo* Tabla de autoridades.

El contenido de un índice no se actualiza automáticamente si modifica más adelante el documento. Para hacerlo, sitúese en alguna parte del índice generado, haga clic con el botón derecho del ratón y seleccione Actualizar campos del menú contextual, o haga clic en el botón **Actualizar índice** del grupo Índice en la ficha Referencias.

En cuanto a las tablas de contenido, son más sencillas de elaborar porque se basan en los estilos presentes en el documento. Una tabla de contenido muestra los títulos en el mismo orden que tienen en el documento con el número de página en que aparecen. Al contrario que el índice, suele ubicarse al principio del documento para ayudar a su lectura.

El grupo Tabla de contenido de la ficha Referencias contiene el comando **Tabla de contenido** (véase la figura 4.22).

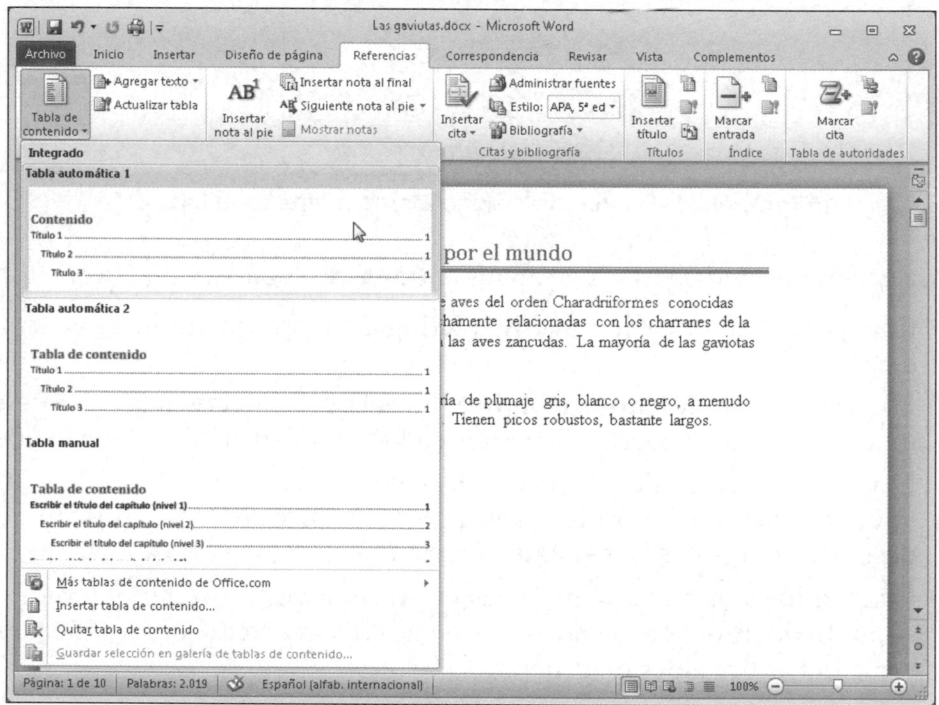

Figura 4.22. Menú de Tabla de contenido.

En esta opción podrá crear su tabla seleccionando, por ejemplo, una de las opciones de tabla automática o seleccionando la tabla de contenido manual para rellenar una tabla de contenido independientemente del contenido del documento.

En caso de que los estilos que desee emplear no se correspondan con los ofrecidos, seleccione la opción Insertar tabla de contenido del botón **Tabla de contenido** y seleccione los estilos que desee utilizar del listado contenido en el cuadro de diálogo resultante y determine su grado jerárquico. Para actualizar una tabla de contenidos, coloque el punto de inserción en la tabla y haga clic en el botón **Actualizar tabla**. En el cuadro de diálogo que se abre, seleccione Actualizar solo los números de página o Actualizar toda la tabla y haga clic en **Aceptar**.

Vistas de documentos

Hay diversos métodos para visualizar documentos que podrá seleccionar según sus necesidades. Éstos son los métodos disponibles:

- Haga clic en uno de los comandos del grupo Vistas de documento de la ficha Vista o en uno de los comandos del grupo Zoom de la misma ficha.
- Haga clic en uno de los botones de vistas que se encuentran en la barra de tareas, en la parte inferior derecha de la ventana, junto al botón de **Zoom**, o haga clic en éste para abrir el cuadro de diálogo **Zoom**.
- Haga clic en **Imprimir** dentro de la ficha Archivo para ver una vista previa del documento antes de su impresión.

El modo predeterminado de visualización de un documento es la vista Diseño de impresión. Esta opción presenta el documento tal y como aparecerá en la página impresa. Vamos a explicar con detalle algunos de los comandos de visualización más interesantes.

Vista preliminar

La vista preliminar permite visualizar el documento antes de su impresión. Es muy útil para hacernos una idea del resultado de nuestro trabajo, una vez aplicados los formatos y realizadas las oportunas correcciones.
Al manipular el tamaño de la escala con la barra o los botones de Zoom que se encuentran en la parte inferior derecha de la vista, podrá ver el documento página a página o desplazarse por él utilizando las flechas desplegables de la casilla que se encuentra en la esquina inferior izquierda de la vista (véase la figura 4.23).

Lectura de pantalla completa

La vista Lectura de pantalla completa se abre al hacer clic sobre el botón con el mismo nombre que se encuentra en la barra de tareas (▣) o al hacer clic sobre el botón del mismo nombre en el grupo Vistas de documento de la ficha Vista y presenta el documento en vista de lectura a pantalla completa para maximizar el espacio disponible para lectura o comentarios del documento.

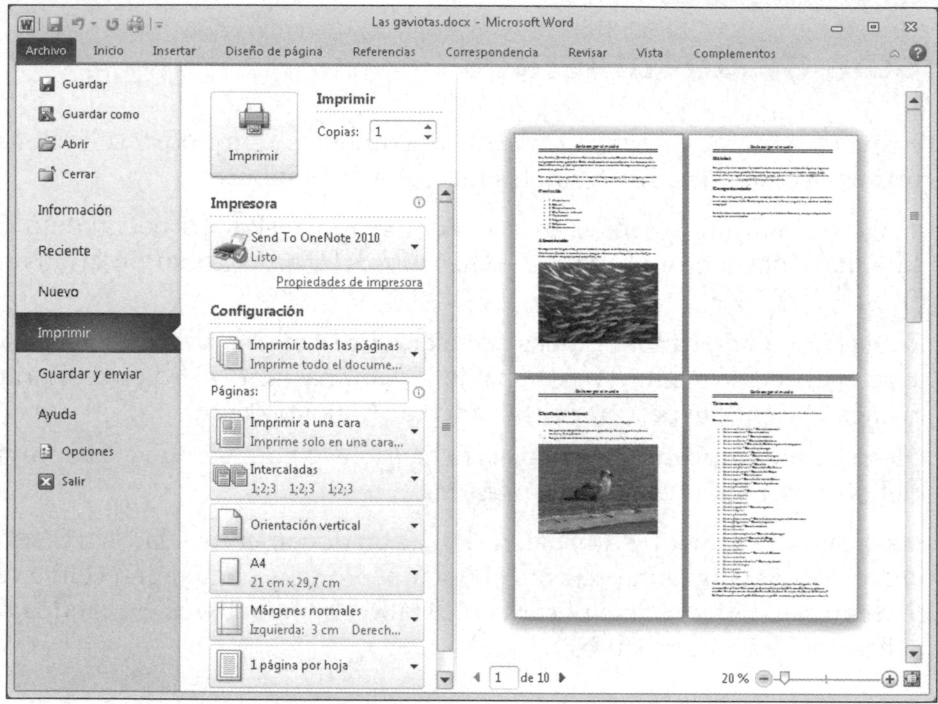

Figura 4.23. Opciones de visualización de impresión de la ficha Archivo.

Para desplazarse y trabajar en esta vista, siga estos pasos:

- Para desplazarse por las páginas, haga clic en las flechas de las esquinas inferiores de las mismas que aparecen al situar el puntero del ratón o pulse **AvPág** y **RePág** o **Barra espaciadora** y **Retroceso** en el teclado para avanzar hacia la siguiente página o retroceder a la anterior, respectivamente. También puede hacer clic en las flechas de desplazamiento que aparecen en la parte superior central de la pantalla.
- Para saltar a la primera o a la última página del documento, pulse **Inicio** o **Fin**.
- Para saltar directamente a una pantalla específica, escriba el número de pantalla y, a continuación, pulse **Intro**.
- Para saltar a una sección del documento, haga clic en Saltar a la página o sección del documento en la parte central superior de la pantalla y seleccione el elemento.

- Haga clic en el botón desplegable de **Opciones de vista** y seleccione:
  - Mostrar dos páginas: Para ver dos páginas, o dos pantallas, al mismo tiempo.
  - Aumentar el tamaño del texto: Para mostrar el texto con un mayor tamaño.
  - Reducir el tamaño del texto: Para mostrar más texto en la pantalla.
  - Mostrar página impresa: Para mostrar la página tal como aparecería impresa.
  - Permitir escritura: Para permitir la escritura mientras lee el documento.
  - Control de cambios: Para controlar los cambios realizados al documento.
  - Mostrar comentarios y cambios: Para seleccionar las marcas que desea mostrar al revisar el documento.
  - Mostrar documentos original y final: Para ver el documento original y final, con y sin cambios.
- Para cerrar la vista Lectura de pantalla completa, haga clic en el botón **Cerrar**.

Capítulo 5

Imágenes y tablas en Word

En este capítulo aprenderá a:

- Insertar y capturar imágenes.
- Aplicar efectos a las imágenes.
- Crear e insertar tablas en sus documentos.
- Modificar la estructura y el contenido de las tablas.
- Convertir tablas en texto y viceversa.

El capítulo anterior nos permitió, entre otras cosas, tomar contacto con los efectos que puede aplicar al texto y con las tabulaciones para ayudarnos a colocar el texto alineado en un documento.

En este capítulo aprenderemos a utilizar las opciones de inserción, captura y edición de imágenes que nos ofrece el programa y a trabajar con las tablas, una herramienta fundamental para la edición de textos, que aporta características avanzadas al simple formato tabular.

A pesar de las posibilidades avanzadas que nos quedan por descubrir, con estas páginas damos por terminada la parte del libro dedicada a Word. Tenga en cuenta que muchos de los conocimientos adquiridos hasta ahora le serán de utilidad también en los capítulos dedicados a otras aplicaciones de Office 2010.

En concreto, los conceptos que ahora vamos a estudiar sobre imágenes y tablas nos serán de mucha utilidad cuando iniciemos el estudio de Excel o de otras aplicaciones de Microsoft Office 2010.

Insertar y capturar imágenes

Word nos ofrece la posibilidad de insertar imágenes en nuestros documentos. Dichas imágenes pueden ser las guardadas en nuestro equipo dentro de algún archivo de imagen u otras ofrecidas en el grupo Ilustraciones dentro de la ficha Insertar. En los siguientes apartados le enseñaremos a utilizar las herramientas de imagen y dibujo que ofrece Word.

Insertar y editar una imagen

Para insertar una imagen guardada en su equipo seleccione primero el lugar donde desea insertar dicha imagen y siga estos pasos:

- Haga clic en el botón **Imagen** del grupo Ilustraciones dentro de la ficha Insertar.
- Localice la imagen que desea insertar en el documento dentro del cuadro de diálogo Insertar imagen y haga doble clic sobre ella (véase la figura 5.1).

La imagen seleccionada se insertará en el documento, lista para su edición, activándose además la ficha Herramientas de imagen, sobre la que hablaremos más adelante en el capítulo. Dicha ficha se abrirá siempre que seleccione cualquier imagen dentro del documento y sirve para editar imágenes.

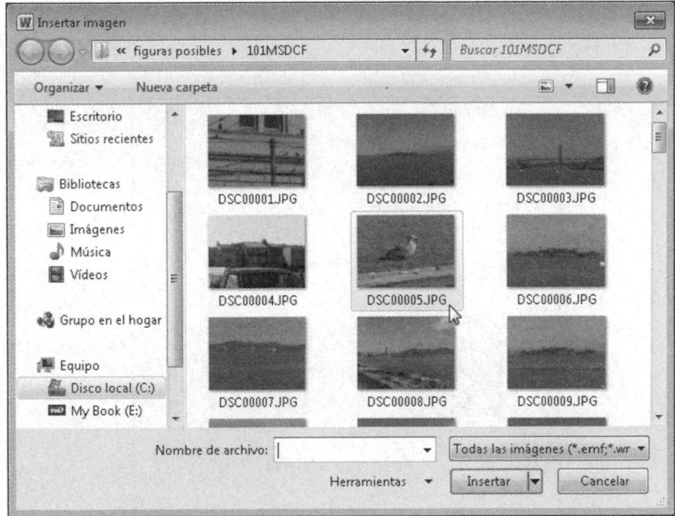

Figura 5.1. Cuadro de diálogo Insertar imagen.

Imágenes prediseñadas

La opción de inserción de **Imágenes prediseñadas** que se encuentra dentro del grupo Ilustraciones de la ficha Insertar, abre el panel de tareas del mismo nombre (véase la figura 5.2) en la parte derecha del documento. Desde este panel puede buscar imágenes, vídeos y otros medios sobre un tema específico en la galería de imágenes de Office o en Office.com e insertarlas en su documento. Para insertar una imagen desde el panel Imágenes prediseñadas, escriba una palabra o frase describiendo la imagen que desea buscar dentro del cuadro Buscar y posteriormente haga clic en el botón **Buscar**. Para acortar la búsqueda, haga clic en la flecha desplegable de Los resultados deben ser y seleccione la colección de búsqueda. En la lista de resultados obtenidos, haga clic en la imagen deseada para insertarla o seleccione Insertar desde el menú desplegable de la flecha que se encuentra a la derecha de la imagen. Igual que sucede en todas las inserciones de imágenes, se abrirá la ficha Herramientas de imagen para la edición de las mismas, tal como explicaremos más adelante.

Formas

La inserción de formas en el documento es una tarea muy sencilla. Sólo tiene que hacer clic en el botón de lista desplegable **Formas**, seleccionar la forma deseada de entre las ofrecidas en el menú desplegable y arrastrarla por el documento, manteniendo pulsado el botón del ratón hasta obtener el dibujo deseado (véase la figura 5.3).

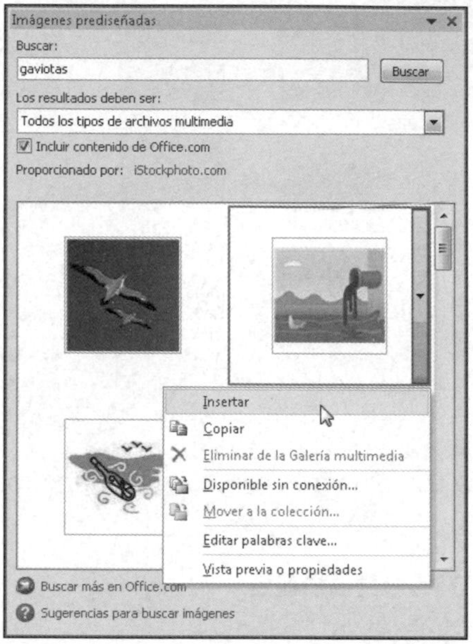

Figura 5.2. Panel de tareas Imágenes prediseñadas.

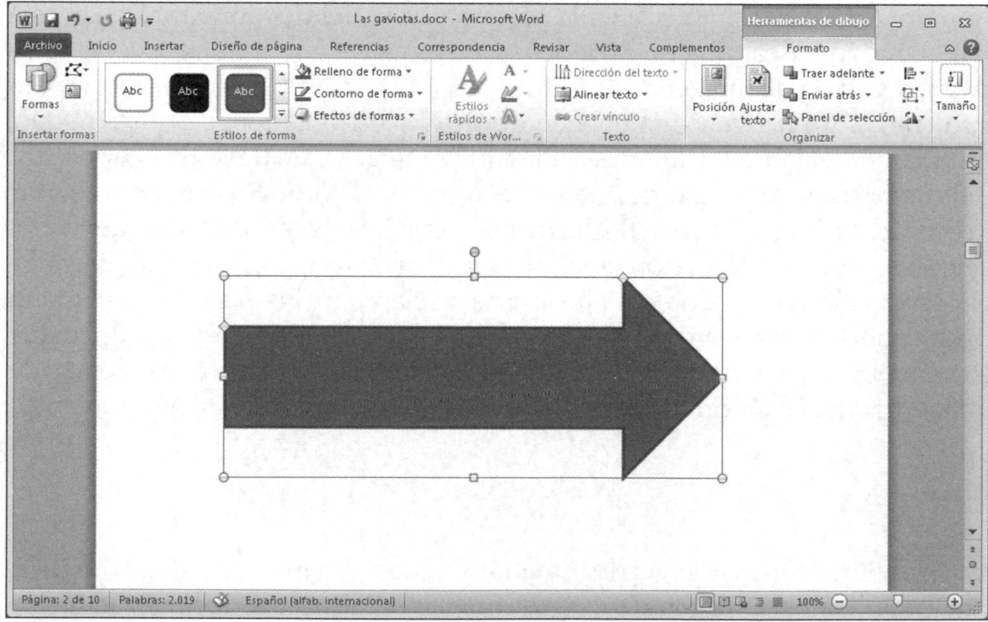

Figura 5.3. Dibujo de formas.

Al soltar el botón del ratón, la forma se insertará en el documento y se abrirá la ficha Herramientas de dibujo, ofreciendo todas las opciones posibles para la edición del dibujo, como el ajuste de posición del mismo, su relleno, efectos, y la aplicación de estilos de WordArt.

SmartArt

Para comunicar una idea visualmente, la mejor herramienta es utilizar los gráficos de SmartArt. Un gráfico SmartArt es una representación visual de información, la herramienta más rápida y fácil para comunicar mensajes o ideas utilizando los distintos diseños ofrecidos, que incluyen listas gráficas y diagramas de procesos así como todo tipo de organigramas. Para insertar un gráfico SmartArt en un documento, seleccione un diseño de entre los mostrados en el cuadro de diálogo Elegir un gráfico SmartArt que se abre al hacer clic en el comando **SmartArt** del grupo Ilustraciones dentro de la ficha Insertar.

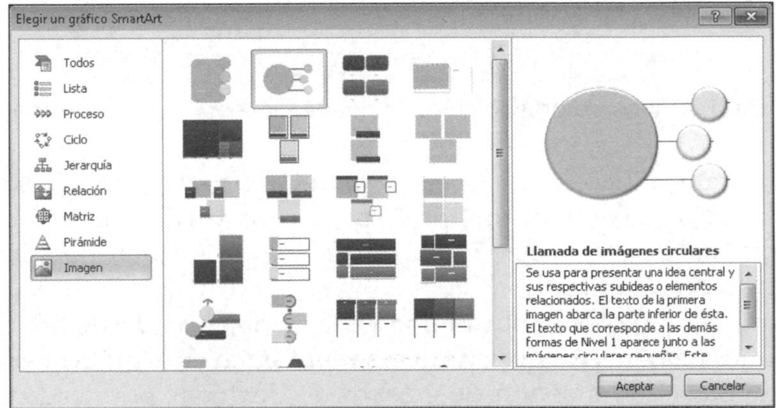

Figura 5.4. Gráficos de SmartArt.

Tras seleccionar el gráfico deseado, haga clic en **Aceptar** para insertarlo en su documento. En este caso, tras insertar o seleccionar un gráfico SmartArt, se abrirá la ficha Herramientas de SmartArt, desde donde podrá editar el gráfico recién insertado.

Nota:

La inserción y edición de imágenes, formas, gráficos y dibujos no es exclusiva de Word ya que podrá utilizar todas estas herramientas en otros programas de Office.

Insertar gráficos

En Microsoft Word 2010, puede insertar muchos tipos de gráficos y diagramas de datos, como gráficos de columnas, de líneas, circulares, de barras, de área, de dispersión, de cotizaciones, de superficie, de anillos, de burbujas y radiales (véase la figura 5.5).

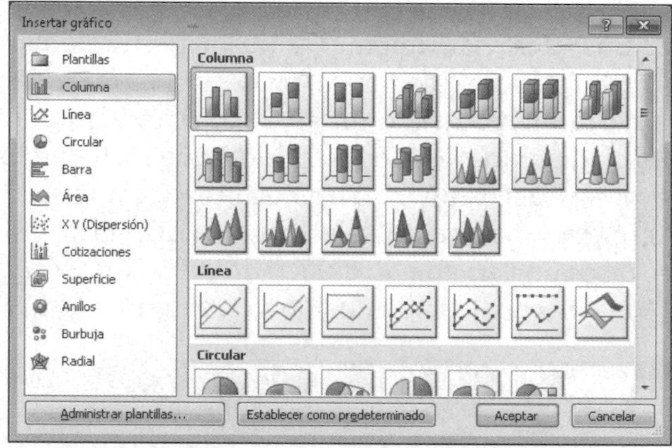

Figura 5.5. Tipos de gráficos que se pueden insertar en un documento.

Para insertar un gráfico, haga clic en el botón **Gráfico** del grupo Ilustraciones en la ficha Inicio y seleccione un tipo de gráfico dentro del cuadro de diálogo Insertar gráfico. Una vez seleccionado, haga clic en **Aceptar** para insertar el gráfico en su documento.

Se insertará un gráfico y se abrirá una ventana de Excel desde donde podrá introducir los datos necesarios que desea representar en el gráfico. Asimismo, se abrirá la ficha Herramientas de gráficos desde donde podrá editar las opciones del gráfico recién insertado.

Captura y edición de imágenes

En el grupo Ilustraciones de la ficha Inicio, Word incluye un nuevo comando: **Captura**. Desde este comando podremos realizar capturas de las ventanas activas de los programas que no estén minimizados en la barra de tareas así como realizar un recorte de cualquier parte de la pantalla activa (véase la figura 5.6).

Para agregar toda la pantalla, haga clic sobre una de las miniaturas mostradas. Si por el contrario desea agregar sólo parte, haga clic en **Recorte de pantalla** y cuando el puntero del ratón se convierta en una cruz, mantenga pulsado el botón izquierdo para seleccionar el área de la pantalla que desea capturar. Si desea realizar este recorte para la pantalla actual, seleccione Recorte de pantalla desde el menú desplegable del comando **Capturar** y siga el mismo procedimiento de arrastre y selección.

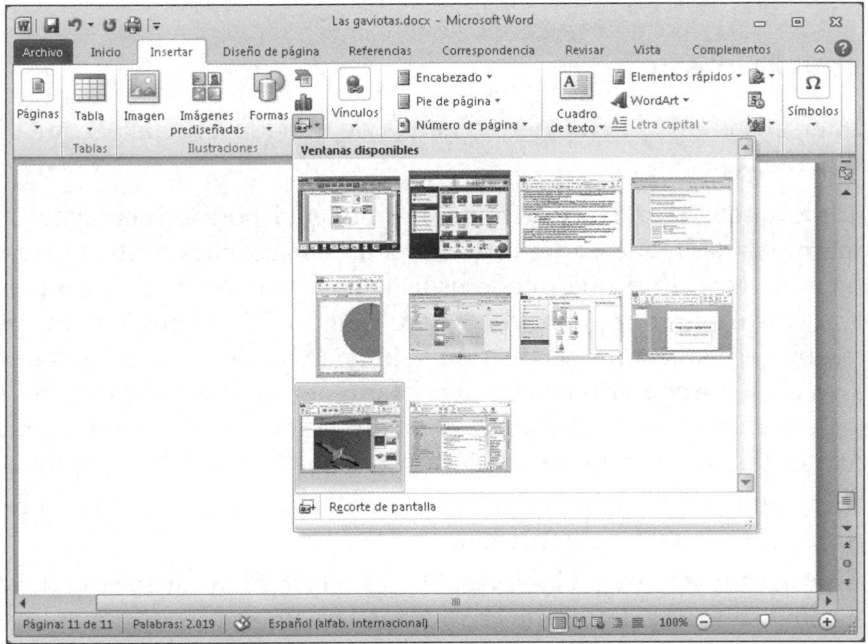

Figura 5.6. Galería de ventanas disponibles para capturar.

Tras insertar una captura o un recorte de pantalla, tendrá a su disposición la ficha Herramientas de imagen para editar la captura recién insertada en el documento.

Edición de imágenes, gráficos y dibujos

Como ha podido comprobar, tras la inserción de una imagen, gráfico o dibujo, se abren diversas fichas complementarias en la cinta de opciones que nos facilitan la edición del elemento gráfico insertado en el documento. Además de las mencionadas fichas, las distintas opciones del grupo Ilustraciones ofrecen diversos métodos de edición propios de cada imagen, gráfico o dibujo. En los siguientes apartados le enseñaremos algunos de los métodos de edición disponibles.

Edición de imágenes

Tras la inserción o selección de una imagen o elemento prediseñado, el programa nos ofrece la ficha Herramientas de imagen. Dicha ficha aparece resaltada en la parte superior y desde ella podremos realizar diversos tipos de edición sobre nuestra imagen obteniendo efectos espectaculares.

Ajustar la imagen

El primer grupo de la ficha Herramientas de imagen es Ajustar, que ofrece las siguientes opciones:

- **Quitar fondo:** Al utilizar esta nueva herramienta, podrá eliminar automáticamente partes no deseadas de la imagen. Al hacer clic en ella, se mostrará una ficha específica que puede utilizar para marcar las áreas que desea conservar o quitar de la imagen (véase la figura 5.7) o simplemente puede arrastrar el cuadro que aparece en la imagen hasta la posición deseada y hacer clic en **Aceptar** o en el botón **Mantener cambios** del grupo Cerrar para efectuar el recorte del fondo. Para una edición más precisa, puede utilizar los botones recogidos en el grupo Refinar de la ficha mencionada.
- **Correcciones:** Ofrece un menú desplegable para seleccionar la nitidez, el brillo y el contraste de la imagen.
- **Color:** Desde este menú desplegable podrá elegir la saturación del color así como su tono y definir un color transparente y otras opciones de color para la imagen.
- **Efectos artísticos:** Abre un menú con diversos efectos artísticos que puede aplicar a la imagen.
- **Comprimir imagen:** Comprime las imágenes para reducir su tamaño.
- **Cambiar imagen:** Cambia a una imagen diferente manteniendo el formato y el tamaño de la imagen actual.
- **Restablecer imagen:** Descarta todos los cambios de formatos realizados en la imagen. También puede restablecer el tamaño de la imagen desde su menú desplegable.

Aplicar estilos

Dentro del grupo Estilos de imagen podrá seleccionar un contorno para la imagen, aplicarle un efecto visual como sombras, iluminados, reflejos o rotaciones 3D así como abrir el cuadro de diálogo Formato de imagen para efectuar otras correcciones a la misma. Para aplicar cualquier estilo a la imagen seleccionada, haga clic en la opción deseada.

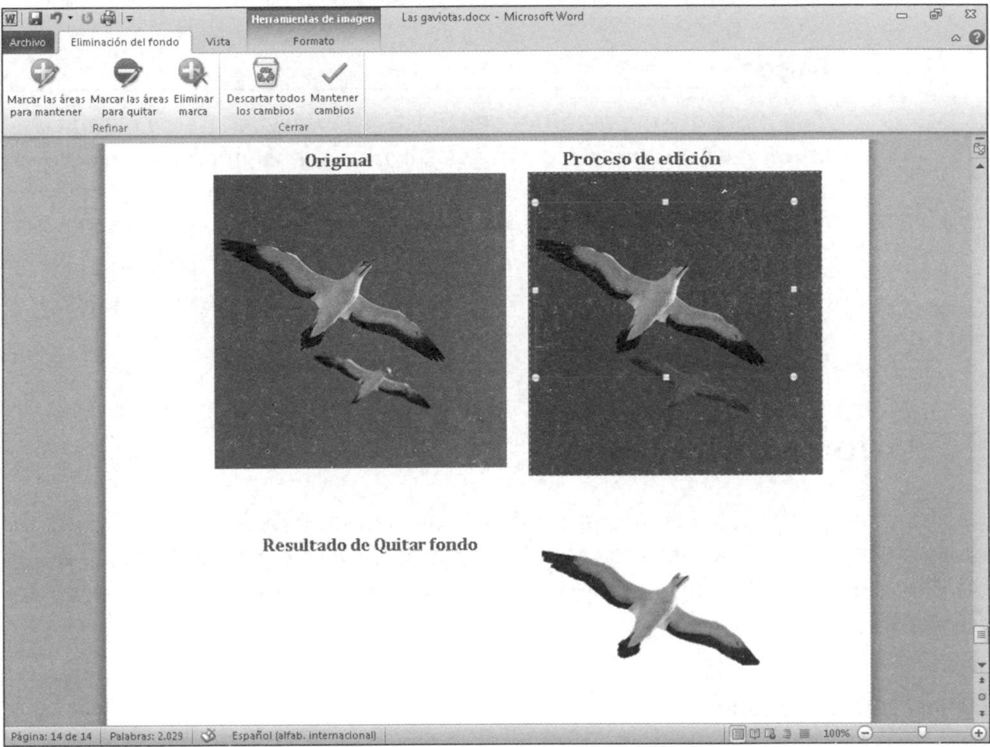

Figura 5.7. Efectos de la nueva opción Quitar fondo.

Posición de la imagen

Para organizar la posición de la imagen con respecto al resto de elementos del documento, ajustar el texto en consecuencia, traer adelante o enviar atrás la imagen o abrir el panel de selección de las imágenes incluidas en la página, utilice las herramientas incluidas en el grupo Organizar.

Cambiar el tamaño de la imagen

Desde el grupo Tamaño podrá abrir el cuadro de diálogo Diseño para ajustar el alto, el ancho o la escala de la imagen así como girar la misma en los grados especificados. Asimismo, Office ofrece la opción **Recortar**, un menú desplegable desde el que puede elegir diversas opciones de recorte de la imagen seleccionada para eliminar las partes de la misma no deseadas, como recortar a una forma especificada, cambiar el tamaño de la imagen para que se llene el área de imagen completa o ajustar el tamaño de la misma para que se muestre dentro del área ocupada.

Truco:

Para reducir o aumentar el tamaño de una imagen, dibujo o gráfico rápidamente, seleccione uno de los controladores que rodean al elemento seleccionado y arrastre hacia dentro o hacia fuera con el botón pulsado hasta obtener el aspecto deseado, en cuyo momento debe soltar el ratón. Para girar el elemento gráfico, seleccione el botón circular verde y gire el elemento arrastrando con el ratón hasta la posición deseada.

Edición de dibujos

Las formas insertadas en el documento desde la opción de inserción de formas dentro del grupo Ilustraciones se pueden editar desde la ficha Herramientas de dibujo que se abre tras insertar o seleccionar un dibujo o forma en el documento.

Insertar formas

Éste es el primer grupo que muestra la ficha Herramientas de dibujo en la cinta de opciones. Desde aquí, podrá insertar formas previamente diseñadas, como rectángulos, círculos, etc. igual que lo haría desde el botón **Formas** de la ficha Insertar dentro el grupo Ilustraciones. También podrá insertar un cuadro de texto en el documento para escribir el texto deseado y desplazarlo a cualquier lugar dentro del área de trabajo. La opción **Editar forma** le permite cambiar la forma del dibujo, convirtiéndola en una forma libre o modificar los puntos de ajuste para determinar cómo se ajusta el texto alrededor del dibujo.

Estilos de forma

A través de este grupo de opciones podrá modificar el estilo del dibujo, aplicando rellenos con ayuda del menú desplegable de **Relleno de forma**, aplicando un contorno desde el botón **Contorno de forma** o desde los estilos mostrados en las muestras o aplicando efectos de sombra, reflexión, iluminado, bordes o rotaciones 3D desde el botón de **Efectos de formas**.

Estilos de WordArt

En este grupo de opciones, podrá modificar el texto escrito en sus dibujos, del mismo modo que si se tratase de un texto normal, seleccionando uno de los estilos ofrecidos por el botón de **Estilos rápidos**, incluyendo un relleno de texto, aplicando un contorno o utilizando la nueva opción ofrecida por Office, **Efectos de texto**, sobre la que hemos hablado anteriormente en el libro.

Texto

En este grupo se encuentran todas las opciones disponibles para alinear el texto incluido en sus dibujos así como para cambiar la dirección de dicho texto o para crear un vínculo.

Organizar

Este grupo ofrece las mismas opciones que el grupo del mismo nombre en la ficha Herramientas de imagen.

Tamaño

Desde este menú desplegable podrá cambiar el tamaño de su dibujo, estableciendo un determinado valor para el alto y el ancho del mismo.

Edición de gráficos SmartArt

Al insertar o seleccionar un gráfico SmartArt en el documento, podrá editar dicho gráfico desde la ficha Herramientas de SmartArt, seleccionando las distintas opciones ofrecidas por los grupos Crear gráfico, Diseño o Estilos de SmartArt en la pestaña de Diseño y los grupos Formas, Estilos de forma, Estilos de WordArt, Organizar y Tamaño de la pestaña Formato.
Pero para editar rápidamente el gráfico, es mejor que utilice las herramientas que ofrece el propio gráfico (véase la figura 5.8) con el Panel de texto. Para ello, puede seguir estos procedimientos:

- Haga clic en [Texto] en el panel de texto y a continuación escriba el texto.
- Haga clic en el propio gráfico dentro de **[Texto]** para escribir texto.
- En un gráfico SmartArt de imágenes, haga clic en el icono de imagen para abrir el cuadro de diálogo de inserción de imágenes y seleccionar la deseada.

Figura 5.8. Edición de un gráfico SmartArt.

- Si desea cambiar a otro tipo de gráfico SmartArt, haga clic en uno de los diseños mostrados dentro del grupo Diseños en la ficha Diseño o seleccione Más diseños del menú desplegable.
- Para añadir un nivel de texto, dentro del panel de textos, seleccione el texto al que desea añadir un nivel y pulse **Intro**.
- También puede pegar texto o imágenes simplemente haciendo clic sobre sus respectivos campos.

Truco:

Si no puede ver el panel de textos, haga clic en **Panel de texto** *dentro del grupo* Crear gráfico *de la pestaña* Diseño *dentro de la ficha* Herramientas de SmartArt.

Edición de gráficos

Ya hemos visto que al insertar un gráfico desde la opción **Gráfico** del grupo Ilustraciones dentro de la ficha Insertar, se abre la ficha Herramientas de gráficos con las pestañas Diseño, Presentación y Formato y, además, una hoja de Excel para editar datos (véase la figura 5.9).

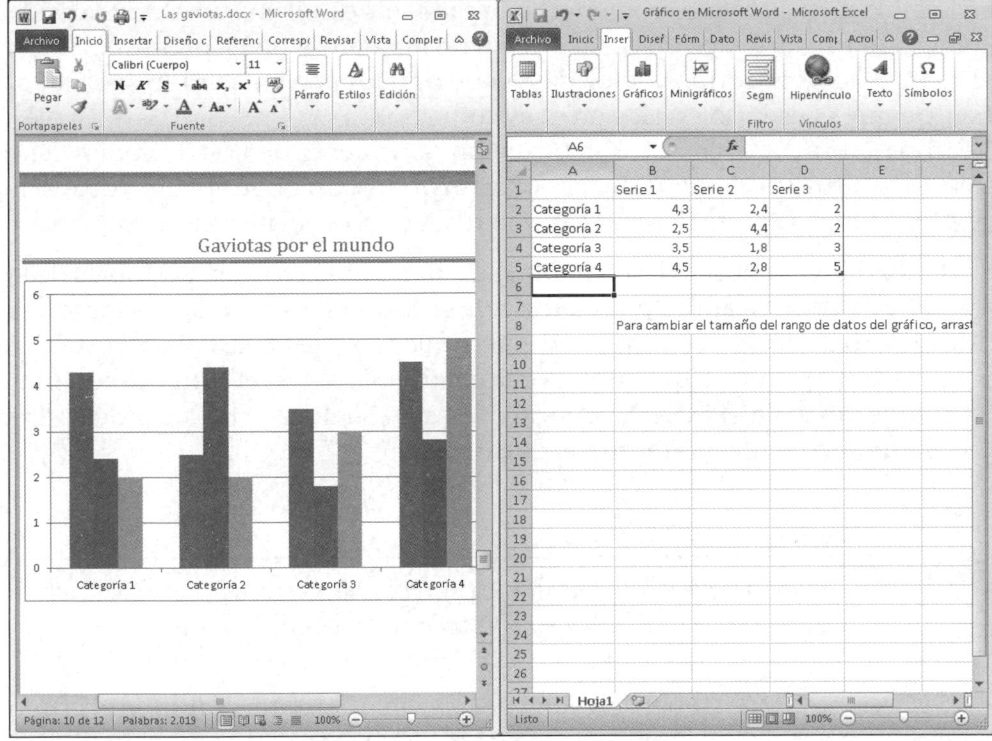

Figura 5.9. Edición de gráficos.

Truco:

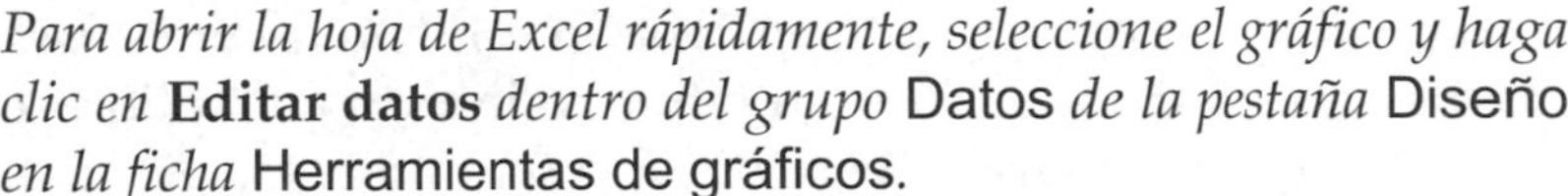
Para abrir la hoja de Excel rápidamente, seleccione el gráfico y haga clic en **Editar datos** *dentro del grupo* Datos *de la pestaña* Diseño *en la ficha* Herramientas de gráficos.

Los valores proporcionados son valores predeterminados que deberá cambiar para que su gráfico refleje sus propios valores. Para ello, introduzca dichos valores en la hoja de Excel. Comprobará que su gráfico cambia a medida que modifica sus valores.

Crear tablas

En primer lugar, conviene repasar los conceptos básicos relativos a las tablas que se componen de filas y columnas. Se denomina celda a la intersección entre las filas y las columnas. Las celdas contienen la información introducida

en la tabla. Los caracteres contenidos en cada una de ellas se ajustan a la celda como si se tratara de los márgenes de un documento. Con el fin de que quepa el texto que se introduce, la celda puede agrandarse en sentido vertical al tiempo que el usuario escribe en el documento.
Veamos ahora cómo crear una tabla en un documento de Word. Como viene siendo habitual, podemos utilizar varios métodos. Coloque el punto de inserción en el lugar donde desee crear una tabla y escoja el método apropiado.

- Haga clic en la flecha desplegable del botón **Tabla** en el grupo Tablas de la ficha Insertar. Se abrirá una cuadrícula en la que el usuario podrá indicar el número de filas y columnas que quiere que tenga la tabla. Para ello, deberá arrastrar el puntero del ratón por la cuadrícula desde el extremo superior izquierdo hacia el extremo inferior derecho. Suelte el ratón cuando llegue al número de filas y columnas que necesite.

Nota:

A medida que seleccione filas y columnas de la cuadrícula, podrá ver la apariencia de la tabla en el propio documento.

- Seleccione Insertar tabla del menú desplegable del botón **Tabla** en el grupo Tablas de la ficha Insertar. Se abrirá el cuadro de diálogo Insertar tabla, en el que podrá decidir el tamaño de la tabla y sus valores de autoajuste y autoformato. Cuando haya seleccionado sus opciones, haga clic en **Aceptar**.
- Haga clic en la opción Dibujar tabla del botón **Tabla**. Con esta opción podrá, literalmente, dibujar su tabla utilizando para ello el ratón, que se transforma en un lápiz. Resulta un modo de creación muy interesante porque podrá controlar el aspecto y los formatos de la tabla.
- Seleccione una de las tablas ofrecidas en el menú desplegable de la opción Tablas rápidas del comando **Tabla** para crear una tabla rápidamente.
- Haga clic en la opción Hoja de cálculo de Excel para insertar una hoja de cálculo en el documento. Se abrirá una hoja de cálculo que puede utilizar como una hoja de cálculo normal. Para salir de la hoja de cálculo tras incluir sus datos, haga clic en cualquier parte del documento fuera de la hoja.

En los tres primeros casos, se insertará una tabla en el punto de inserción en el documento, con las filas y columnas arrastradas o especificadas, y se abrirán las Herramientas de tabla con dos nuevas fichas: Diseño y Presentación (véase la figura 5.10).

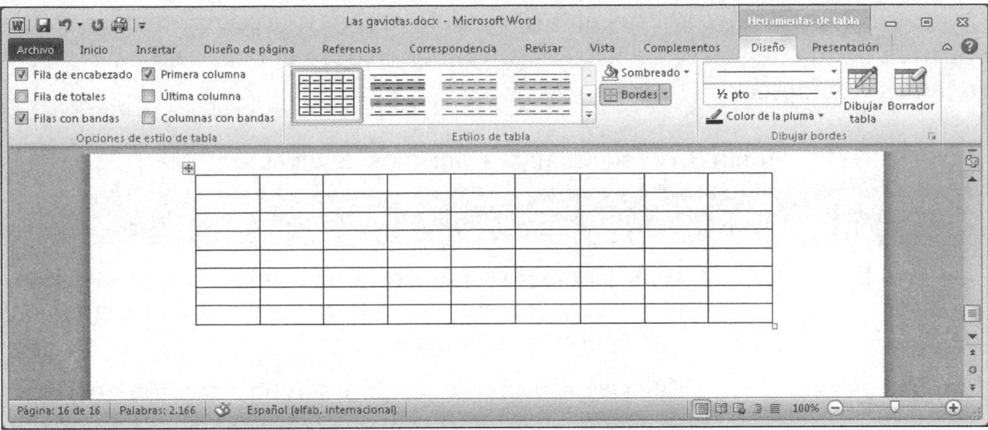

Figura 5.10. Inserción de tablas en Word.

En el caso de la hoja de Excel, la tabla se tratará como una hoja de Excel normal. Tras la creación de la tabla, ya puede desplazarse por sus celdas señalando con el ratón aquella a la que quiere ir, o pulsando la tecla **Tab** para pasar de una a otra (de izquierda a derecha) o la combinación **Mayús-Tab** (en sentido inverso).

Tenga cuidado con las sugerencias de teclas que utilice, ya que algunas también seleccionan celdas. Si escribe sobre una celda seleccionada, puede sustituir su contenido. Recuerde el comando **Deshacer** que se encuentra en la barra de herramientas de acceso rápido (o pulse **Control-Z**) en estas ocasiones.

Modificar tablas

De una tabla puede modificar tanto su contenido como su estructura, por no hablar de su apariencia. Antes de entrar en materia sobre cómo llevar a cabo estas modificaciones, es recomendable que sepa cómo seleccionar los distintos elementos de una tabla.

Nota:

Puede seleccionar la tabla completa, la columna, la fila o la celda donde se encuentre el punto de inserción haciendo clic en la opción correspondiente del menú desplegable del botón **Seleccionar** *que se encuentra en el grupo* Tabla *de la ficha* Presentación *que ofrece la ficha de* Herramientas de tabla.

La tabla 5.1 le ayudará a conocer tanto los elementos que componen una tabla como la forma de seleccionarlos en un bloque sobre el que realizar las operaciones que desee.

Tabla 5.1. Selección de elementos de una tabla.

Elemento	Cómo seleccionarlo
Una celda	Haga clic sobre la parte izquierda de la celda, justo donde el puntero del ratón toma la forma de una flecha negra que apunta a la derecha.
Varias celdas	Seleccione la primera celda y, sin soltar el botón izquierdo del ratón, arrástrelo hasta que haya completado la selección.
Una fila	Haga clic en la barra de selección de la fila elegida. Recuerde que el área o barra de selección se encuentra en el margen izquierdo del documento.
Varias filas	Seleccione la primera fila y, sin soltar el botón izquierdo del ratón, arrástrelo hasta que haya completado la selección.
Una columna	Sitúe el puntero del ratón en la parte superior de la columna, y haga clic cuando adopte la forma de una flecha negra apuntando hacia abajo.
Varias columnas	Seleccione la primera columna y, sin soltar el botón izquierdo del ratón arrástrelo hasta que haya completado la selección.
Toda la tabla	Haga clic sobre el recuadro que contiene un icono en forma de cruz y que aparece en el extremo superior izquierdo cuando el puntero del ratón se encuentra por encima de la tabla.

El contenido de las celdas

Para modificar el contenido de una celda, haga clic sobre ella y edite su contenido como si se tratara de cualquier otro párrafo de texto. Si lo que desea es sustituir todo el contenido de la celda, selecciónela como explica la tabla 5.1 y teclee el nuevo contenido, que sobrescribirá el anterior.

Para borrar el contenido de una o más celdas, filas o columnas, selecciónelas y pulse la tecla **Supr**. Borrará el contenido de las celdas sin eliminarlas.

La estructura de la tabla

Modificar la estructura de una tabla supone las mismas acciones que la edición de texto: insertar, borrar, mover, etc. Sin embargo, debe tener en cuenta que en lugar de líneas y párrafos, las tablas se componen de filas y columnas.
La manera más habitual de modificar la estructura de una tabla es utilizar los comandos del grupo Filas y columnas que ofrece la ficha Presentación en las Herramientas de tabla.
En cualquier caso, repasaremos qué cambios podemos llevar a cabo y cómo hacerlo. Algunos afectarán a filas y columnas completas; otros, sólo a las celdas seleccionadas.

- Para insertar filas, sitúe el punto de inserción en una fila determinada en la tabla y haga clic en el botón correspondiente del grupo Filas y columnas en la ficha Presentación de Herramientas de tabla: **Insertar arriba**, colocará filas por encima de la fila donde se encuentra el punto de inserción e **Insertar debajo** lo hará por debajo de la fila en que se encuentra el punto de inserción.
- Para insertar columnas, sitúe el punto de inserción en una columna determinada en la tabla y haga clic en el botón correspondiente del grupo Filas y columnas en la ficha Presentación de Herramientas de tabla: **Insertar a la izquierda**, insertará columnas a la izquierda de la celda donde se encuentra el punto de inserción e **Insertar a la derecha** lo hará a la derecha.
- Para eliminar filas, seleccione las filas que desea eliminar, haga clic en el menú desplegable del botón **Eliminar** del mismo grupo y ficha que las opciones anteriores y seleccione Eliminar fila.
- Para eliminar columnas, seleccione las columnas que desea eliminar, haga clic en el menú desplegable del botón **Eliminar** del mismo grupo y ficha que las opciones anteriores y seleccione Eliminar columnas.
- Para eliminar toda la tabla, sitúe el punto de inserción en cualquier punto dentro de ella, haga clic en **Eliminar** y seleccione Eliminar tabla.
- Para cambiar la anchura de una columna y/o la altura de una fila, sitúe el puntero del ratón sobre la línea de división de la columna o fila que desea modificar. Cuando el puntero adopte la forma de una doble línea vertical con flechas a izquierda y derecha, pulse el botón izquierdo del ratón y arrástrelo hasta conseguir la anchura o altura deseada.
- Para cambiar la anchura de una celda independiente, selecciónela previamente y, después, sitúe el puntero del ratón sobre la línea de división de la columna que desea mover. Cuando el puntero adopte la forma de

una doble línea vertical con flechas a izquierda y derecha, pulse el botón izquierdo del ratón y arrástrelo hasta conseguir la anchura deseada.

- Para unir celdas, filas o columnas contiguas, seleccione los elementos que desee unir y haga clic en el botón **Combinar celdas** del grupo Combinar en la ficha Presentación de Herramientas de tabla.
- Para dividir celdas, filas o columnas contiguas, seleccione los elementos que desee dividir y haga clic en el botón **Dividir celdas** del grupo Combinar en la ficha Presentación de Herramientas de tabla. Un cuadro de diálogo le requerirá que determine la cantidad de filas y columnas que desea como resultado de la división.

Truco:

Para eliminar el contenido de una tabla sin eliminar la propia tabla, haga clic en el cuadro de selección de la tabla que aparece en la esquina superior izquierda de la tabla y pulse **Supr**.

En la ficha Presentación encontrará multitud de opciones avanzadas con las que personalizar su tabla. Botones como **Propiedades** del grupo Tabla o **Dirección del texto** del grupo Alineación le ayudan mucho a la hora de configurar la estructura y apariencia de una tabla.

Modificar la apariencia de la tabla

El texto contenido en una tabla se somete a las mismas reglas y tiene las mismas características de formato que el texto continuo de documentos como los vistos en los capítulos anteriores. Por ejemplo, podrá aplicar sobre el texto de una tabla formatos de fuente, tamaño, etc.

Por lo que respecta a la apariencia de la propia tabla, Word le ofrece opciones para configurar su alineación respecto a todo el documento, sus bordes, aplicar sobre ella tramas y colores de sombreado, etc. Para ello, utilice los correspondientes botones de la ficha Diseño que ofrece la ficha Herramientas de tabla que se abre al seleccionar una tabla.

Finalmente, tenga en cuenta que el programa incluye características inteligentes que le permiten, por ejemplo, ordenar una tabla por filas o por columnas, dependiendo de los criterios aplicados, o, incluso, sumar automáticamente los datos numéricos de una columna, opciones que se recogen en el grupo Datos de la ficha Presentación con la que hemos trabajado anteriormente.

Autoformato de tabla

Además de poder manipular manualmente la apariencia de las tablas, Word le facilita herramientas para darles formato de manera automática. Deberá seleccionar su tabla y elegir uno de los diseños ofrecidos en la galería de estilos de tabla en el grupo Estilos de tabla de la ficha Diseño ofrecida por la ficha Herramientas de tabla.

Truco:

Puede seleccionar un estilo desplazándose con ayuda de los botones hacia arriba y hacia abajo o hacer clic en el botón desplegable **Más** *para ver todas las opciones de estilo.*

Esta galería le ofrece una extensa relación de estilos. Señálelos con el ratón y observe en el documento cómo serían sus apariencias.
Seleccione el que más le guste o modifíquelo, si necesita adecuarlo a requerimientos específicos. Puede personalizarlo modificando los formatos tanto de contenido como de estructura seleccionando la opción Modificar estilo de tabla o Nuevo estilo de tabla (véase la figura 5.11).

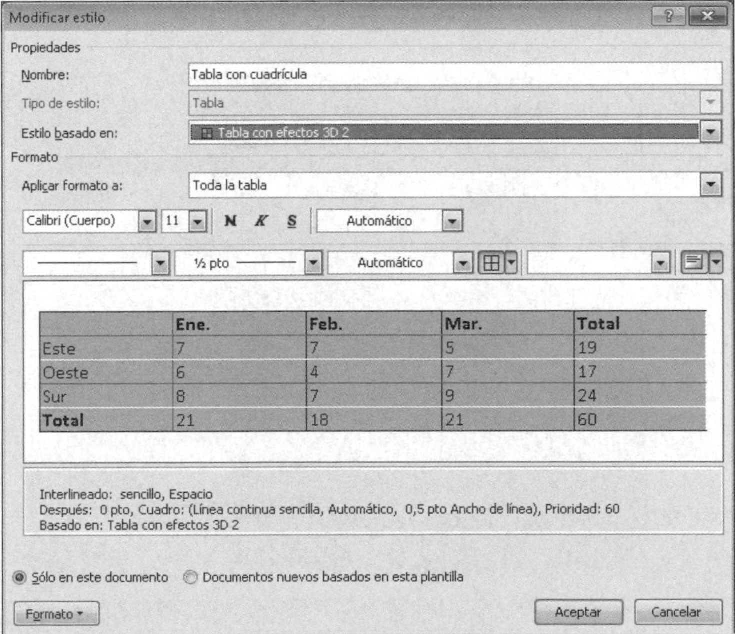

Figura 5.11. Cuadro de diálogo Modificar estilo.

Convertir tabla en texto y texto en tabla

Hemos visto que es posible crear una tabla y a continuación rellenarla con datos. Sin embargo, en ocasiones dispondremos de un texto ya escrito y quizá queramos convertirlo en una tabla. O al contrario, habrá momentos en que tendremos un documento cuyos datos se estructuran en tablas y que deseamos ordenar mediante tabuladores o simples párrafos. Podemos encontrarnos, por ejemplo, en la situación de querer eliminar una tabla pero no el texto que contiene. Para solventar estas situaciones debe recurrir a los comandos que le permiten convertir tablas. Si lo que desea es convertir un texto en tabla, debe seguir la siguiente secuencia de pasos:

1. Seleccione el texto que quiere convertir en tabla.
2. Seleccione la opción **Convertir texto en tabla** del menú desplegable del botón **Tabla** en el grupo **Tablas** de la ficha **Insertar**. Se abrirá el cuadro de diálogo **Convertir texto en tabla**.

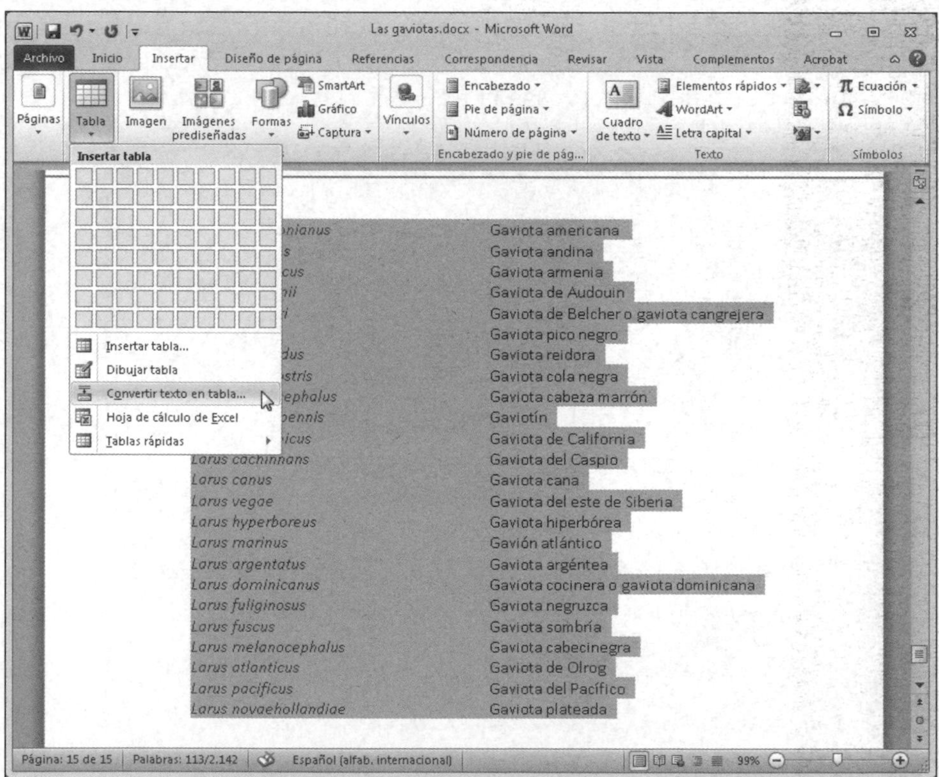

Figura 5.12. Texto antes de convertirlo en tabla.

3. Determine el número de columnas que desea que aparezcan en su tabla y las opciones de Autoajuste que más le interesen.
4. En la opción Separar texto en, especifique qué separador deberá tener en cuenta el programa para colocar en celdas el contenido del texto seleccionado o acepte el ofrecido automáticamente por Word.
5. Haga clic en el botón **Aceptar**. El cuadro de diálogo se cerrará y aparecerá la tabla conteniendo su texto.

Como puede comprobar en la figura 5.13, la tabla se creará según las opciones elegidas.

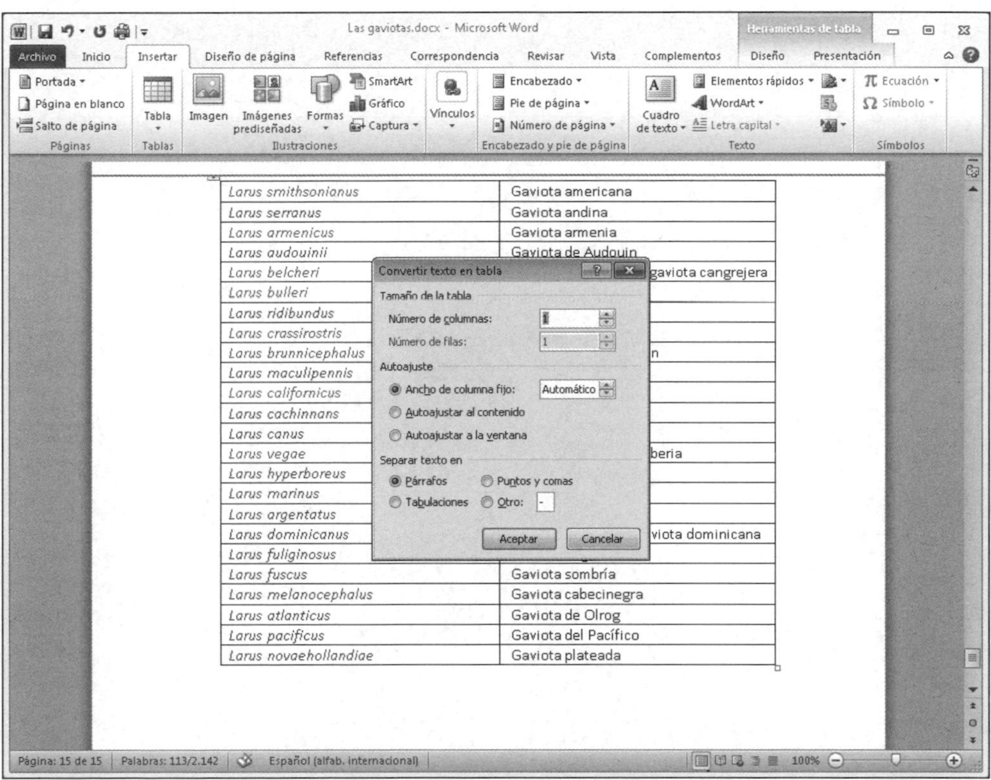

Figura 5.13. Tabla creada a partir del texto seleccionado anteriormente.

Si lo que desea es lo contrario, es decir, pasar una tabla a texto, haga clic en el botón **Convertir texto a** en el grupo Datos de la ficha Presentación de Herramientas de tabla y seleccione el carácter que desea utilizar para la separación de columnas.

Capítulo 6

Microsoft Excel 2010

En este capítulo aprenderá a:

- Conocer las hojas de cálculo y los libros de trabajo.
- Abrir Excel y conocer sus principales elementos.
- Introducir datos y fórmulas en las hojas de cálculo.
- Editar hojas de cálculo y libros de trabajo.
- Crear, aplicar formato y filtrar tablas de datos.
- Crear y borrar un informe de tabla dinámica.

Excel es la aplicación que proporciona hojas de cálculo en Office 2010. Se trata de una herramienta eficaz y fácil de utilizar que le permitirá gestionar y realizar cálculos a partir de los datos que le proporcione al programa. Podrá elaborar fácilmente desde sencillos presupuestos y facturas hasta complicados gráficos tridimensionales. Excel 2010 le ofrece la posibilidad de realizar cálculos aritméticos sencillos, pero también de utilizar funciones matemáticas avanzadas para cálculos estadísticos, trigonométricos, financieros etc.

Este capítulo lo dedicaremos a explicar los conceptos básicos de hoja de cálculo y libro de trabajo de Excel, explicaremos también cómo empezar a trabajar con el programa, cómo introducir datos en una hoja de cálculo y editarlos mediante el uso de herramientas tales como el borrado o el pegado especial. También aprenderemos a configurar la hoja de cálculo y el libro de trabajo. Por último, generaremos y editaremos listas de datos.

Las acciones fundamentales del programa se han visto en los capítulos anteriores, en los que aprendimos a abrir, cerrar, guardar o salir de los documentos. Las opciones de formato de texto e imágenes ya las hemos visto en los capítulos dedicados a Word, por lo que no repetiremos la explicación.

Hojas de cálculo y libros de trabajo de Excel

Las hojas de cálculo de Excel son hojas cuadriculadas compuestas por celdas. Ya sabemos de otro capítulo que se denomina celda a la intersección de una fila y una columna. Cada celda se identifica por la letra de la columna y el número de la fila en la que está situada. Las celdas contienen todo tipo de datos: números, porcentajes, fechas, texto, etc. La gran eficacia del programa radica tanto en las operaciones simples como en la amplia biblioteca de funciones entre las que podrá elegir la fórmula que necesite. Este hecho ofrece la ventaja de la consistencia en los resultados, de manera que una vez realizado un cálculo, si modifica el valor contenido en alguna de las celdas a las que hacía referencia, el resultado final también variará automáticamente.

Un libro de trabajo de Excel está formado por un conjunto de hojas de cálculo agrupadas en un mismo fichero. Cada hoja del libro puede ser de un tipo diferente, suelen ser independientes en su funcionamiento, aunque es posible seleccionar varias para que realicen acciones al mismo tiempo.

De forma predeterminada, cuando se abre un documento nuevo, se crea un libro que contiene tres hojas de cálculo. Si desea que esta cifra sea otra, deberá cambiar dicho número en la opción **Incluir este número de hojas** de la sección

Al crear nuevos libros a la que se accede haciendo clic en el botón **Opciones** de la ficha Archivo y seleccionando a continuación la ficha General. De esta manera, podrá guardar en un mismo libro todas las hojas que tengan contenidos relacionados entre sí. Por ejemplo, en un mismo libro le será posible almacenar todas las hojas precisas para la gestión de la contabilidad de una mediana o pequeña empresa: nóminas, cotizaciones a la Seguridad Social, pedidos, etc. Como es lógico, un libro ha de contener, al menos, una hoja de cálculo.

Iniciar Excel

Recuerde que para iniciar Excel, como todas las aplicaciones Microsoft Office, tiene varias alternativas. Una de ellas es hacer clic en el botón **Iniciar** y seleccionar Todos los programas>Microsoft Office>Microsoft Excel 2010, o bien hacer clic en algún icono de acceso directo que el usuario haya creado en el escritorio. En cualquier caso, en la pantalla aparecerá un nuevo libro en blanco de Excel, similar al mostrado en la figura 6.1.

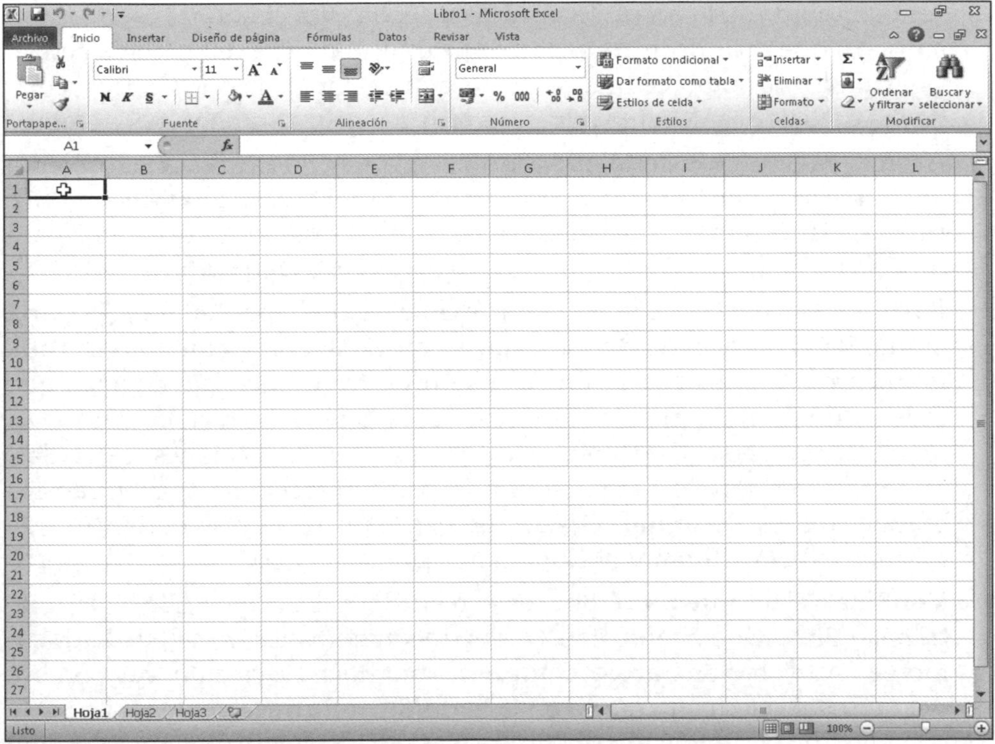

Figura 6.1. Ventana inicial de Excel.

La ventana de Excel

La mayoría de los elementos de la ventana de Excel son comunes a los que aparecían al abrir un documento nuevo en Word. Algunos otros, sin embargo, son propios de este programa. En este apartado vamos a analizarlos detalladamente.

Los elementos característicos que diferencian esta aplicación de las restantes son los siguientes:

- **Barra de fórmulas:** Situada debajo de la cinta de opciones, permite introducir datos en la hoja de cálculo. Desde Excel 2007, la barra de fórmulas cambia de tamaño automáticamente para acomodar fórmulas largas y complejas, evitando así que las fórmulas tapen otros datos del libro. También puede escribir fórmulas más largas con más niveles de anidamiento con respecto a versiones anteriores de Excel. Esta barra muestra la fórmula contenida en la celda activa y le permite editarla con facilidad. En la figura que le presentamos, observará que la celda A1 no tiene ninguna fórmula, por lo que la barra de fórmulas está vacía.

  A la izquierda de la barra de fórmulas, encontrará el botón **Insertar función** (fx) que permite introducir una fórmula o función en la celda activa, y el Cuadro de nombres que contiene la dirección de la celda activa y una flecha de lista desplegable para ayudarle a localizar rangos con nombre.

  Al empezar a introducir datos o fórmulas en una celda activa, a la izquierda del botón **Insertar función**, aparecerán los botones **Cancelar** (una cruz) e **Introducir** (una marca de selección), sobre los que podrá hacer clic para cancelar o terminar la introducción de datos en la celda activa.

- **Barra de estado:** Se sitúa en la parte inferior de la pantalla. En la parte izquierda aparece el modo en el que se encuentra el documento en cada momento. Al iniciar la aplicación se muestra el mensaje `Listo`, que indica que el programa está dispuesto para la introducción de datos y/o fórmulas en la hoja. Este mensaje cambiará según las acciones realizadas: `Introducir`, `Modificar`, etc. En la parte derecha, se encuentran los botones de vista **Normal**, **Diseño de página** y **Vista previa de salto de página**, el botón **Zoom** y el Control deslizante del zoom.

- **Ventana del documento:** Como en el resto de aplicaciones, Office permite trabajar simultáneamente con varios documentos. En Excel, cada documento es un libro de trabajo, compuesto por hojas de cálculo, y el nombre del que esté abierto aparecerá en la barra de título de la ventana. La parte principal de la ventana de documento es el área de trabajo, que presenta la característica cuadrícula de Excel.

- **Filas y columnas:** Ocupan el área de trabajo de Excel. Las filas, en sentido vertical, están numeradas consecutivamente y pueden presentar un número máximo de 1.048.576. Las columnas, en sentido horizontal, se denominan con una o varias letras y tienen como límite 16.384 (representado por la combinación XFD). Toda la cuadrícula forma la hoja de cálculo propiamente dicha.
- **Las celdas:** Son el resultado de la intersección de una fila con una columna y tienen forma rectangular. Las distintas celdas se denominan con la letra de su columna y el número de su fila. El nombre de las celdas es su referencia y respeta siempre el orden columna y fila. En caso contrario, el programa no lo reconoce como nombre. Un ejemplo perfecto de referencia o nombre de celda es C5.

  La celda activa es aquella en la que se introducirán los datos que se teclean. Se distingue del resto por mostrar un borde más grueso en la cuadrícula. La columna y la fila de la celda activa estarán resaltadas hasta que cambie a la siguiente.

  Se denomina rango a un grupo de celdas, contiguas o no, sobre el que, en caso de seleccionarse, se efectúan determinadas operaciones. Un rango de celdas se identifica con el nombre de las dos celdas vértices del rango, separadas por dos puntos. Si las celdas no son consecutivas, indique los distintos bloques separados por signos de punto y coma, como por ejemplo, B5:E14;G17:G22. Este rango indica la selección de las celdas B5: a la E14 y de la celda G17 a la G22.
- **Las etiquetas inteligentes:** Como en todas las aplicaciones Office, facilitan tareas también accesibles a través de los distintos grupos y fichas. Algunas etiquetas características de Excel son Opciones de Autorrelleno u Opciones de pegado.
- **Las hojas del libro de trabajo:** Tal como hemos indicado al principio del capítulo, al abrirse un libro de trabajo nuevo y mientras no se especifique lo contrario, las hojas presentadas son tres. En la parte inferior izquierda del área de trabajo aparecen tres pestañas con los nombres predeterminados por Excel: Hoja1, Hoja2 y Hoja3. Cuando se abre el nuevo libro, la hoja activa es la primera. Además, Excel ofrece una nueva pestaña junto a los nombres de hoja: Insertar hoja de cálculo. Esta pestaña, con el dibujo de una hoja y un asterisco, al hacer clic sobre ella, inserta una nueva hoja en el libro siguiendo el nombre de hoja predeterminado que le corresponda. Podrá pasar de una a otra haciendo clic en sus pestañas o utilizando los botones de desplazamiento que están a la izquierda de los nombres de las hojas. El primero contiene una flecha hacia la izquierda y una barra

vertical, y le desplazará a la primera hoja del libro. El segundo sólo contiene la flecha hacia la izquierda, y le desplazará hasta la hoja inmediatamente anterior. El tercero presenta una flecha hacia la derecha, y situará el punto de inserción en la hoja siguiente. El último, con una flecha hacia la derecha y la barra vertical, irá a la última hoja del libro. El número total de hojas de cálculo que puede contener un libro de trabajo dependerá de la memoria y recursos del sistema del ordenador con el que esté trabajando.

Cómo seleccionar elementos de una hoja de cálculo

La manera más rápida para situarse en cualquier celda visible es hacer clic con el ratón sobre ella. De esa forma, podrá empezar a introducir datos en la celda inmediatamente. Pero, en ocasiones, quizás precise de técnicas algo más complejas para seleccionar los distintos tipos de elementos de un documento Excel.

- Para seleccionar una celda, haga clic sobre ella.
- Para seleccionar un rango, arrastre el ratón desde la primera hasta la última de las celdas que desee incluir.
- Para seleccionar celdas o rangos no contiguos, mantenga pulsada la tecla **Control** mientras selecciona las celdas y/o arrastra el ratón sobre un rango.
- Para seleccionar una columna o una fila, desplace el puntero del ratón hasta el encabezado de columna o de fila y haga clic sobre ellos cuando el puntero adopte la forma de una flecha negra (hacia abajo o hacia la derecha).

  Se denomina encabezado a las celdas de la hoja que contienen los nombres de las columnas (letras) y de las filas (cifras).
- Para seleccionar columnas o filas no adyacentes, haga clic sobre ellas manteniendo pulsada la tecla **Control**.
- Para seleccionar toda la hoja de cálculo, haga clic sobre la celda de la cuadrícula situada en su extremo superior izquierdo, en la intersección de los encabezados de fila y de columna (véase la figura 6.2).
- Para seleccionar varias hojas del libro, seleccione primero la totalidad de una de ellas y, manteniendo pulsada la tecla **Control**, haga clic con el ratón en las pestañas del resto de las hojas del libro que desee seleccionar.

- Para cancelar la selección, pulse en cualquier otra celda de la hoja de cálculo.

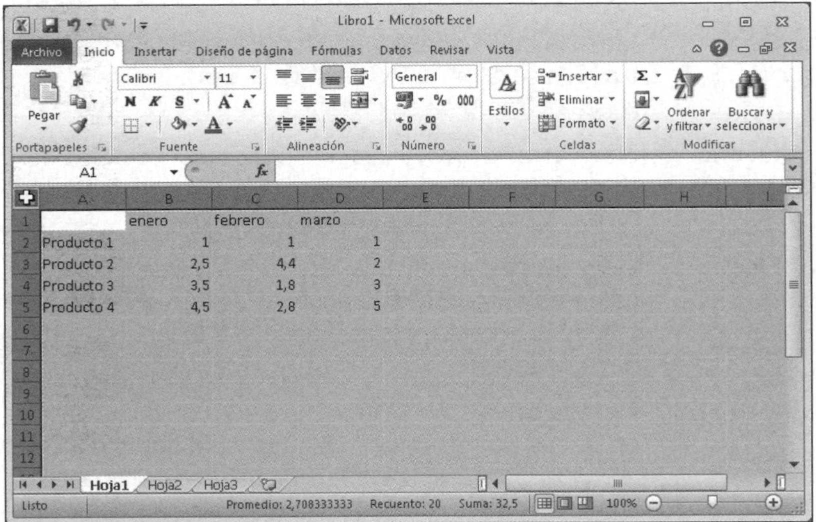

Figura 6.2. Selección de toda la hoja de cálculo.

Desplazarse por las celdas

Para introducir los datos, necesitará activar una celda determinada. Si la celda es visible, ya hemos visto que debe mover el puntero del ratón hasta la celda en la que desea introducirlos y hacer clic sobre ella. En caso de que precise seleccionar una celda que no esté visible en la pantalla, deberá utilizar primero las barras de desplazamiento horizontal y vertical.

Otra manera de moverse a través de la hoja de cálculo es utilizando el teclado, cuyas principales opciones presentamos en la tabla 6.1.

Tabla 6.1. Desplazamiento por las celdas de una hoja de cálculo utilizando el teclado.

Teclas	Acción
Flecha derecha	Mueve la celda activa una celda a la derecha.
Flecha izquierda	Mueve la celda activa una celda a la izquierda.
Flecha arriba	Mueve la celda activa a la celda superior.

Teclas	Acción
Flecha abajo	Mueve la celda activa a la celda inferior.
Control-Flecha derecha	Lleva la celda activa hasta la última celda con datos de esa fila. Si no existen datos en la fila, la celda activa se desplazará hasta la última celda de la fila.
Control-Flecha izquierda	Lleva la celda activa a la primera celda con datos de esa fila. Si no existen datos en la fila, la celda activa se desplazará hasta la primera celda de la fila.
Control-Flecha arriba	Lleva la celda activa a la primera celda con datos de la columna en la que se encuentra. Si no existen datos en la columna, la celda activa se desplazará hasta la primera celda de la columna.
Control-Flecha abajo	Lleva la celda activa a la última celda con datos de la columna en la que se encuentra. Si no existen datos en la columna, la celda activa se desplazará hasta la última celda de la columna.
Control-Inicio	Lleva la celda activa a la primera celda de la hoja de cálculo (A1).
Control-Fin	Lleva la celda activa a la última celda que contenga datos o formato en la hoja de cálculo.
Intro	Mueve la celda activa a la celda inferior.
Tab	Mueve la celda activa una celda a la derecha.
Mayús-Tab	Mueve la celda activa una celda a la izquierda
AvPág	Mueve la celda activa a la misma situación en la siguiente pantalla.
RePág	Mueve la celda activa a la misma situación en la pantalla anterior.

Introducción de datos

A la hora de introducir datos en una celda, sólo debe activarla y empezar a escribir. A medida que lo hace, verá cómo lo que teclea aparece en la celda activa y en la barra de fórmulas, a cuya izquierda ya se habrán mostrado los botones **Cancelar** e **Introducir**.

Puede hacer clic sobre el botón **Cancelar** en cualquier momento para interrumpir la introducción de datos y el programa ignorará lo escrito hasta entonces. También puede optar por utilizar la tecla **Esc**. Si selecciona el botón **Introducir**, Excel dará por terminada la introducción de datos en esa celda. La tecla que también le permite dar por válidos los datos tecleados y finalizar el proceso es **Intro**.

Tipos de datos

En una hoja de cálculo Excel se distinguen tres tipos de datos diferentes: texto, números y fechas. Vamos a examinar cada uno de ellos (véase la figura 6.3).

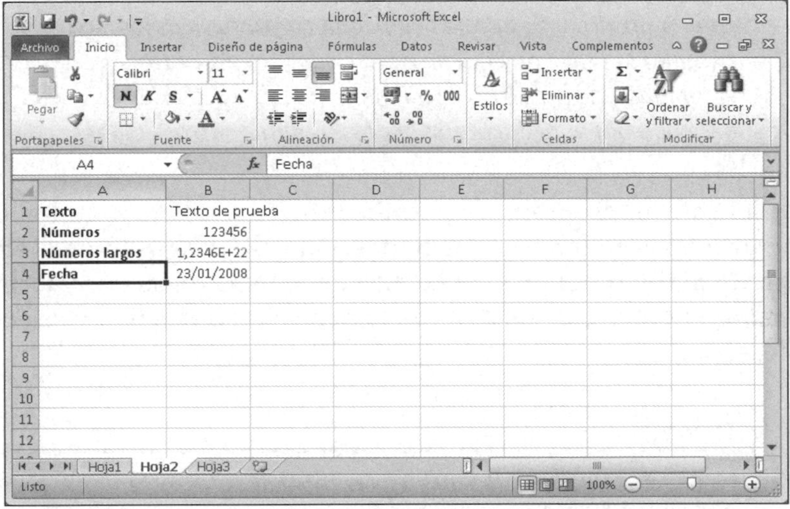

Figura 6.3. Tipos de datos que se pueden introducir en Excel.

Los datos de tipo texto pueden estar formados por cualquier combinación de caracteres; aunque si desea que el programa interprete los números que teclee como texto, deberá colocar delante de ellos el signo apóstrofe ('). Este tipo de dato se caracteriza porque Excel no puede operar con ellos automáticamente y se distinguen fácilmente porque se alinean automáticamente a la izquierda de la celda.

Los números son, por la propia naturaleza de las hojas de cálculo, el tipo de dato más utilizado en Excel. Para que el programa los reconozca como tales sólo debe escribir números. Pero hay algunos símbolos que Excel reconoce automáticamente como formato de números: la coma decimal, el punto de millar, el signo menos (-) para los números negativos, el porcentaje (%), la

división (/) para los números fraccionarios, y el exponente (E o e) para la notación científica. Los números se alinean de manera automática a la derecha de la celda. Si introduce en una celda una cifra tan larga que no quepa en ella, se mostrará en pantalla con la notación científica, como puede ver en la figura 6.3. Este hecho no afecta a su valor, sino a su apariencia.
Los datos de tipo fecha y hora de Excel son, en realidad, tipos numéricos. El programa puede reconocerlos y mostrarlos como tales utilizando diferentes formatos: 10/11/07 ó 10-noviembre-2010.

Nota:

Si introduce datos tan grandes que superen los límites de la celda, Excel los colocará en la celda adyacente de la derecha, como puede ver en la figura 6.3. Si la celda contigua contuviera datos, sólo verá en la pantalla la parte que quepa en la celda. No obstante, Excel memoriza la totalidad de lo escrito de tal manera que, si selecciona la celda, podrá ver en la barra de fórmulas todos los datos introducidos.

En cualquier caso, el programa le permite introducir formatos para los datos que va a introducir en una o varias celdas. Para ello, haga clic en el **Iniciador de cuadro de diálogo** del grupo Número de la ficha Inicio para abrir el cuadro de diálogo Formato de celdas con la ficha Número activa y seleccione la opción deseada.

Truco:

La sugerencia de teclas que le permitirá abrir directamente el cuadro de diálogo Formato de celdas *es* **Control-1**.

Herramientas para la introducción de datos

Excel contiene herramientas especiales que facilitan la introducción de datos en las hojas. Dichas herramientas son Autocompletar, Elegir de la lista desplegable y Autorrellenar.

Autocompletar

La herramienta Autocompletar es muy interesante si desea introducir varias veces el mismo dato en celdas, consecutivas o no, de una misma columna.

Cuando ha introducido un dato en una columna, el programa lo recuerda y la siguiente ocasión en que tenga que escribirlo en la misma columna, no precisará teclearlo completo de nuevo. Bastará con que empiece a escribirlo. Excel terminará de completarlo de acuerdo con lo almacenado previamente. Si la sugerencia le interesa, pulse la tecla **Intro**.

En caso de que en la misma columna haya más de un dato que empiece por las mismas letras, el autocompletado no se efectuará hasta que no escriba un carácter que distinga e identifique el dato que se le va a proponer.

Elegir de la lista desplegable

Aprovechando que Excel memoriza y crea una lista con todos los datos introducidos en una columna, puede hacer uso del listado que contiene dichos datos y elegir directamente sobre ella.

Para ello, pulse el botón derecho del ratón sobre la celda en la que desea introducir el dato. Se abrirá el menú contextual en el que deberá elegir la opción Elegir de la lista desplegable. Verá el contenido de la lista y podrá hacer clic sobre el dato que le interese reproducir (véase la figura 6.4).

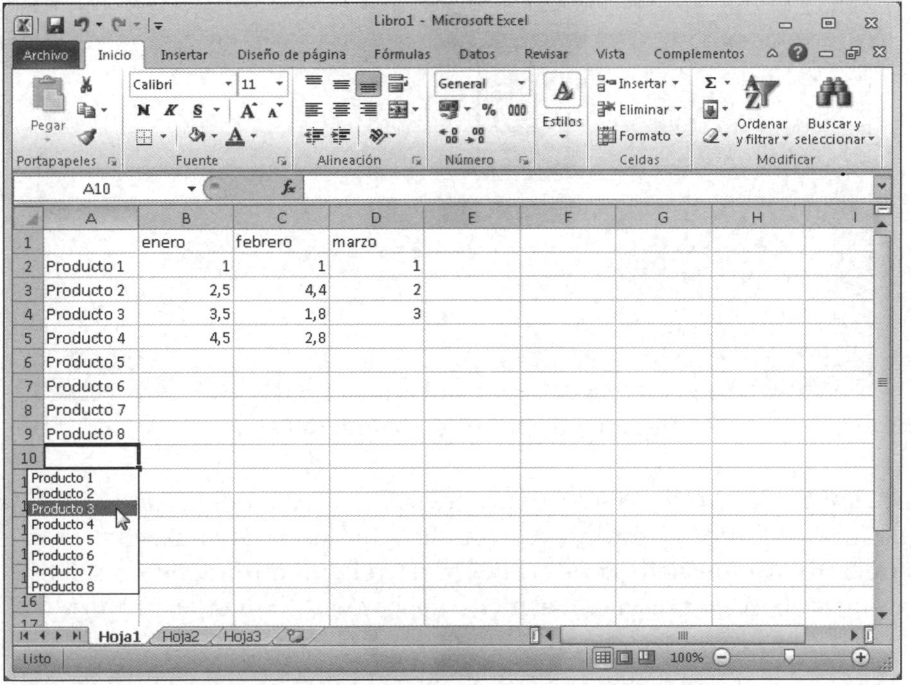

Figura 6.4. Elija un dato de la lista desplegable.

Autorrellenar

Esta característica es útil cuando desea repetir el mismo dato en varias celdas, o en el caso de que necesite introducir una serie de datos.

Si quiere copiar el mismo dato en varias celdas contiguas, escríbalo y observe que en la esquina inferior derecha de la celda aparece un pequeño recuadro negro. Coloque encima el puntero de ratón hasta que tome el aspecto de una cruz negra, pulse el botón izquierdo del ratón, y, sin soltarlo, arrástrelo hasta seleccionar todas las celdas que quiera rellenar con el mismo dato.

Al ejecutar la acción, se mostrará el botón **Opciones de Autorrelleno**, que le permitirá elegir entre: Copiar celdas, Rellenar formatos sólo, Serie de relleno o Rellenar sin formato (véase la figura 6.5).

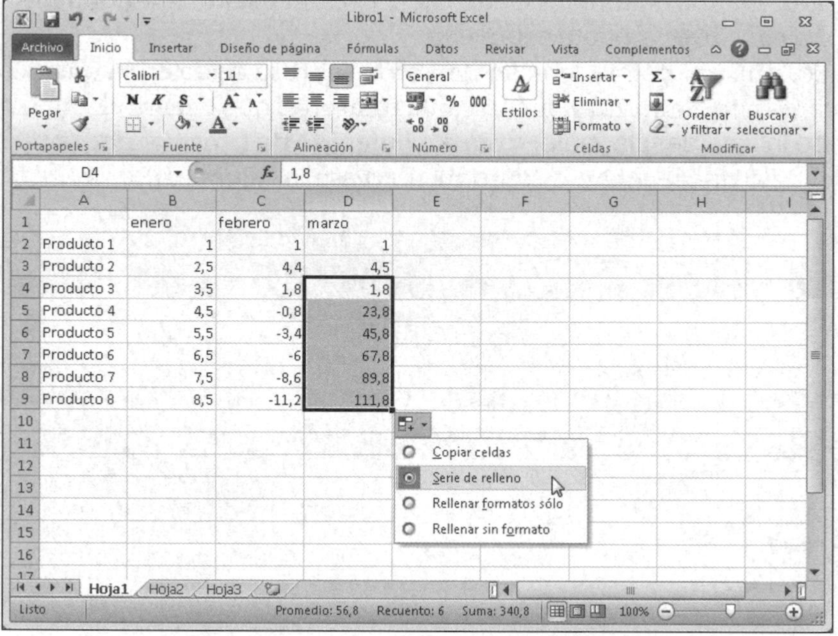

Figura 6.5. Opciones de Autorrelleno.

La opción Serie de relleno sólo aparecerá si Excel reconoce los datos originales como una serie, por ejemplo, de ordinales, días de la semana, etc.

Puede activar o desactivar esta opción de relleno automático o seleccionar otras opciones haciendo clic en el menú del botón **Rellenar** del grupo Modificar en la ficha Inicio y seleccionando Series. Posteriormente seleccione o anule la selección de la opción Autorrellenar en la sección Tipo del cuadro de diálogo Series y haga clic en **Aceptar**.

Introducir una fórmula

Para indicarle al programa que está introduciendo una fórmula, lo primero que debe teclear en la celda es el signo igual (=). El programa activará automáticamente el menú desplegable de funciones en el cuadro de nombres de la barra de fórmulas.
Pulse la flecha hacia abajo para elegir el tipo de operación matemática que se va a realizar. En los siguientes capítulos veremos cómo trabajar con fórmulas en Excel.

Técnicas de edición

Al trabajar con Excel, es posible que cometa errores. Algunos los detectará antes de terminar la introducción de datos. Otros, al pasar a otra celda. En cualquier caso, deberá tener en cuenta las opciones que le facilita el programa para editar los contenidos de las hojas de cálculo.
Excel comparte las técnicas de edición de datos características de todas las aplicaciones que componen Office 2010.
Por ello, podrá utilizar los comandos Buscar y Reemplazar para localizar los datos y fórmulas que desee modificar. El botón **Opciones** del cuadro de diálogo Buscar y reemplazar le permite efectuar la búsqueda por filas o por columnas, en la hoja o en todo el libro, dentro de las fórmulas, los valores o los comentarios, etc.
Asimismo, el programa le da acceso a los útiles comandos contenidos en el grupo Portapapeles de la ficha Inicio: **Copiar**, **Cortar** y **Pegar**, para mover y copiar celdas y rangos. Los comandos **Deshacer**, **Rehacer** y **Repetir**, en caso de que se despiste y borre involuntariamente datos importantes o necesite repetir las últimas acciones llevadas a cabo en el documento, se encuentran en la barra de herramientas de acceso rápido.
El comando Pegar incluye en esta nueva versión distintas opciones de pegado que puede ver en la figura 6.6. Dichas opciones se encuentran disponibles en la cinta de opciones dentro del grupo Portapapeles de la ficha Inicio en el comando Pegar, en el menú contextual que se abre al hacer clic con el botón derecho del ratón en la celda sobre la que va a pegar los datos copiados y en el menú desplegable del botón **Copiar** que aparece tras copiar los datos.
Igual que sucede en Word, podrá obtener una vista previa dinámica de los datos que se van a copiar simplemente pasando por encima el ratón sobre las distintas opciones.

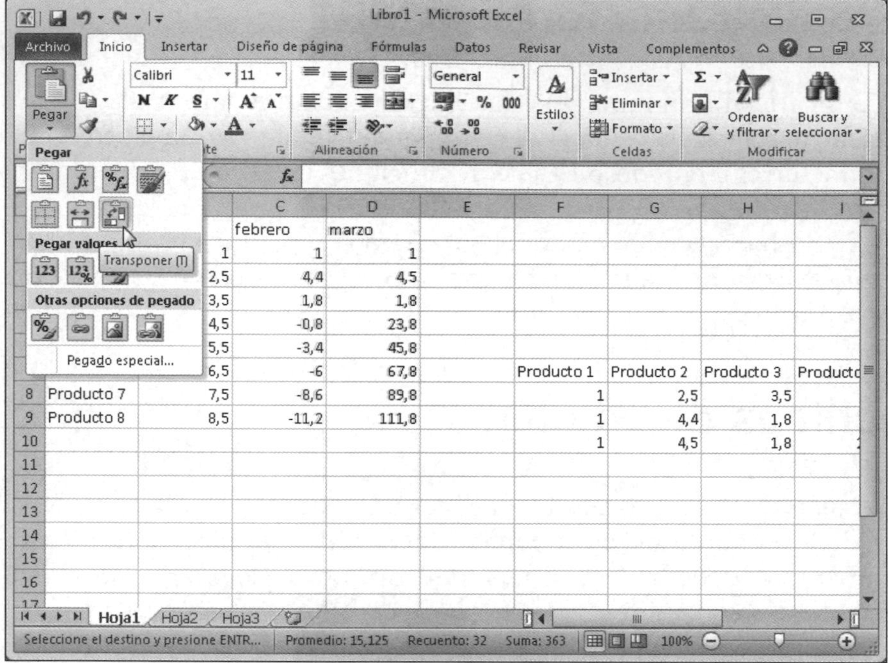

Figura 6.6. Nuevas opciones de pegado.

Truco:

Para cancelar el borde móvil que presenta Excel alrededor de las celdas copiadas o cortadas, pulse la tecla **Esc**.

El comando Pegado especial que se encuentra en la parte inferior del comando **Pegar** proporciona una mayor gama de opciones de pegado. Podrá elegir qué características pegar del bloque que previamente ha copiado o cortado: bien sólo las fórmulas, los valores, los formatos, los comentarios, bien los formatos de número y las fórmulas en combinación, etc., permitiéndole, incluso, realizar operaciones aritméticas sencillas con los datos numéricos seleccionados, si así lo determina con los botones de Operación.

Si elige la opción Todo en el cuadro de diálogo Pegado especial, está haciendo lo mismo que si selecciona el comando Pegar.

En todo caso, haga clic en el botón **Aceptar** al terminar de definir las opciones de pegado para que sean efectivas o simplemente haga pulse **Intro** para aceptar la opción de pegado.

Editar y borrar los datos introducidos

Si se equivoca mientras está introduciendo los datos en la celda puede corregirlos de dos maneras. Pulse la tecla **Retroceso** para borrar hacia atrás; cada vez que lo haga eliminará un carácter a la izquierda del punto de inserción en la celda activa. También puede hacer clic sobre el botón **Cancelar** de la barra de fórmulas o pulsar la tecla **Esc**, en cuyo caso, deberá introducir los datos desde el principio. Si los datos ya están introducidos, para editarlos podrá elegir entre estas opciones:

- En caso de que quiera sustituirlos por nuevos datos, active la celda y escríbalos. Se sobrescribirán en lugar de los anteriores.
- En caso de que desee modificar una parte de los datos, haga doble clic sobre la celda y aparecerá el punto de inserción que le permitirá moverse y corregir los errores. Si lo prefiere, también puede activar la celda y editar el dato a través de la barra de fórmulas.

Si lo que necesita es borrar los datos de una o de varias celdas, selecciónelas y pulse las teclas **Retroceso** o **Supr** y hará desaparecer su contenido.
También puede borrar ejecutando el comando **Borrar** que se encuentra en el grupo Modificar de la ficha Inicio. Este método le permite ejercer un mayor control sobre la acción de borrado, al poder elegir entre las siguientes opciones:

- Borrar todo: Hace desaparecer formatos, contenido y comentarios previos.
- Borrar formatos: Elimina el formato de las celdas seleccionadas pero no su contenido.
- Borrar contenido: Suprime los datos introducidos en las celdas, pero no su formato. De hecho, si vuelve a escribir datos en ellas, conservarán el formato que tenían los datos borrados.
- Borrar comentarios: Borra los comentarios asociados a las celdas seleccionadas sin modificar ni su contenido ni su formato.
- Borrar hipervínculos: Borra los hipervínculos creados.

Inserción y eliminación de filas, columnas y celdas

Para añadir una fila o una columna, sitúe la celda activa en la fila o columna delante de la cual desea realizar la inserción. A continuación, haga clic en el botón de flecha desplegable **Insertar** del grupo Celdas en la ficha Inicio y seleccione la opción deseada (Insertar filas de hoja o Insertar columnas de hoja). También puede insertar varias filas o columnas, en lugar de hacerlo de una en una. Para ello, seleccione previamente tantas como desee incorporar y ejecute dichos comandos. Se sumará el mismo número que haya seleccionado. Las columnas se colocarán a la izquierda de la selección y las filas en la parte superior. Para eliminar filas o columnas seleccione una o varias celdas situadas en las filas o columnas que va a eliminar. Haga clic en la flecha desplegable del botón **Eliminar** y seleccione la opción deseada (Eliminar filas de hoja o Eliminar columnas de hoja).

Truco:

Con este método, no existe ningún aviso previo a la eliminación. Si se equivoca en la eliminación, haga clic en el botón **Deshacer** *de la barra de herramientas de acceso rápido para volver a la situación anterior a la eliminación.*

A continuación, examinaremos con más detalle las acciones relacionadas con las celdas. Al hacer clic en el comando Eliminar celdas del botón **Eliminar** del grupo Celdas, se abrirá el cuadro de diálogo Eliminar celdas que le permite suprimir una celda o un conjunto de ellas, indicándole al programa si desea que las situadas a la derecha ocupen el lugar de las eliminadas, o si prefiere que las celdas que se desplacen, en este caso hacia arriba, sean las situadas inmediatamente debajo.

Si lo que necesita es añadir celdas, haga clic en el botón de lista **Insertar** del grupo Celdas y seleccione Insertar celdas para abrir el cuadro de diálogo Insertar celdas donde podrá elegir la opción deseada.

Truco:

Para insertar o eliminar una fila o una columna rápidamente, seleccione la fila o columna que desea eliminar y haga clic con el botón derecho del ratón para seleccionar la opción deseada del menú contextual.

Editar el libro de trabajo

Ya sabemos que el libro de trabajo predeterminado de Excel ofrece tres hojas de cálculo, por las que puede moverse haciendo clic en las pestañas con sus nombres situadas en la parte inferior izquierda del área de trabajo.

El programa le permite, también, añadir más hojas, borrar las que no vaya a utilizar o cambiar su nombre. Veamos cómo se ejecutan estas tareas.

Renombrar las hojas del libro

Las hojas que integran el libro reciben, de forma predeterminada, el nombre genérico de Hoja, seguido por el número de orden en el libro, excepto la última hoja que presenta un icono en su pestaña y sirve para incluir rápidamente más hojas. Para cambiar el nombre predeterminado de una hoja por otro que refleje mejor su contenido, puede emplear cualquiera de los siguientes métodos:

- Haga clic en el menú desplegable del botón **Formato** en el grupo Celdas de la ficha Inicio y seleccione Cambiar el nombre de la hoja. Escriba un nuevo nombre y pulse **Intro**.
- Haga clic en el botón derecho del ratón sobre la pestaña de la hoja a la que desea cambiar el nombre. Se abrirá el menú contextual en el que podrá elegir la opción Cambiar nombre. Escriba un nuevo nombre para la hoja y pulse **Intro** (véase la figura 6.7).

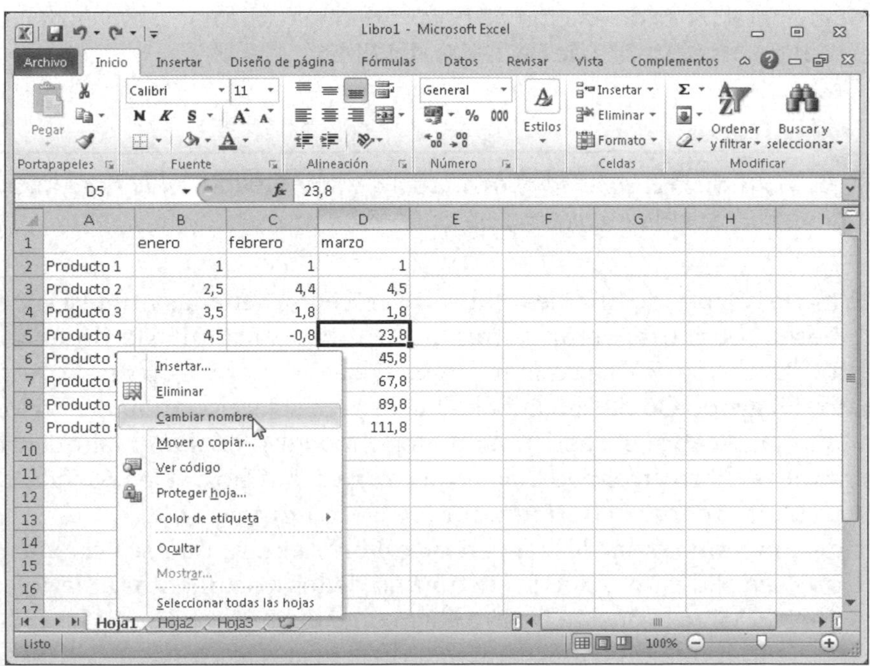

Figura 6.7. Cambiar el nombre de la hoja.

- Haga doble clic en el botón izquierdo del ratón sobre el nombre actual de la hoja y escriba en la pestaña el nuevo nombre. Pulse **Intro**.

Truco:

Puede utilizar la opción Color de etiqueta *del menú contextual de la hoja para personalizar el color de las pestañas.*

Insertar, cambiar de posición y eliminar hojas en el libro

Si tiene ocupadas las tres hojas de cálculo de su libro y necesita añadir nuevas hojas, haga clic en la hoja Insertar hoja de cálculo. La nueva hoja se insertará en la última posición, adoptará el nombre genérico Hoja y el número siguiente de las ya contenidas en el libro.

Si lo que desea es eliminar una hoja, seleccione su pestaña en la parte inferior izquierda de la pantalla y haga clic con el botón derecho del ratón para seleccionar Eliminar del menú contextual. En el caso de que no haya seleccionado ninguna hoja en particular, el programa eliminará la hoja activa.

Todas las operaciones de edición de hojas pueden realizarse a través del menú contextual de las pestañas de las hojas del libro.

Truco:

Si utiliza el comando **Formato** *del grupo* Celdas *en la ficha* Inicio, *podrá ocultar o mostrar hojas.*

Las hojas de cálculo de un nuevo libro aparecen ordenadas numéricamente. Sin embargo, podrá moverlas y cambiar su disposición hasta ordenarlas a su gusto. Para ello, sitúese en la hoja que desea mover y ejecute el comando **Formato** del grupo Celdas en la ficha Inicio para seleccionar la opción Mover o copiar hoja. Se abre el cuadro de diálogo Mover o copiar en el que podrá definir tanto el libro en el que quiera que aparezca la hoja seleccionada como la posición que ocupará en su interior (véase la figura 6.8).

Si decide mover o copiar la hoja en otro libro, tendrá que seleccionar cuál quiere que sea el destino. Puede ser alguno de los documentos abiertos o un nuevo libro. Si elige la opción Nuevo libro como destino y hace clic en el botón **Aceptar**, el programa lo creará, conteniendo la hoja seleccionada, con un nombre genérico Libro y el número de orden del nuevo documento.

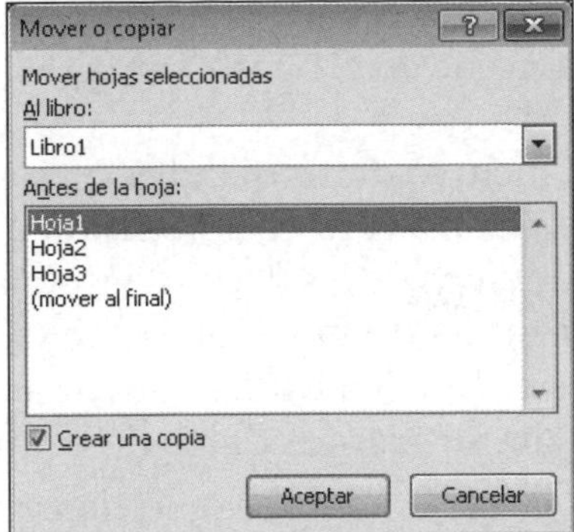

Figura 6.8. Cuadro de diálogo Mover o copiar.

En cuanto a la posición que ocupará la hoja movida, recuerde que en el cuadro de diálogo Mover o copiar puede elegir antes de qué hoja del listado que se le ofrece debe colocarse.

Por último, seleccione la casilla Crear una copia si lo que desea es realizar una copia de la hoja que va a mover.

Truco:

Para mover una hoja del libro de manera rápida, seleccione su pestaña y arrástrela con el ratón a su nueva posición. El puntero adoptará la forma de una hoja en blanco hasta que la deposite en su nueva ubicación. Si lo que desea es copiarla en otra posición dejando la original en su lugar, realice la misma operación manteniendo pulsada la tecla **Control**.

Crear y editar tablas

Lo normal cuando se crea una tabla (denominada lista de Excel en versiones más antiguas) es que los elementos que la componen se vayan incorporando a medida que se necesite añadir nuevos datos, sin ningún orden previo. Una tabla de esta clase, especialmente si es larga, tiene poca utilidad si no dispone de medios para localizar los datos que contiene.

En Excel, las tablas presentan una estructura determinada, similar a una base de datos simple. Una base de datos es un conjunto de datos ordenados de manera sistemática. En los capítulos dedicados a Microsoft Access estudiaremos con detalle esta cuestión.

Para crear una tabla seleccione el rango de datos o celdas vacías que desee convertir en la tabla y haga clic en el botón **Tabla** del grupo Tablas en la ficha Insertar.

Si el rango seleccionado incluye datos que desea mostrar como encabezados de tabla, seleccione la casilla de verificación La tabla tiene encabezados.

Una vez creada la tabla, además de las flechas desplegables del filtro aplicado, se mostrarán las Herramientas de tabla junto con la ficha Diseño que, junto con los grupos recogidos en la ficha Datos, le ayudarán a utilizar las siguientes características para administrar los datos de la misma:

- **Ordenar y filtrar:** A la fila de encabezado de una tabla se agregan automáticamente listas desplegables (que muestra una lista de opciones) de filtros. Puede ordenar las tablas en orden ascendente o descendente o por colores, o puede crear un criterio de ordenación personalizado. Puede filtrar las tablas para que sólo muestren los datos que sigan los criterios especificados, o puede filtrar por colores.
- **Aplicar formato a los datos de la tabla:** Puede dar formato rápidamente a los datos de la tabla aplicando un estilo de tabla predefinido o personalizado, haciendo clic en el botón **Estilos rápidos** de Estilos de tabla en la ficha Diseño de Herramientas de tabla. Puede elegir también opciones de estilos rápidos para mostrar una tabla con o sin una fila de encabezado o de totales, para aplicar bandas de filas o columnas con el fin de facilitar la lectura o para diferenciar la primera o última columna de otras columnas, seleccionando las opciones apropiadas del grupo Opciones de estilo de tabla de la misma ficha (véase la figura 6.9).
- **Insertar y eliminar filas y columnas de la tabla:** Existen diversos métodos para agregar filas y columnas a una tabla. Puede agregar una fila en blanco al final de la tabla, incluir filas o columnas adyacentes a la hoja en la tabla o insertar filas y columnas de tabla la ubicación deseada. Puede eliminar filas y columnas cuando sea necesario.

  También puede quitar rápidamente filas que contengan datos duplicados de una tabla. El método más sencillo es utilizar el menú contextual que se abre al hacer clic en una fila o en una columna o hacer clic en el botón **Cambiar tamaño de la tabla** en el grupo Propiedades de la ficha Diseño en Herramientas de tabla para abrir el cuadro de diálogo Ajustar el tamaño de la tabla.
- **Utilizar una columna calculada:** Para utilizar una fórmula que se adapte a cada fila de una tabla, puede crear una columna calculada. La columna se amplía automáticamente para incluir filas adicionales de modo que la fórmula se extienda inmediatamente a dichas filas. Para crear una columna

calculada, haga clic en una columna de tabla en blanco que desea convertir en una columna calculada. Si es necesario, inserte una columna nueva en la tabla. Escriba la fórmula que desea utilizar como cálculo.

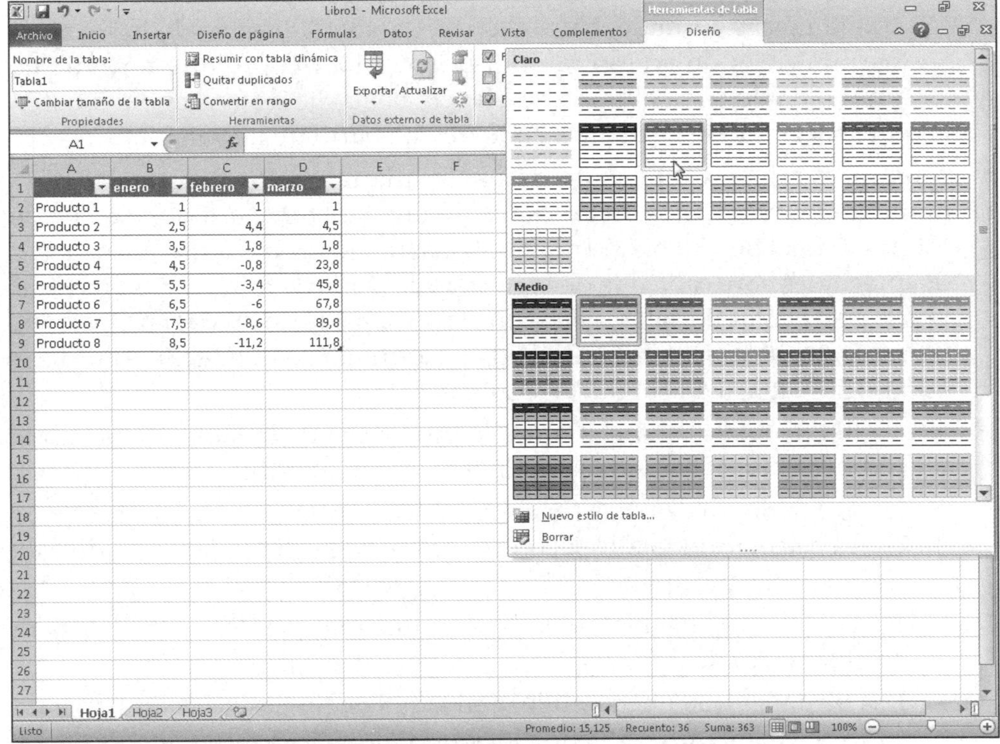

Figura 6.9. Opciones de estilos rápidos para tablas.

La fórmula escrita se rellena automáticamente en todas las celdas de la columna, tanto por encima como por debajo de la celda activa. Cuando agregue una celda calculada, tenga en cuenta lo siguiente:

- Al copiar o rellenar una fórmula en todas las celdas de una columna de tabla en blanco también se crea una columna calculada.
- Si escribe una fórmula en una columna debajo de la tabla, se creará una columna calculada, pero las filas que se encuentran fuera de la tabla no se podrán utilizar en una referencia de tabla.
- Si escribe o mueve una fórmula a una columna de tabla que ya contiene datos, no se creará automáticamente una columna calculada. Sin embargo, se mostrará el botón **Opciones de Autocorrección** para ofrecerle la posibilidad de sobrescribir los datos y permitir la creación

de la columna calculada. Si copia una fórmula en una columna de tabla que ya contiene datos, esta opción no estará disponible.

- Para deshacer rápidamente una columna calculada, si utilizó el comando Rellenar o **Control-Intro** para rellenar una columna completa con la misma fórmula, haga clic en el botón **Deshacer** de la barra de herramientas de acceso rápido. Si escribió o copió una fórmula en una celda de una columna en blanco, haga clic dos veces en el botón **Deshacer** que se encuentra en la misma barra de herramientas.

- **Mostrar y calcular totales de datos de una tabla:** Puede calcular rápidamente los resultados de los datos de una tabla mostrando una fila de totales al final de la tabla y utilizando las funciones incluidas en las listas desplegables para cada una de las celdas de la fila de totales. Para mostrar una fila de totales de datos, seleccione la opción Fila de totales en Opciones de estilo de tabla de la ficha Diseño en Herramientas de tabla. Al utilizar esta opción, tenga en cuenta lo siguiente:
    - La fila de totales aparece como la última fila de la tabla y muestra la palabra Total en la celda situada más a la izquierda.
    - En la fila de totales, haga clic en la celda de la columna para la que desea calcular un total y, a continuación, haga clic en la flecha de lista desplegable que aparece.
    - En la lista desplegable, seleccione la función que desea utilizar para calcular el total.
    - Las fórmulas que puede utilizar en la fila de totales no se limitan a las funciones de la lista. Puede escribir cualquier fórmula que desee en cualquier celda de fila de totales.

Ordenar una tabla

A medida que una tabla crece, conviene organizarla para su mejor aprovechamiento. Excel permite hacerlo de diversas maneras. Puede, por ejemplo, ordenar los datos de una columna dejando el resto de los datos sin que cambien de posición, o, también, utilizar uno o varios campos como eje de ordenación respetando la posición de los datos de cada registro.

Ordenar una sola columna supone no tener en cuenta el contenido de los demás campos. Basta con seleccionar la columna que se desea ordenar y hacer clic en el botón **Ordenar de mayor a menor** u **Ordenar de menor a mayor** en el grupo Ordenar y filtrar de la ficha Datos. La elección dependerá del sentido que quiera darle a la ordenación. El resto de los datos de cada registro

permanecen en su ubicación inicial, por lo que el resultado puede resultar algo confuso. No tiene sentido, por ejemplo, ordenar por nombre los alumnos de una lista si los apellidos no van a aparecer en el orden correcto.
Ordenar una lista teniendo en cuenta una o varias columnas requiere seguir una serie de pasos que básicamente son los siguientes:

1. Seleccione una celda de la tabla que desea ordenar. Es recomendable que la celda pertenezca al campo o columna que le va a servir como eje de la ordenación.
2. Haga clic en el botón **Ordenar** del grupo Ordenar y filtrar en la ficha Datos.
3. Excel selecciona toda la tabla y se abre el cuadro de diálogo Ordenar.
4. En caso de que el programa no haya seleccionado la tabla correctamente, haga clic en **Cancelar** y seleccione toda la tabla manualmente. A continuación vuelva a seguir los pasos necesarios para abrir el cuadro de diálogo Ordenar.
5. Si la tabla tiene encabezados para las columnas, seleccione la casilla Mis datos tienen encabezados (normalmente, aparecerá seleccionada). Así evitará que la primera fila se ordene como si de un registro más se tratara.
6. Si solo quiere ordenar la lista atendiendo a una columna, en el cuadro de lista Ordenar por, seleccione el campo que será el eje de la ordenación y desplácese hasta el último paso de este proceso.
7. Si necesita considerar los datos existentes en más de una columna para ordenar la lista, añada algún otro campo en los cuadros de lista Luego por haciendo clic en **Agregar nivel** por cada nuevo registro que necesite.
8. Indique si quiere que la lista se ordene de manera ascendente o descendente con las opciones que aparecen al hacer clic en el botón **Opciones** o en el cuadro Criterio de ordenación (véase la figura 6.10).

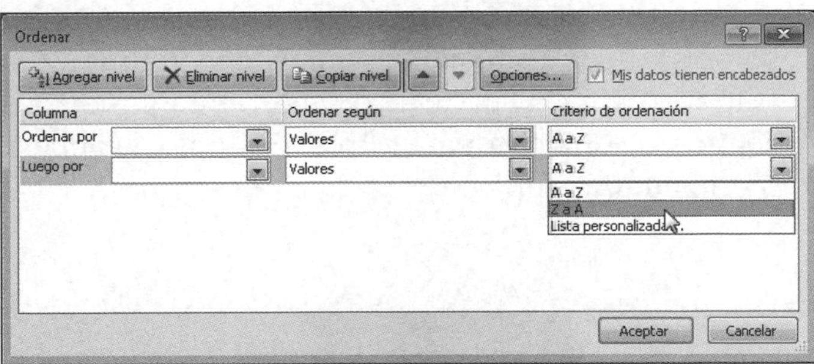

Figura 6.10. Cuadro de diálogo Ordenar.

9. Pulse el botón **Aceptar** para que las acciones elegidas sean efectivas.

Nota:

El cuadro de lista desplegable Ordenar por *tiene los nombres de los encabezados porque la lista los contiene. En caso contrario, aparecerían los nombres de las columnas:* Columna A, Columna B, *etc.*

Elegir más de una columna como eje de ordenación tiene como finalidad principal que haya más de un criterio en caso de conflicto. De tal manera que si dos registros tienen el mismo contenido en el primer campo, pueda tenerse en cuenta otro. Cuando hay más de un criterio, se establece un orden que suele ir de lo general a lo particular.

Hemos visto cómo ordenar filas atendiendo a las columnas como criterio de ordenación, pero es posible que lo que le interese sea ordenar las columnas considerando como eje las filas de la lista.

Haga clic en el botón Opciones del cuadro de diálogo Ordenar. Se abrirá el cuadro de diálogo Opciones de ordenación. Seleccione, en la sección Orientación, la opción Ordenar de izquierda a derecha. Para terminar, salga de ambos cuadros de diálogo haciendo clic en el botón **Aceptar**.

Filtrar una tabla

Cuando una tabla es muy extensa puede configurarla para que muestre exclusivamente los registros que cumplen una determinada condición y oculte el resto. El filtrado no significa una reorganización de los datos contenidos en la lista. En realidad, se selecciona un subconjunto de datos con unas características comunes y los que no interesa mostrar en un momento dado, se esconden.

Una vez filtrada la lista, podrá trabajar con el resultado obtenido de forma rápida y sencilla. Tendrá capacidad, por ejemplo, tanto para modificar formatos como para elaborar gráficos exclusivos para el subconjunto.

Para realizar el filtrado, Excel dispone de dos herramientas que vamos a conocer a continuación: la opción Filtro, para filtros sencillos y la opción Avanzadas, para utilizar criterios más complejos.

Filtro

Para filtrar una tabla atendiendo a criterios sencillos, sólo tiene que hacer clic en una de las flechas desplegables de los encabezados. Estas flechas indican que se ha introducido en el modo Filtro y que puede gestionar la lista con recursos especiales.

Haga clic en la flecha hacia abajo y verá el listado de todos los datos contenidos en esa columna. Si son muchos, aparecerá una barra de desplazamiento vertical que le permitirá verlos todos.

Para ejecutar un filtro, despliegue la flecha de autofiltro del campo por el que desea filtrar y seleccione el criterio que deben cumplir los registros para ser mostrados.

Excel indica los elementos que han sido filtrados insertando un icono de filtro en el encabezado de la columna filtrada (véase la figura 6.11).

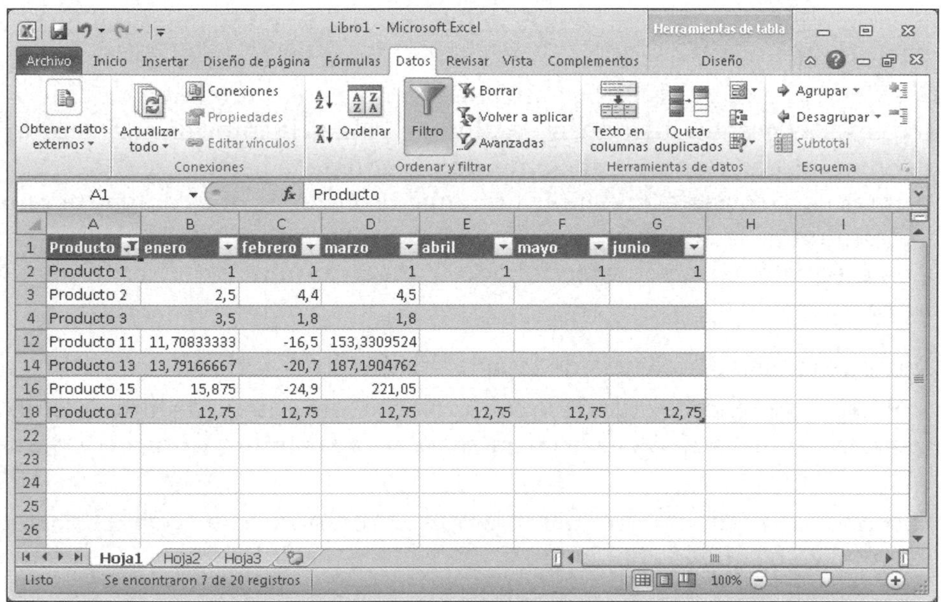

Figura 6.11. Tabla de ejemplo filtrada. Observe el icono del encabezado del mes de enero.

Además de los datos contenidos en la columna, el menú desplegable ofrece las siguientes opciones:

- Seleccionar todo: Selecciona y anula la selección de registros tras haber ejecutado un filtro.
- Filtros de número: Sólo está disponible para valores numéricos. Muestra un menú desplegable con diversas opciones para datos numéricos: Es igual a, No es igual a, Diez mejores, etc.
- Filtro personalizado: A esta opción puede acceder a través del menú desplegable de Filtros de número o de Filtros de texto y abre el cuadro de diálogo Autofiltro personalizado.

Nota:

Para activar y desactivar las flechas desplegables de filtro, haga clic en el botón **Filtro** *del grupo* Ordenar y filtrar *en la ficha* Datos.

Filtro avanzado

La diferencia sustancial entre el autofiltro y el filtro avanzado es que este último utiliza un modo especial para indicar los criterios y condiciones del filtrado. En el autofiltro se hace uso de las listas desplegables a partir de los encabezados de los campos. El filtro avanzado requiere crear un rango de criterios, o lo que es lo mismo, introducir en algunas celdas la información necesaria para crear los criterios y condiciones de filtrado de la lista.

El primer paso consiste en definir un rango de criterios que contendrá información tanto de la columna que desea filtrar como el dato que deberá contener un registro para ser seleccionado. Para crear el rango de criterios siga estos pasos:

1. Sitúese en una zona vacía de la hoja de cálculo.
2. Introduzca el encabezado de la columna que será criterio de filtrado. Puede copiarlo utilizando las teclas **Control-C** para la copia y **Control-V** para el pegado.
3. Escriba la condición que desee emplear como filtro o copie el dato de alguna celda que lo contenga.

Después de crear el rango de criterios, seleccione cualquier celda de la lista y haga clic en el botón **Avanzadas** del grupo Ordenar y filtrar de la ficha Datos. Se abrirá el cuadro de diálogo Filtro avanzado y el programa enmarcará la lista completa automáticamente (véase la figura 6.12).

Dentro del cuadro de diálogo hay dos cuadros de texto: Rango de lista y Rango de criterios. El primero lo ha completado Excel con el rango que ocupa la lista que se va a filtrar. En Rango de criterios aparecerán las celdas que contienen los criterios.

Si alguno de los datos introducidos por el programa no fuese correcto, puede teclearlos o hacer clic sobre el botón de color situado en el extremo derecho del cuadro de lista y seleccionar el rango con el ratón.

En la sección Acción se le ofrecen varias opciones:

- Filtrar la lista sin moverla a otro lugar: Permite que el filtrado se lleve a cabo dentro de la misma hoja, sobre la propia lista.

- Copiar a otro lugar: Abrirá un nuevo cuadro de diálogo, Copiar a, que le permitirá especificar el lugar donde desea colocar los resultados del filtro.

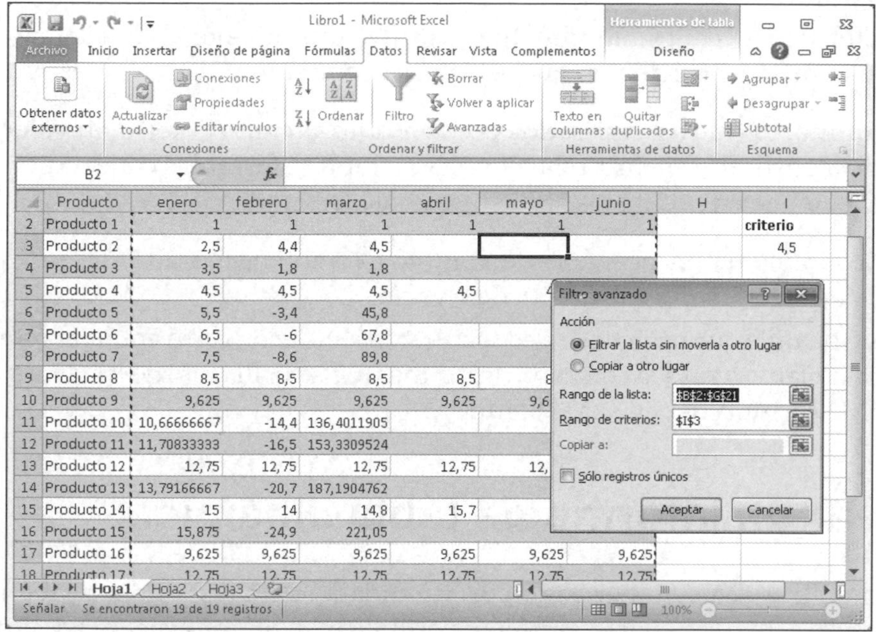

Figura 6.12. Cuadro de diálogo Filtro avanzado.

Asimismo encontrará otra opción en la parte inferior del cuadro de diálogo, Solo registros únicos, que tras su selección, elimina del resultado de filtrado aquellos registros que pudieran estar repetidos.

Después de configurarlo, pulse el botón **Aceptar**.

Al igual que ocurría con el autofiltro, para eliminar el filtro avanzado y que vuelvan a mostrarse todos los registros de la lista, haga clic en el botón **Borrar** del grupo Ordenar y filtrar de la ficha Datos.

Tenga en cuenta que para definir los criterios de sus filtros puede utilizar determinado caracteres especiales que permiten delimitar los valores de la condición que tienen que cumplir los datos. Estos operadores son:

- Igual a (=).
- Mayor que (>): Con datos de tipo texto, este operador mostrará los datos posteriores en orden alfabético.
- Menor que (<).
- Mayor o igual que (>=).

- Menor o igual que (<=).
- Asterisco (*): Comodín que le permite reemplazar cualquier conjunto de caracteres. Recordará este operador de las búsquedas avanzadas de Word.
- Interrogación (?): Comodín que sustituye únicamente al carácter situado en la misma posición en que se coloca el operador.

Por último, los filtros avanzados pueden utilizar como criterio un valor calculado a partir de una fórmula. Si precisa emplear fórmulas como criterio de filtrado, tenga en cuenta las siguientes consideraciones:

- No utilice un encabezado de columna como encabezado del rango de criterios. Es preferible que lo deje vacío.
- La fórmula que utilice para especificar la condición debe emplear referencias relativas para la columna del primer registro. El resto de las referencias de la fórmula deben ser absolutas.

Crear un informe de tabla dinámica

Para analizar datos numéricos en profundidad y para responder a preguntas sobre los datos, la mejor herramienta a utilizar es un informe de tabla dinámica o de gráfico dinámico.

Crear un informe de tabla dinámica o gráfico dinámico

Para crear un informe de tabla o gráfico dinámico siga estos pasos (véase la figura 6.13):

1. Seleccione una celda de un rango de celdas o coloque el punto de inserción dentro de una tabla de Microsoft Excel.
2. Asegúrese de que el rango de celdas tiene encabezados de columna.
3. Siga uno de los siguientes métodos:
   - Para crear un informe de tabla dinámica, haga clic en el menú desplegable del botón **Tabla dinámica** en el grupo Tablas de la ficha Insertar y seleccione Tabla dinámica. Aparecerá el cuadro de diálogo Crear tabla dinámica.

- Para crear un informe de gráfico dinámico, seleccione la ficha **Insertar**, y en el grupo **Tablas**, haga clic en el menú desplegable del botón **Tabla dinámica**. Por último, seleccione **Gráfico dinámico**. Se abrirá el cuadro de diálogo **Crear tabla dinámica con el gráfico dinámico**.

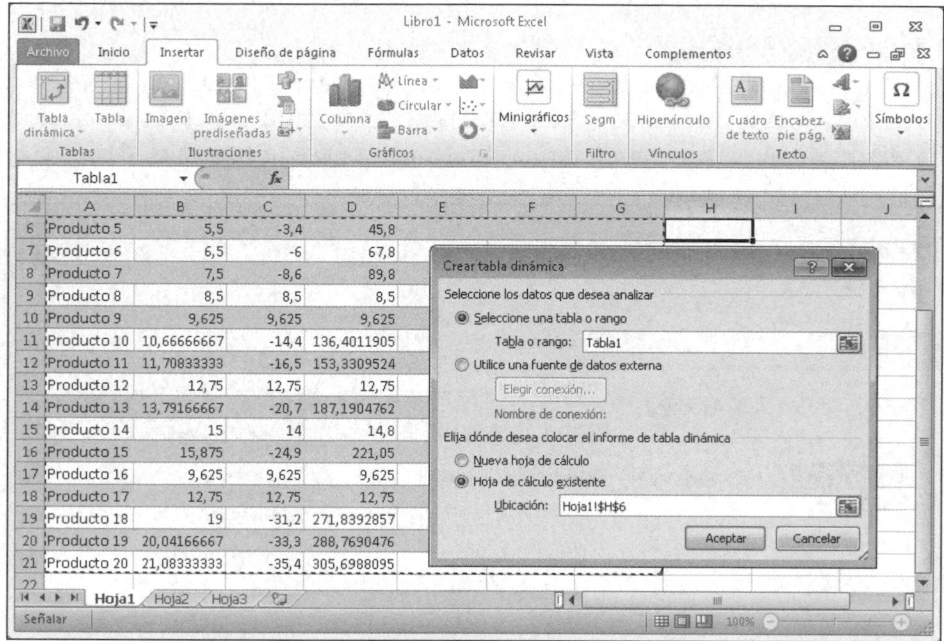

Figura 6.13. Creación de una tabla dinámica.

4. Seleccione un origen de datos. Siga uno de los siguientes métodos:
   - Seleccione la tabla que desea analizar.
   - Haga clic en **Utilice una fuente de datos externa** para elegir una conexión de datos externa desde **Elegir conexión**.

Nota:

Si el rango se encuentra en otra hoja de cálculo del mismo libro o de otro libro, escriba el nombre del libro y de la hoja de cálculo utilizando la siguiente sintaxis: **([*nombredellibro*]*nombredelahoja*!*rango*)** *dentro de* Tabla o rango.

5. Escriba una ubicación para el informe resultante siguiendo uno de estos procedimientos:

- Para colocar el informe de tabla dinámica en una hoja de cálculo nueva que empiece por la celda A1, seleccione Nueva hoja de cálculo.
- Para colocar el informe de tabla dinámica en una hoja de cálculo existente, seleccione Hoja de cálculo existente y escriba la primera celda del rango de celdas donde desea situar el informe de tabla resultante.

6. Haga clic en Aceptar.
7. Un informe de tabla dinámica vacío se agregará a la ubicación especificada de forma que puede comenzar a agregar campos, crear un diseño y personalizar el informe de tabla dinámica (véase la figura 6.14).

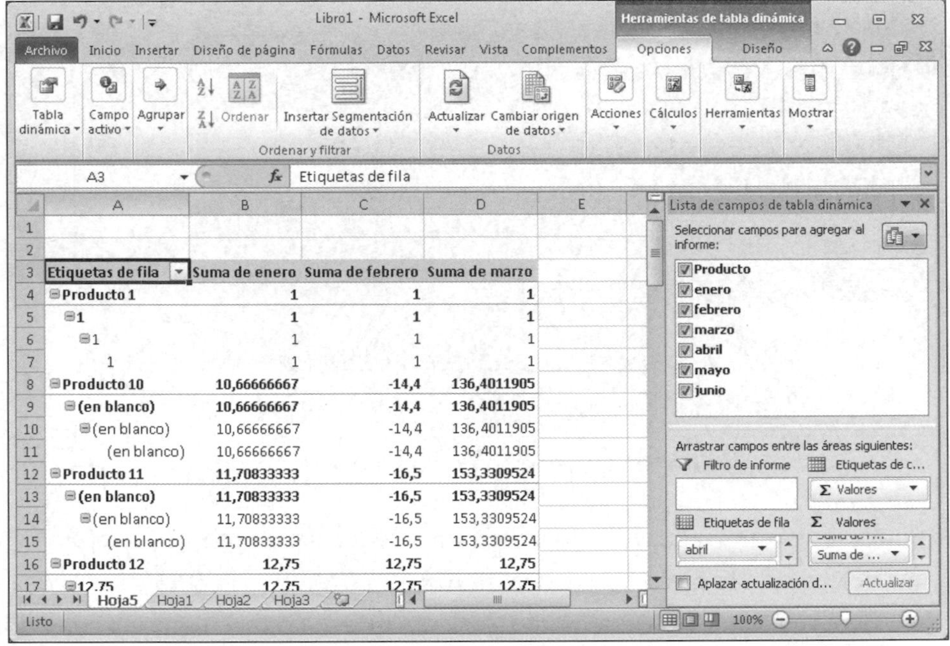

Figura 6.14. Informe de tabla dinámica.

Eliminar un informe de tabla dinámica

Para eliminar un informe de tabla dinámica, siga estos pasos:

1. Haga clic en el informe de tabla dinámica.
2. Haga clic en el botón de menú desplegable **Seleccionar** en el grupo Acciones de la ficha Opciones y seleccione Toda la tabla dinámica.
3. Pulse **Supr**.

Capítulo 7

Formatos de hojas de cálculo

En este capítulo aprenderá a:

- Aplicar formato al contenido y a los elementos de una hoja de cálculo.
- Configurar la hoja de cálculo y utilizar opciones de visualización para trabajar con hojas de cálculo de gran tamaño.
- Mejorar la apariencia de las hojas aplicando opciones avanzadas de formato.

De forma predeterminada, los datos introducidos en una hoja de cálculo ofrecen determinado aspecto. En este capítulo vamos a aprender a cambiar esa apariencia de modo que resulte satisfactoria y, por qué no, atractiva. Aplicaremos formatos a los distintos elementos que componen una hoja de cálculo.

Las opciones de formato que vamos a analizar a continuación nos servirán para realizar trabajos de calidad, no solo por su contenido sino también por su presentación.

Podrá diseñar sus propias hojas de cálculo después de saber cómo puede aplicar formato a los números y al texto contenidos en las celdas y cómo modificar las características de celdas, filas, columnas e, incluso, de la propia hoja.

Recuerde que muchas de las técnicas utilizadas para aplicar formatos en las aplicaciones Microsoft Office 2010 son comunes a todas ellas. En esta ocasión, nos vamos a detener especialmente en las herramientas específicas de Excel.

Formatos del contenido de las celdas

Ya anticipamos que los tipos de datos más frecuentes en Excel son el texto y, en especial, los números. Veamos cómo manipular cada uno de ellos para mejorar su visualización por pantalla y, posteriormente, su impresión en papel.

Formatos de números

Los valores contenidos en las celdas de una hoja de cálculo pueden tener diferentes formatos dependiendo del tipo de dato. De forma predeterminada, cuando Excel detecta que se ha introducido un número, lo alinea a la derecha, ya que asigna a cada tipo de dato un formato de carácter general. Sin embargo, un número puede tener diferentes formatos: porcentajes, fracciones, etc.

Recuerde que una cosa es el dato en sí y otra el formato con el que aparece en la pantalla. El dato introducido en una celda de Excel nunca varía, aunque pueda modificarse la manera en que se presenta. Es decir, que los formatos no afectan a los datos contenidos en las celdas.

Ésta es la forma de dar formato a una o varias celdas:

- Seleccione la celda o el rango de celdas que tendrán un nuevo formato.
- Haga clic en el botón **Iniciador de cuadro de diálogo** del grupo Número de la ficha Inicio o pulse la sugerencia de teclas **Control-1**.

- Se abrirá el cuadro de diálogo Formato de celdas. Seleccione, si no lo está, la ficha Número.
- En la lista Categoría, a la izquierda del cuadro de diálogo, puede elegir el formato que precise. Las opciones y recomendaciones de uso relacionadas con cada tipo de dato se le mostrarán en la parte derecha del cuadro al ir haciendo clic sobre ellos.
- Haga clic en **Aceptar** para aplicar el formato.

Algunas características son comunes a varios tipos numéricos: posiciones decimales, símbolo (para la moneda que se desea emplear), números negativos, etc.

Los formatos más habituales pueden seleccionarse directamente utilizando los correspondientes botones del grupo Número en la ficha Inicio, como por ejemplo los botones **Estilo Millares** o **Estilo porcentual**. Para aplicar uno de estos formatos sólo tiene que seleccionar los datos deseados y hacer clic en el botón correspondiente (véase la figura 7.1).

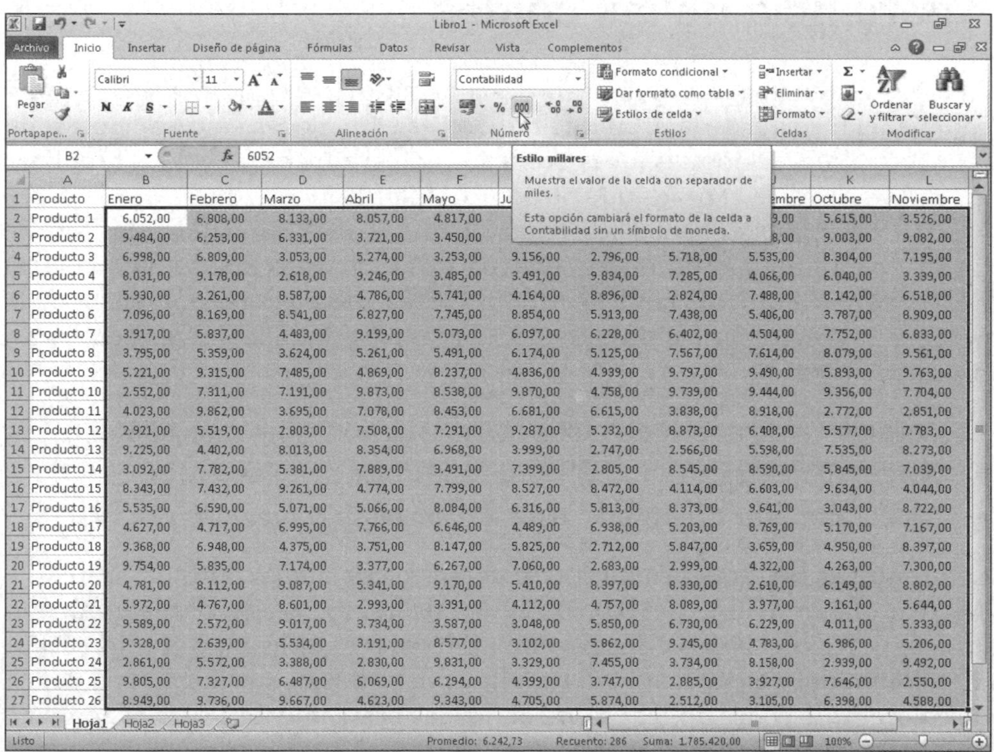

Figura 7.1. Aplicar un estilo de millares a los datos seleccionados en una hoja de cálculo.

Formatos de texto

Aunque Excel no es un procesador de texto, permite utilizar gran parte de las operaciones de formato de texto que hemos conocido con Word.

Para efectuar los cambios en el formato de los caracteres, sean datos de texto o numéricos, puede emplear las opciones presentes en la pestaña Fuente del cuadro de diálogo Formato de celdas.

Como ocurría en Word, puede variar el tipo de letra, su tamaño, estilo y color, o aplicar resaltes de subrayado y efectos, etc. En cualquier caso, seleccione los caracteres a los que quiere dar formato, o marque en un bloque las celdas y rangos que los contengan, y aplique las opciones elegidas.

Al igual que los formatos de números, los formatos de texto más utilizados también se encuentran disponibles utilizando los botones correspondientes del grupo Fuente en la ficha Inicio.

Apariencia de las celdas

Además de modificar la apariencia del contenido de las celdas, Excel permite cambiar el formato de la propia celda. Con este fin, podrá emplear efectos de relleno o aplicar retoques a sus bordes, colores, alinear las celdas o utilizar los estilos de celda rápidos que ofrece Excel 2010.

En cualquier caso, deberá seleccionar las celdas a las que quiere dar formato, y, a continuación, hacer uso del cuadro de diálogo Formato de celdas. Este cuadro le facilita la tarea de especificar sus preferencias por medio de la pestaña más apropiada para cada tipo de cambio. Algunas de las fichas más productivas son:

- Relleno: Para cambiar el color o la trama de fondo de las celdas.
- Bordes: Para elegir el tipo de borde que desea para las celdas.
- Alineación: Para determinar la alineación de su contenido.

Los epígrafes Bordes y Alineación se verán con detalle a continuación.

Al crear un nuevo libro de trabajo, el color de las celdas es el predeterminado en la aplicación, el blanco. Puede cambiarlo por otro utilizando el botón **Color de relleno**, del grupo Fuente dentro de la ficha Inicio, que abrirá una paleta de colores que podrá aplicar sobre las celdas previamente seleccionadas.

Otra forma de colorear celdas es la que le ofrece el cuadro de diálogo Formato de celdas. La pestaña Relleno le permite aplicar opciones de relleno que no se limitan al sombreado de la celda con colores simples. Al hacer clic sobre el recuadro Color de Trama podrá elegir en la paleta de colores desplegada tanto el estilo del entramado como su color. Compruebe en el cuadro Muestra la apariencia resultante y haga clic en el botón **Aceptar** para que se haga efectivo (véase la figura 7.2).

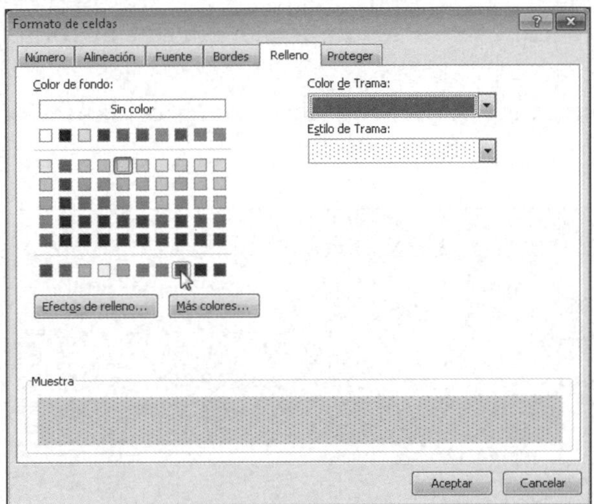

Figura 7.2. En el cuadro Muestra puede ver el efecto antes de aplicarlo.

Especificar los bordes de las celdas

Todas las celdas de la hoja de cálculo se muestran en la pantalla de su ordenador con un borde que las delimita, aunque este borde no se imprime, sólo sirve para facilitar el trabajo en su hoja de cálculo. Puede comprobarlo, si lo desea, haciendo clic en el menú **Imprimir** de la ficha Archivo para obtener una vista preliminar del documento (véase la figura 7.3).

Excel le permite tanto imprimir como ver en pantalla sus documentos aplicando bordes a las celdas que desee destacar dentro de la hoja de cálculo. Para hacerlo de manera rápida, haga clic en la flecha desplegable del botón **Bordes** que se encuentra en el grupo Fuente de la ficha Inicio. Este botón le permite utilizar un menú desplegable con las opciones básicas e, incluso, utilizar la opción Dibujar bordes o borrarlos.

Si prefiere optar por bordes especiales y algo más complejos, con un alto grado de personalización, seleccione la opción Más bordes para abrir el cuadro de diálogo Formato de celdas con la ficha Bordes activa.

Dentro de dicha ficha, seleccione primero el Estilo y el Color de las líneas que quiere aplicar a los bordes. A continuación, elija el borde que va a insertar entre los que se le ofrecen. El programa facilita la aplicación de los bordes más habituales permitiéndole introducir alguno de sus formatos de bordes preestablecidos:

- Ninguno: No aplicará ningún borde a las celdas seleccionadas.
- Contorno: Aplicará tan solo un borde exterior al contorno de la selección.
- Interior: Aplicará los bordes interiores en las celdas incluidas en el rango seleccionado.

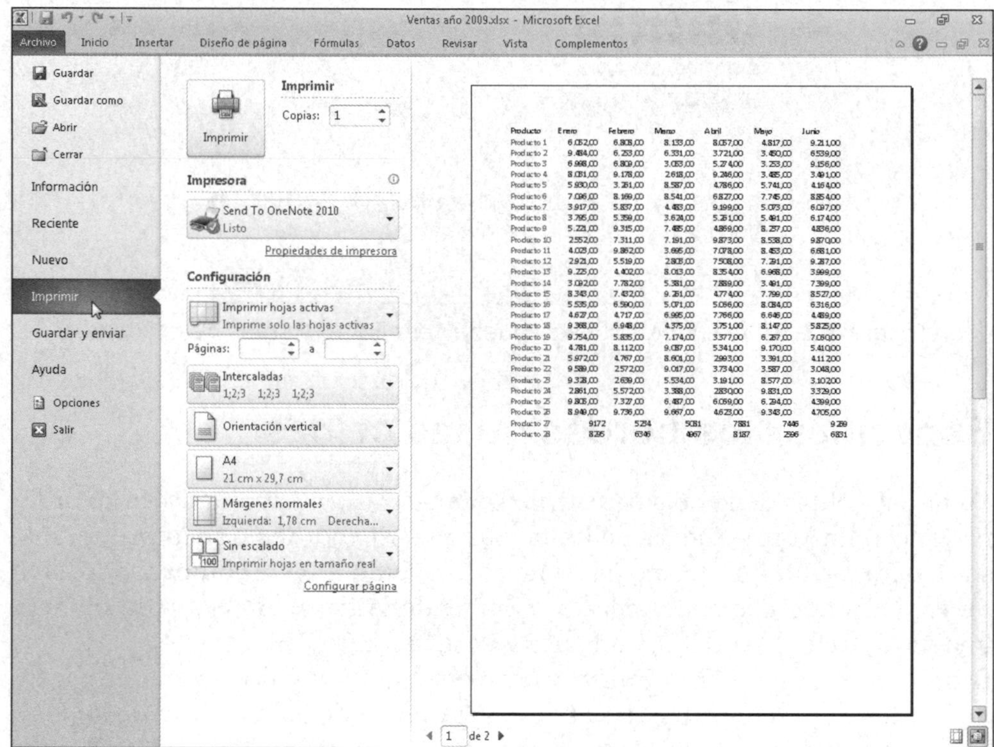

Figura 7.3. Vista previa de la hoja de cálculo.

Truco:

Puede utilizar los menús desplegables de los botones **Dar formato como tabla** *y* **Estilos de celda** *del grupo* Estilos *dentro de la ficha* Inicio *para seleccionar y aplicar rápidamente un formato y un estilo predefinido a las celdas seleccionadas.*

Si prefiere personalizar los bordes, haga clic sobre los botones que se encuentran alrededor del cuadro de muestra para comprobar la apariencia de los tipos de borde que se le proponen.

Alineación de las celdas

Excel alinea automáticamente el contenido de las celdas a la derecha o a la izquierda dependiendo de si se trata de datos numéricos o textuales.
No obstante, puede modificar esta disposición del contenido de las celdas de manera rápida. Seleccione el rango sobre el que desea aplicar la nueva alineación y haga clic sobre cualquiera de los tres botones de la fila central (**Alinear texto a la izquierda, Centrar** y **Alinear texto a la derecha**) presentes en el grupo Alineación de la ficha Inicio.
Otra posibilidad es hacer clic en el botón **Iniciador de cuadro de diálogo** del grupo Alineación para abrir el cuadro de diálogo Formato de celdas con la pestaña Alineación activa (véase la figura 7.4).

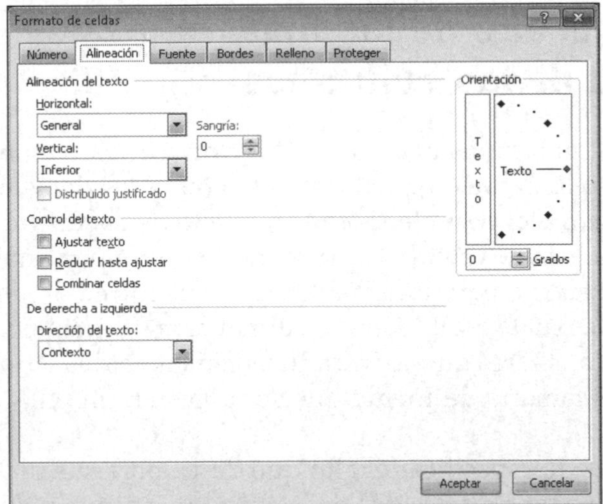

Figura 7.4. Alineación del contenido de las celdas desde el cuadro de diálogo Formato de celdas.

Aquí puede especificar la alineación de los datos en el interior de las celdas, puede elegir su disposición tanto en sentido horizontal (a la derecha, a la izquierda, centrados, justificados, etc., permitiendo, incluso, utilizar la sangría) como vertical (junto al límite inferior de la celda, al superior, en el centro, etc.).

El programa también le permite determinar la orientación del texto, con lo que podrá colocarlo en vertical o inclinado. En el caso de que desee inclinar el contenido de la celda, podrá decidir su grado de inclinación (entre 90° y –90°). Para ello, puede emplear la casilla numérica Grados, que se encuentra bajo la ventana que le permite ver cómo se ubicarán los datos en la celda. Si lo prefiere, puede ayudarse del ratón y arrastrar, manteniendo pulsado el botón izquierdo, la aguja de orientación sobre la ventana directamente.

Por último, la sección Control de texto le ofrece casillas para activar opciones que le permiten ajustar el tamaño de los datos para que se ajusten al ancho de la columna (Reducir hasta ajustar) o que todo un rango pase a convertirse en una única celda (Combinar celdas). Tenga en cuenta (Excel le pedirá confirmación antes de realizar tal acción) que al combinar celdas sólo se conservarán los datos de la celda situada en el extremo superior izquierdo del rango seleccionado.

También puede acceder a la opción Combinar celdas a través del botón **Combinar y centrar** del grupo Alineación en la ficha Inicio.

Modificar el alto de las filas y el ancho de las columnas

Uno de los problemas más habituales al introducir texto en una hoja de cálculo es que las celdas suelen quedarse pequeñas y los datos no pueden leerse íntegramente. Excel permite modificar el alto de las filas y el ancho de las columnas de su hoja de cálculo. De este modo podrá personalizar el tamaño que las celdas tienen en un documento nuevo de forma predeterminada.

El alto de las filas suele establecerse automáticamente, teniendo en cuenta el tamaño de los caracteres que se introducen en las celdas. Por lo tanto, cuanto mayor sea el tamaño de fuente que se utilice en una fila, mayor será su altura.

No obstante, puede especificar el alto que desee para sus filas. Para ello, seleccione la celda o rango de celdas de las filas cuya altura necesita modificar. Haga clic en el menú desplegable del botón **Formato** dentro del grupo Celdas de la ficha Inicio y seleccione Alto de fila. Se abrirá el cuadro de diálogo Alto de fila, en el que deberá escribir la altura deseada. Haga clic en **Aceptar** para que su elección sea efectiva.

También puede cambiar la altura de la fila utilizando el ratón, para lo cual debe situar el puntero en la línea inferior de la fila cuya altura desea modificar, debajo del número de fila. Cuando el puntero del ratón se transforme en una línea horizontal con doble flecha de color negro, haga clic en el botón

izquierdo y arrastre la línea hasta conseguir el alto deseado. Observe que, a medida que arrastra la línea, Excel le indica la nueva altura de fila.
Si hace clic en el botón **Ajustar texto**, el programa ajustará automáticamente el alto de la fila al contenido de la celda seleccionada o, si está vacía, al tamaño predefinido para las filas.

Truco:

Puede conseguir el autoajuste de una fila haciendo doble clic en el botón izquierdo del ratón sobre la línea inferior de separación, debajo del número de fila.

Sitúe el puntero en la línea de separación derecha, en la fila donde se muestran las letras de las columnas. Cuando el puntero del ratón se transforme en una línea vertical con doble flecha de color negro, haga clic en el botón izquierdo y arrastre la línea hasta conseguir el ancho deseado. Haga doble clic en el botón izquierdo del ratón sobre la línea derecha de separación de la columna para que se efectúe un ajuste automático del texto que contiene la columna.
Con el fin de facilitar el manejo de grandes cantidades de filas y columnas, puede seleccionar las opciones presentadas por el comando Ocultar y mostrar del botón desplegable **Formato** en el grupo Celdas de la ficha Inicio, dentro de la sección Visibilidad.
Otro procedimiento para ocultar o mostrar rápidamente una columna o una fila, es seleccionar la columna o fila a ocultar y hacer clic con el botón derecho del ratón para abrir el menú contextual. Seleccione Ocultar para ocultar la fila o la columna. Para mostrar una fila o columna oculta, seleccione el borde en el que debería estar dicha fila o columna (representado por una línea más gruesa que el resto) en el encabezado de fila o de columna hasta que el cursor cambie por una doble flecha (⇹) y repita el procedimiento, pero esta vez seleccione Mostrar del menú contextual.

Configurar la hoja de cálculo

Para imprimir su hoja de cálculo deberá aplicarle un formato que facilite su lectura. Al igual que en Word, puede utilizar las opciones del grupo Configurar página de la ficha Diseño de página. El botón desplegable **Orientación** le permite seleccionar la orientación (Vertical u Horizontal), **Márgenes** le ayuda a seleccionar los márgenes de impresión, **Tamaño** le ayuda a elegir un tamaño de papel. En caso de necesitar un ajuste más personalizado, haga clic en el botón **Iniciador de cuadro de diálogo** del grupo Configurar página para abrir el cuadro de diálogo Configurar página desde donde podrá elegir otro tipo de diseño, los márgenes, el tipo de papel, la calidad de la impresión, etc. que desee. En la sección Ajuste de escala de dicho cuadro de diálogo podrá ampliar o reducir el porcentaje de tamaño normal que desee que ocupe la hoja al imprimirse o si desea que la hoja de cálculo ocupe, una vez impresa, una o varias páginas.

La pestaña Márgenes contiene una hoja con las líneas que simulan sus márgenes. Podrá seleccionar sus valores en los cuadros que la circundan (Superior, Inferior, Derecho, Izquierdo, Encabezado y Pie de página).

La pestaña Encabezado y Pie de página le permite editar encabezados y pies de página para su hoja eligiéndolos de entre los que Excel le ofrece en las listas desplegables de la ficha. Aunque también podrá optar por diseñarlos a su gusto haciendo clic en los botones **Personalizar encabezado** y **Personalizar pie de página**.

La pestaña Hoja, específica de Excel, le ofrece herramientas determinadas para la configuración de hojas de cálculo:

- Área de impresión: Permite definir, para su posterior impresión, un rango de celdas. Una vez seleccionado, en la pantalla aparecerá una línea discontinua a su alrededor para que distinga la parte de la hoja que se enviará a la impresora. También puede determinar el rango a imprimir seleccionándolo y ejecutando, posteriormente, el comando Establecer área de impresión del menú desplegable del botón **Área de impresión** en el grupo Configurar página de la ficha Inicio.
- Imprimir títulos: Le permite configurar la impresión de las filas y columnas de la hoja definidas como encabezados o títulos para que aparezcan en cada página impresa. De este modo, siempre sabrá a qué hacen referencia los datos contenidos en su hoja de cálculo.
- Imprimir: Le ofrece opciones como imprimir las líneas de división o el tipo y calidad de la impresión.
- Orden de las páginas: Para decidir el orden en que se paginará la hoja de cálculo al imprimir.

Opciones de visualización de la hoja

Aunque las opciones de visualización no modifican el formato del documento de Excel, lo cierto es que son de gran ayuda para retocar el documento antes de imprimirlo. Por ello, vamos a repasarlas ahora.

A través del grupo Vistas de libro de la ficha Vista puede hacer clic en distintos botones de vistas: **Normal** (vista predeterminada al abrir la aplicación), **Diseño de página** (muestra el documento tal y como aparecerá en la página impresa), **Pantalla completa** (muestra el documento en modo de pantalla completa) o **Ver saltos de página** (muestra una vista preliminar donde se interrumpen las páginas al imprimir el documento, como puede ver en la figura 7.5).

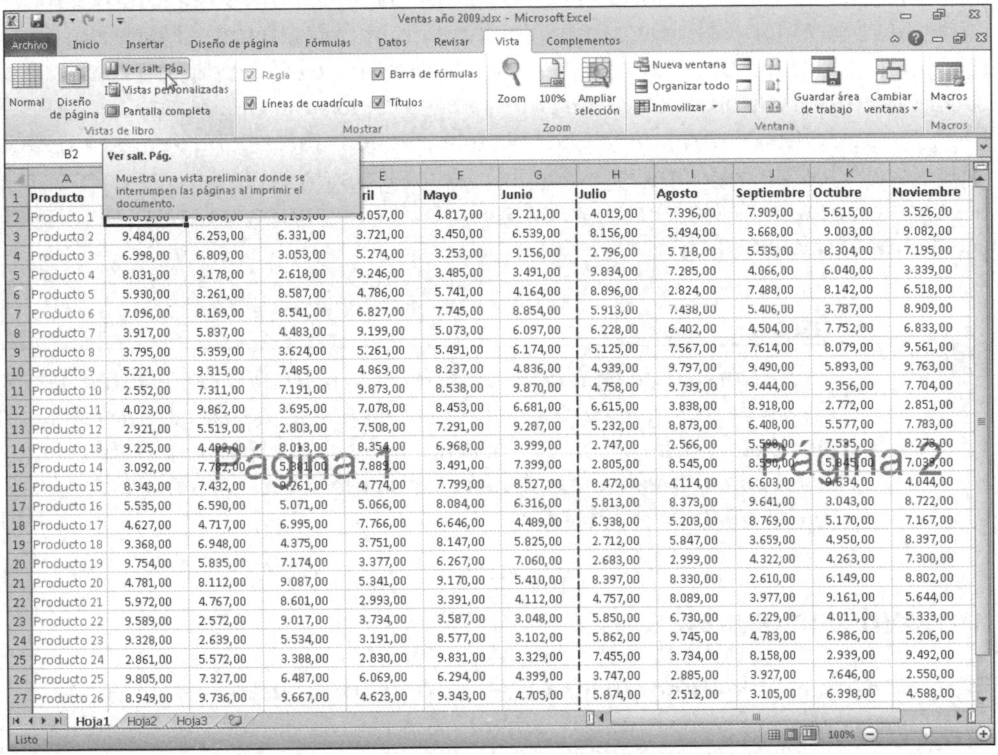

Figura 7.5. Vista previa de los saltos de página del documento.

Tal como hemos visto anteriormente, también puede visualizar su documento de Excel en modo de vista preliminar haciendo clic en el menú **Imprimir** de la ficha Archivo.

Trabajar con hojas de gran tamaño

Además de la opción de ocultar y mostrar filas y columnas, Excel incorpora otras herramientas que facilitan el trabajo con hojas de cálculo de gran tamaño. El objetivo es evitar largos desplazamientos para consultar o introducir datos. Nos referimos a la división de la hoja de cálculo y a la inmovilización de paneles, además de otras opciones de visualización.

Dividir la hoja de cálculo

Si maneja una hoja de cálculo muy grande, puede que necesite ver en la pantalla distintas partes del documento alejadas entre sí. Para solucionarlo, haga clic en el botón **Dividir** del grupo Ventana en la ficha Vista. Al hacerlo, aparecerá en la pantalla la ventana del documento dividida en cuatro partes. En cada una de ellas podrá ver diferentes partes de la hoja de cálculo.
Para pasar de una a otra, haga clic sobre la que le interese en cada momento. Los comandos de movimiento afectarán a la división en la que se encuentre la celda activa. Por otra parte, las barras de desplazamiento serán operativas para cada división.

Truco:

Puede cambiar de tamaño las divisiones arrastrando con el ratón las barras de división. Si desea eliminar una de ellas, arrastre la barra de división hasta el borde de la ventana y suelte el botón del ratón. Si desea volver a visualizar la hoja de cálculo sin dividir, haga clic de nuevo en el botón **Dividir**.

Inmovilizar paneles

El botón desplegable **Inmovilizar paneles** del grupo Ventana en la ficha Vista, también le permite ver simultáneamente diferentes partes del documento. La diferencia con la división es que este comando inmoviliza una parte de la pantalla, que permanece fija y siempre visible.
La inmovilización de paneles es muy útil cuando es imprescindible tener siempre en pantalla, por ejemplo, las cabeceras de las filas y columnas y saber a qué concepto se corresponden los datos que se consultan o se introducen.
Al hacer clic en este botón, se abre un menú desplegable con las distintas opciones disponibles:

- Inmovilizar paneles: Mantiene visibles las filas y columnas mientras se desplaza por la hoja de cálculo (basándose en la selección actual).
- Inmovilizar fila superior: Mantiene visible la fila superior a medida que se desplaza por el resto de la hoja de cálculo.

- Inmovilizar primera columna: Mantiene visible la primera columna a medida que se desplaza por la hoja de cálculo.

Para desactivar la inmovilización de paneles, seleccione Movilizar paneles del menú desplegable del botón **Inmovilizar paneles** en el grupo Ventana dentro de la ficha Vista.

Ver en paralelo

Si tiene abiertos dos o más libros de trabajo, puede trabajar con ellos en una vista especial en la que podrá visualizar los diversos libros. Para ello, Excel le ofrece las opciones **Ver en paralelo** y **Desplazamiento sincrónico** que la van a facilitar la labor. Ambas opciones se encuentran en el grupo Ventana de la ficha Vista:

- **Ver en paralelo:** Permite ver en paralelo dos o más hojas de Excel para comparar su contenido (véase la figura 7.6).

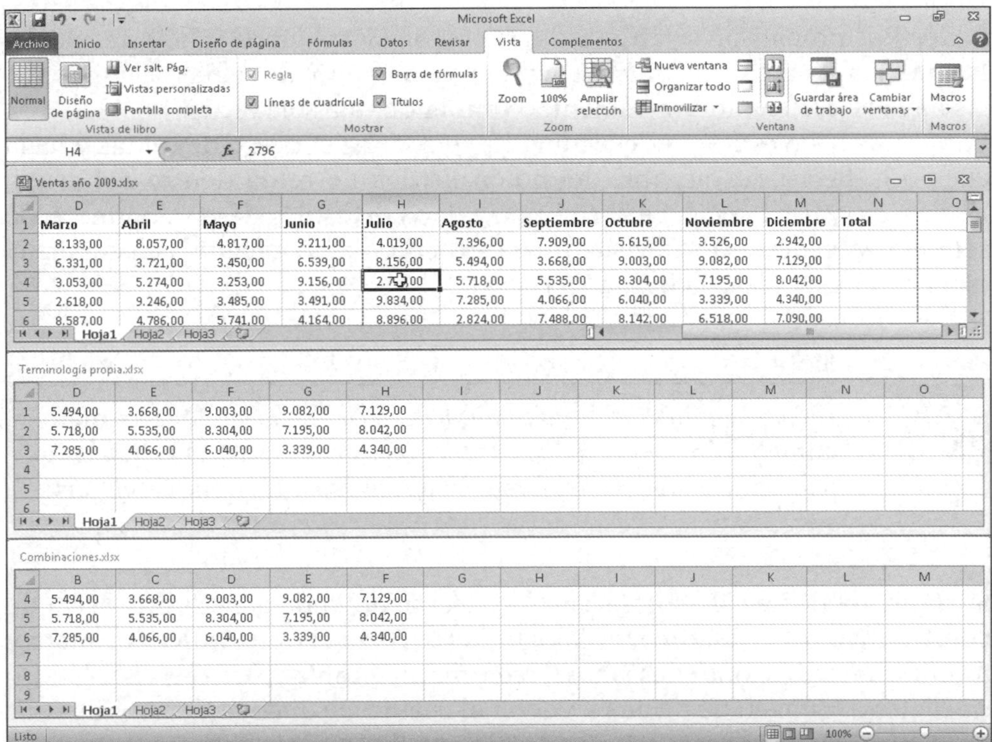

Figura 7.6. Vista en paralelo de tres hojas de Excel.

- **Desplazamiento sincrónico:** Se activa de forma predeterminada al hacer clic en la opción anterior y sincroniza el desplazamiento de los documentos para que se desplacen a la vez.

Opciones avanzadas de formato de hojas de cálculo

Hasta el momento hemos trabajado con los datos en una hoja de cálculo, aprendiendo a cambiar su aspecto mediante la modificación de las características tanto de los datos como de las celdas que los contienen. Pero Excel le ofrece opciones avanzadas para dar formato a sus hojas de cálculo. Éstas son algunas de ellas.

Estilos

Los estilos simplifican la tarea de dar formato a las celdas de la hoja de cálculo. Permiten aplicar un conjunto de atributos a una serie de celdas, siempre que las haya seleccionado previamente, ejecutando una sola orden.
Para utilizar un estilo predeterminado, seleccione el rango de celdas y haga clic en la flecha desplegable del botón **Estilos de celda** dentro del grupo Estilos en la ficha Inicio. Se abrirá una galería de estilos desde donde puede seleccionar el deseado. La vista previa en el propio documento la facilitará la tarea de elegir (véase la figura 7.7).

Nota:

En otro capítulo del libro hemos hablado de la opción **Dar formato como tabla**. *Aquí también puede emplear el mismo procedimiento para aplicar uno de los formatos ofrecidos en el menú desplegable seleccionando los datos y haciendo clic sobre el estilo deseado.*

Si desea modificar el estilo existente, seleccione la opción Nuevo estilo de celda para abrir el cuadro de diálogo Estilo. Haga clic en **Aplicar formato** y modifique las opciones deseadas. Haga clic en **Aceptar** para cerrar el cuadro de diálogo Formato de celdas y volver al cuadro de diálogo Estilo. Haga clic en **Aceptar** para cerrar el cuadro de diálogo Estilo. Para crear un estilo personalizado, siga estos pasos:

1. Seleccione la celda o rango de celdas que contienen los formatos específicos que quiere definir como nuevo estilo.
2. Seleccione Nuevo estilo de celda del menú desplegable del botón **Estilos de celda** para abrir el cuadro de diálogo Estilo.

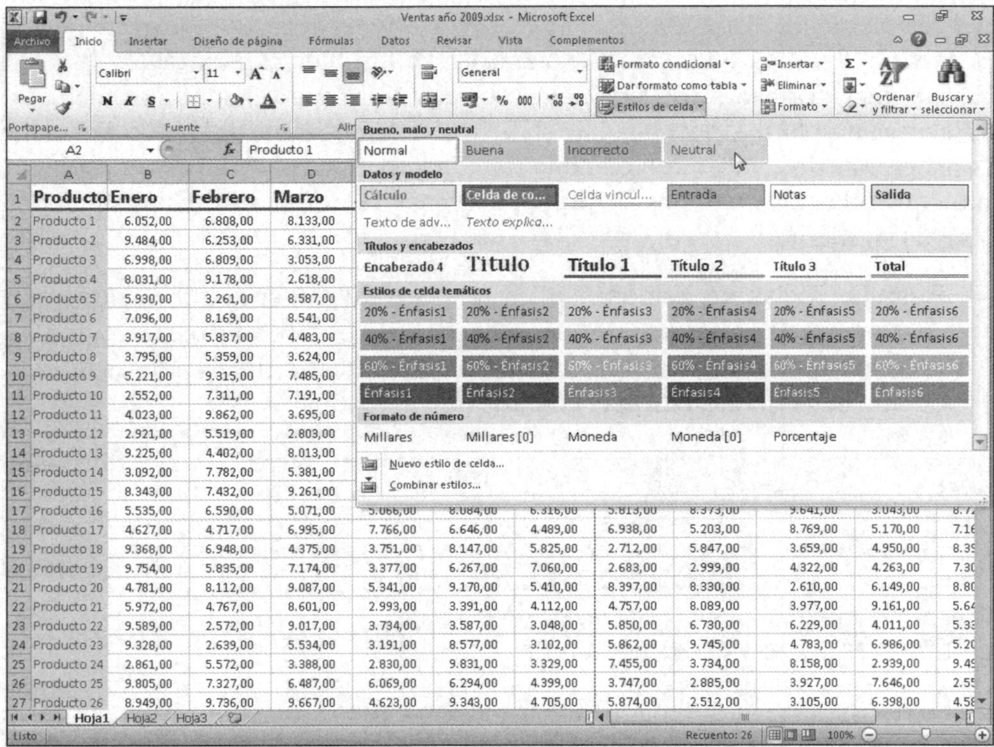

Figura 7.7. Galería de estilos de celdas.

3. Escriba el nombre del estilo que desea crear en el cuadro Nombre del estilo.
4. Haga clic en el botón **Aplicar formato** para añadir al nuevo estilo las características que considere necesarias y haga clic en **Aceptar** para cerrar el cuadro de diálogo Formato de celdas.
5. Haga clic en el botón **Aceptar** para que Excel almacene su configuración en el listado de estilos.

Truco:

Para copiar los estilos de otro libro de trabajo que tenga abierto en el libro activo, seleccione la opción Combinar estilos *del menú desplegable del botón* **Estilos de celda**.

Formato condicional

Esta opción permite que el formato de las celdas cambie dependiendo de su contenido. Puede, por ejemplo, utilizar los formatos condicionales para que las celdas que contengan ciertos valores tengan un aspecto que las destaque del resto.

Si cambia el valor de las celdas, su apariencia también cambiará.

Para aplicar formatos condicionales, seleccione primero las celdas a las que va a aplicar el formato y haga clic en la flecha desplegable del botón **Formato condicional** del grupo Estilos en la ficha Inicio. Se abrirá el menú desplegable con todas las opciones disponibles (véase la figura 7.8). Estas opciones son las siguientes:

- Resaltar reglas de celdas; Aplica formato únicamente a las celdas que contengan un valor mayor que, menor que, comprendido entre, igual a, un texto que contiene, una fecha o valores únicos o duplicados, según la opción seleccionada de este comando.

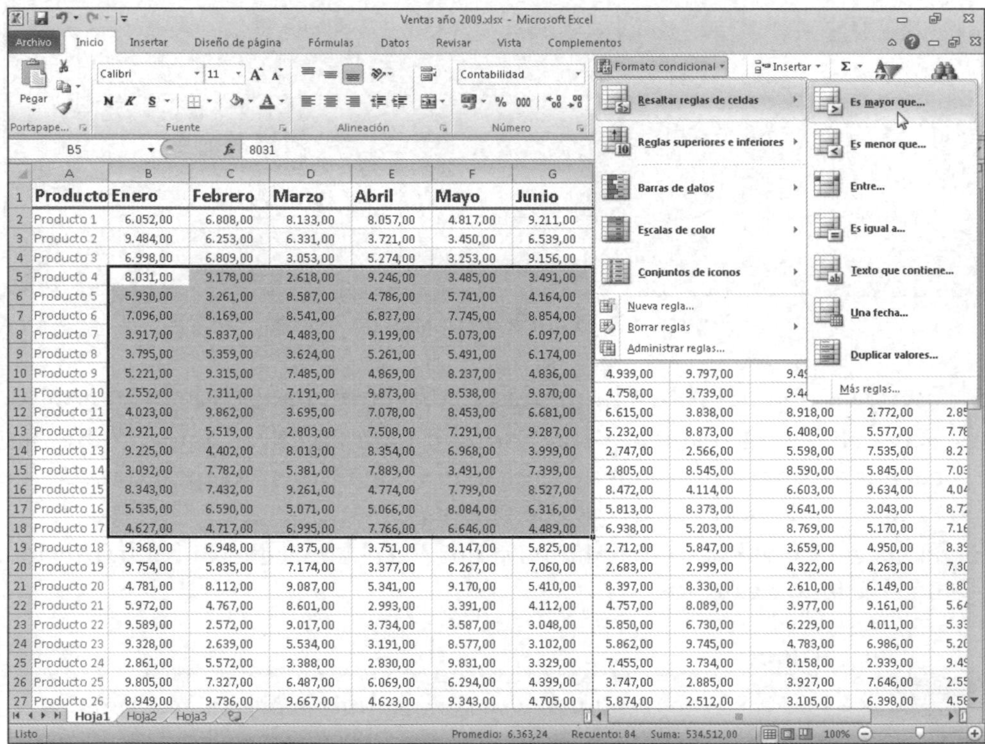

Figura 7.8. Menú desplegable de la opción Formato condicional.

- **Reglas superiores e inferiores:** Aplica formato únicamente a los valores de rango inferior o superior, o por encima o por debajo del promedio.
- **Barras de datos:** Aplica formato a todas las celdas según sus valores empleando la longitud de una barra de datos.
- **Escalas de color:** Aplica formato a todas las celdas según sus valores utilizando un degradado de dos o tres colores.
- **Conjuntos de iconos:** Aplica formato a todas las celdas utilizando un conjunto de iconos.
- **Nueva regla:** Crea una nueva regla de formato condicional a través del cuadro de diálogo del mismo nombre (véase la figura 7.9).

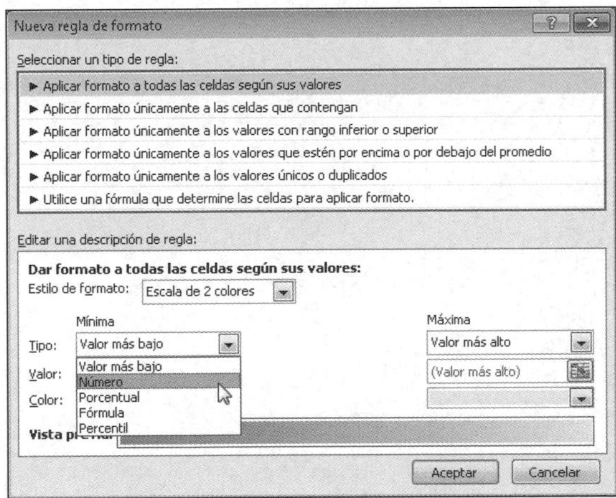

Figura 7.9. Cuadro de diálogo Nueva regla de formato.

- **Borrar reglas:** Borra las reglas de toda la hoja o de las celdas seleccionadas.
- **Administrar reglas:** Crea, edita, elimina y muestra las reglas de formato condicional del libro utilizando el Administrador de reglas de formato condicional.

Nota:

Para escribir reglas condicionales que no aparecen en esta lista, seleccione Más reglas *en el grupo del menú correspondiente y escriba su propia regla.*

Capítulo 8

Uso de fórmulas y funciones en Excel

En este capítulo aprenderá a:

- Escribir y editar fórmulas aritméticas sencillas y funciones complejas para realizar cálculos en su hoja.
- Utilizar las referencias de celda en sus fórmulas y funciones.
- Utilizar referencias a datos contenidos en otras hojas de cálculo o en otros archivos.
- Comprobar las fórmulas con las herramientas ofrecidas por Excel.

En otros capítulos del libro hemos explicado cómo se puede introducir datos y mejorar la apariencia, tanto en pantalla como impresa, de los documentos de Excel.

En este capítulo, aprenderemos a utilizar una de las herramientas más eficaces y avanzadas del programa: las fórmulas y funciones para llevar a cabo todo tipo de cálculos. Comenzaremos con las operaciones aritméticas más sencillas y acabaremos utilizando las funciones y ecuaciones más complejas del programa.

Introducción a las fórmulas

Excel permite insertar fórmulas en una celda. Una fórmula es una ecuación que utiliza operadores matemáticos para calcular un resultado a partir de una serie de valores contenidos en las celdas a las que se hace referencia en dicha fórmula. Es decir, para utilizar una fórmula en Excel, es necesario haber introducido previamente en otras celdas los datos que se emplearán en las operaciones.

Además de las referencias a otras celdas, puede optar por que los valores con que se realizan los cálculos sean constantes. Así, por ejemplo, una fórmula que sea `"=6+A1"`, suma el valor constante `6` con el valor contenido en la celda referenciada, `A1`.

Las fórmulas ofrecen la posibilidad de obtener resultados de manera automática con tan solo introducir datos de forma sencilla. La utilización de fórmulas facilita que, al cambiar alguno de los datos que actúa como operando, varíe el resultado y se actualice automáticamente de acuerdo con los nuevos valores. Así, podrá realizar estas operaciones que suponen cálculos sistemáticos y repetitivos de manera ilimitada y sin necesidad de tener que volver a calcular en cada ocasión.

Por otra parte, las bibliotecas del programa contienen funciones, esto es, fórmulas predeterminadas e implementadas para ejecutar operaciones matemáticas complejas, aunque también pueden emplearse para cálculos sencillos. Las funciones se utilizan para simplificar y reducir las fórmulas presentes en una hoja de cálculo. Si las emplea para introducir una fórmula, tendrá que indicarle a Excel cuáles son los argumentos o parámetros con los que la función debe realizar los cálculos. Los argumentos de la función, que siempre se escriben entre paréntesis, son los valores utilizados para realizar las operaciones y su tipología depende de la propia función.

Para aprender a utilizar correctamente las fórmulas y las funciones, en las siguientes páginas se incluyen algunos ejemplos prácticos de su manejo.

Escribir y editar fórmulas

En los siguientes apartados vamos a enseñarle a escribir y editar fórmulas en Excel. Aunque puede parecerle en principio muy complicado, descubrirá lo fácil que es utilizar las fórmulas de Excel.

Fórmulas aritméticas sencillas

Ya sabemos que las fórmulas son ecuaciones que operan con los datos de la hoja de cálculo. Para indicarle a Excel que lo que queremos introducir en una celda es una fórmula, deberemos situarnos en ella y teclear el signo igual (=). Tras hacerlo, podrá comprobar que el programa ha interpretado su intención porque a la izquierda de la barra de fórmulas se activa el menú desplegable de las funciones utilizadas con más frecuencia (véase la figura 8.1). En el cuadro de nombres aparece mostrada la función más utilizada. Por ahora vamos a prescindir del menú de funciones, puesto que aprenderemos a utilizar fórmulas aritméticas simples.

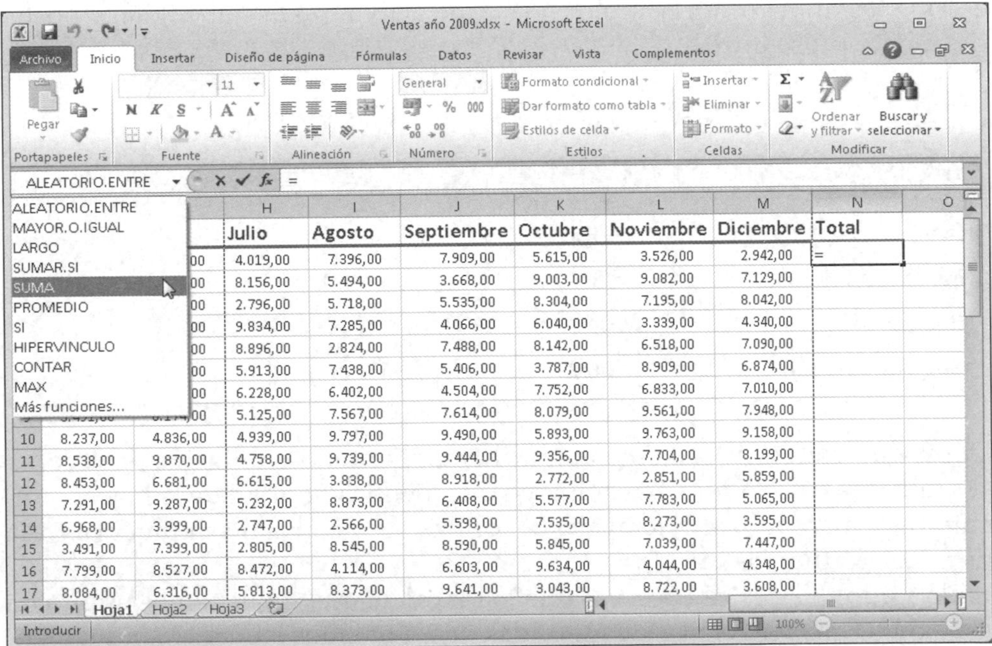

Figura 8.1. Al escribir el signo igual, Excel sabe que vamos a introducir una fórmula.

Advertencia:

Tenga en cuenta que si no escribe el signo igual, Excel no sabrá que quiere introducir una fórmula y no podrá realizar los cálculos deseados.

Detrás del signo igual deberá introducir los operandos y los operadores. Los operandos son los datos que se van a emplear en los cálculos. Los operadores separan los operandos entre sí e indican qué operaciones se van a llevar a cabo.

Los operandos pueden ser valores constantes, referencias a celdas y/o a rangos de celdas o una función de las implementadas en el programa. Escriba, por ejemplo, los valores constantes **8+35** y pulse la tecla **Intro**. La celda en la que ha introducido la fórmula mostrará el valor `43`. Habrá validado, de forma sencilla, su primera fórmula en Excel. Compruebe, no obstante, que en la barra de fórmulas no aparece el resultado de la operación sino la fórmula que acaba de escribir.

Otros operadores aritméticos simples que podrá emplear son los signos de resta (-), multiplicación (*), división (/), y exponenciación (^), como puede comprobar en la tabla 8.1. Para obtener los resultados mostrados en la tabla, escriba los números de ejemplo en la celda activa tras el signo igual y posteriormente pulse **Intro**.

Tabla 8.1. Operadores aritméticos simples.

Operador	Ejemplo	Resultado
Resta	=8-4	4
Multiplicación	=8*4	32
División	=8/4	2
Exponenciación	=8^4	4096

Observará que, hasta el momento, nos hemos limitado a utilizar la celda como si fuera una calculadora. Sin embargo, la auténtica utilidad de la hoja de cálculo radica en utilizar referencias de celdas y no constantes numéricas a la hora de efectuar los cálculos.

En la figura 8.2 podrá observar que, para calcular el total, hemos escrito en la celda `N2` las referencias de las celdas que queremos sumar. Al ir añadiéndolas, cada una ha tomado un color que resalta su nombre. Cuando pulse la tecla **Intro**, se calculará la fórmula de manera automática. Con esta opción, al hacer referencia a las celdas y no a sus valores, si cambia los datos contenidos en estas celdas, la suma se volverá a calcular sin problemas.

SUMA =B2+C2+D2+E2+F2+G2+H2+I2+J2+K2+L2+M2

	F	G	H	I	J	K	L	M	N
1	Mayo	Junio	Julio	Agosto	Septiembre	Octubre	Noviembre	Diciembre	Total
2	4.817,00	9.211,00	4.019,00	7.396,00	7.909,00	5.615,00	3.526,00	2.942,00	=B2+C2+D2+E2+F2+G2+H2+I2+J2+K2+L2+M2
3	3.450,00	6.539,00	8.156,00	5.494,00	3.668,00	9.003,00	9.082,00	7.129,00	
4	3.253,00	9.156,00	2.796,00	5.718,00	5.535,00	8.304,00	7.195,00	8.042,00	
5	3.485,00	3.491,00	9.834,00	7.285,00	4.066,00	6.040,00	3.339,00	4.340,00	
6	5.741,00	4.164,00	8.896,00	2.824,00	7.488,00	8.142,00	6.518,00	7.090,00	
7	7.745,00	8.854,00	5.913,00	7.438,00	5.406,00	3.787,00	8.909,00	6.874,00	
8	5.073,00	6.097,00	6.228,00	6.402,00	4.504,00	7.752,00	6.833,00	7.010,00	
9	5.491,00	6.174,00	5.125,00	7.567,00	7.614,00	8.079,00	9.561,00	7.948,00	
10	8.237,00	4.836,00	4.939,00	9.797,00	9.490,00	5.893,00	9.763,00	9.158,00	
11	8.538,00	9.870,00	4.758,00	9.739,00	9.444,00	9.356,00	7.704,00	8.199,00	
12	8.453,00	6.681,00	6.615,00	3.838,00	8.918,00	2.772,00	2.851,00	5.859,00	
13	7.291,00	9.287,00	5.232,00	8.873,00	6.408,00	5.577,00	7.783,00	5.065,00	
14	6.968,00	3.999,00	2.747,00	2.566,00	5.598,00	7.535,00	8.273,00	3.595,00	
15	3.491,00	7.399,00	2.805,00	8.545,00	8.590,00	5.845,00	7.039,00	7.447,00	
16	7.799,00	8.527,00	8.472,00	4.114,00	6.603,00	9.634,00	4.044,00	4.348,00	
17	8.084,00	6.316,00	5.813,00	8.373,00	9.641,00	3.043,00	8.722,00	3.608,00	

Figura 8.2. Referencias a celdas para una operación aritmética sencilla.

Por otro lado, los operadores son los símbolos que especifican el tipo de cálculo que se ejecutará sobre los elementos que se encuentran en la fórmula. Los operadores pueden ser:

- **Operadores aritméticos:** Para los cálculos matemáticos básicos. Son: suma (+), resta (-), multiplicación (*), división (/), exponenciación (^) y porcentaje (%).
- **Operadores lógicos o de comparación:** Comparan dos valores y generan una respuesta con el valor lógico `Verdadero` o `Falso`. Son: igual (=), mayor que (>), menor que (<), mayor o igual que (>=), menor o igual que (<=) y distinto (<>).
- **Operador de texto (&):** Concatena dos o más cadenas textuales en una sola secuencia que las contiene.
- **Operadores de referencia:** Se utilizan para combinar rangos de celdas. Como ya sabe, un rango es un grupo de celdas, contiguas o no. Un rango de celdas se identifica con los nombres de las dos celdas vértices del rango, es decir, situadas en los extremos, separados por dos puntos. Estos dos

puntos (:) delimitan el rango, que hace referencia a todas las celdas entre las dos expresadas, ambas inclusive. Por ejemplo: el rango C1:C5 incluye las celdas C1, C2, C3, C4 y C5. El operador de referencia punto y coma (;) se utiliza para combinar varias referencias en una sola. Así, por ejemplo, una referencia como =SUMA(A1:A3;F1:F3) equivale a sumar los valores contenidos en las celdas A1, A2, A3, F1, F2 y F3.

Si se incluye más de un operador en una fórmula, debe tener en cuenta el orden en que se ejecutan los operadores, es decir, su precedencia. En caso de que dos operadores tengan el mismo orden de precedencia, se evaluarán de izquierda a derecha. Para forzar al programa a que ejecute en primer lugar cualquier operación, escríbala entre paréntesis. A continuación le presentamos la tabla 8.2 con el orden, de mayor a menor, en que Excel calcula una fórmula.

Tabla 8.2. Orden de precedencia de los operadores.

Operador	Descripción
()	Prioridad máxima.
(:) y (;)	Operadores de referencia.
-	Valores negativos (por ejemplo, -3).
%	Porcentaje.
^	Exponenciación.
* y /	Multiplicación y división.
+ y -	Suma y resta.
&	Concatenación de textos.
= < > <= >= <>	Operadores de comparación.

Para editar una fórmula, haga doble clic sobre la celda que la contiene. Podrá modificar los datos introducidos, bien en la propia celda o bien en la barra de fórmulas. Cuando termine la edición, pulse la tecla **Intro** para que los cambios surtan efecto.

Funciones para las fórmulas complejas

Para efectuar operaciones avanzadas resulta muy útil emplear las funciones incluidas en Excel. Le ayudarán a realizar cálculos con un alto grado de complejidad sin demasiado esfuerzo. Como ya sabe, cuando escribe el signo igual

(=) se activa, a la izquierda de la barra de fórmulas, el cuadro de nombres conteniendo la amplia variedad de funciones que el programa le ofrece. Una vez que ha seleccionado la que necesita emplear, se abrirá el Asistente para funciones que guiará sus pasos a la hora de crearla. En la figura 8.3, hemos utilizado el Asistente para funciones para realizar la misma operación que en la figura 8.2, pero esta vez hemos utilizado la función SUMA en lugar de sumar las referencias de las celdas una a una.

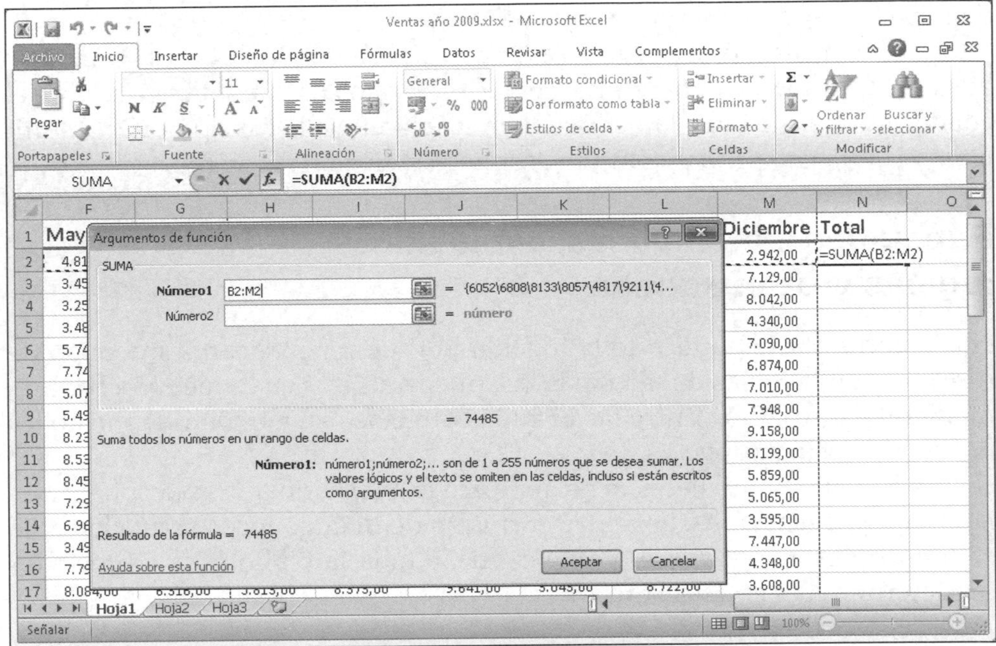

Figura 8.3. Asistente para realizar una suma.

Excel precisa conocer los argumentos o parámetros con los que la función va a operar, por ello, el cuadro de diálogo que se abre para ayudarle en la elaboración de la función se denomina Argumentos de función. En el ejemplo que hemos utilizado, sólo necesita conocer las celdas que queremos que se sumen. Tenga en cuenta, sin embargo, que el número y tipología de argumentos va a depender de la naturaleza de la función que desee utilizar.

Si lo que desea es sumar celdas contiguas, emplee el cuadro de texto Número1 del cuadro de diálogo. Podrá introducir los argumentos de dos formas. Una es escribir directamente la referencia a las celdas o al rango de celdas que vamos a incluir en la suma. Otra es hacer clic en el botón que contiene el icono de una hoja de cálculo, que aparece a la derecha del cuadro, para volver a la hoja de

cálculo y seleccionar con el ratón las celdas afectadas por la operación. Cuando estén seleccionadas, pulse la tecla **Intro** para volver al cuadro de diálogo.
Excel le permite sumar hasta 30 rangos de celdas. Si quiere que la suma afecte a más de una referencia y/o rango de celdas, repita los pasos que hemos visto en el párrafo anterior hasta que termine de incluir los datos afectados por la operación. Una vez finalizada la introducción de argumentos, haga clic en el botón **Aceptar** para que la función se ejecute. Se cerrará el Asistente y el resultado de la fórmula aparecerá en la celda activa, mientras que en la barra de fórmulas será visible la fórmula utilizada.
Otra forma de llamar al Asistente es a través del botón **Insertar función** de la barra de fórmulas. Contiene el símbolo "fx" y, al hacer clic sobre él, se abre el cuadro de diálogo con el mismo nombre. Seleccione la función que va a utilizar y podrá comprobar cómo se despliega el mismo Asistente.

Funciones matemáticas, estadísticas, lógicas y de búsqueda

Hasta ahora hemos utilizado la función SUMA para explicar la inserción de funciones en las hojas de cálculo Excel, puede utilizar cualquier otra función mediante su selección entre las distintas ofrecidas en el menú de funciones del cuadro de nombres.
En caso de que la que necesite no aparezca en el listado que se despliega, seleccione Más funciones. Se abrirá el cuadro de diálogo Insertar función, que se muestra en la figura 8.4, y que contiene toda la biblioteca de funciones predeterminadas en Excel.

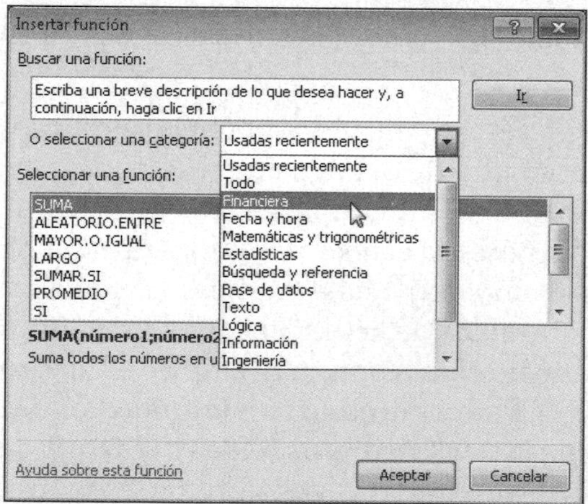

Figura 8.4. Cuadro de diálogo Insertar función.

De forma predeterminada, el cuadro de diálogo Insertar función se abre con la categoría Todas activada. Si sabe qué función necesita, haga clic sobre ella en el listado de funciones. Si prefiere que sólo aparezcan las funciones que pertenecen a una categoría determinada, selecciónela de la lista desplegable que contiene los nombres de las categorías y el cuadro que contiene los nombres de las funciones le mostrará exclusivamente las que pertenecen a ese ámbito. No olvide que Excel le proporciona, en la parte inferior del cuadro de diálogo, un modelo de la función, con sus correspondientes argumentos, y una breve explicación de en qué consiste cada una de ellas.

Truco:

Si no sabe qué función utilizar, puede escribir en el cuadro de texto Buscar una función, *en la parte superior del cuadro de diálogo* Insertar función, *una breve descripción de lo que quiere hacer. Pulse después el botón* **Ir** *y Excel le facilitará el listado de las funciones recomendadas para ejecutar esa operación. Seleccione la que mejor se ajuste a sus necesidades y haga clic en el botón* **Aceptar**.

Dependiendo de la función seleccionada, el programa va a requerir de un número de argumentos diferente. Por otra parte, los parámetros exigidos por cada una de las funciones serán de distinta naturaleza. Así, la función `SUMA`, que hemos estado utilizando para los ejemplos explicados hasta el momento, sólo le solicitaba las celdas que contenían los números que se iban a sumar. Sin embargo, la función `CONTAR.SI`, mostrada en la figura 8.5, le pide que delimite el rango de celdas sobre el que ejecutar la acción y la condición que deben cumplir los datos contenidos en las celdas que habrán de contarse. En este caso, hemos solicitado al programa que contabilice las celdas que contienen ventas inferiores a 5000 euros. El propio cuadro de diálogo ofrece el resultado de la función.

También puede utilizar la ayuda de Excel haciendo clic sobre el enlace Ayuda sobre esta función que aparece en la parte inferior izquierda del cuadro de diálogo. El programa le proporciona información sobre la utilidad y sintaxis de cada función, el formato que deben tener los argumentos requeridos y algunos ejemplos de uso.

Como es lógico, una de las funciones más utilizadas en las hojas de cálculo es la función `SUMA`. El grupo Biblioteca de funciones de la ficha Fórmulas le permite ejecutarla por medio del botón **Autosuma**. Si hace clic sobre dicho botón, Excel escribirá la función y le sugerirá el rango de celdas que han de sumarse. En caso de que no sea el correcto, puede cambiar la selección del rango de celdas haciendo clic en la primera celda del nuevo rango y arrastrando el ratón con el botón izquierdo pulsado. Cuando haya terminado de delimitar el rango, pulse la tecla **Intro** o haga clic en el botón **Introducir** de la barra de fórmulas.

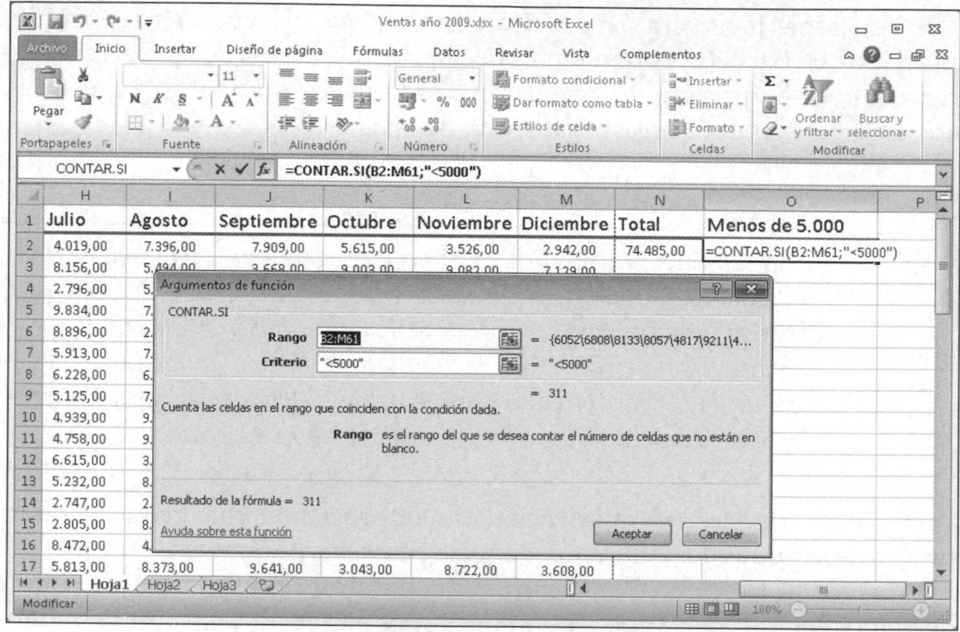

Figura 8.5. Cuadro de diálogo para introducir los argumentos de la función CONTAR.SI.

Si pulsa en la flecha desplegable del botón **Autosuma**, podrá seleccionar algunas de las opciones más utilizadas: la propia Suma, Promedio (para calcular el promedio de los valores del rango), Contar números (que contabiliza las celdas seleccionadas), Máximo (que devuelve el valor máximo del rango) y Mínimo (que hace lo propio con el valor mínimo). Puede desechar el rango propuesto y seleccionar el que le interese de la misma forma que acabamos de explicar. La opción Más funciones abre el cuadro de diálogo Insertar función, que ya conocemos y que permite elegir cualquiera de las demás funciones predeterminadas en el programa. La eficacia de la biblioteca de funciones de Excel es enorme. A continuación le presentamos la relación de las categorías en las que se clasifican y la utilidad general de cada una de ellas.

- **Funciones financieras:** Empleadas para las operaciones contables más usuales.
- **Funciones de fecha y hora:** Sirven para evaluar los valores de fecha y hora.

- **Funciones matemáticas y trigonométricas:** Ejecutan cálculos tanto simples como complejos.
- **Funciones estadísticas:** Llevan a cabo análisis estadísticos sobre los rangos seleccionados.
- **Funciones de búsqueda y referencia:** Utilizadas para localizar determinados valores en la hoja de cálculo.
- **Funciones de bases de datos:** Utilizadas para comprobar si los valores de una lista cumplen una determinada condición. Todas ellas comienzan con las letras BD.
- **Funciones de texto:** Empleadas para realizar cambios sobre bloques de texto.
- **Funciones lógicas:** Sirven para verificar una o varias condiciones.
- **Funciones de información:** Proporcionan información sobre el tipo de dato almacenado en las celdas.
- **Funciones de ingeniería:** Devuelve funciones de ingeniería, como BESSEL, conversión de un número complejo, etc.
- **Funciones de cubo:** Presenta diversas funciones de cubo.

Referencias de celdas

Las celdas donde se introducen tanto los valores específicos como las fórmulas y funciones que realizan cálculos con ellos tienen un nombre. El nombre de las celdas o del rango de celdas son las referencias que aparecen en las fórmulas. En Excel las referencias de las celdas que se utilizarán en las fórmulas pueden ser relativas, absolutas o mixtas. Hasta ahora, en todos los ejemplos que hemos explicado hemos utilizado referencias relativas.

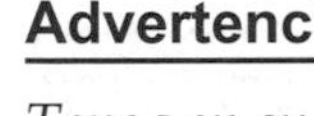

Advertencia:

Tenga en cuenta siempre el tipo de referencias que se emplean en una fórmula cuando la copie o mueva a otra celda.

Referencias relativas

Como ya sabe, las referencias relativas son las que se emplean normalmente para denominar a una celda en Excel. Se componen de la letra de la columna y el número de la fila donde se encuentra la celda en cuestión: `A1`, `B3`, `D5`. Se denominan relativas porque se basan en su posición relativa con respecto a la celda que contiene la fórmula.

Este tipo de referencia cambia para reflejar la posición de la celda que contiene los datos en cada momento. Por ello, si mueve o copia una fórmula, Excel ajustará de forma automática las nuevas referencias en la fórmula reutilizada.

Truco:

Puede copiar rápidamente la fórmula contenida en una celda para todas las celdas de una fila o columna arrastrando el controlador de la esquina inferior derecha de la celda que contiene la fórmula hasta la celda que desee copiar. La copia se realizará con referencias relativas.

Veamos un ejemplo. En la figura 8.6 observamos que la celda C1 contiene la fórmula que suma el contenido de las celdas A1 y B1. Es decir, se están sumando los datos de las celdas situadas tres posiciones a la izquierda y dos posiciones a la izquierda de la que contiene la fórmula. Compruebe como, si la copia o mueve a la celda C2, los valores de la fórmula reajustan su posición, por lo que su resultado va a cambiar. Ahora la fórmula suma los valores de las celdas A2 y B2, repitiendo la posición relativa de los operandos respecto de la celda que contiene la fórmula.

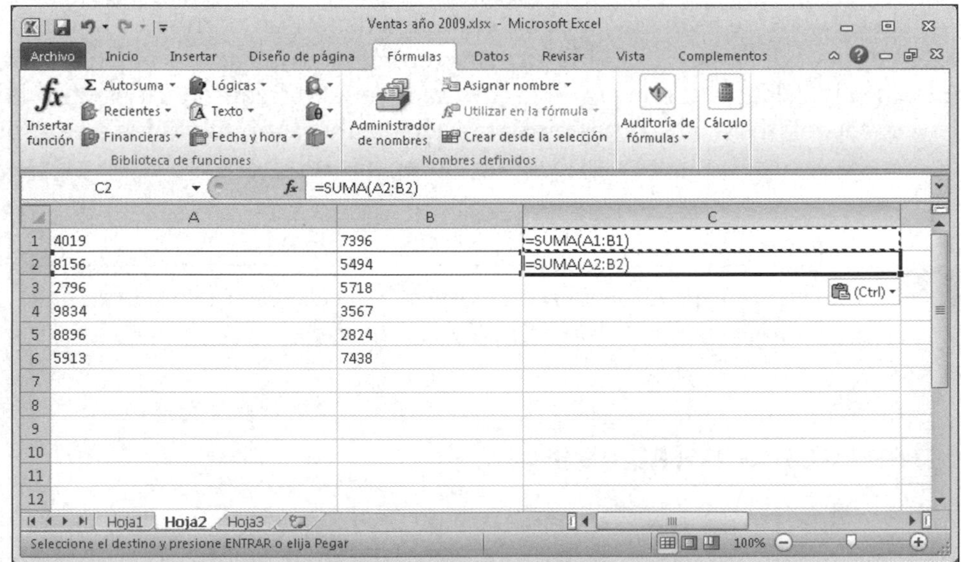

Figura 8.6. Referencias relativas.

Truco:

Para poder ver las fórmulas en una celda en lugar de su resultado, haga clic en el botón **Mostrar fórmulas** *del grupo* Auditoría de fórmulas *dentro de la ficha* Fórmulas.

Referencias absolutas

Por el contrario, las referencias absolutas son aquellas que conservan, aunque copie o mueva la fórmula que las contiene, las referencias de su posición exacta. Una referencia absoluta indica una posición específica de fila y columna dentro de la hoja de cálculo. En la figura 8.7 puede comprobar cómo, al copiar la fórmula de la celda `C1` a la celda `C3`, no varían las celdas que se suman, que seguirán siendo `A1` y `B1`. La razón es que la fórmula que hemos escrito en la celda `C3` contiene referencias absolutas. Para ello, hemos de introducir el signó dólar (`$`) delante de la letra de la columna y del número de la fila de cada referencia, como puede observar en la barra de fórmulas.

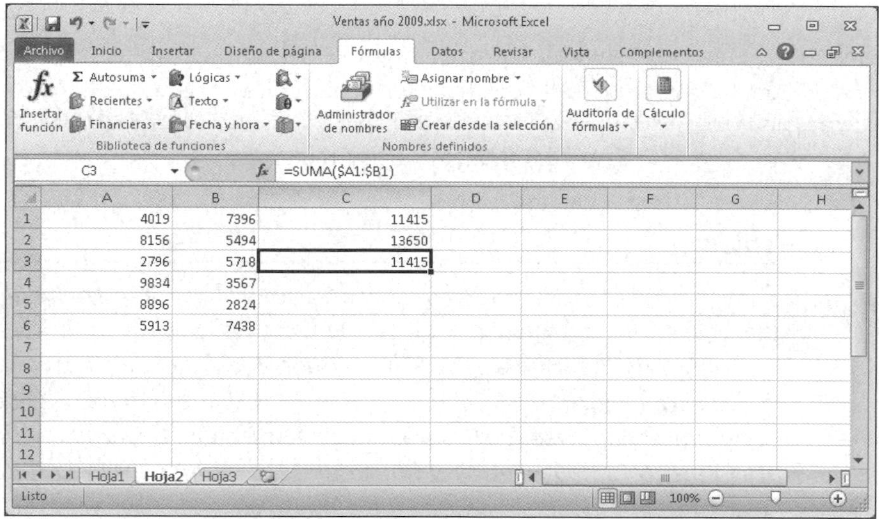

Figura 8.7. Referencias absolutas.

Referencias mixtas

Las referencias mixtas combinan una referencia absoluta y una referencia relativa. En ellas solo se bloquea o la fila o la columna, de manera que al copiar o mover la fórmula que la contiene solo se reajustará la parte relativa de la referencia. La figura 8.8 nos sirve para ejemplificar las referencias mixtas. Hemos indicado a Excel que deseamos utilizar una fórmula compuesta por una referencia mixta con la columna fija (`$A1`) para sumarla con otra referencia mixta con la fila fija (`B$2`). El programa ha efectuado estos ajustes al copiar la fórmula contenida en la celda `C1` a la celda `C4` (`=$A1:B$2`). El resultado es que esta celda tendrá un contenido diferente al de los ejemplos anteriores.

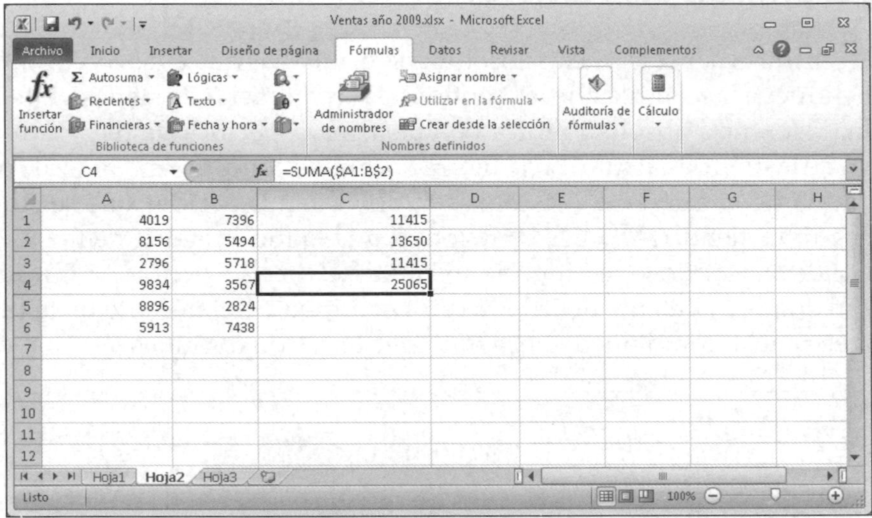

Figura 8.8. Referencias mixtas.

Truco:

Si necesita modificar una referencia después de haberla introducido, puede hacerlo de forma sencilla con la tecla **F4**. *Sitúese en la celda que contenga la fórmula, seleccione la referencia que desea cambiar en la barra de fórmulas, y pulse la tecla* **F4**. *Cada vez que lo haga el programa irá ofreciéndole las posibles combinaciones: columna y fila absolutas, columna relativa y fila absoluta, columna absoluta y fila relativa y, por último, columna y fila relativas.*

Referencias externas

Hasta este momento hemos visto fórmulas que se ubican en las dos dimensiones de una hoja de cálculo: las filas y las columnas en cuya intersección se encuentran las celdas. Pero Excel permite crear fórmulas que contengan referencias a otras hojas de cálculo del mismo libro. Se trata de fórmulas tridimensionales o 3D en las que, además de la verticalidad y horizontalidad, debemos considerar la profundidad del libro de trabajo.

Cuando desee utilizar una referencia a una celda o a un rango de celdas que se encuentra en otra hoja de cálculo del mismo libro, debe especificar el nombre de la hoja en la que se encuentra, seguido del signo de exclamación de cierre (`!`) inmediatamente antes del nombre de la celda o del rango. Por ejemplo, si quiere multiplicar el valor contenido en la celda `D1` por el de la celda `A1` de la segunda hoja de un libro, la fórmula que deberá introducir en la celda activa es `=D1*hoja2!A1`.

Del mismo modo que se pueden agrupar celdas, también puede hacer referencia a un conjunto de hojas. La sintaxis es muy similar. Si quiere el resultado del promedio de los datos contenidos en la celda `B6` de las cuatro primeras hojas de su libro, solo tiene que escribir la función `=PROMEDIO(hoja1:hoja4!B6)`. Observe que, al agrupar las hojas sobre las que desea realizar la operación, escribirá la exclamación de cierre detrás de la última hoja del grupo.

Advertencia:

Tenga en cuenta en qué hoja se encuentra la celda activa en la que introduce la fórmula con las referencias 3D pues el resultado se escribirá en esa celda y en esa hoja.

Excel también le permite utilizar en sus fórmulas referencias a hojas de cálculo de libros de trabajo externos al que está utilizando en ese momento. Son las fórmulas de cuatro dimensiones o tetradimensionales. Para especificar el libro del que quiere tomar los datos, deberá escribir su nombre entre corchetes (`[]`) delante de la hoja en la que se encuentra la celda que contiene el dato que precisa. Por ello, si quiere realizar el mismo cálculo que en el ejemplo anterior pero utilizando celdas de otros libros de Excel, sólo tiene que escribir `=PROMEDIO([Libro1]hoja1:hoja4!B6)`.

Tenga en cuenta que estos requisitos son algo distintos si el libro que quiere llamar no se encuentra en la misma carpeta que el libro desde el que realiza la llamada. En el caso de que el libro donde escribe la fórmula no esté en el mismo directorio, tendrá que especificarlo. Escriba la ruta de acceso al libro en cuestión comenzando con el nombre del directorio raíz o principal de su ordenador que, normalmente, recibe el nombre de `C`. La ruta completa para llegar a la hoja que nos interesa debe ir entre comillas simples (`' '`).

Por ejemplo, imaginemos que hemos decidido guardar todos nuestros archivos elaborados con Excel en una subcarpeta denominada `Contabilidad`, creada en la carpeta de `Documentos`. Si el libro donde insertamos la fórmula lo hemos guardado en cualquier otra subcarpeta de `Documentos`, escribiremos: `'c:\Documentos\Contabilidad[Calculos.xlsx]hoja1'!A1`. Observe que las comillas abarcan desde el inicio hasta la exclamación de cierre que pone fin a la ruta de acceso a la celda o rango de celdas especificadas.

Truco:

Recuerde que la extensión de los archivos generados con Excel es `.xlsx`. *Necesitará escribir el nombre del libro de trabajo que va a emplear seguido de un punto (*`.`*) y la extensión de ese tipo de documentos Office.*

Nombres

Los nombres sirven para identificar elementos dentro de la hoja de cálculo y son especialmente útiles a la hora de hacer referencia a celdas en las fórmulas y funciones de Excel. Su funcionamiento es similar al de las referencias absolutas y se pueden emplear tanto para definir celdas y rangos de celdas como para los valores constantes y las fórmulas.

Cuanto más descriptivo sea el nombre elegido, más rápida y eficaz será la identificación. El programa puede definir nombres basándose en los encabezamientos de columnas y/o filas. Es decir, es posible determinar rótulos del tipo `Precio unitario` o `Unidades` aprovechando los títulos, por ejemplo, de las columnas. Resulta más sencillo y legible elaborar una fórmula como `=Precio unitario*Unidades`, que la consabida `=C4*D4`.

Para definir los nombres de las celdas, seleccione la celda o el rango de celdas que van a ser referidas con ese nombre y haga clic en el botón **Definir nombre** del menú **Asignar nombre** del grupo Nombres definidos de la ficha Fórmulas. Se abrirá el cuadro de diálogo Nombre nuevo, que le permite ir agregando nombres en el libro, nombres que se añadirán al listado del cuadro de nombres. El rango al que afectará esta denominación aparece en el cuadro Hace referencia a y podrá modificarlo haciendo clic en el botón que aparece a su derecha. Cuando haya finalizado el proceso de definición del nombre, haga clic sobre el botón **Aceptar** para que surta efecto. Al escribir un nombre tenga en cuenta lo siguiente:

- El nombre debe comenzar por una letra o un carácter de subrayado.
- El nombre no debe contener espacios u otros caracteres no válidos.
- No debe estar en conflicto con un nombre integrado en Excel o con el nombre de otro objeto del libro.

Desde ese instante, en el cuadro de nombres situado a la izquierda de la barra de fórmulas estarán disponibles todos los nombres que acaba de activar para su uso en la hoja de cálculo y, por extensión, en todo el libro de trabajo (véase la figura 8.9).

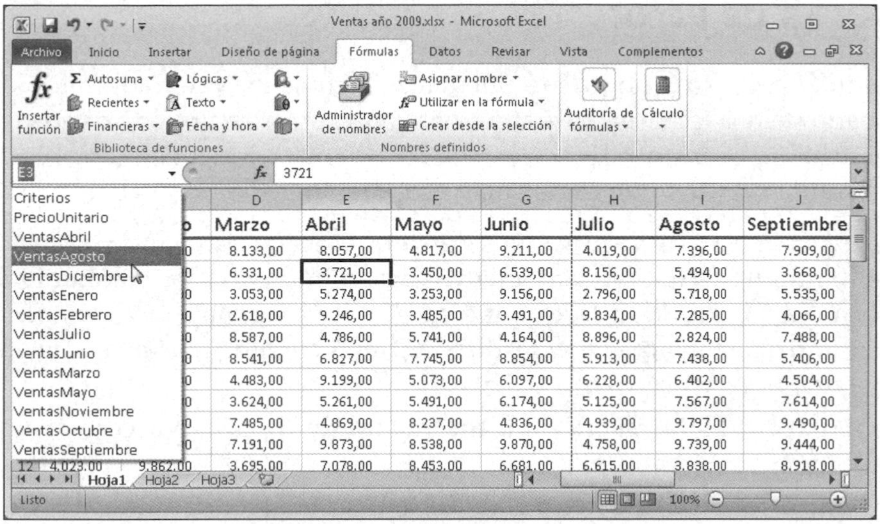

Figura 8.9. Cuadro de nombres.

Si desea reemplazar todas las referencias a las celdas que acaba de nombrar en las hojas de su libro, haga clic en la flecha desplegable del botón **Asignar nombre** del grupo Nombres definidos de la ficha Fórmulas y seleccione Aplicar nombres.

Si lo que desea es modificarlos o eliminarlos, haga clic en el botón **Administrador de nombres** del grupo Nombres definidos de la ficha Fórmulas para abrir el cuadro de diálogo Administrador de nombres, desde donde puede crear un nuevo nombre haciendo clic en **Nuevo**, eliminar uno existente seleccionando el nombre y haciendo clic en **Eliminar** o modificar uno existente haciendo clic en **Editar** tras la selección del nombre.

Verificación de las fórmulas

Es bastante habitual que las fórmulas introducidas en las hojas de cálculo tengan errores en su definición que impidan su correcto cálculo o muestren resultados no deseados. Para ayudar al usuario a rectificar las posibles equivocaciones cometidas, Excel pone a disposición del mismo una serie de herramientas que vamos a ir explicando en las siguientes páginas. Veremos los valores de error más frecuentes, algunas de las técnicas para solventarlos y los comandos de la auditoria de fórmulas.

Valores de error

Cuando el programa no puede calcular y facilitar un valor adecuado como resultado de una fórmula, muestra un valor de error en la celda donde la fórmula se había insertado. Todos los valores de error comienzan con el carácter almohadilla (#) y los que Excel suele proporcionar son:

- `#####`: El programa muestra este valor en la celda cuando el ancho de columna no es lo suficientemente amplio para el valor resultante de la fórmula. En realidad lo que indica es que debe ampliarse el ancho de columna para visualizar el resultado. También puede deberse a una fecha o a una hora negativas.
- `#¡DIV/0!`: Es la respuesta a un intento de dividir por cero cualquier número.
- `#N/A`: Este valor se genera cuando se intenta acceder a un valor que no está disponible ("non available", en inglés).
- `#¿NOMBRE?`: Excel no reconoce el texto escrito en la fórmula. Es corriente que ocurra si escribe incorrectamente el nombre de la función.
- `#¡NULO!`: Responde a la especificación de una intersección que, en realidad, no es válida.
- `#¡NUM!`: Aparece cuando en una fórmula o en una función se emplea un valor numérico que no es adecuado.
- `#¡REF!`: La fórmula utiliza una referencia a una celda que no es válida. Es habitual esta respuesta cuando se ha eliminado alguna celda que estaba referenciada en la fórmula.
- `#¡VALOR!`: Indica que se está usando un argumento o un operando incorrectos.

Rastrear un error

Excel avisa de que una celda contiene un error mostrando un triángulo verde en la parte superior izquierda. Al pasar el puntero del ratón sobre ella, se abre el botón **Rastrear error**. Si hace clic en la flecha desplegable de dicho botón, se le facilita información sobre cómo solucionar el error. La única excepción es el valor ##### que, como ya sabe, se corrige con un simple ensanchamiento de la columna en la que se ubica la celda problemática.

Hasta que no corrija el error, la etiqueta será visible cada vez que seleccione la celda que lo contiene. Cuando pase el puntero del ratón sobre el botón, Excel le informará de la naturaleza del error. En la figura 8.10, por ejemplo, el botón nos indica que la fórmula o función utilizada está dividiendo entre cero o entre celdas vacías.

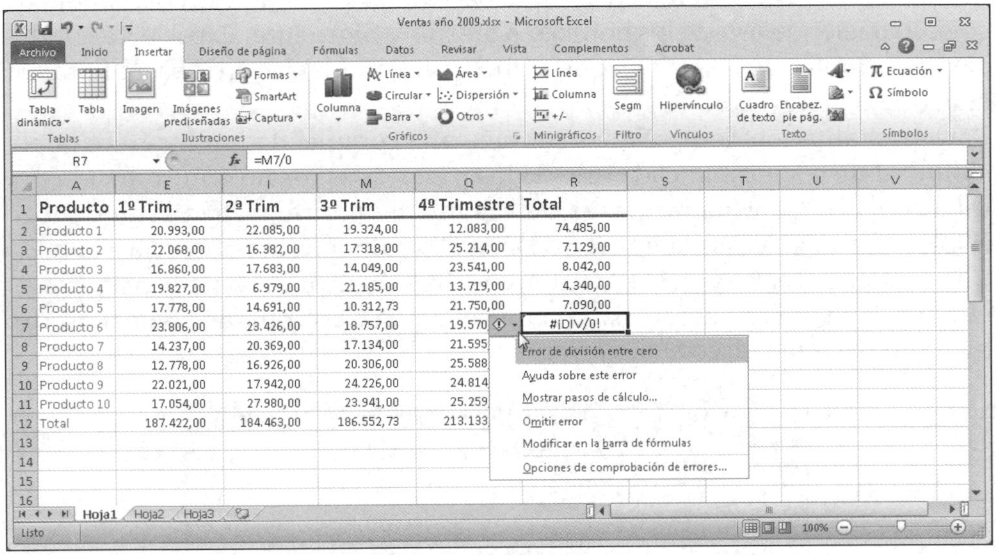

Figura 8.10. Botón Rastrear error.

Desde este botón podrá acceder a la ayuda de Excel sobre el error concreto que se haya producido. Pero también podrá omitirlo, en cuyo caso se desactivará el botón, o modificarlo desde la barra de fórmulas, para lo que el programa recurrirá a la función de información ESERR. Tenga en cuenta que las opciones que se le ofrecen en el menú desplegable del botón **Rastrear error** dependen del tipo de error cometido. Considere, además, que una fórmula que hace referencia a una celda que contiene un valor de error producirá, a su vez, un valor de error que sólo podrá evitar si soluciona el error originario.

Comprobación de errores

Excel permite utilizar otras herramientas para la comprobación de las fórmulas contenidas en su hoja de cálculo. De hecho, podrá comprobarlas todas ejecutando el comando **Comprobación de errores** que se encuentra dentro del grupo Auditoría de fórmulas de la ficha Fórmulas. A continuación, se abrirá el cuadro de diálogo Comprobación de errores.

Como puede observar, en el propio cuadro aparece el nombre de la celda donde se encuentra el error, el tipo de error y la causa que lo ha provocado. También desde aquí podrá obtener información de las posibles soluciones para el problema planteado. Para ello, haga clic en el botón **Ayuda sobre este error**.

La ventaja de este sistema es que puede validar de una vez toda la hoja de cálculo haciendo uso de los botones **Anterior** y **Siguiente**. Excel le irá conduciendo a través de las celdas que contengan valores de error hasta finalizar el proceso de revisión.

Para la evaluación de funciones con una alta complejidad se le ofrece la posibilidad de comprobar cada uno de los pasos de la fórmula introducida por medio del botón **Mostrar pasos de cálculo**. Se abrirá el cuadro de diálogo Evaluar fórmula (véase la figura 8.11). En él se contiene la referencia a la celda que contiene el error y su evaluación, cuyo resultado más reciente se marca en cursiva. Una vez corregido, haga clic en el botón **Cerrar** para volver al cuadro de diálogo Comprobación de errores.

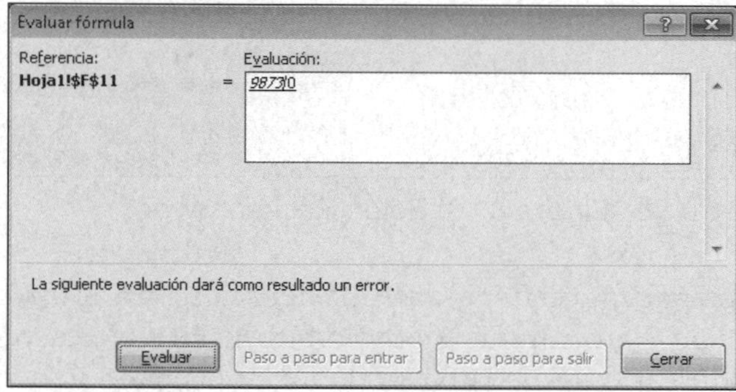

Figura 8.11. Cuadro de diálogo Evaluar fórmula.

Por último, el botón **Opciones** le permitirá abrir el cuadro de diálogo del mismo nombre en el que podrá configurar cómo debe el programa realizar la verificación de las fórmulas y funciones introducidas (véase la figura 8.12). Éstas son las opciones:

- Dentro de la sección Comprobación de errores:
  - **Habilitar comprobación de errores en segundo plano:** Esta casilla, activada de forma predeterminada, es la opción que señala con un triángulo verde en la esquina superior izquierda la celda que contiene un valor de error.

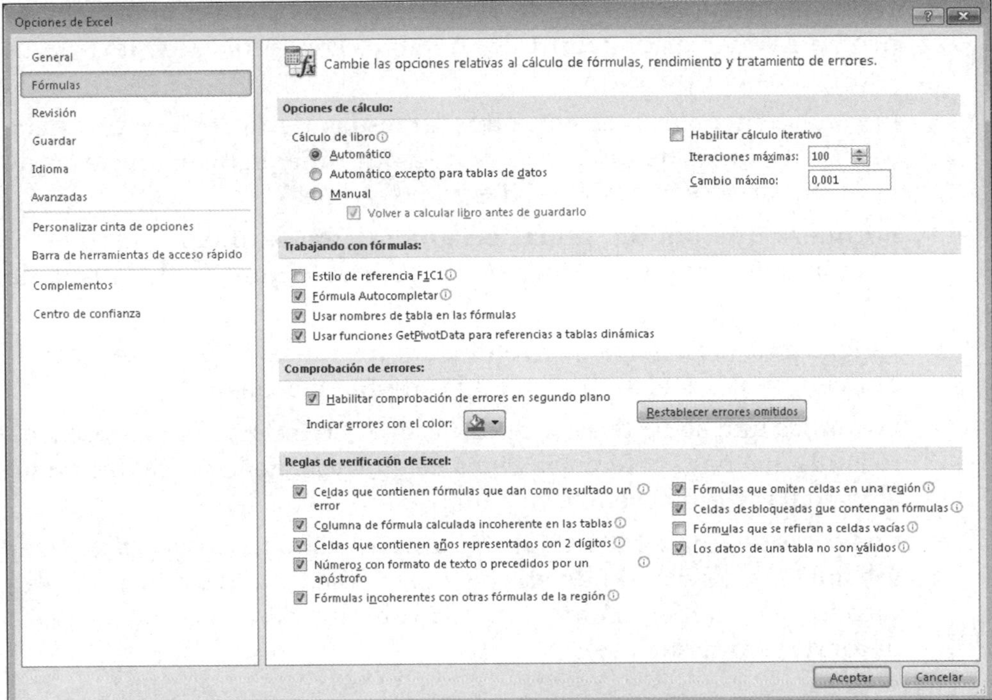

Figura 8.12. Cuadro de diálogo Opciones de Excel con la ficha Fórmulas activa.

- **Indicar errores con el color:** Este botón abre una paleta de colores que puede utilizar para cambiar el color verde predeterminado de las esquinas de las celdas que contienen un error.
- **Restablecer errores omitidos:** Restablece los errores omitidos en la hoja.

- Dentro de la sección Reglas de verificación de Excel:
  - **Celdas que contienen fórmulas que dan como resultado un error:** Esta casilla permite que Excel reconozca los errores en las fórmulas y los señale.
  - **Columna de fórmula calculada incoherente en las tablas:** Muestra indicadores de error y habilita la corrección de errores para celdas que contienen fórmulas o valores incoherentes con las fórmulas de las columnas para tablas.
  - **Celdas que contienen años representados con 2 dígitos:** Excel considera erróneas las fórmulas que contengan celdas en formato de texto con los años representados por medio de dos dígitos.

- **Números con formato de texto o precedidos por un apóstrofo:** El programa evalúa como error los números con formato de texto y los precedidos por un apóstrofo.
- **Fórmulas incoherentes con otras fórmulas de la región:** Consigue que las fórmulas de un área de la hoja que difieran del resto de las de la misma área sean consideradas como erróneas.
- **Fórmulas que omiten celdas en una región:** Se tratará como error la omisión de algunas celdas de un área determinada de la hoja de cálculo.
- **Celdas desbloqueadas que contengan fórmulas:** El programa considera erróneas las fórmulas en celdas desbloqueadas.
- **Fórmulas que se refieran a celdas vacías:** Se tratará como error toda fórmula que haga referencia a una celda vacía. Es la única opción no activada de forma predeterminada.
- **Los datos de una tabla no son válidos:** Muestra indicadores de error y habilita la corrección de errores para celdas que contienen valores incoherentes con el tipo de datos de columna de tablas conectadas a datos de SharePoint.

Ventana Inspección

Excel le ofrece la posibilidad de inspeccionar las fórmulas y sus resultados, aunque no se encuentren visibles en pantalla en ese momento, utilizando la Ventana Inspección. Gracias a esta herramienta, obtendrá una visión general y rápida de todas las fórmulas que necesite revisar. Para abrir esta ventana, haga clic en el botón **Ventana Inspección** del grupo Auditoría de fórmulas de la ficha Fórmulas. Al abrirse por primera vez, la ventana estará vacía. Con el fin de que se añadan celdas o rangos de celdas para su comprobación, tendrá que hacer clic en el botón **Agregar inspección**. Se activará el cuadro de texto en el que podrá introducir las celdas que se van a verificar, bien escribiendo el rango o bien seleccionándolo con el ratón. Cuando haya finalizado, haga clic en **Agregar** y se cerrará el cuadro de diálogo Agregar inspección.

Truco:

Si lo desea, puede acoplar en la parte superior de la ventana el cuadro de diálogo Ventana Inspección. *Para ello haga doble clic sobre su barra de título. Para desacoplar el cuadro, simplemente arrástrelo desde su barra de título hacia otra zona de la pantalla.*

Una vez terminada la elección de fórmulas que se van a inspeccionar, para desplazarse de una a otra y poder corregir sus errores, haga doble clic en cada entrada del listado de celdas que se muestra en la Ventana Inspección. El aspecto final puede ser similar al que le presentamos en la figura 8.13.

Ventana Inspección

Agregar inspección... Eliminar inspección

Libro	Hoja	Nombre	Celda	Valor	Fórmula
Ventas año 2009.xlsx	Hoja1	Criterios	I3	5.494,00	
Ventas año 2009.xlsx	Hoja1		E5	3,00	=CONTAR(E2:E4)
Ventas año 2009.xlsx	Hoja1		H6	0,73	=SENO(H5)
Ventas año 2009.xlsx	Hoja1		F11	#¡DIV/0!	=E11/0
Ventas año 2009.xlsx	Hoja1		G13	7.067,73	=PROMEDIO(G2:G12)
Ventas año 2009.xlsx	Hoja1	Venta...	N2	74.485,0...	=SUMA(B2:M2)
Ventas año 2009.xlsx	Hoja1		G3	9.211,00	=MAX(G2)
Ventas año 2009.xlsx	Hoja1		N3	80.982,0...	=SUMA(B3:M3)
Ventas año 2009.xlsx	Hoja1		N4	72.133,0...	=SUMA(B4:M4)
Ventas año 2009.xlsx	Hoja1		N5	61.710,0...	=SUMA(B5:M5)
Ventas año 2009.xlsx	Hoja1		N6	64.531,7...	=SUMA(B6:M6)
Ventas año 2009.xlsx	Hoja1		N7	85.559,0...	=SUMA(B7:M7)
Ventas año 2009.xlsx	Hoja1		N8	73.335,0...	=SUMA(B8:M8)
Ventas año 2009.xlsx	Hoja1		N9	75.598,0...	=SUMA(B9:M9)
Ventas año 2009.xlsx	Hoja1		N10	89.003,0...	=SUMA(B10:M10)
Ventas año 2009.xlsx	Hoja1		N11	#¡DIV/0!	=SUMA(B11:M11)

Figura 8.13. Ventana Inspección tras agregar algunas inspecciones.

Es conveniente que incluya en el proceso de inspección todas las celdas que contengan fórmulas. Es una opción especialmente recomendable para hojas de cálculo grandes o con muchas fórmulas en su interior.

Para evitar tener que seleccionarlas una a una, pulse **Control-I** para abrir el cuadro de diálogo Ir a. En dicho cuadro de diálogo, haga clic en **Especial**, que abrirá un nuevo cuadro de diálogo: Ir a Especial (véase la figura 8.14).

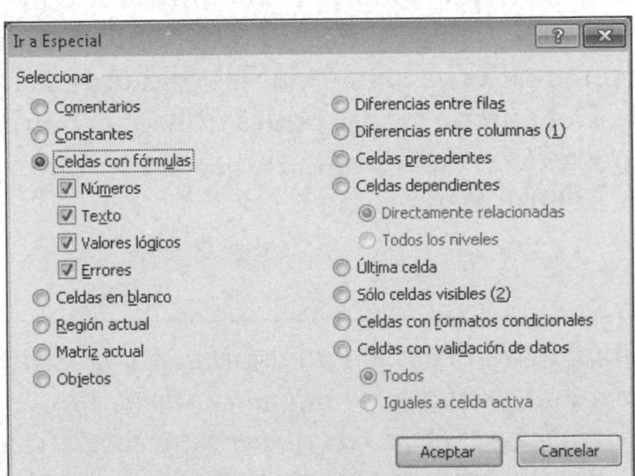

Figura 8.14. Cuadro de diálogo Ir a Especial.

Una vez en él, seleccione la opción Celdas con fórmulas y el programa le permitirá especificar qué tipo de fórmulas desea localizar: exclusivamente las que contengan valores lógicos, las que produzcan error, etc. De forma predeterminada, Excel marca todas las opciones posibles, con lo que, si no lo modifica, podrá buscar todas las fórmulas de la hoja, sea cual sea su naturaleza.

Para terminar, haga clic en el botón **Aceptar** y compruebe que todas las celdas que contengan fórmulas han sido seleccionadas. Si aún tiene abierta la Ventana Inspección, haga clic en el botón **Agregar inspección** y las celdas pasarán, de una vez, a la ventana. Si ya la había cerrado, ábrala de nuevo haciendo clic en el botón **Ventana Inspección** de la ficha Fórmulas dentro del grupo Auditoría de fórmulas.

Advertencia:

Las celdas que contengan referencias externas a otros libros de trabajo de Excel sólo se muestran en la ventana de inspección cuando dichos libros están abiertos.

Rastrear precedentes y dependientes

Para terminar con las opciones que le permiten comprobar el correcto funcionamiento de las fórmulas empleadas y examinar las causas de los posibles errores, Excel le facilita algunas herramientas más de gran utilidad.

Rastrear errores precedentes y dependientes

Si selecciona alguna celda que contenga una fórmula y hace clic en el botón **Rastrear precedentes** del grupo Auditoría de fórmulas en la ficha Fórmulas, Excel le mostrará con una flecha azul todas las celdas que sirven de referencia para dicha fórmula. Del mismo modo, podrá utilizar el botón **Rastrear dependientes** del mismo grupo y ficha para seguir, desde su origen, los procesos que ha sufrido una determinada celda.

Nota:

Cuando una celda contiene una fórmula y en esa fórmula se hace referencia a la propia celda que la contiene, nos encontramos ante una referencia circular. Excel no permite realizar este tipo de cálculo y abre el cuadro Advertencia de referencia circular *que le ayudará a corregir el error.*

Opciones de cálculo

De forma predeterminada, cuando se cambia un valor que afecta al resto de valores, los nuevos valores se calculan inmediatamente. No obstante, Excel nos ofrece algunas opciones para cambiar este comportamiento, todas ellas dentro del grupo Cálculo en la ficha Fórmulas (véase la figura 8.15).

Figura 8.15. Opciones de cálculo de hoja.

El botón **Opciones para el cálculo** le ofrece la posibilidad de establecer el cálculo seleccionando sus distintas opciones:

- Automático.
- Automático excepto en las tablas de datos.
- Manual.

Si establece cualquier opción que no sea la opción automática, tendrá que realizar el cálculo de forma manual tras introducir fórmulas o cálculos. Para ello, puede seleccionar el comando **Calcular ahora** o pulsar la tecla **F9** para que se ejecute el cálculo o en el comando **Calcular hoja** o pulsar la sugerencia de teclas **Mayús-F9** para realizar el cálculo sólo en la hoja actual.

Advertencia:

Es aconsejable que utilice la opción automática predeterminada y que no la cambie, a no ser que sepa exactamente lo que está haciendo, ya que sus hojas podrían no calcularse.

Capítulo 9

Los gráficos en Excel

En este capítulo aprenderá a:

- Utilizar los gráficos de Excel y conocer sus elementos.
- Crear gráficos ayudándose del asistente de Excel.
- Modificar los gráficos después de haberlos creado.
- Utilizar minigráficos.
- Preparar la impresión de un gráfico de Excel.

En los capítulos anteriores dedicados a Excel hemos aprendido a introducir datos en las hojas de cálculo y a operar con ellos con ayuda de fórmulas y funciones. También hemos aplicado formato a todos los elementos de un libro de trabajo con el objeto de mejorar su apariencia. Finalizado el procesamiento de la información contenida en los documentos Excel, el programa ofrece la posibilidad de mostrar las conclusiones por medio de gráficos que aportan un aspecto visual muy interesante para presentar los resultados de manera rápida y legible.

En las siguientes páginas aprenderemos a crear gráficos a partir de los datos contenidos en una hoja de cálculo y a aplicarles el formato adecuado para lograr la mejor presentación posible. Asimismo, le enseñaremos a utilizar la nueva opción de minigráficos presentada en esta nueva versión de Office. De este modo, la representación de su trabajo será clara y eficaz, y quienes accedan a él obtendrán una mejor información de su contenido.

Introducción a los gráficos

Los gráficos son meras representaciones visuales de los datos, fundamentalmente numéricos, contenidos en una hoja de cálculo Excel. Su función primordial es facilitar que las personas que lean o revisen estos documentos puedan emplear los gráficos para conseguir la óptima comprensión de la estructura y la información que se les proporciona. Por ello, los gráficos nos serán especialmente útiles tanto para mostrar la variación de datos atendiendo al tiempo transcurrido como para comparar dos o más series de valores. A continuación veremos que Excel permite utilizar gráficos de diversos tipos. Se incluyen en su galería de gráficos estándar, que contiene además multitud de subtipos para cada uno de ellos. Como puede imaginar, la diversidad de opciones es enorme, pero las técnicas de creación y edición de los gráficos son siempre las mismas, de manera que, conocidos los principios básicos para su elaboración, podrá aplicarlas en sus trabajos de forma sistemática.

Elementos de un gráfico

Vamos a introducir ahora los elementos que componen un gráfico de Excel. Para ello, nos vamos a referir a la figura 9.1, que nos va a ayudar a presentar cada uno de los elementos.

En esta figura aparece, en la parte superior de la hoja de cálculo, la tabla que será el origen de los datos que nos servirán para confeccionar el gráfico de columnas que se muestra sobre la tabla de datos.

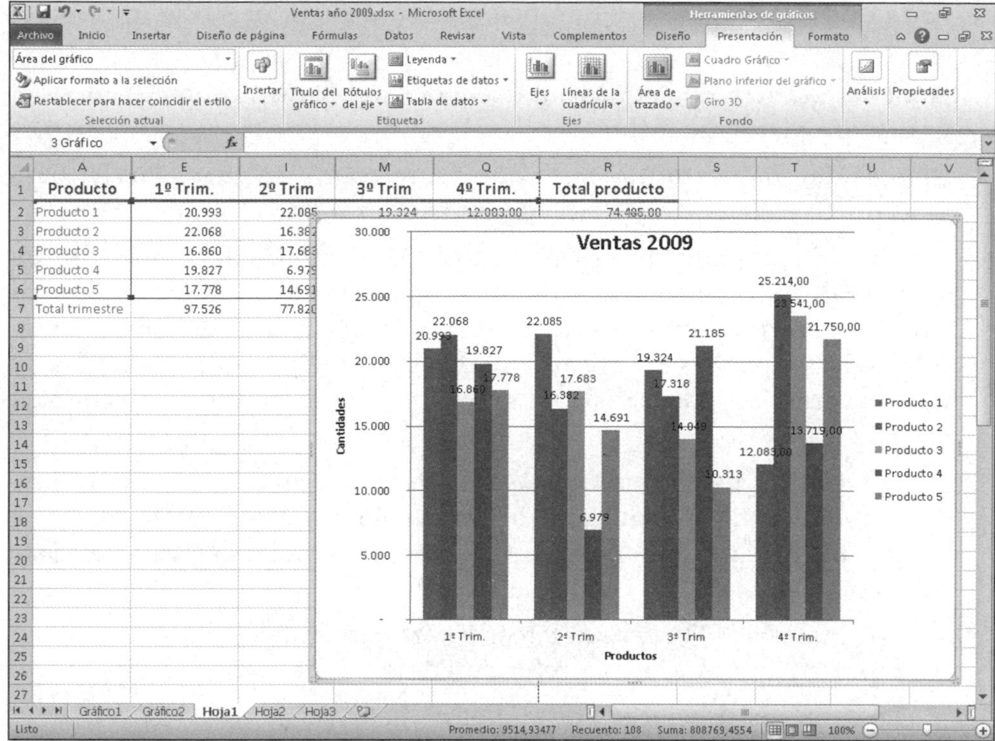

Figura 9.1. Elementos de un gráfico de Excel.

Aparte de la tabla y del gráfico, podrá ver que cuando se encuentra seleccionado el gráfico, se abren las **Herramientas para gráficos** presentando las fichas contextuales **Diseño, Presentación** y **Formato**. Estas fichas contienen grupos con los comandos utilizados con más frecuencia en la elaboración de gráficos con Excel.

En cuanto al gráfico propiamente dicho, contiene los siguientes elementos:

- **Título del gráfico:** En este caso, `Ventas 2009`.
- **Rótulos del eje:** Identifican los datos representados en cada uno de los ejes. Para nuestro gráfico, `Cantidades` en el eje vertical y `Productos` en el eje horizontal.
- **Series de datos:** Son los conjuntos de datos representados en el gráfico. Se muestran con columnas (o la forma de representación que se desee) del mismo color.
- **Leyenda:** El cuadro que contiene las claves donde se especifica el concepto que representa cada barra. Se asocia esta información con un cuadro de color junto a cada una de las claves.

- **Área de trazado:** Zona del gráfico que no incluye ni su título ni la leyenda.
- **Área del gráfico:** Zona que contiene todos los elementos integrantes del gráfico propiamente dicho.
- **Marcas de graduación:** Marcas que aparecen en los ejes y sirven para determinar el valor del eje en cada uno de sus puntos.
- **Ejes:** Líneas perpendiculares que marcan la referencia del gráfico. En los gráficos de dos dimensiones, dos ejes, aunque en los gráficos tridimensionales encontraremos tres. Uno de ellos es horizontal, denominado eje de abscisas o eje X, y es el que contiene las categorías representadas. El otro es vertical, eje de ordenadas o eje Y, y recoge los valores posibles en el gráfico.
    - Los gráficos de dispersión (XY) muestran valores en el eje x y en el eje y, mientras que los gráficos de líneas sólo muestran valores en el eje y. Utilice un gráfico de dispersión si desea cambiar la escala del eje x, o conviértala en una escala logarítmica.
    - Los gráficos 3D tienen un tercer eje (z) para que los datos se puedan representar junto con la profundidad de un gráfico.
    - Los gráficos circulares y de anillos no tienen ejes.
- **Líneas de división:** Líneas horizontales o verticales, que aparecen en el fondo del gráfico y sirven para apreciar con mayor facilidad el valor que pueden alcanzar las series.
- **Etiquetas de datos:** Textos que se pueden añadir para identificar categorías de datos o cantidades específicas de ellos.
- **Planos del gráfico:** Planos utilizados trazar el gráfico. En los gráficos 3D se muestran dos planos laterales y uno inferior.
- **Tabla de datos:** Es una tabla con los datos del gráfico. Podrá elegir entre mostrar las claves de la leyenda o simplemente los datos.

Éstos son los elementos básicos, que variarán dependiendo del tipo de gráfico y de las opciones seleccionadas.

Truco:

Puede desplazar el gráfico por la página simplemente arrastrándolo desde el área del gráfico. Para ampliar o reducir su tamaño, puede utilizar los controladores del marco que rodea al gráfico.

Crear un gráfico

La creación de un gráfico en una hoja de cálculo requiere la selección previa del rango de celdas que contiene los datos que se van a representar en el gráfico o, al menos, que la celda activa esté incluida en dicho rango. A continuación, dentro del grupo Gráficos de la ficha Insertar, siga estos procedimientos.

- Haga clic en el tipo de gráfico que desea utilizar (véase la figura 9.2).

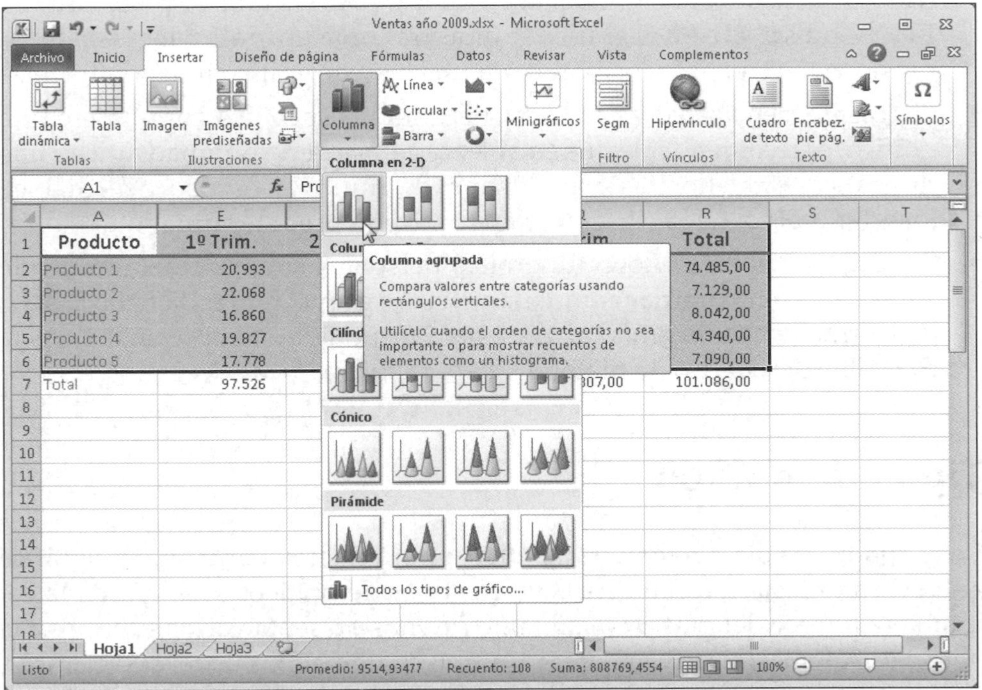

Figura 9.2. Seleccione el tipo de gráfico deseado.

- Para ver todos los tipos de gráficos disponibles, haga clic en Todos los tipos de gráfico (o haga clic en el botón **Iniciador de cuadro de diálogo** del grupo) para abrir el cuadro de diálogo Insertar gráfico.
- Haga clic en las flechas de desplazamiento para desplazarse por todos los tipos y subtipos de gráficos disponibles y seleccione el que desea utilizar haciendo clic sobre él.

El gráfico se coloca en la hoja de cálculo como un gráfico incrustado y se abren las Herramientas de gráfico con las fichas contextuales de Diseño, Presentación y Formato.

Nota:

Si coloca el puntero del ratón sobre un tipo de gráfico, aparecerá una sugerencia de pantalla con su nombre y una breve descripción del gráfico.

Éstas son algunas sugerencias para la creación de gráficos:

- Para crear rápidamente un gráfico basado en el tipo de gráfico predeterminado, seleccione los datos que desea utilizar para el gráfico y pulse **Alt-F1** o **F11**. Al pulsar **Alt-F1**, el gráfico se muestra como un gráfico incrustado. Al presionar **F11**, el gráfico aparece en una hoja de gráfico independiente.
- Si con frecuencia utiliza un tipo de gráfico específico cuando crea un gráfico, es recomendable que establezca como predeterminado dicho tipo de gráfico. Para ello, tras seleccionar el de gráfico en el cuadro de diálogo Insertar gráfico, haga clic en **Establecer como predeterminado**.
- Si desea utilizar de nuevo un gráfico personalizado, guárdelo haciendo clic en el botón **Guardar como plantilla** del grupo Tipo en la ficha Diseño de Herramientas de gráficos. Así estará disponible siempre en la carpeta Plantillas del cuadro de diálogo Insertar gráfico.

Tipos de gráfico

En el cuadro de diálogo Insertar gráfico, podrá seleccionar el tipo de gráfico que desea utilizar. Excel ofrece diversos tipos de gráficos estándar en la columna izquierda del gráfico y cada uno de ellos presenta varios subtipos a la derecha. Además, si prefiere crear un tipo combinado, puede, por ejemplo, utilizar varios tipos de gráficos en uno solo (véase la figura 9.3).

Tenga en cuenta que cada tipo de gráfico suele aplicarse a un tipo de información determinado. Así, por ejemplo, puede utilizar gráficos de columnas o de barras agrupadas para comparar valores entre categorías. Pero, también, puede elegir que sean apiladas en lugar de agrupadas, con lo que obtendrá la representación gráfica del aporte de cada valor al total. Le será posible, incluso, seleccionar gráficos de aplicación exclusiva a ámbitos muy concretos como, por ejemplo, las cotizaciones de bolsa, que requieren una serie de valores fijos para su configuración.

Para mostrar las cotizaciones de valores en el mercado bursátil, le serán necesarios los datos de apertura, máximos, mínimos, volumen y cierre, combinados según los requerimientos del subtipo elegido.

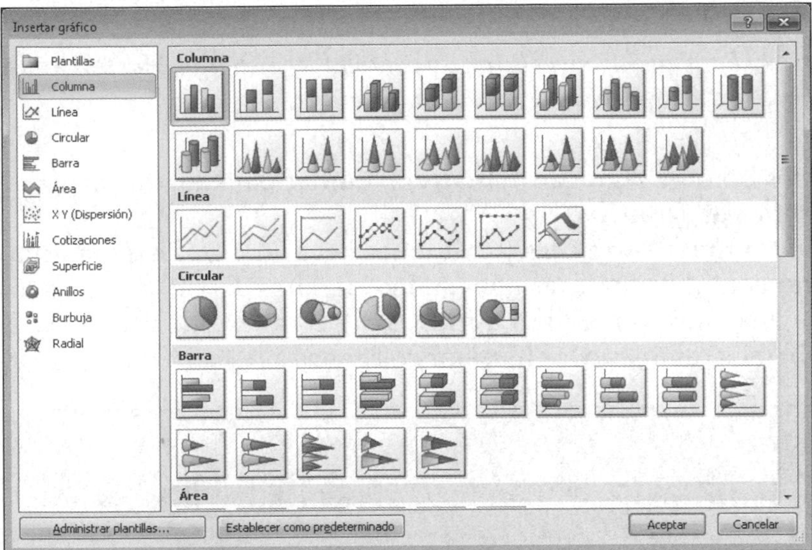

Figura 9.3. Tipos y subtipos de gráficos en el cuadro de diálogo Insertar gráfico.

En la parte inferior del cuadro de diálogo Insertar gráfico, encontrará los botones **Administrar plantillas**, **Establecer como predeterminado**, **Aceptar** y **Cancelar**. El primero le permite administrar sus plantillas desde la carpeta predeterminada de plantillas del programa, el segundo le ayuda a establecer un gráfico como gráfico predeterminado para sus hojas de cálculo, **Aceptar** acepta la selección efectuada y **Cancelar** cierra el cuadro de diálogo sin ejecutar ninguna acción.

Nota:

Para cambiar rápidamente el tipo de gráfico de un gráfico creado, haga clic en el botón **Cambiar tipo de gráfico** *del grupo* Tipo *en la ficha* Diseño *de* Herramientas de gráficos.

Datos de origen del gráfico

Los datos de origen del gráfico pueden modificarse con ayuda del botón **Seleccionar datos** del grupo Datos en la ficha Diseño de Herramientas de gráficos. Efectúe las modificaciones oportunas en el cuadro de diálogo Seleccionar origen de datos que se abre haciendo clic en los botones apropiados y por último haga clic en el botón **Aceptar** para aplicar los cambios.

Nota:

Para que se encuentren disponibles las fichas de Herramientas de gráficos, *debe seleccionar previamente el gráfico.*

Utilice los botones **Agregar**, **Editar** y/o **Quitar** para añadir, modificar o eliminar series del gráfico.

El botón **Cambiar entre filas y columnas** del grupo Datos en la ficha Diseño de Herramientas de gráficos intercambia los datos del eje (los datos colocados en el eje X se moverán al eje Y y viceversa), como puede ver en la figura 9.4, donde hemos cambiado las filas por columnas a nuestro gráfico de ejemplo.

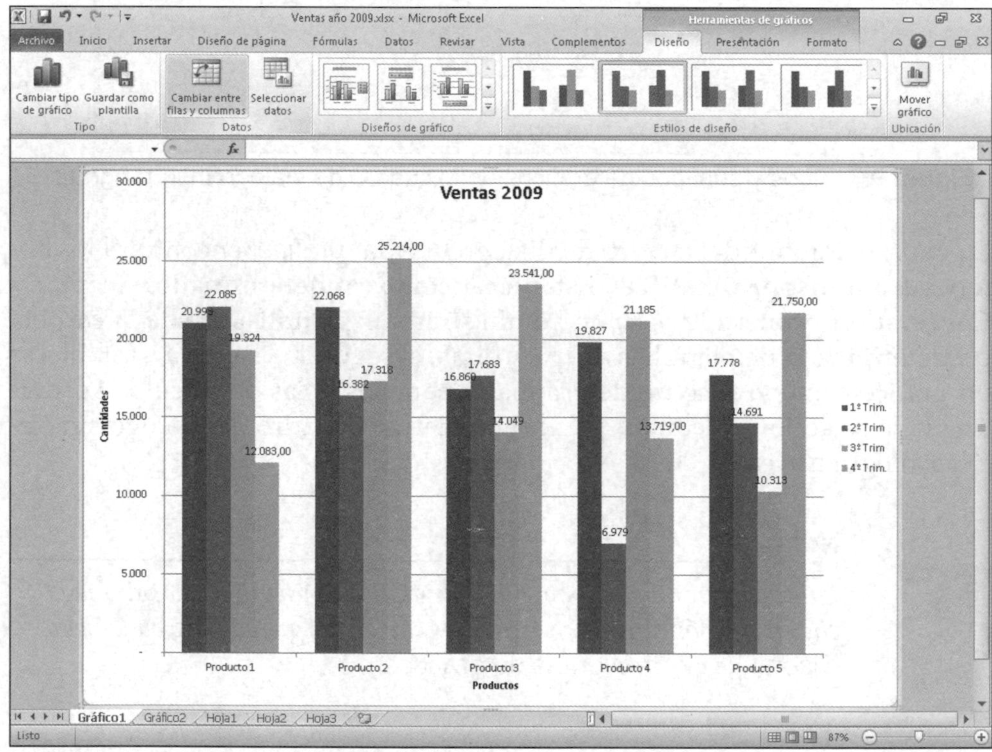

Figura 9.4. Resultado de cambiar entre filas y columnas.

Opciones y ubicación del gráfico

Las distintas opciones que se pueden modificar individualmente para cada elemento del gráfico y para el gráfico en general se encuentran dentro de las fichas Presentación y Formato de Herramientas de gráficos respectivamente, que le van a permitir especificar las características y formatos de cada uno de los elementos que componen el gráfico así como los estilos, organización y tamaño del gráfico en general. Veamos primero los contenidos de los grupos principales de la ficha Presentación:

- Selección actual: Permite seleccionar elementos específicos del gráfico con el menú desplegable del cuadro elementos de gráfico, aplicar formato al elemento seleccionado y restablecer el formato para que coincida con el estilo general.
- Insertar: Permite insertar archivos, formas y cuadros de texto.
- Etiquetas: Permite modificar el título del gráfico, los rótulos de los ejes, la leyenda, las etiquetas de datos y la tabla de datos. Tabla de datos le permite adjuntar los datos de origen de un gráfico en forma de tabla.
- Ejes: Permite modificar los ejes y las líneas de cuadrícula.
- Líneas de cuadrícula: Permite mostrar u ocultar las líneas de división.
- Fondo: Permite activar o desactivar el Área de trazado o mostrar u ocultar el cuadro gráfico, mostrar u ocultar el plano inferior del gráfico o realizar un giro 3D (estas tres últimas opciones sólo se activarán en gráficos 3D y la primera sólo en gráficos 2D), como puede ver en la figura 9.5.

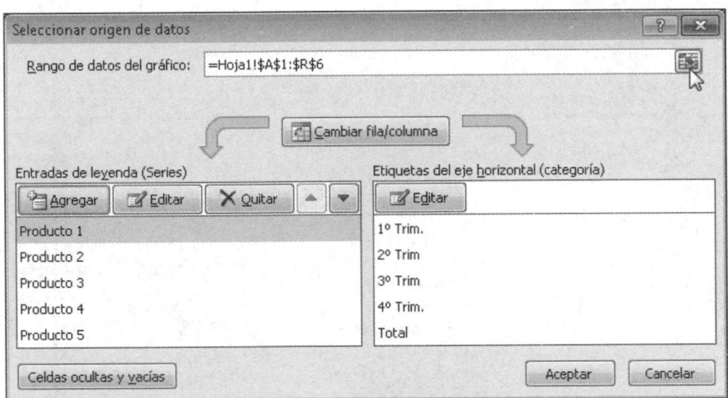

Figura 9.5. Opciones de giro para un gráfico 3D.

Ahora vamos a examinar los principales grupos de la ficha Formato de Herramientas de gráficos:

- Selección actual: Permite seleccionar elementos específicos del gráfico, aplicar formato al elemento seleccionado y restablecer el formato para que coincida con el estilo general. Se trata del grupo del mismo nombre presentado en la ficha Presentación.

- Estilos de forma: Ofrece diversas opciones para cambiar el estilo del gráfico mostrando estilos visuales desde donde poder seleccionar uno y el relleno, el contorno y los efectos de formas. Para personalizar aún más los estilos, el relleno, el contorno o los efectos, haga clic en el botón **Iniciador del cuadro de diálogo** de este grupo para abrir el cuadro de diálogo Formato del área de trabajo con el que podrá personalizar todos los elementos deseados. Tras hacerlo, haga clic en **Aceptar** para introducir los cambios realizados
- Estilos de WordArt: Ofrece opciones de estilos para el texto.
- Organizar: Ofrece opciones de organización de objetos.
- Tamaño: Ofrece opciones para cambiar el tamaño y las propiedades del gráfico. Para opciones más avanzadas, haga clic en su botón **Iniciador de cuadro de diálogo** para abrir el cuadro de diálogo Formato del área del gráfico con la opción Tamaño activa (véase la figura 9.6).

Figura 9.6. Opciones avanzadas para cambiar el tamaño y las propiedades del gráfico.

Al seleccionar un tipo predeterminado de gráfico en su creación, el gráfico se incrusta en la hoja de cálculo que contiene los datos que han servido para su elaboración, pero puede optar por que aparezca en una hoja nueva. Para ello, siga estos pasos:

1. Haga clic en el gráfico incrustado o en la hoja de gráfico cuya ubicación desea cambiar para abrir las Herramientas de gráficos.
2. Haga clic en el botón **Mover gráfico** que se encuentra en la ficha Diseño, dentro del grupo Ubicación.
3. Siga uno de estos procedimientos para seleccionar las opciones del cuadro de diálogo Mover gráfico:
   - Para mostrar el gráfico en una hoja de gráfico, seleccione Hoja nueva.
   - Para mostrar el gráfico como un gráfico incrustado en una hoja de cálculo, seleccione Objeto en y haga clic en una hoja de cálculo en el cuadro Objeto en.
4. Haga clic en **Aceptar** para mover el gráfico según las opciones seleccionadas.

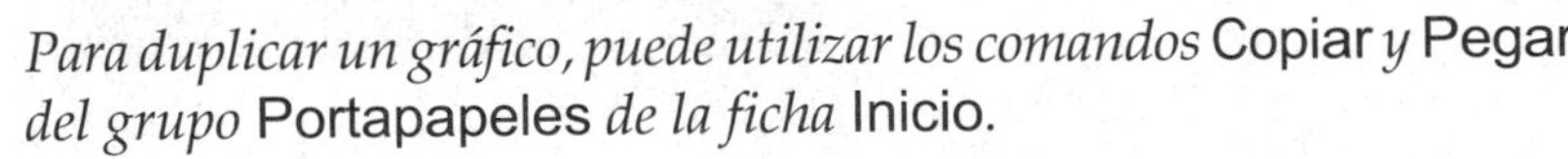

Truco:

Para duplicar un gráfico, puede utilizar los comandos Copiar *y* Pegar *del grupo* Portapapeles *de la ficha* Inicio.

Si tras haber efectuado los cambios necesarios, el resultado sigue sin satisfacerle, no dude en hacer clic en el botón **Cambiar tipo de gráfico** situado en el grupo Tipo de la ficha Diseño de Herramientas de gráficos.

Añadir datos

En algunas ocasiones puede ser necesario añadir nuevos datos a un gráfico ya creado. Estos datos pueden ser una nueva serie, lo que supone una nueva columna en el gráfico, o datos incluidos en las series ya existentes. En ambos casos, el procedimiento para incluirlos será el mismo. Veamos un ejemplo.

En la figura 9.7 hemos sumado la serie `Total trimestre` a las que ya estaban presentes en nuestro gráfico. Para ello, hemos hecho clic en el botón **Seleccionar datos** del grupo Datos dentro de la ficha Diseño de Herramientas de gráficos para abrir el cuadro de diálogo Seleccionar origen de datos, donde aparece activo el rango actual en el cuadro de texto Rango de datos del gráfico. Escriba en su interior el nuevo rango o haga clic en el botón de su derecha para seleccionarlo sobre la propia hoja de cálculo. Cuando termine, haga clic en **Aceptar** y el gráfico, automáticamente, asumirá la nueva serie o ampliará los datos ya representados.

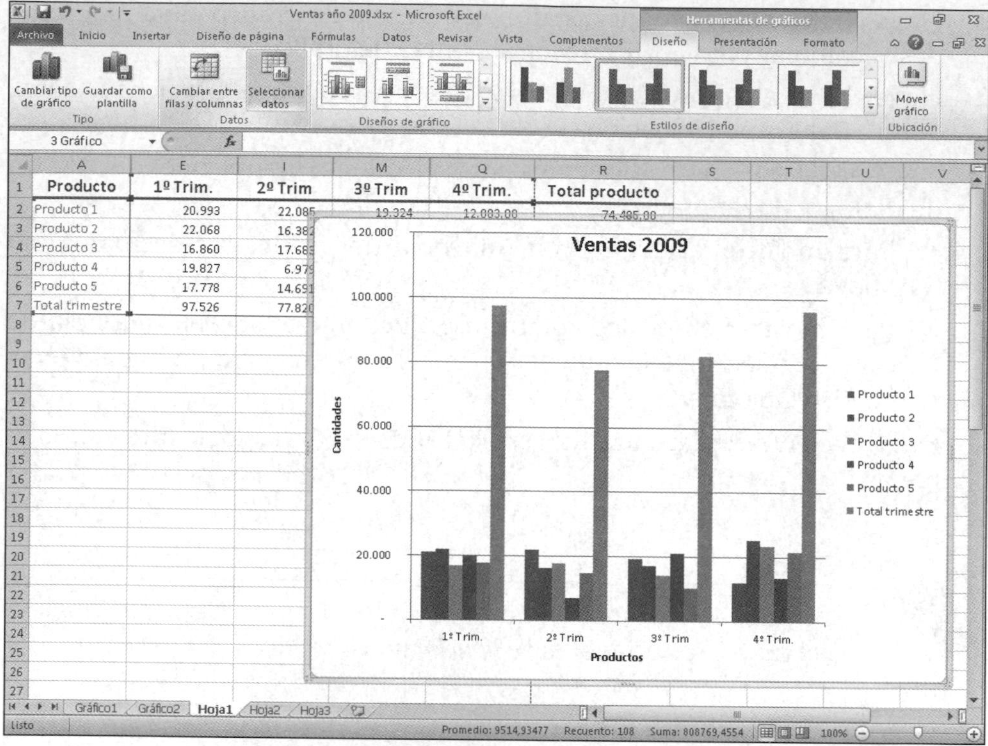

Figura 9.7. Gráfico de ejemplo con la nueva serie Total trimestre añadida.

También puede agregar datos siguiendo estos pasos:

- Seleccione el gráfico en la hoja de cálculo.
- Los datos ya representados en él se mostrarán enmarcados en un recuadro de color azul en la tabla de datos originarios.
- Coloque el puntero del ratón sobre cualquiera de las esquinas hasta que se convierta en una flecha negra con doble punta.
- Arrastre, manteniendo pulsado el botón izquierdo del ratón, hasta incorporar los nuevos datos.

Otras opciones de gráficos

Como ha podido comprobar en las páginas anteriores, Excel proporciona eficaces herramientas para obtener el máximo partido de sus hojas de cálculo. Este último apartado está dedicado a algunas utilidades que serán, sin duda, de su interés. Empezaremos hablando de los minigráficos, una nueva opción que presenta Excel y que puede utilizar para mostrar las tendencias de una serie de valores o para destacar valores mínimos y máximos. Posteriormente le enseñaremos a personalizar sus gráficos con imágenes, continuaremos vinculando el título del gráfico a una celda de una hoja de cálculo, y finalizaremos preparando la impresión del gráfico.

Minigráficos

Un minigráfico es un pequeño gráfico que se inserta en una celda de una hoja de cálculo para mostrar una representación visual de los datos (véase la figura 9.8).

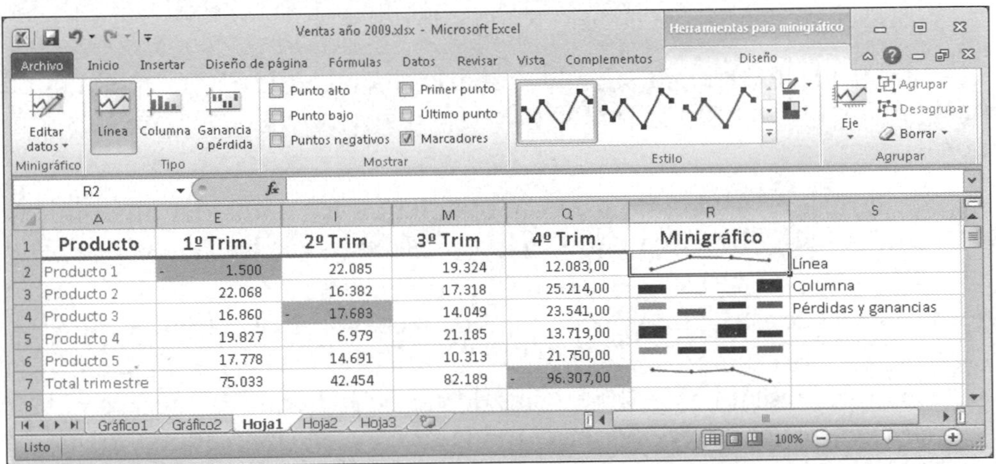

Figura 9.8. Los minigráficos presentan las tendencias de los datos adyacentes.

En realidad se trata de un pequeño gráfico en el fondo de una celda, no de un objeto, por lo que se imprimirá junto con la hoja de cálculo que lo contiene.

Truco:

Para resaltar aún más sus datos, puede escribir texto en una celda y usar un minigráfico como fondo.

Los minigráficos pueden incrustarse columnas o en una filas y pueden mostrar una tendencia basándose en datos adyacentes con una representación gráfica muy concisa.

Crear un minigráfico

Para crear un minigráfico, seleccione una celda vacía o un grupo de celdas vacías en las que desee insertar uno o más minigráficos y realice los siguientes estos pasos:

1. Haga clic en el tipo de minigráfico que desea crear dentro del grupo Minigráficos de la ficha Insertar:
   - **Línea:** Inserta un gráfico de líneas en una sola celda.
   - **Columna:** Inserta un gráfico de columnas en una sola columna.
   - **Ganancia o pérdida:** Inserta un gráfico de pérdidas y ganancias en una sola celda.
2. Escriba o seleccione el rango de celdas que contienen los datos que desea representar dentro del cuadro Rango de datos.

Tras crear el minigráfico, al seleccionarlo aparecen las Herramientas de minigráficos mostrando la pestaña Diseño que contiene los siguientes grupos:

- **Minigráfico:** Desde este grupo puede editar los datos del minigráfico, como su ubicación, los datos que representa o ver las celdas ocultas y vacías.
- **Tipo:** Desde este grupo puede cambiar a cualquier otro tipo de minigráfico.
- **Mostrar:** Presenta diversas casillas de verificación que puede seleccionar para ver distintas opciones en el minigráfico, como marcadores, o puntos negativos.
- **Estilo:** Presenta un menú con los distintos estilos disponibles.
- **Agrupar:** Contiene distintas opciones de agrupación y el menú **Eje** que le ayuda a organizar los puntos de datos en el minigráfico para que reflejen períodos irregulares o establecer valores mínimos y máximos para el eje vertical de un minigráfico o grupo de minigráficos.

Truco:

Para agregar texto a un minigráfico, escríbalo directamente en una celda que contenga un minigráfico y aplique el formato deseado desde el grupo Estilo *de la ficha* Diseño *dentro de* Herramientas para minigráfico.

Utilizar imágenes, degradados y textura como fondos

Excel permite insertar imágenes, degradados y texturas como fondo del área de trazado, de la leyenda o de cualquier otro elemento del gráfico que sea susceptible de contener efectos de relleno. Para utilizar imágenes, degradados o texturas en un gráfico, deberá emplear el siguiente procedimiento:

- Seleccione el elemento del gráfico en el que va a incluir la imagen. Para hacerlo, puede utilizar el cuadro de texto Elementos de gráfico del grupo Selección actual en la ficha Formato de Herramientas de gráficos.
- A continuación, haga clic en la flecha desplegable del botón **Relleno de forma** en la misma ficha dentro de Estilos de forma y seleccione la opción deseada.
  - Para aplicar un relleno de color, simplemente seleccione uno desde la paleta de colores o haga clic en Más colores de relleno si no encuentra el que desea.
  - Para insertar una imagen, haga clic en Imagen. Se abrirá el cuadro de diálogo Insertar imagen desde donde puede seleccionar una imagen que servirá como fondo del elemento seleccionado. Haga clic en **Insertar**.
  - Seleccione una de las opciones que muestran los menús desplegables Degradado o Textura para aplicar degradados y texturas como fondo de sus gráficos. En la figura 9.9 puede ver cómo cambia la apariencia del gráfico al incluir imágenes, degradados y textura de fondo en los distintos elementos. Asimismo, para poder visualizar con más nitidez el área de trabajo, hemos minimizado la cinta de opciones.

Truco:

Para minimizar rápidamente la cinta de opciones, haga doble clic sobre una de las fichas. Para restablecer de nuevo la cinta de opciones, haga doble clic sobre el nombre de una de las fichas minimizadas.

Para aplicar contornos a una forma (por ejemplo, la leyenda, o el trazado o cualquier otro elemento del gráfico), seleccione una de las opciones proporcionadas en el menú Contorno de forma del grupo Estilos de forma en la ficha Formato. Para aplicar efectos a las formas seleccionadas, seleccione una de las opciones del botón **Efectos de formas** del mismo grupo.

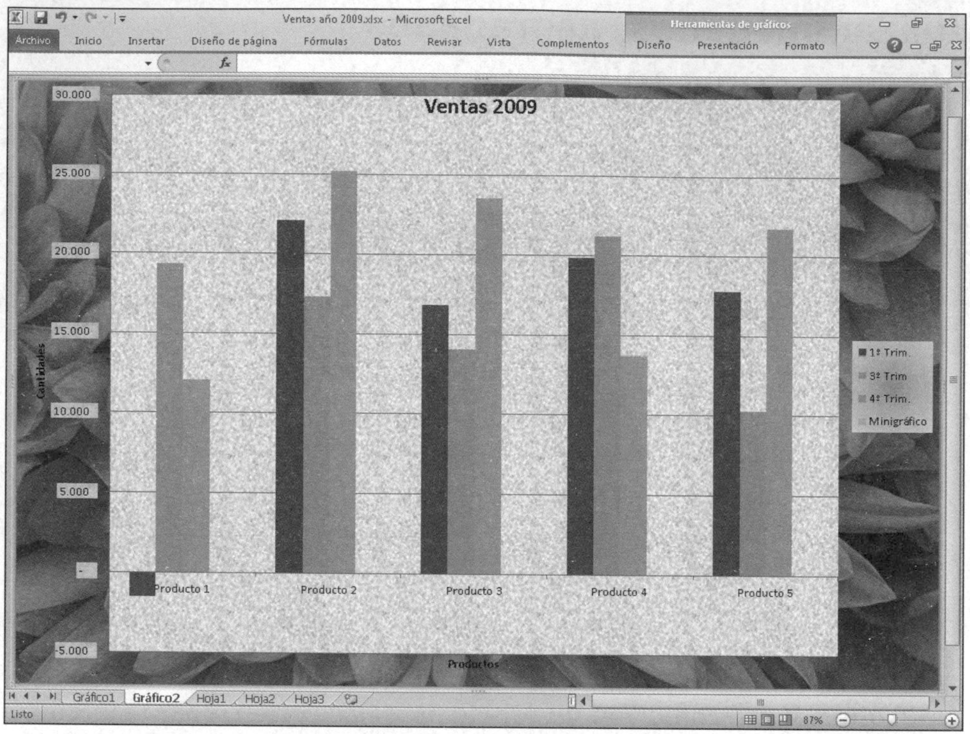

Figura 9.9. Rellenos, contornos y efectos de forma en un gráfico.

Para aplicar una transparencia a un relleno de imagen para que se vea mejor el gráfico, siga este procedimiento:

1. Haga clic con el botón derecho del ratón sobre el gráfico y seleccione Formato del área del gráfico del menú contextual para abrir el cuadro de diálogo del mismo nombre.
2. En el cuadro de diálogo Formato del área del gráfico, arrastre el control deslizante Transparencia, dentro de las opciones de Relleno y compruebe su efecto en el propio documento (véase la figura 9.10).
3. Cuando encuentre el nivel de transparencia apropiado, haga clic en **Cerrar** para aplicar los cambios.

Vincular el título del gráfico

Excel le ofrece la posibilidad de vincular elementos de carácter textual con una celda de la hoja de cálculo. De tal forma que, por ejemplo, podrá definir el título del gráfico con el contenido del encabezamiento de la tabla origen de datos. Podrá, además, establecer cuantos vínculos necesite e insertar nuevos cuadros de texto con el fin de mostrar, desde una descripción detallada de su contenido hasta alguna información destacada.

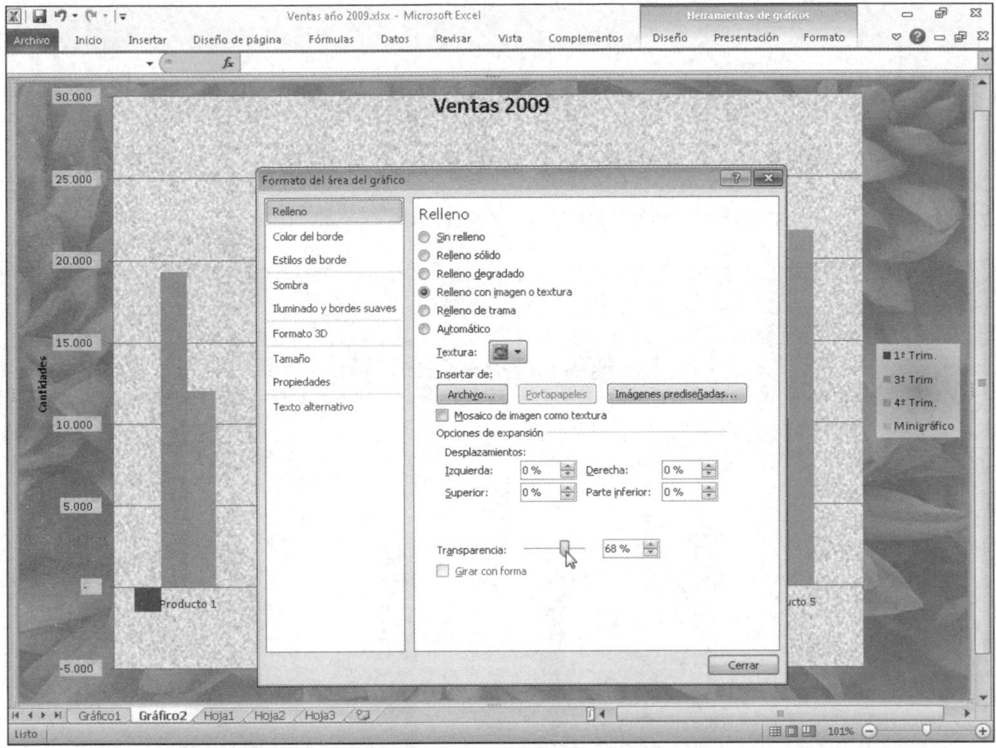

Figura 9.10. Cambie la transparencia de la imagen en el cuadro de diálogo Formato del área del gráfico.

Para realizar la vinculación siga estos pasos:

1. Seleccione primero el elemento que se verá afectado. Puede tratarse del título del gráfico o quizás prefiera insertar un cuadro de texto en el área del gráfico.
2. Tras seleccionar el elemento, escriba en la barra de fórmulas el signo igual (=).
3. Escriba o seleccione con el ratón la celda de la hoja de cálculo que contiene el texto que se vinculará al gráfico.
4. Una vez terminada esta tarea, pulse la tecla **Intro** y, si la vinculación es correcta, se mostrará en el gráfico.

Advertencia:

Al incluir la referencia de la celda en la barra de fórmulas debe escribir el nombre de la hoja y la referencia absoluta a la celda referenciada, como por ejemplo, `=Hoja1!$H$12`.

Cada vez que modifique el contenido de la celda vinculada, el gráfico se actualizará de manera que el texto que se verá en el gráfico responderá a los cambios efectuados. En la figura 9.11, hemos sustituido el título del gráfico con el contenido de la celda `B3` de la `Hoja2` y hemos insertado en el área del gráfico un cuadro de texto vinculado a la celda `D3` de la misma hoja.

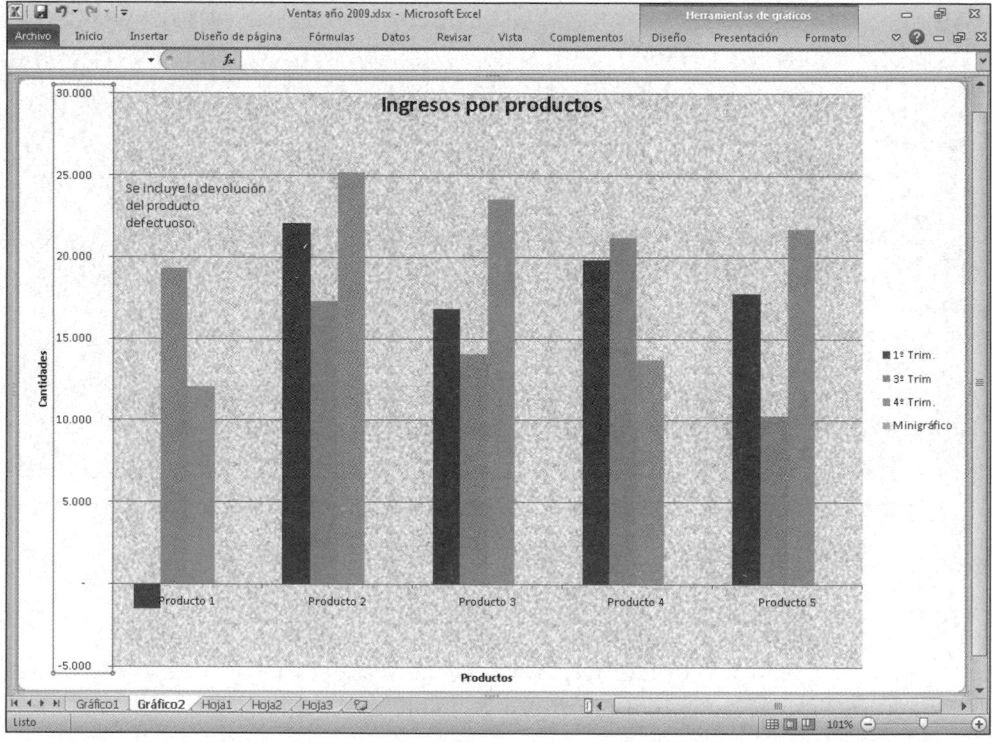

Figura 9.11. Gráfico con elementos textuales vinculados a celdas de la hoja.

Preparar el gráfico para su impresión

Si desea imprimir un gráfico primero tendrá que prepararlo con el fin de que tenga la mejor apariencia posible. Pruebe, en primer lugar, la vista preliminar del menú de Imprimir en la ficha Archivo para comprobar su disposición en la hoja impresa. Sin embargo, es posible que lo que vea no responda del todo a sus expectativas. En tal caso, deberá recurrir a alguno de los métodos que pasamos a explicar. El modo de preparar la impresión de su gráfico será diferente dependiendo de si lo ha incrustado en una hoja de cálculo o si lo ha ubicado en una hoja de gráfico.

Si el gráfico se ha colocado en la hoja de datos activa como un objeto incrustado, haga clic con el ratón en cualquier punto de la hoja, a excepción del área de gráfico. A continuación haga clic en el botón **Ver saltos de página** en el grupo Vistas de libro de la ficha Vista para obtener un resultado similar el mostrado en la figura 9.12, en la que podrá observar que una línea azul discontinua indica un salto de página en la impresión.

Para solucionar este problema y que el gráfico no corra riesgo de imprimirse dividido en dos páginas, arrastre hacia la derecha, con el ratón, dicha línea azul. El programa se encargará de ajustar los contenidos de la hoja para que tanto la tabla de datos como el gráfico se distribuyan de forma adecuada y se impriman bien.

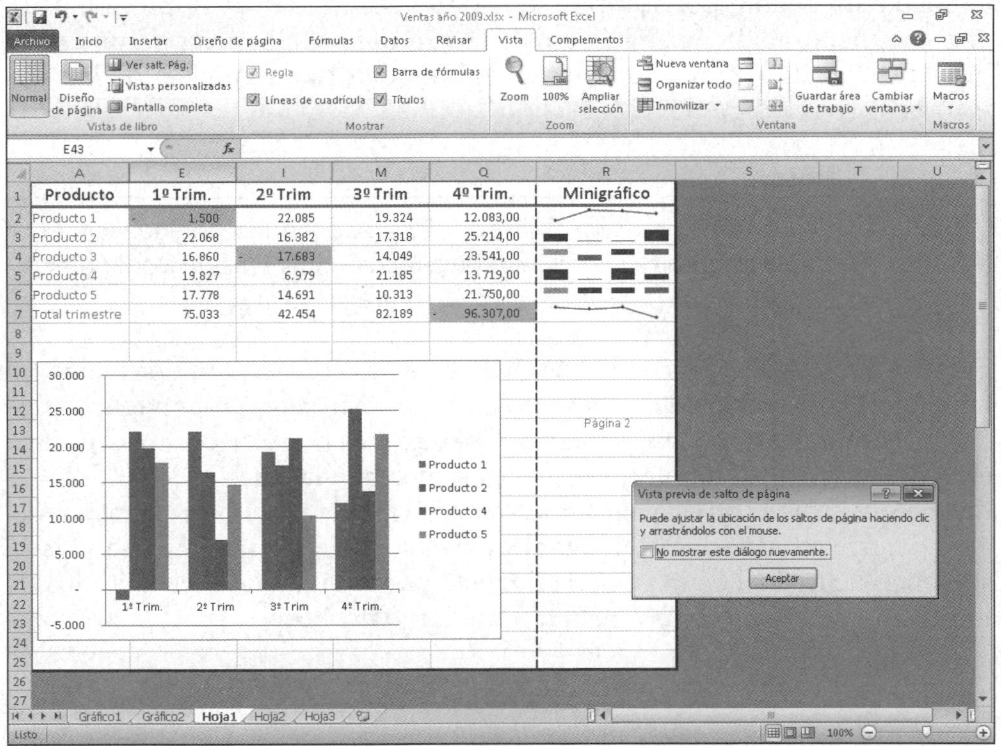

Figura 9.12. Hoja de cálculo con un gráfico incrustado en el modo Vista previa de salto de página.

El propio cuadro de diálogo Vista previa de salto de página, que se abre automáticamente, le informa de que podrá ajustar la ubicación de los saltos de página arrastrándolos con el ratón. Este modo de visualización le permite, además, modificar el tamaño y mover el gráfico también con la ayuda del ratón. Para volver a la vista normal de la hoja de cálculo, haga clic en el botón **Normal** del grupo Vistas de libro de la ficha Vista.

Truco:

Si no desea imprimir el gráfico incrustado junto con los datos de la hoja de cálculo asociada, selecciónelo y siga las instrucciones de la hoja de gráficos sin incrustar.

Si el gráfico se encuentra en una hoja de gráfico independiente dentro del libro, seleccione la pestaña de la hoja que lo contiene y haga clic en el botón **Iniciador de cuadro de diálogo** del grupo Configurar página de la ficha Diseño de página. Cuando se abra el cuadro de diálogo Configurar página, seleccione Gráfico para definir, por ejemplo, su tamaño y la calidad de impresión. Para ver una vista previa, haga clic en **Vista preliminar**. Se mostrará una vista previa del gráfico con las opciones elegidas, dentro de Imprimir de la ficha Archivo (véase la figura 9.13).

Nota:

Para volver de nuevo al cuadro de diálogo Configurar página *desde la opción* Imprimir *en la ficha* Archivo, *seleccione el vínculo* Configurar página *que se encuentra en la parte inferior de la página.*

El resto de pestañas del cuadro de diálogo le va a servir para determinar el tamaño y la orientación del papel empleado, los márgenes de las páginas y los encabezamientos y/o pies de página. Cuando crea que el aspecto del gráfico es el deseado, pulse el botón **Aceptar** para volver a la hoja.

En cualquier caso, con esta herramienta podrá mover y cambiar el tamaño del área de gráfico, especificar el lugar donde colocar la página impresa y darle su beneplácito final en la ventana de vista previa siguiendo los métodos de impresión de los que hemos hablado a lo largo del libro.

Truco:

Si lo desea, puede utilizar las sugerencias de teclas **Control-P** *para ir a la página* Imprimir *de* Archivo *para abrir una vista previa del documento antes de su impresión.*

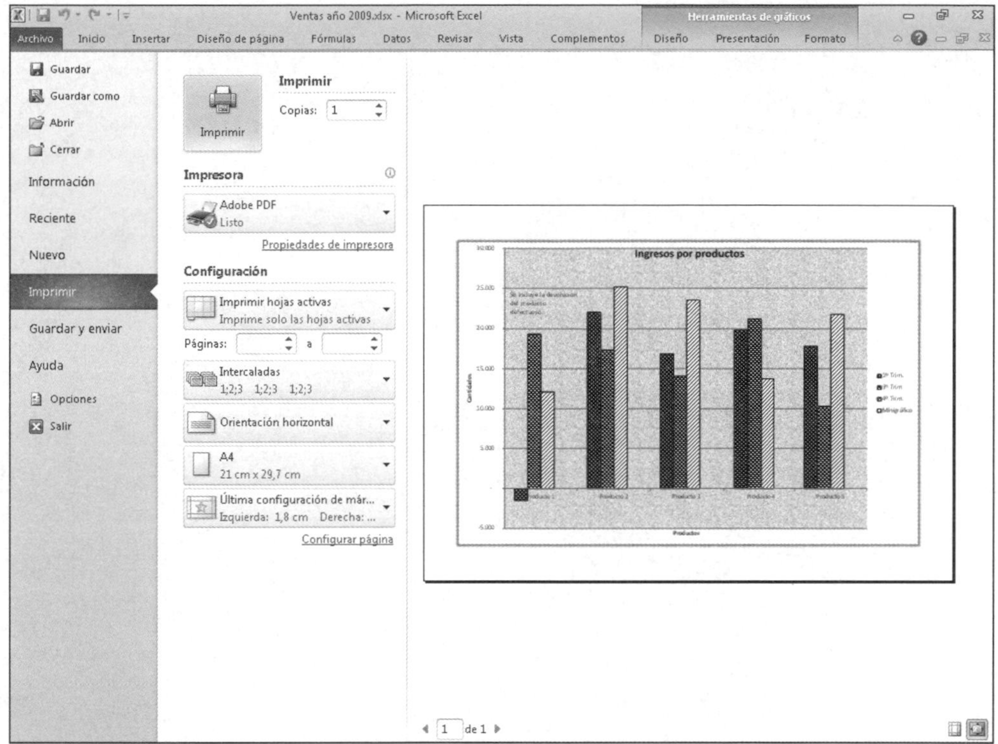

Figura 9.13. Vista previa tras seleccionar opciones en el cuadro de diálogo Configurar página.

Capítulo 10

Diapositivas y presentaciones: PowerPoint

En este capítulo aprenderá a:

- Familiarizarse con el uso de diapositivas para sus presentaciones.
- Seguir los consejos básicos para la creación de presentaciones eficaces.
- Crear una presentación en blanco o utilizar una plantilla.
- Visualizar presentaciones.

PowerPoint es el programa de Office 2010 para la creación y edición de presentaciones. Con él podrá cubrir todas sus necesidades personales y profesionales creando presentaciones eficaces con las que acompañar un discurso en público, disponer de verdaderos folletos electrónicos para sus productos, presentar gráficamente un organigrama o simplemente transmitir de forma clara y espectacular cualquier tipo de mensaje.
En el primer capítulo de los tres que dedicaremos a esta aplicación aprenderemos las técnicas fundamentales para trabajar con presentaciones y con los elementos que las componen: las diapositivas.

Objetos de una diapositiva

En PowerPoint hablamos de las diapositivas para referirnos a cada una de las pantallas o páginas que componen una presentación. A su vez, una presentación sirve para reforzar la exposición de una idea haciéndola más atractiva. Utilizando diferentes presentaciones conseguirá aumentar la eficacia de sus comunicaciones, al tiempo que podrá reducir los minutos para exponer una idea en público. En una diapositiva puede mostrar varios elementos: gráficos, textos, tablas u organigramas, con el objetivo de presentar intuitiva y eficazmente el contenido del mensaje que desea transmitir con la presentación.
Las diapositivas pueden imprimirse en papel, en hojas de transparencias, o mostrarse en una página Web de Internet o en la pantalla de su ordenador. Sin embargo, su aplicación más habitual es ejecutarlas en un ordenador conectado a un proyector para mostrarlas al público a través de una pantalla de vídeo.
En general, sus presentaciones serán tanto más eficaces cuanto más atractiva y resumida sea cada una de las diapositivas que la componen y cuanto más coherente sea el diseño de todas ellas en su conjunto. Para crear presentaciones, es recomendable seguir los siguientes consejos:

- Utilice diapositivas sencillas, ya que un exceso de datos puede dificultar la comunicación de la esencia de su mensaje y desviar la atención de su audiencia.
- El tamaño de la letra debe ser grande para asegurarse de que las diapositivas pueden leerse desde cualquier punto de la sala donde vaya a tener lugar la exposición.
- Cuando le sea posible, utilice elementos gráficos para facilitar la comprensión y estructura de los datos (sin embargo, no utilice demasiados ya que contravendría la regla de sencillez en las diapositivas).

- Para facilitar la visión y la lectura de las diapositivas puede utilizar combinaciones de color agradables al ojo humano.
- Introduzca elementos flexibles para que el presentador pueda alterar el orden de la exposición en función de las reacciones que observe en la audiencia.
- Mantenga la coherencia de la presentación utilizando diseños comunes para todas las diapositivas.

Para insertar contenidos en una diapositiva deberá utilizar los denominados objetos. Un objeto es cualquier elemento que se pueda crear y editar dentro de una diapositiva.

Por ejemplo, en PowerPoint puede trabajar con objetos como cuadros de texto (para insertar textos), gráficos, imágenes, otros archivos de Office e incluso objetos multimedia como películas, vídeos y sonidos. En los siguientes apartados, aprenderemos a utilizar los diversos tipos de objetos disponibles en el programa para crear presentaciones basándonos en la pantalla mostrada en la figura 10.1.

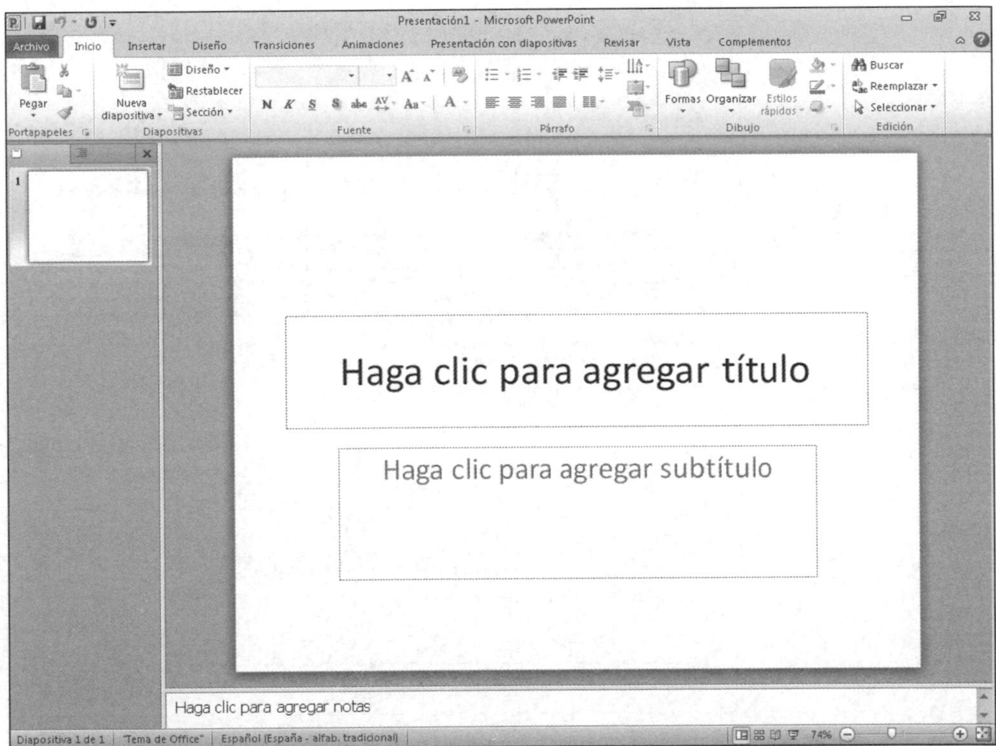

Figura 10.1. Pantalla inicial de PowerPoint.

Ficha Complementos

Como habrá comprobado a lo largo del libro, en las figuras presentadas habrá advertido la presencia de la ficha Complementos *y seguramente se habrá preguntado por qué no aparece en su propio programa. La razón es muy sencilla: no ha habilitado ningún complemento o plantilla de Office. Estos elementos se encuentran disponibles en la opción* Complementos, *desde donde podrá administrar los complementos o plantillas descargados de Microsoft Office, complementos o plantillas personalizadas para el propio programa o complementos y plantillas importados desde versiones anteriores. Para abrir y administrar los complementos desde esta ventana, siga estos pasos (véase la figura 10.2).*

1. *Haga clic en* Opciones *dentro de la ficha* Archivo.
2. *Seleccione* Complementos *dentro del cuadro de diálogo* Opciones.

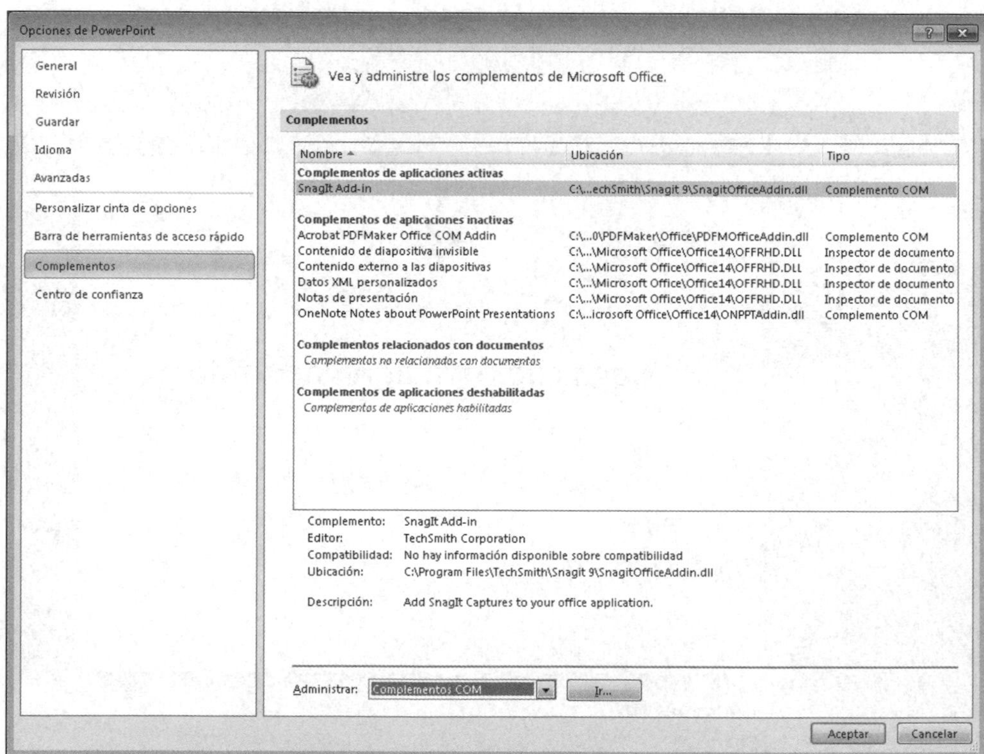

Figura 10.2. Ficha complementos de Office.

3. *Seleccione el tipo de complemento que desea agregar dentro del menú desplegable* Administrar *y haga clic en el botón* **Ir**.
4. *Se abrirá una ventana con los complementos disponibles para su selección. Si el complemento que busca no aparece en la lista, haga clic en* **Agregar**.
5. *Seleccione el complemento deseado de entre los descargados en el equipo.*

Una vez seleccionado, podrá ver la ficha Complementos *desde donde podrá utilizarlo.*

Iniciar PowerPoint

Como en el resto de aplicaciones de Office, para ejecutar el programa seleccionaremos la opción correspondiente del menú Iniciar>Todos los programas y así abrir la ventana de PowerPoint (véase la figura 10.1).

La ventana de PowerPoint

En esta sección, describiremos brevemente los distintos elementos que componen la ventana de PowerPoint, específicos de esta aplicación. Como en todos los programas de Microsoft Office, la sección central de la pantalla representa el área de trabajo, que en el caso de PowerPoint, nos muestra una diapositiva de títulos en blanco ya que éste es el tipo de diapositiva con el que PowerPoint abre cualquier nuevo documento de forma predeterminada.
Como puede comprobar, este programa nos indica que para comenzar a trabajar en la diapositiva podemos hacer clic en el área destinada al título o en la destinada al subtítulo.

Debajo del área de trabajo visualizará el área de notas, en la que puede escribir todas las notas que desee correspondientes a la diapositiva que se muestra en la parte superior.

A la izquierda del área de trabajo vemos un panel que contiene dos fichas: Diapositivas y Esquema (véase la figura 10.3).

Este panel nos muestra las diversas diapositivas de que consta la presentación (una vista previa en el caso de la pestaña Diapositivas y un esquema del contenido de cada una en el caso de la pestaña Esquema).

Al tratarse de un nuevo documento de PowerPoint, la pestaña Diapositivas solo muestra el marco de la diapositiva en blanco. En la figura 10.4 sin embargo, puede observar cómo esta pestaña muestra una vista previa de las diapositivas que componen una presentación.

Figura 10.3. Panel predeterminado de las fichas Diapositivas y Esquema.

Figura 10.4. Panel ampliado de un archivo de PowerPoint con diapositivas.

Truco:

Para ampliar cualquier panel de PowerPoint, sólo tiene que arrastrar sus bordes hasta obtener el tamaño deseado.

Situadas bajo el área de presentación, en la parte derecha de la barra de tareas, junto al botón y el controlador de Zoom, PowerPoint presenta cuatro botones que le permiten cambiar el modo de visualización. El primero activa la Vista Normal. El segundo activa el Clasificador de diapositivas, que sólo muestra miniaturas de las distintas diapositivas de la presentación. Por su parte, el tercer botón activa el modo Vista de lectura. Por último, el cuarto botón activa la vista Presentación con diapositivas, que es el utilizado para proyectar la presentación y, por tanto, puede servirnos para verificar cómo se visualizarán las diapositivas que hayamos creado. Existe otra vista importante que no se ofrece en ninguno de estos botones: Página de notas. Para acceder a dicha vista tendrá que hacer clic en el botón del mismo nombre que se encuentra dentro del grupo Vistas de presentación de la ficha Vista. En esta vista podrá ver y redactar notas sobre la presentación en curso y hablaremos sobre ella más adelante en el libro (véase la figura 10.5).

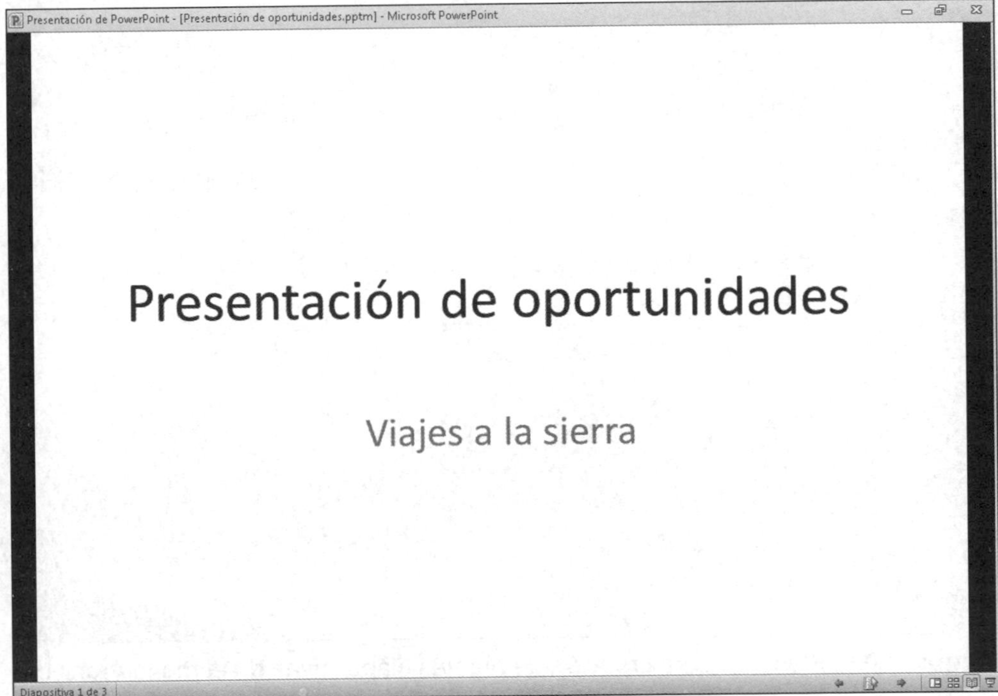

Figura 10.5. Vista Página de notas.

Además de las vistas mencionadas, también hablaremos más adelante de las Vistas de patrón que se encuentran dentro de la misma ficha y que representan un papel importante dentro de la creación de diapositivas.

Crear una presentación

Ahora es el momento de abrir una presentación, o bien crear una nueva presentación en blanco o una nueva presentación a partir de una plantilla.

Crear una presentación en blanco

Para crear una presentación en blanco, haga clic en la ficha Archivo, seleccione la opción Nuevo y haga clic en Presentación en blanco dentro de Plantillas y temas disponibles (véase la figura 10.6). Por último, haga clic en **Crear**.

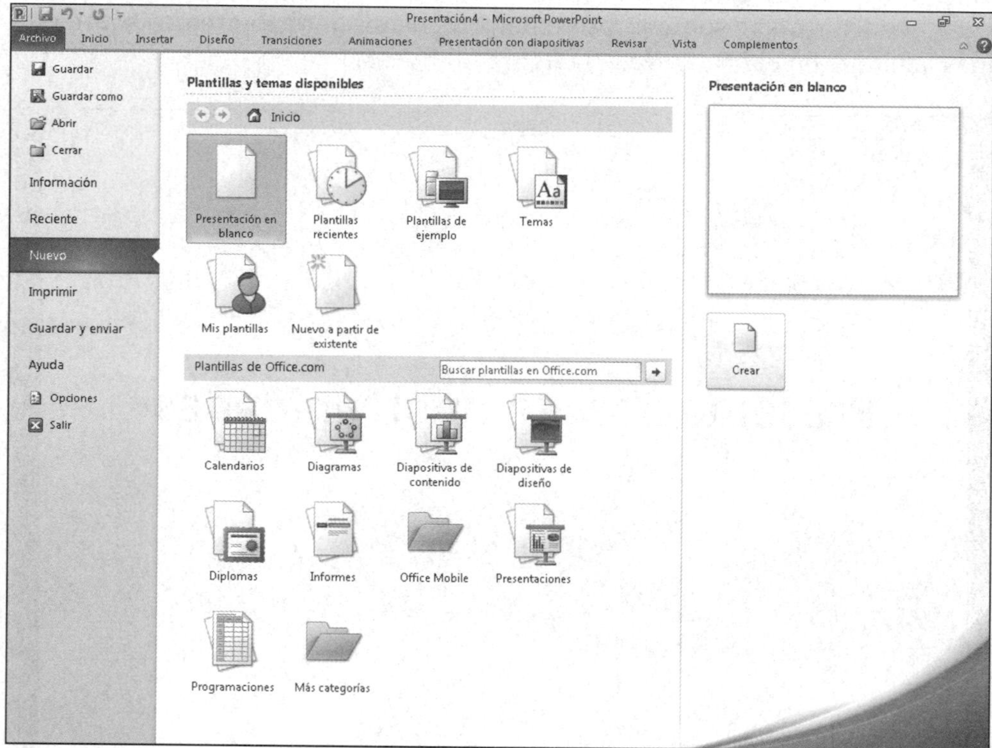

Figura 10.6. Plantillas para creación de nuevas diapositivas en el menú Archivo.

Nota:

En el margen derecho de la opción Nuevo, *una sección de vista previa le proporciona una imagen preliminar del resultado final de la presentación.*

El resultado es una presentación con una plantilla, como la presentación predeterminada presentada cuando se abre la aplicación.

Utilizar una plantilla de diseño

La plantilla constituye la forma más rápida y sencilla de crear una presentación, y ofrece las diapositivas necesarias sobre las que puede trabajar para obtener un resultado compacto y de aspecto profesional. Por ejemplo, la presentación que muestra la figura 10.7 es la que resulta al hacer clic en **Crear** seleccionando una de las plantillas proporcionadas por Plantillas de ejemplo de la sección Inicio. Sólo tiene que seguir los pasos propuestos para crear una bonita presentación.

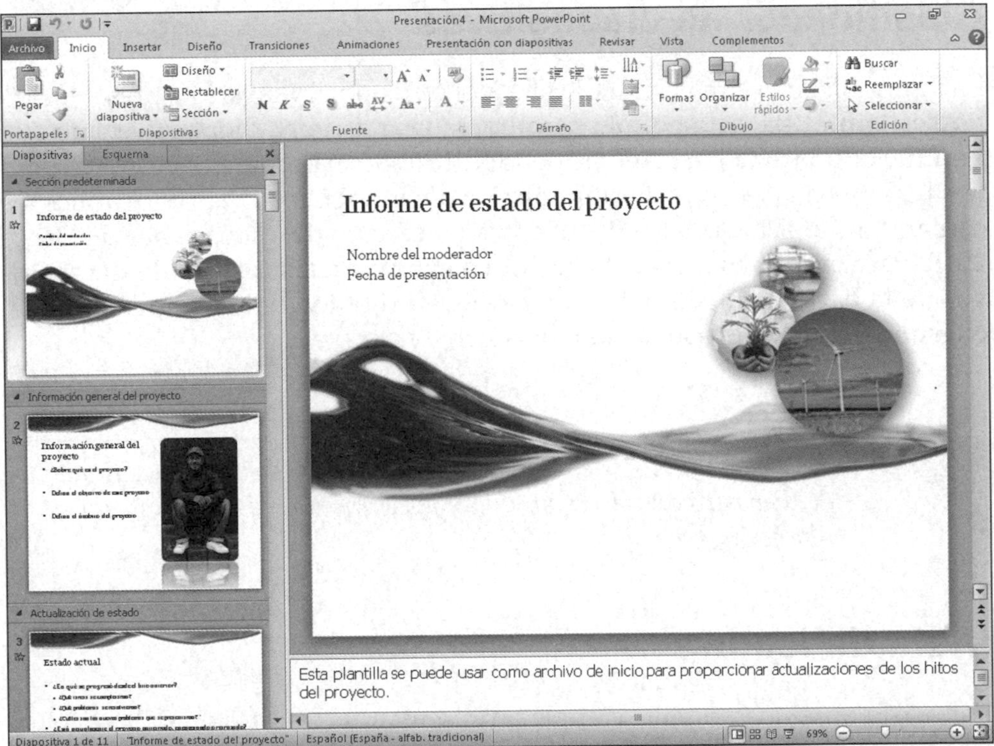

Figura 10.7. Plantilla de ejemplo sobre la que puede empezar a trabajar.

La sección Plantillas de Office.com le permite seleccionar otras plantillas desde las disponibles en el sitio oficial de Office.

Visualizar la presentación

Vista normal

Una vez haya creado su presentación, por ejemplo, a través de una plantilla, podrá visualizarla haciendo clic en los cuatro botones que hemos visto anteriormente, siendo la vista Normal la más utilizada, ya que es el modo por defecto que se abre al crear una diapositiva.
Con la vista Normal puede trabajar en la diapositiva activa, que es la que se muestra en el área de trabajo. Para activar este modo, haga clic en el botón correspondiente de la barra de tareas, o bien haga clic en el botón **Normal** del grupo Vistas de presentación en la ficha Vista.

Clasificador de diapositivas

La figura 10.8 muestra la vista Clasificador de diapositivas de una presentación PowerPoint. Esta vista no sólo permite trabajar con una diapositiva sino que permite editar toda la presentación modificando el orden en que aparecerán las distintas diapositivas, borrándolas o copiándolas, etc. Para ello, utilice los comandos Copiar, Cortar y Pegar como en el resto de aplicaciones de Office 2010. Para activar esta vista, haga clic en el botón **Clasificador de diapositivas** de la barra de tareas, o bien haga clic en el botón del mismo nombre en el grupo Vistas de presentación de la ficha Vista.

Truco:

Para cambiar el orden de las diapositivas en la vista Clasificador de diapositivas, seleccione una diapositiva y arrástrela a su nueva ubicación.

Vista de lectura

Esta vista abre una pantalla completa presentando, una a una, todas las diapositivas del documento (véase la figura 10.9).
Para desplazarse por esta vista, haga clic en los iconos correspondientes que se encuentran en la esquina superior derecha de la ventana.
Active esta vista haciendo clic en el botón **Vista de lectura** o desde la opción del mismo nombre dentro del grupo Vistas de presentación de la ficha Vista.

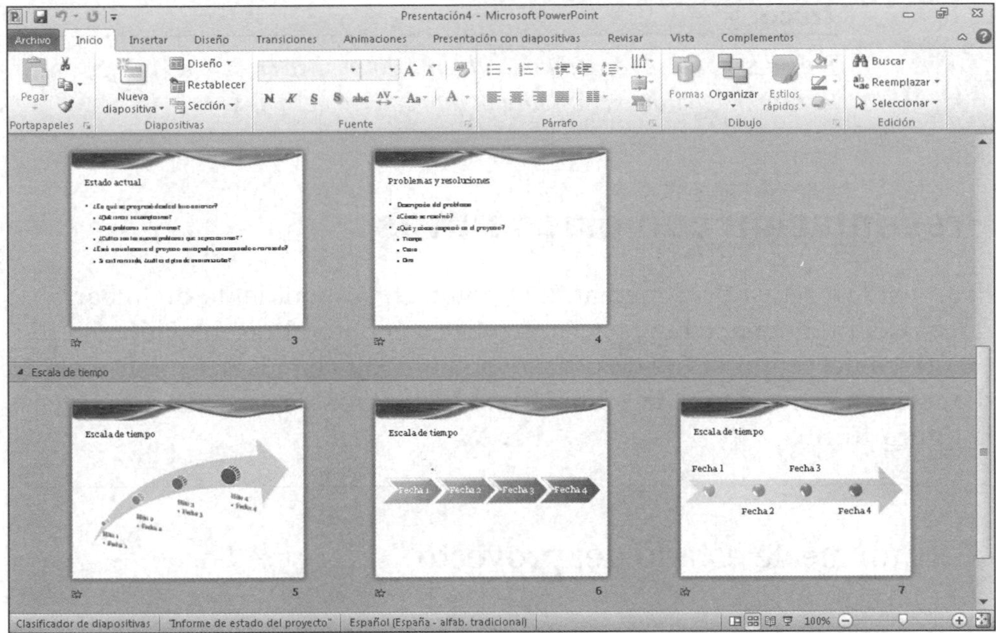

Figura 10.8. Vista Clasificador de diapositivas de la presentación creada con una plantilla.

Figura 10.9. Vista de lectura de la presentación creada con una plantilla.

Truco:

Para desplazarse rápidamente de una diapositiva a otra en la vista de lectura, haga doble clic sobre la diapositiva activa.

Presentación con diapositivas

Esta vista se activa bien mediante el botón correspondiente de la barra de tareas del programa, o bien haciendo clic en el botón **Presentación con diapositivas** del grupo Vistas de presentación en la ficha Vista. En esta vista, la diapositiva activa ocupa la totalidad de la pantalla de su ordenador (véase la figura 10.10).

Figura 10.10. Vista Presentación con diapositivas de la misma presentación anterior.

Para ver la presentación y pasar de una a otra diapositiva, haga clic en la flecha hacia adelante que aparece al colocar el puntero del ratón en la esquina inferior izquierda de la pantalla y para retroceder, haga clic en la flecha hacia atrás. Si en cualquier momento desea suspender la presentación, pulse la tecla **Esc**. A simple vista puede dar la impresión de que la Vista de lectura y la vista Presentación con diapositivas son iguales, pero tal como podrá comprobar más adelante en el libro, ésta última es la que se utiliza para ejecutar presentaciones en público, y para comprobar cómo se visualizan las creaciones de PowerPoint.

Truco:

Para moverse rápidamente por las diapositivas en la vista Presentación con diapositivas, *pulse* **Intro** *sobre la presentación para avanzar a la siguiente diapositiva y* **Retroceso** *para volver a la diapositiva anterior.*

Capítulo 11

Edición de diapositivas

En este capítulo aprenderá a:

- Modificar los textos contenidos en las diapositivas.
- Crear listas con viñetas y utilizar los estilos de WordArt y los efectos de texto para conseguir efectos especiales.
- Crear y editar otros elementos de las diapositivas que pueden contener textos, como las tablas o el uso de la opción SmartArt.
- Utilizar los patrones de diapositivas, documentos y notas.

Hasta ahora hemos analizado las técnicas básicas para el trabajo con diapositivas y presentaciones. Sin embargo, aún no hemos estudiado con detalle el proceso de elaboración y formato de las diapositivas que utilizaremos en nuestra presentación. En este capítulo aprenderemos a editar los textos que aparecen en nuestras diapositivas.
Trabajaremos con los títulos y subtítulos de las distintas diapositivas, y aprenderemos a crear y editar listas con viñetas, así como a tratar otros elementos de las diapositivas que pueden contener texto, como por ejemplo textos artísticos, organigramas o tablas.

Diapositivas con textos

En general, el texto que aparece en una diapositiva de PowerPoint se coloca dentro de un contenedor denominado cuadro de texto. En la diapositiva predeterminada que se abre al crear un nuevo documento de PowerPoint podrá ver dos cuadros de texto: uno para el título y otro para el subtítulo. Asimismo, en la parte inferior, podrá incluir texto de notas, tal como indicaremos más adelante en el capítulo.

Trabajar con cuadros de texto

Para escribir en un cuadro de texto, simplemente haga clic en él y comience a escribir. Observe que el cuadro de texto se activa y aparece un punto de inserción parpadeante mostrando el lugar exacto donde se escribirá (véase la figura 11.1). Tras escribir el título, haga clic en el otro cuadro de texto para activarlo y comenzar a escribir el subtítulo.
Lógicamente, también puede aplicar el formato que desee a los textos introducidos. Por ejemplo, puede cambiar el tamaño o el color de la fuente, la alineación o el estilo de letra utilizado. Para ello seleccione la parte del texto que desea modificar (o todo el cuadro de texto entero si desea que los cambios afecten a todo su contenido) y utilice los mismos comandos y técnicas que hemos explicado en Word.
Para seleccionar un cuadro de texto (o cualquier otro tipo de objeto incluido en una presentación), actívelo haciendo clic y aparecerá un recuadro enmarcándolo que muestra los bordes y puntos de control del cuadro de texto, lo que indica que el objeto en cuestión (en este caso, el cuadro de texto) se ha seleccionado.

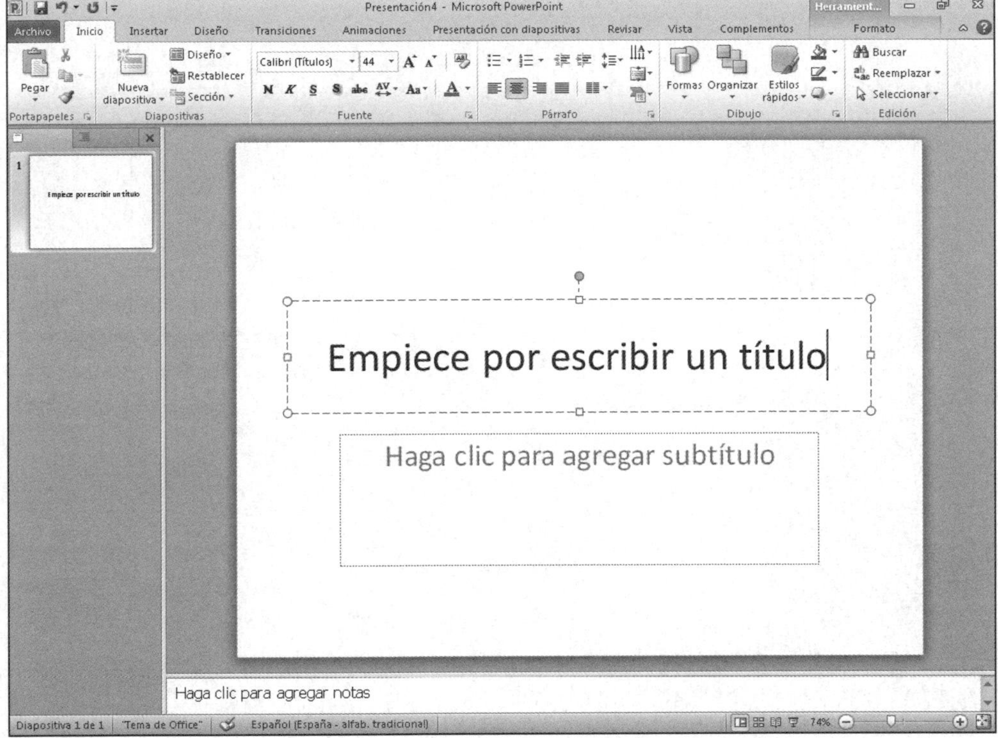

Figura 11.1. Edición de cuadros de texto.

Nota:

Si desea seleccionar más de un objeto de forma simultánea, seleccione el primero y a continuación el segundo mientras mantiene pulsada la tecla **Mayús**, *o bien, pulse el botón izquierdo del ratón y arrástrelo para crear un recuadro de selección que contenga todos los objetos.*

De forma predeterminada, los cuadros de texto aparecen situados en el centro de la pantalla. Sin embargo, PowerPoint le permite cambiar la posición de cualquier objeto de una diapositiva con sólo seleccionarlo, hacer clic sobre su marco y, a continuación, arrastrarlo al lugar deseado (véase la figura 11.2). También puede mover más de un objeto seleccionándolos simultáneamente primero.

Nota:

Puede modificar el tamaño del marco de un cuadro de texto arrastrando con el ratón sus puntos de control.

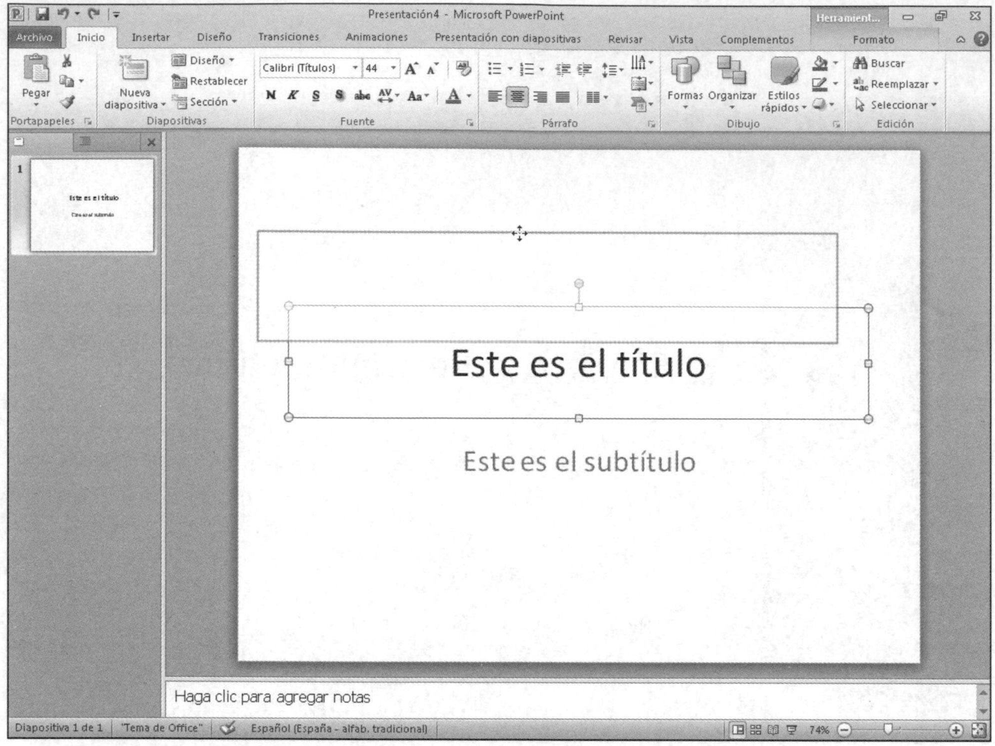

Figura 11.2. Puede arrastrar los cuadros de texto al lugar deseado.

Hasta ahora hemos estado trabajando con cuadros de texto ya existentes. Si desea añadir un nuevo texto a su diapositiva, lo primero que deberá crear será un cuadro de texto donde poder escribir. Para ello, haga clic en el botón **Cuadro de texto** del grupo Texto en la ficha Insertar. El cursor del ratón cambiará de forma, y tendrá que hacer clic en el punto de la diapositiva donde desea insertar el nuevo cuadro y, sin soltar el ratón, moverlo hasta conseguir la forma y tamaño que desea obtener. Por último, para eliminar un cuadro de texto o cualquier otro objeto de la diapositiva, seleccione su marco y pulse **Supr**.

Truco:

Para cambiar los estilos de un cuadro de texto rápidamente, seleccione uno de los proporcionados por el menú de **Estilos rápidos** *dentro del grupo* Dibujo *de la ficha* Inicio.

Además de los formatos de texto que explicamos en Word, PowerPoint le permite cambiar la orientación de un cuadro de texto, para lo cual, cree uno nuevo y haga clic en el punto de control de color verde que aparece por encima del marco nuevo objeto. Desplace el ratón a derecha o izquierda hasta conseguir la orientación deseada (véase la figura 11.3).

Figura 11.3. Rotación de un cuadro de texto.

Listas con viñetas

La diapositiva de la figura 11.1 corresponde a una diapositiva de títulos. Ésta es la diapositiva en blanco predeterminada de PowerPoint, pero si lo desea puede cambiar una diapositiva por otro estilo, con sólo seleccionar la opción correspondiente en el menú del botón **Diseño** que se encuentra en el grupo Diapositivas de la ficha Inicio (véase la figura 11.4).

Si lo que desea es añadir una nueva diapositiva con un nuevo estilo, haga clic en la flecha desplegable del botón **Nueva diapositiva** del mismo grupo. Al abrir el menú desplegable, si selecciona la opción Título y objetos podrá utilizar listas con viñetas en su presentación.

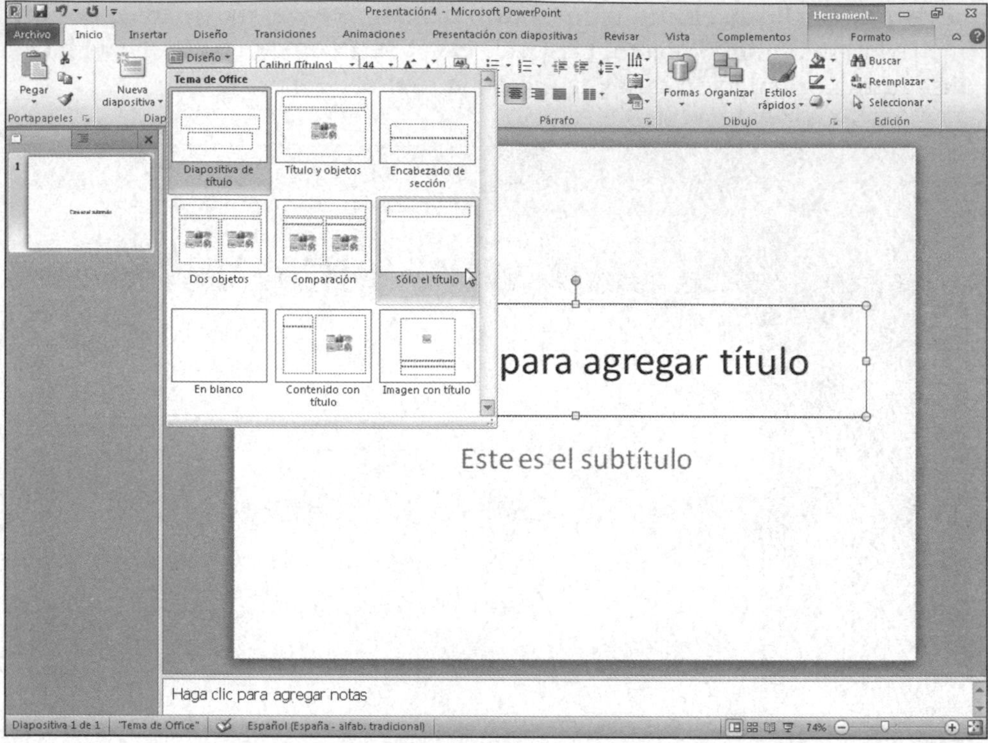

Figura 11.4. Seleccione un nuevo diseño.

En una lista con viñetas, cada apartado del texto está precedido por una viñeta, lo que aumenta la legibilidad y comprensión de sus presentaciones. La figura 11.5 muestra una diapositiva en la que se está escribiendo una lista con viñetas a una columna. Para escribir texto en una lista con viñetas, haga clic en su correspondiente cuadro y comience a escribir. Cada vez que cambie de párrafo pulsando la tecla **Intro**, aparecerá automáticamente una nueva viñeta para el siguiente punto de la lista. Para cambiar de nivel de sangría y crear subapartados dentro de la lista con viñetas, utilice la tecla **Tab**.

Si desea crear una nueva lista con viñetas en un cuadro de texto normal, debe hacer clic en el botón **Viñetas** del grupo Párrafo en la ficha Inicio antes de escribir, tal como haría si utilizara Word.

Cambiar el símbolo de las viñetas

Para conseguir un diseño más efectivo, puede sustituir la viñeta predeterminada por cualquier otra imagen. Para ello, seleccione las líneas a las que quiere cambiar la viñeta teniendo en cuenta que para facilitar la comprensión es conveniente que las del mismo nivel de sangría utilicen el mismo símbolo gráfico.

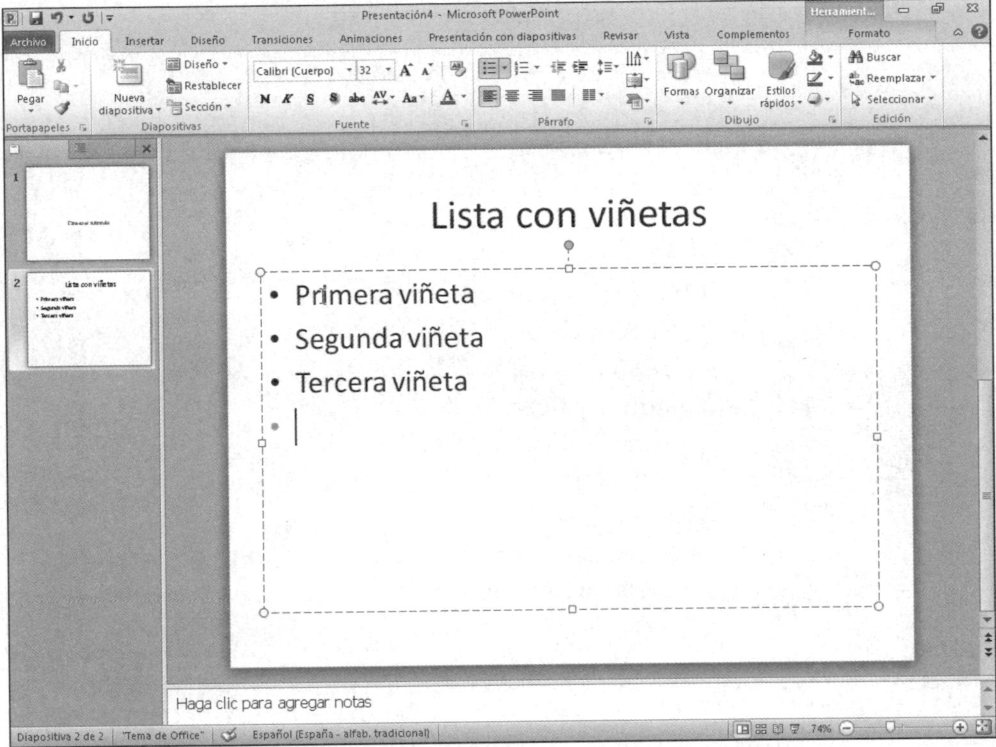

Figura 11.5. Lista con viñetas en una diapositiva.

Nota:

Al incluir viñetas, el texto se ajustará al cuadro para ajustarlo en consecuencia.

A continuación, abra la lista desplegable del botón **Viñetas** del grupo Párrafo en la ficha Inicio, y seleccione la opción deseada (véase la figura 11.6).

Si no le gusta ninguno de los diseños ofrecidos por el menú desplegable o simplemente desea utilizar una imagen como viñeta, seleccione la opción Numeración y viñetas y haga clic sobre el botón **Imagen**. Se abrirá el cuadro de diálogo Viñeta de imagen que puede ver en la figura 11.7. Desplácese por las distintas opciones de viñeta que le ofrece el cuadro de diálogo y seleccione la que más le convenga. Si lo desea, haga clic sobre el botón **Importar** para seleccionar una imagen propia que tenga guardada en su ordenador (por ejemplo, puede utilizar como viñeta una miniatura del logotipo de su empresa).

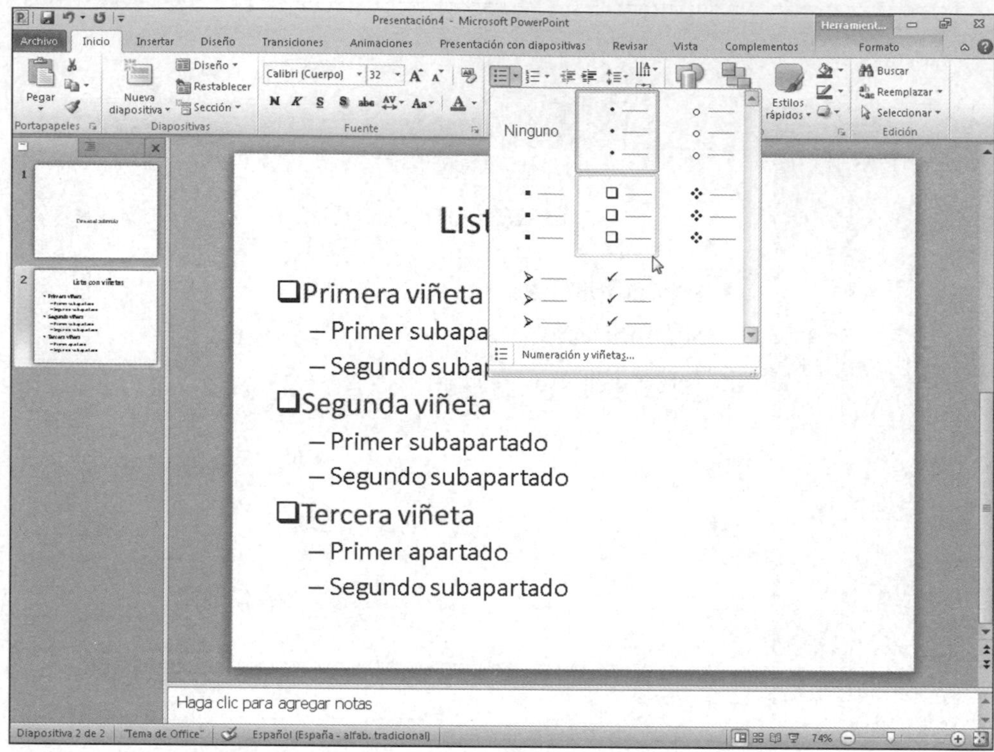

Figura 11.6. Menú desplegable de estilos de viñeta.

Utilizar los estilos de WordArt para textos especiales

Un caso especial de textos que puede insertar en una diapositiva son los creados mediante la herramienta WordArt de Office, que en esta nueva versión del producto, ha mejorado considerablemente. Para crear un texto con WordArt, inserte una nueva diapositiva en blanco (sin contenedores de texto ni de imágenes) y haga clic en el botón desplegable de **WordArt** que se encuentra en el grupo Texto de la ficha Insertar. Seleccione una de las opciones disponibles. Se insertará un cuadro (que se tratará como imagen) mostrando la leyenda "`Espacio para el texto`" (véase la figura 11.8).

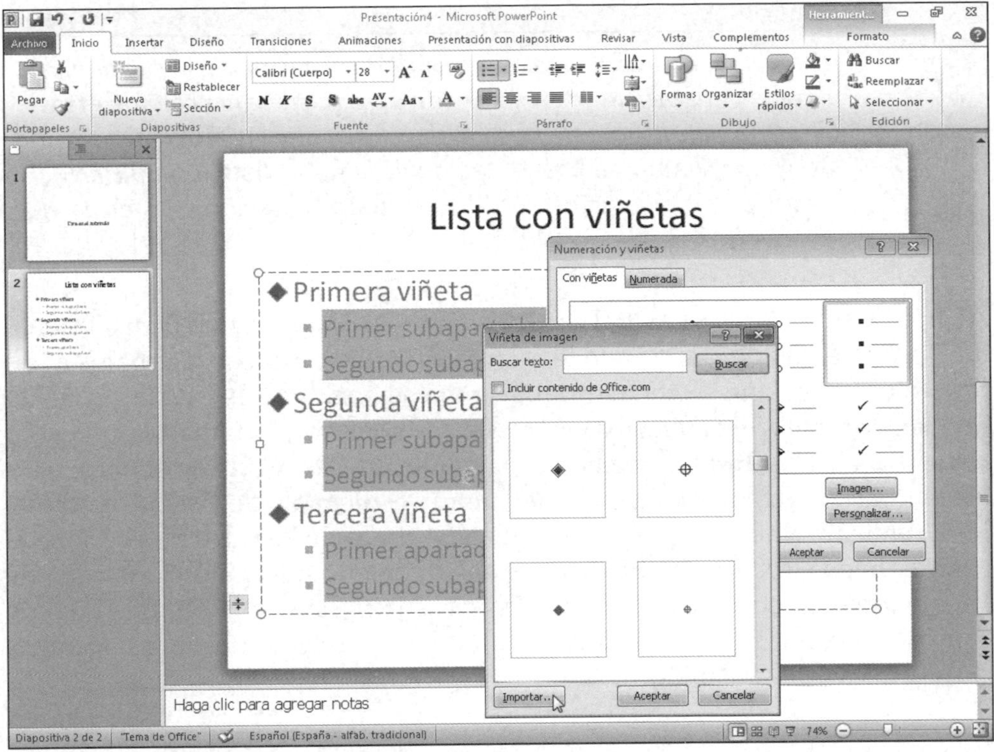

Figura 11.7. Mejore el diseño de una diapositiva modificando el símbolo de las viñetas.

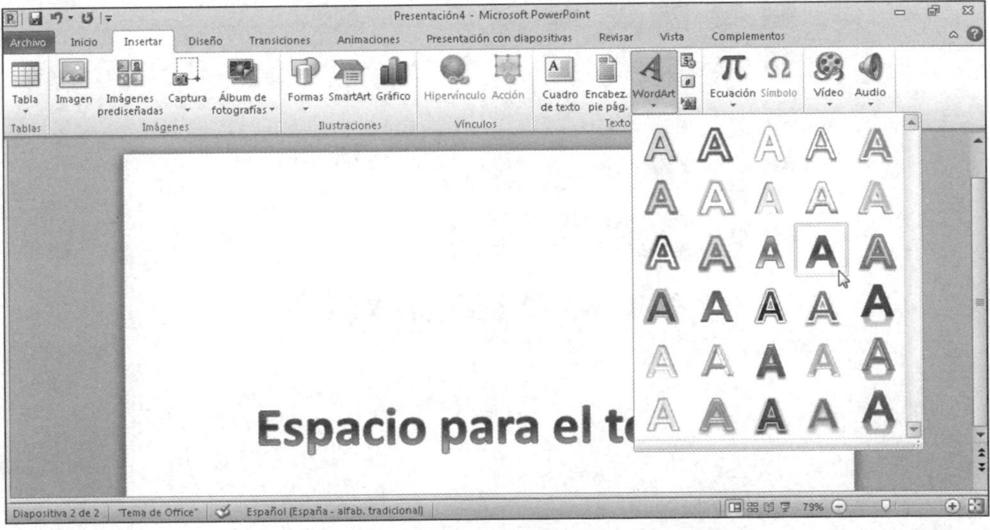

Figura 11.8. Cree un texto con WordArt.

Truco:

Para cerrar el panel de diapositivas y de esquema y así disponer de más espacio para visualizar su diapositiva, haga clic en el botón **Cerrar** *de dicho panel. Para volverlo a abrir haga clic en* **Normal** *dentro del grupo* Vistas de presentación *de la ficha* Vista *o simplemente arrastre el borde izquierdo de la ventana hasta abrir de nuevo el panel.*

Al crear y seleccionar el texto WordArt, también se abrirá una ficha Formato de Herramientas de dibujo que le ayudará a aplicar estilos y formatos a sus textos, entre los que se encuentran las nuevas opciones de Efectos de texto que le permiten aplicar efectos visuales como sombras, iluminados, reflejos o rotaciones 3D y sobre las que hemos hablado anteriormente en el libro, o los efectos rápidos recogidos dentro del menú desplegable de Estilos de forma. Para realizar cambios rápidos de estilo a un título de WordArt, seleccione el título y haga clic en la flecha desplegable del menú para seleccionar una de las opciones disponibles en la galería (véase la figura 11.9). También puede cambiar el contorno de la forma, sus efectos y su relleno desde las opciones disponibles en el mismo grupo.

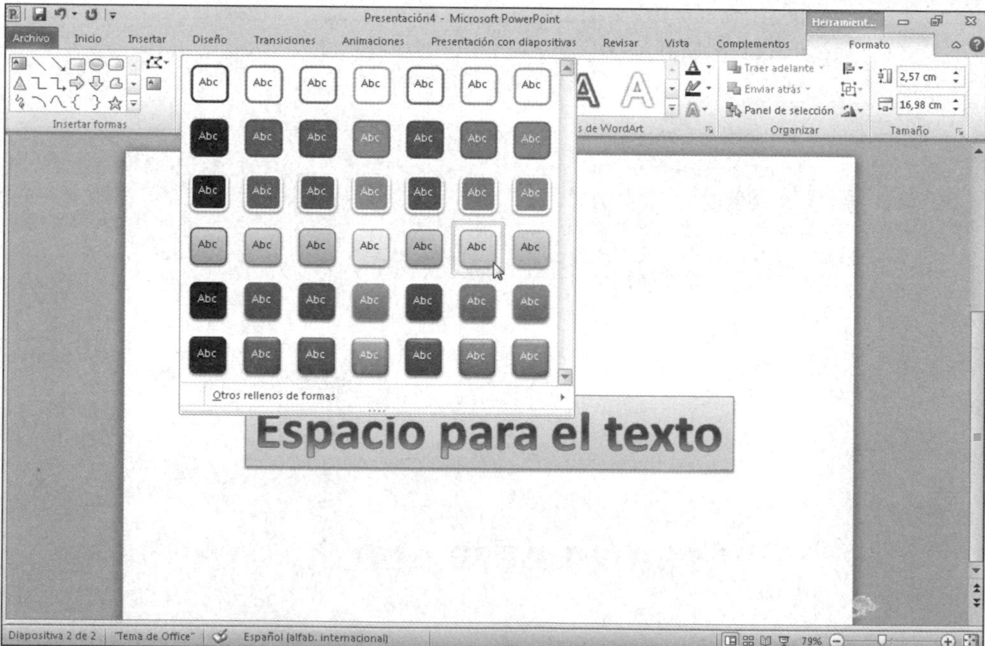

Figura 11.9. Menú desplegable de estilos rápidos para WordArt.

Para cambiar el color del texto o su relleno puede utilizar las opciones **Contorno de texto** y **Relleno de texto** disponibles en el grupo Estilos de WordArt. Para cambiar el tamaño de la forma, modifique los valores de los cuadros Alto y Ancho del grupo Tamaño de la misma ficha Formato.

Crear un organigrama

Mediante un organigrama puede mostrar gráficamente la estructura organizativa de una empresa o de un departamento de la misma. PowerPoint dispone de la misma opción **SmartArt** de otros programas de Office, tal como hemos explicado en otro capítulo del libro e insertar un organigrama tendrá que elegir una de las opciones del menú que se encuentra dentro del grupo Ilustraciones en la ficha Insertar, que abrirá el cuadro de diálogo Elegir un gráfico SmartArt desde donde podrá elegir un esquema inicial (véase la figura 11.10).

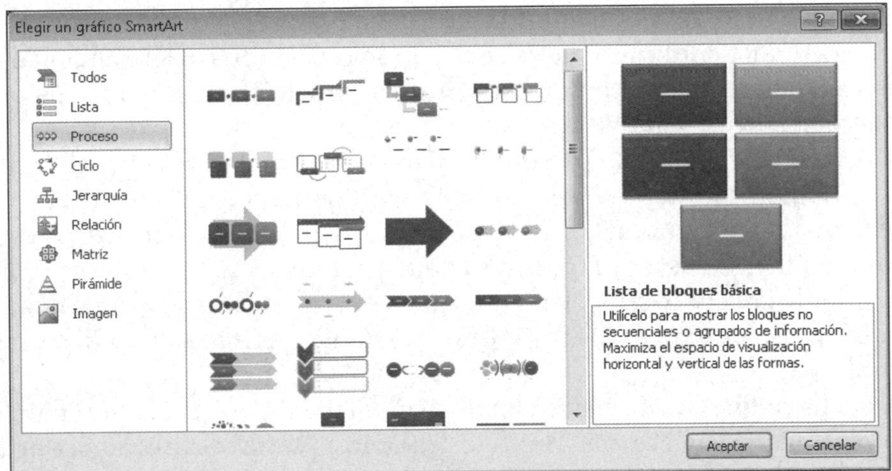

Figura 11.10. Cuadro de diálogo Elegir un gráfico SmartArt para seleccionar el tipo de gráfico deseado.

Nota:

Para cambiar el diseño del organigrama, selecciónelo y vuelva a hacer clic en el botón **SmartArt** *del grupo* Ilustraciones *en la ficha* Insertar *y seleccione un nuevo diseño.*

Crear una tabla

Con PowerPoint también puede trabajar con tablas. Para crear una tabla en una diapositiva activa, haga clic en el menú desplegable del botón **Tabla** en la ficha Insertar y arrastre para seleccionar el número de filas y columnas que debe contener la tabla. Tras la creación de la tabla, ya puede introducir datos y modificarla tal como hemos explicado en Word.

Para editar el tamaño o la posición de la tabla, selecciónela como haría con un cuadro de texto y utilice sus puntos de control.

El patrón de diapositivas

Cuando utilizamos plantillas para crear una presentación, las distintas diapositivas que la componen utilizan el llamado patrón de diapositivas. Éste contiene la información general sobre el fondo de la diapositiva, sus objetos, los formatos de los diferentes textos, etc.

Si ha creado una presentación utilizando una plantilla y desea editar alguno de los elementos comunes que se encuentran contenidos en el patrón de diapositivas, haga clic en el botón **Patrón de diapositivas** del grupo Vistas de presentación de la ficha Vista.

La figura 11.11 muestra el patrón de diapositivas de la presentación creada utilizando la plantilla prediseñada de PowerPoint del capítulo anterior.

En esta vista puede modificar la disposición y los diferentes formatos comunes que utilizan todas las diapositivas de su presentación. Para ello, seleccione en primer lugar el objeto o elemento que desee modificar y, a continuación, haga los cambios oportunos igual que si estuviera editando una diapositiva normal.

Cuando haya finalizado, cierre el patrón de diapositivas utilizando para ello el botón **Cerrar vista Patrón**. Todos los cambios que haya realizado se aplicarán automáticamente a todas las diapositivas de la presentación.

El patrón de documentos

El patrón de documentos cambia el diseño y la presentación de los documentos impresos. Para abrir esta vista, haga clic en el botón **Patrón de documentos** en la ficha Vista dentro del grupo Vistas de presentación y seleccione o anule la selección las opciones deseadas ofrecidas en los distintos grupos de la ficha Patrón de documentos: Configurar página, Marcadores de posición, Editar tema o Fondo (véase la figura 11.12). Para cerrar esta vista, haga clic en el botón **Cerrar vista Patrón**.

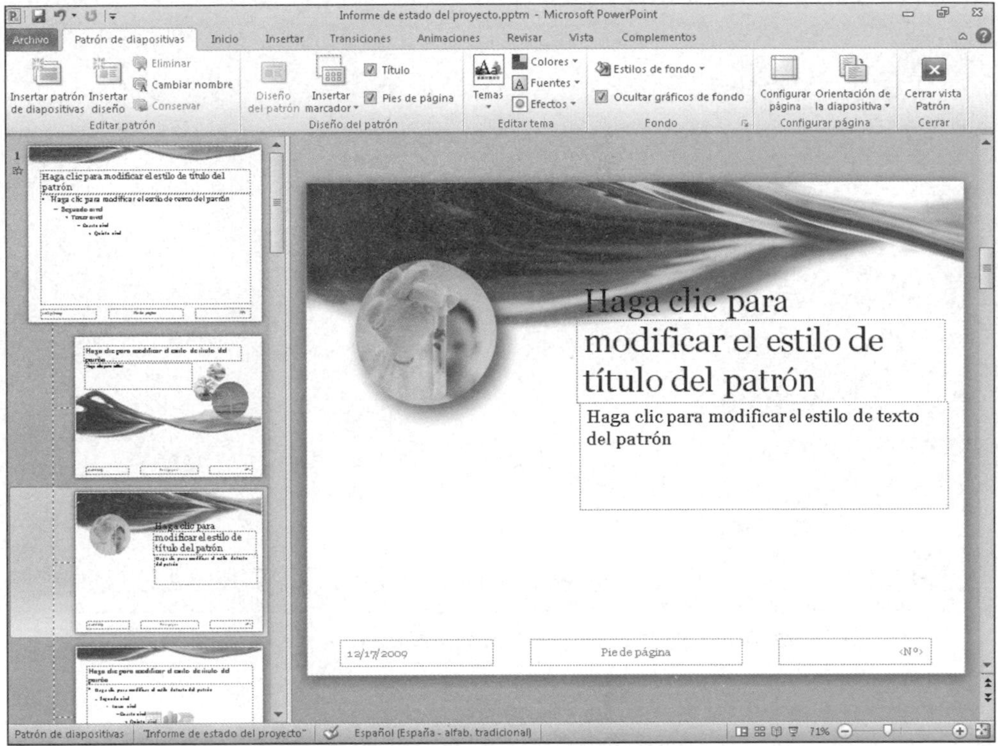

Figura 11.11. Patrón de diapositivas.

Patrón de notas

En esta vista podrá modificar el estilo de las notas. Para abrirla, haga clic en Patrón de notas en la ficha Vista dentro del grupo Vistas de presentación y anule o seleccione las opciones deseadas ofrecidas en los distintos grupos de la ficha Patrón de notas.

Nota:

Para escribir rápidamente una nota, simplemente haga clic y empiece a escribir debajo de la diapositiva, en la sección Haga clic para agregar notas.

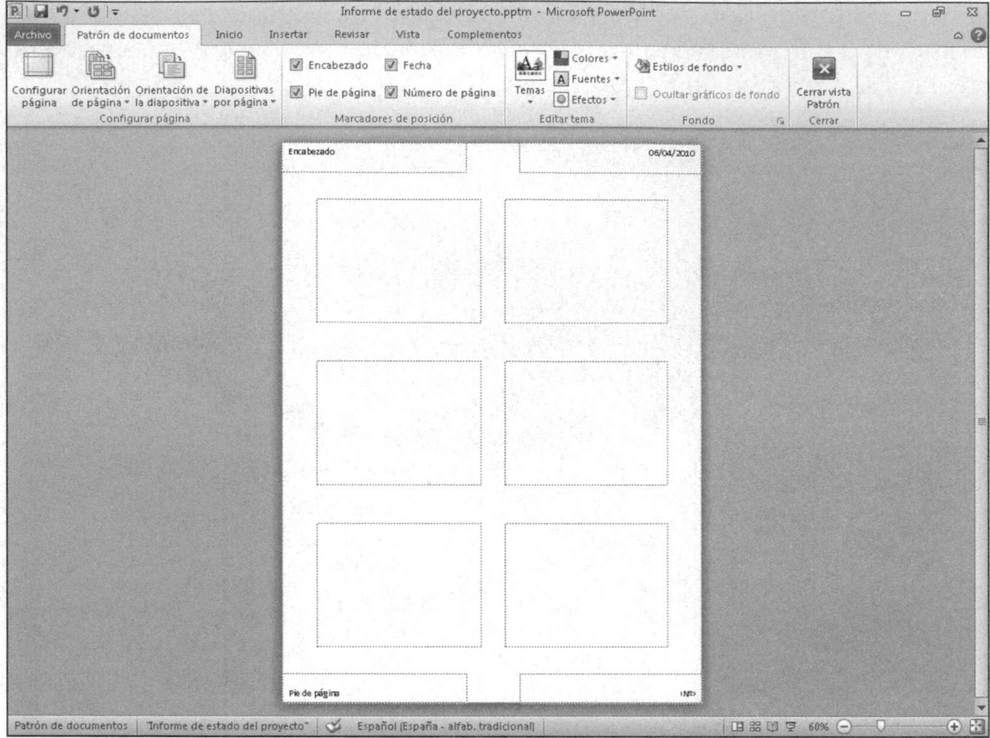

Figura 14.12. Patrón de documentos de una presentación.

Capítulo 12

Cómo crear presentaciones de aspecto profesional

En este capítulo aprenderá a:

- Utilizar gráficos, imágenes y otros objetos en sus presentaciones.
- Utilizar las nuevas opciones de inserción de vídeo en una presentación.
- Trabajar simultáneamente con diversos objetos incrustados.
- Utilizar efectos de transición entre las distintas diapositivas que componen la presentación.
- Animar textos, títulos e imágenes mediante los efectos de animación de PowerPoint.

Las diapositivas con las que hemos trabajado hasta el momento han utilizado elementos de texto como cuadros y listas con viñetas, tablas u organigramas. Sin embargo, la eficacia de una presentación mejora radicalmente con una buena utilización de elementos gráficos como imágenes, efectos animados o efectos de transición entre diapositivas. Asimismo, PowerPoint nos ofrece en esta nueva edición la posibilidad de insertar un clip de vídeo de un archivo o sitio Web en nuestras diapositivas.

En este capítulo vamos a comprobar cómo podemos trabajar con diapositivas que utilicen estas herramientas para lograr unas presentaciones verdaderamente espectaculares con las que consigamos atraer la atención de una audiencia y comunicar nuestros mensajes de forma eficaz e intuitiva.

Diapositivas con gráficos

El trabajo con gráficos en PowerPoint utiliza los mismos procedimientos y técnicas que vimos en Excel, por lo que utilizar gráficos en sus diapositivas no requerirá ningún esfuerzo adicional.

Para insertar un gráfico en una diapositiva, haga clic en la flecha desplegable del botón **Gráfico** que se encuentra en el grupo Ilustraciones de la ficha Insertar y seleccione un tipo de gráfico. A continuación haga clic en **Aceptar**. PowerPoint abrirá automáticamente una ventana con una hoja de gráfico de Excel junto a la ventana de PowerPoint para que cambie o inserte los datos que quiera utilizar en el gráfico y le ofrece los comandos más habituales para trabajar con estos objetos en las fichas Diseño, Presentación y Formato de Herramientas de gráficos (véase la figura 12.1).

En la hoja de cálculo, introduzca los datos como en una hoja de cálculo normal de Excel. Observe que a medida que los introduce y se desplaza a una nueva celda, la visualización previa del gráfico incorpora los nuevos datos introducidos.

Tras introducir todos los datos, cierre si lo desea la ventana de la hoja de cálculo (en cualquier momento puede volver a verla para editar los datos introducidos haciendo clic con el botón derecho del ratón sobre el gráfico en PowerPoint y seleccionando Editar datos del menú contextual).

Para cambiar el tipo de gráfico, seleccione el mismo y haga clic en el botón **Cambiar tipo de gráfico** de la ficha Diseño de Herramientas de gráficos dentro del grupo Tipo y seleccione un nuevo tipo del cuadro de diálogo Cambiar tipo de gráfico (véase la figura 12.2). Los cambios se aplicarán automáticamente en el gráfico.

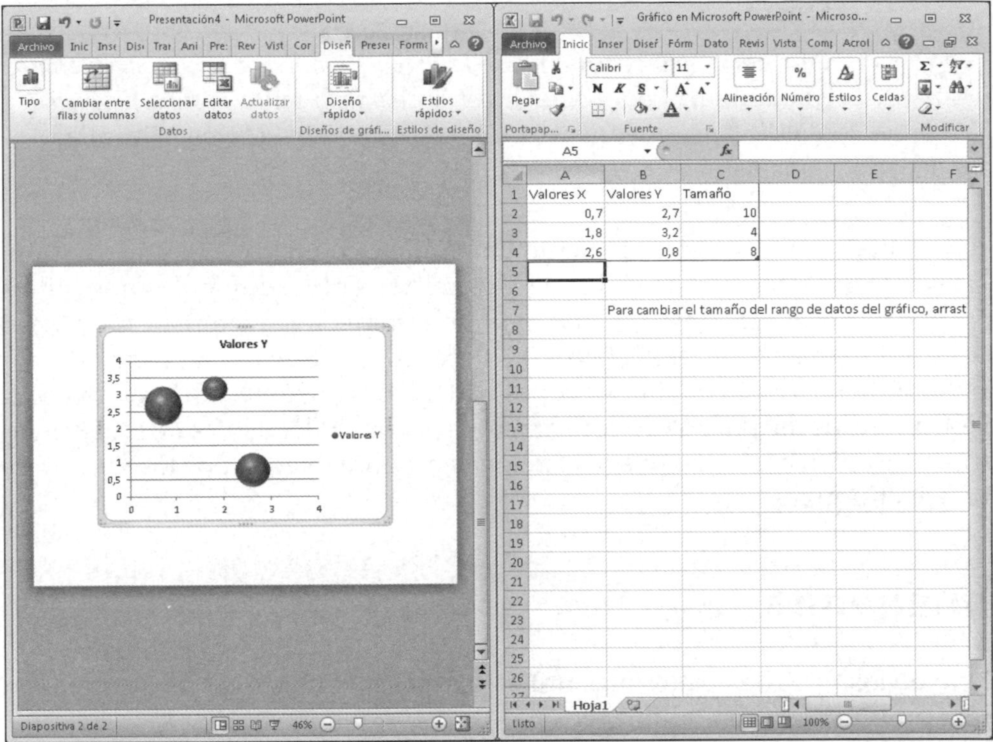

Figura 12.1. Herramientas para trabajar con un gráfico de PowerPoint.

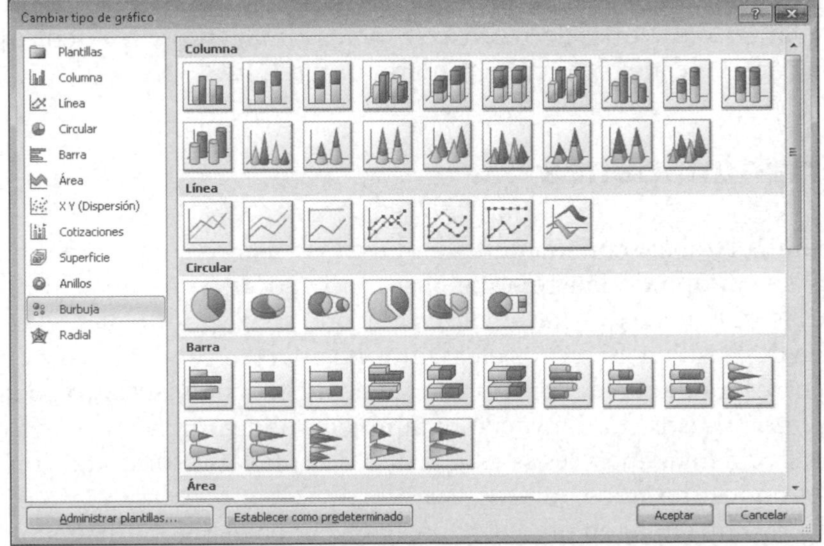

Figura 12.2. Cuadro de diálogo Cambiar tipo de gráfico.

Truco:

Para abrir sólo la ventana de la diapositiva, haga clic en su botón **Maximizar**. *Para volver a ver en paralelo tanto la hoja de Excel como la diapositiva de PowerPoint, haga clic en el botón* **Minimizar tamaño**.

Para editar cualquier otro elemento del gráfico, como las líneas de división, las series de datos o la leyenda, siga los mismos procedimientos que vimos en Excel. En general, para editar una determinada característica, primero debe seleccionarla en el gráfico y posteriormente ejecutar el comando correspondiente de los distintos grupos de la ficha Presentación que ofrece las Herramientas de gráficos. Asimismo, podrá cambiar los estilos de los elementos del gráfico con ayuda de las opciones proporcionadas por los grupos de la ficha Formato.

Imágenes

Uno de los tipos de objetos más utilizados en las diapositivas que componen una presentación son las imágenes.

Las imágenes que utilice en sus diapositivas pueden ser prediseñadas (incluidas en la galería de imágenes del programa o disponibles en la Web), archivos de imagen guardados en su ordenador, formas (formas simples que veremos más adelante), creaciones de WordArt e incluso imágenes procedentes de una captura con el escáner o con una cámara fotográfica.

Insertar imágenes

En general, el trabajo con imágenes emplea los mismos comandos y técnicas, sea cual sea el tipo de imagen que desee incorporar a una diapositiva. Para insertarlas, sólo tiene que hacer clic en el icono correspondiente del contenedor de la diapositiva. Si dichos elementos no aparecen en ésta, haga clic en el botón correspondiente del grupo Imágenes de la ficha Insertar para insertar el elemento deseado. En PowerPoint también puede utilizar la nueva opción de captura de imágenes desde este grupo de la ficha Insertar, tal como describimos en los capítulos dedicados a Word.

Para insertar una imagen prediseñada, haga clic en el botón **Imágenes prediseñadas** del contenedor de elementos de la diapositiva o en el grupo Imágenes de la ficha Insertar. Al hacerlo se abrirá el panel de tareas Imágenes prediseñadas desde donde puede seleccionar una imagen e insertarla en una diapositiva haciendo doble clic sobre ella.

Busque y seleccione la imagen deseada y, tras insertarla, si lo desea, cambie su posición y tamaño utilizando el mismo procedimiento que utilizaría para un cuadro de texto o de cualquier otro objeto (véase la figura 12.3).

Figura 12.3. Inserción de imágenes prediseñadas en una diapositiva.

Asimismo, puede utilizar las opciones ofrecidas por la ficha Formato de Herramientas de imagen para especificar un color de relleno o los bordes que desea aplicar a la imagen seleccionada, utilizando las opciones que se encuentran en los grupos Estilos de imagen, Organizar, Tamaño o Ajustar.

Para insertar una imagen guardada en su equipo, haga clic en el botón **Imagen** del grupo Imágenes en la ficha Insertar para abrir el cuadro de diálogo Insertar imagen (véase la figura 12.4). Seleccione la imagen que desea insertar y haga clic en **Insertar**. Después siga los procedimientos explicados anteriormente para editar la imagen.

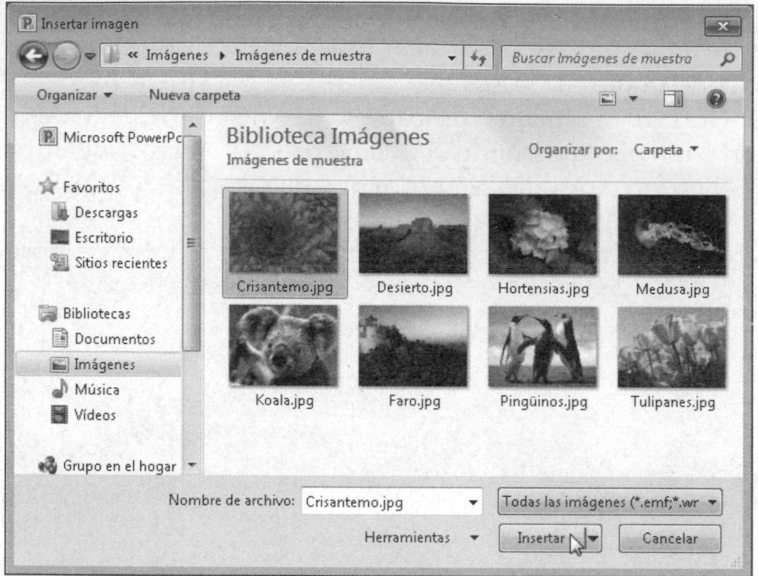

Figura 12.4. Cuadro de diálogo Insertar imagen.

Truco:

Para reducir el tamaño de un elemento gráfico conservando su proporción arrastre los controladores que se encuentran en las esquinas del mismo.

Crear un álbum de fotografías

Puede crear rápidamente un álbum fotográfico con fotografías guardadas en su equipo. Para ello, seleccione Nuevo álbum de fotografías del menú Álbum de fotografías que se encuentra dentro del grupo Imágenes de la ficha Insertar. Se abrirá el cuadro de diálogo del mismo nombre que le permitirá insertar imágenes desde un archivo o disco y crear el álbum. Al hacer clic en **Crear**, todas las imágenes seleccionadas se incluirán en la presentación ocupando cada una de ellas una diapositiva (véase la figura 12.5).

Insertar formas

Las formas son objetos geométricos simples que puede insertar en sus diapositivas y cuyo tamaño, bordes, color de relleno y otras características puede adaptar para que encajen con el diseño que está utilizando en su presentación.

Figura 12.5. Creación de un álbum.

Nota:

Las formas no son exclusivas de PowerPoint ya que se encuentran disponibles en la mayoría de aplicaciones de Office.

Para trazar una forma, haga clic en la flecha desplegable del botón **Formas** que se encuentra dentro del grupo Ilustraciones de la ficha Insertar. Se abrirá un menú desde donde puede seleccionar la forma deseada. También puede seleccionar un botón de acción para que, por ejemplo, al hacer clic en él, se pueda volver a una diapositiva anterior, o al inicio de la presentación (este tema lo trataremos con más detalle un poco más adelante en el capítulo).

El cursor del ratón adoptará una forma de cruz. Haga clic en la posición en la que desea situar el vértice de la forma y arrastre el ratón hasta obtener el tamaño deseado.

Para acabar de configurar la forma, haga clic sobre ella con el botón derecho del ratón y especifique sus características utilizando el comando Formato de forma del menú contextual y los puntos de control de la forma (véase la figura 12.6).

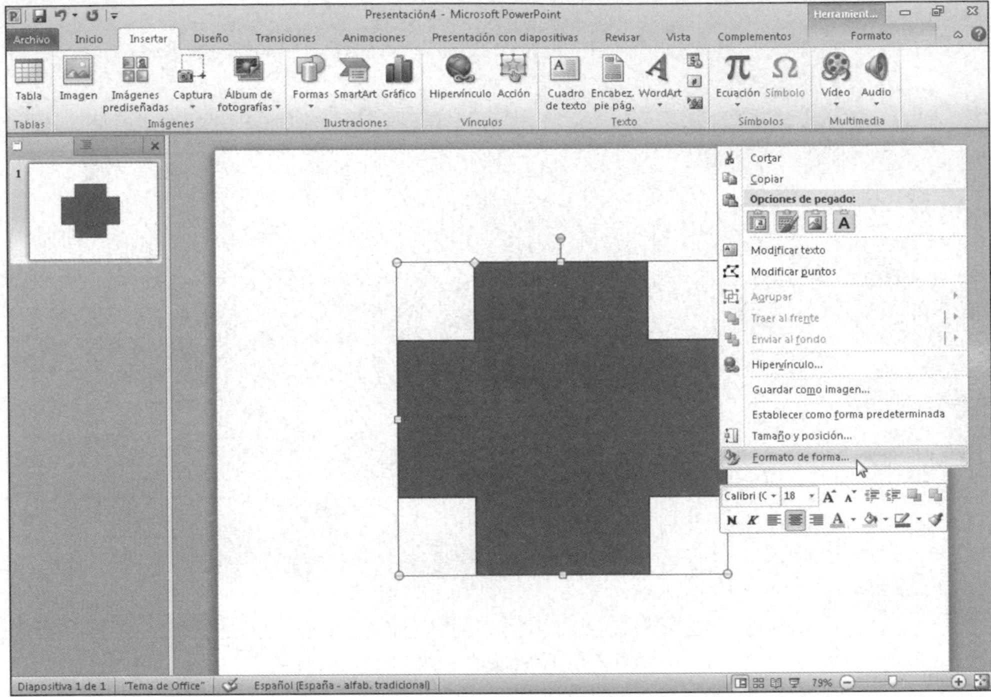

Figura 12.6. Creación de una forma.

Si desea que la forma quede centrada respecto a un punto (en lugar de tomar ese punto como vértice de la misma), mantenga pulsada la tecla **Control** mientras arrastra el ratón.

Truco:

Para conseguir que la forma quede inscrita en un cuadro perfecto, pulse la tecla **Mayús** *mientras arrastra el ratón.*

Otros objetos

Además de cuadros de texto, gráficos, tablas, organigramas o imágenes, puede insertar en sus diapositivas objetos multimedia, como archivos de vídeo o de sonido, o archivos creados con otras aplicaciones de Windows.

Para ello, tendrá que hacer clic en la flecha desplegable del botón **Vídeo** o del botón **Audio** del grupo Multimedia de la ficha Insertar y seleccionar clips de vídeo o de sonido respectivamente, o bien hacer clic en el botón **Insertar objeto** dentro del grupo Texto de la misma ficha para insertar un objeto, tal como comprobaremos enseguida.

Insertar vídeo y audio

En PowerPoint puede insertar vídeos de formatos `AVI`, `MPG`, `WMV` y `SWF`. Asimismo puede pegar el código de inserción que ofrecen las páginas de vídeo. Para insertar un archivo de vídeo que se encuentra guardado dentro de su equipo siga estos pasos:

1. Seleccione Vídeo de archivo del menú **Vídeo** dentro del grupo Multimedia de la ficha Insertar y busque el archivo que desea insertar.
2. Cuando haya encontrado el archivo deseado dentro del cuadro de diálogo Insertar vídeo, haga clic en **Insertar**.
3. Se insertará el vídeo en la diapositiva actual y se mostrará la ficha contextual Herramientas de vídeo, desde donde podrá editar el mismo a través de las fichas Formato y Reproducción.

Al pasar el ratón sobre el vídeo, se mostrará un reproductor incorporado. Sólo tiene que hacer clic en el botón **Reproducir** para iniciar la reproducción del vídeo (véase la figura 12.7).

Dentro de la ficha Formato, entre otras opciones de edición, encontrará la opción **Recortar** dentro del grupo Tamaño. Esta opción es útil para recortar el vídeo con el fin de que tenga el alto y el ancho deseado dentro de la diapositiva. Al hacer clic en el botón, podrá arrastrar los controles del vídeo hasta su tamaño apropiado, pero si lo prefiere, puede escribir el nuevo tamaño en las casillas proporcionadas al efecto.

Dentro de la ficha Reproducción, podrá seleccionar opciones como el nivel de volumen, reproducir a pantalla completa o realizar un fundido, entre otras opciones. **Recortar vídeo** es una de las opciones más interesantes que incorpora esta nueva versión ya que le permite especificar, a través del cuadro de diálogo del mismo nombre, el fragmento del vídeo que desea mostrar, simplemente arrastrando los controles de la barra de desplazamiento (véase la figura 12.8).

Las opciones de **Audio** del mismo grupo nos permiten insertar un clip de audio en la diapositiva, ya sea de un archivo o de imágenes prediseñadas, así como grabar nuestro propio clip de audio.

Figura 12.7. Reproducción de vídeo insertado en una diapositiva de PowerPoint.

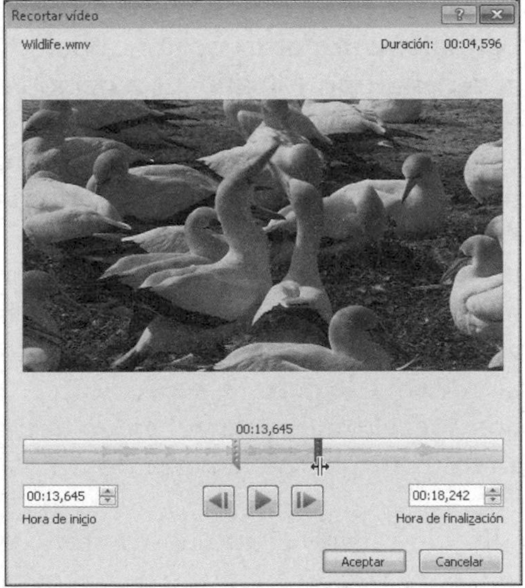

Figura 12.8. Nuevo cuadro de diálogo Recortar vídeo.

Insertar objetos

Puede insertar cualquier tipo de objeto haciendo clic en el botón **Insertar objeto** del grupo Texto dentro de la ficha Insertar para abrir el cuadro de diálogo del mismo nombre, desde donde podrá elegir insertar un nuevo archivo o insertar uno ya creado (véase la figura 12.9).

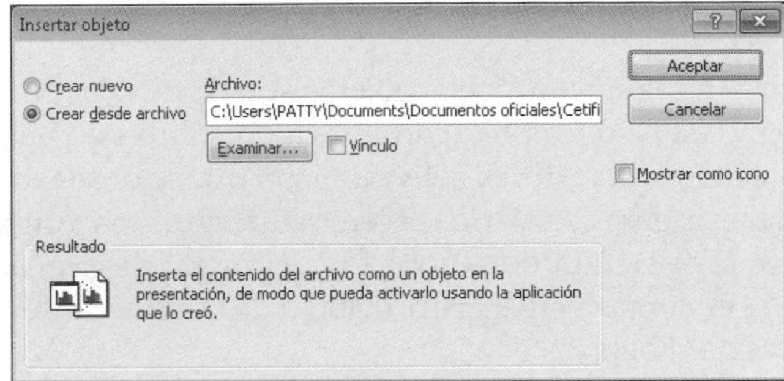

Figura 12.9. Cuadro de diálogo Insertar objeto.

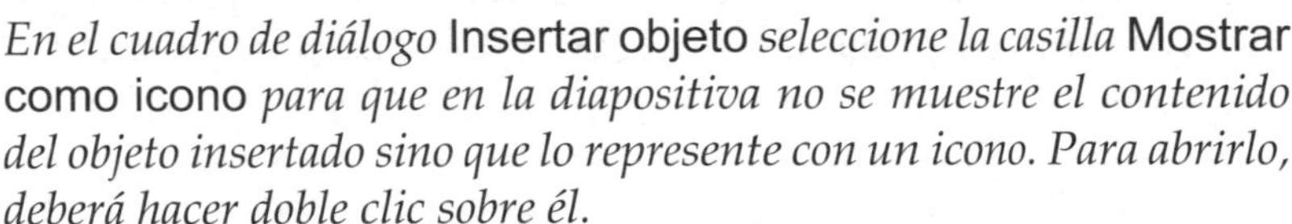

Nota:

En el cuadro de diálogo Insertar objeto *seleccione la casilla* Mostrar como icono *para que en la diapositiva no se muestre el contenido del objeto insertado sino que lo represente con un icono. Para abrirlo, deberá hacer doble clic sobre él.*

Trabajar simultáneamente con varios objetos

Como hemos visto anteriormente, todos los objetos insertados en una diapositiva de PowerPoint pueden modificarse para editar tanto su contenido como su formato.

Para trabajar simultáneamente con varios objetos, utilice las opciones del grupo Organizar en la ficha contextual Formato de Herramientas de dibujo. El comando Agrupar agrupa los objetos seleccionados para que puedan manejarse como si se trataran de un único objeto. Cuando un objeto está agrupado con otros, no es posible seleccionarlo individualmente. Para poder hacerlo, deberá utilizar previamente el comando Desagrupar.

Truco:

El comando Reagrupar *permite volver a agrupar un objeto desagrupado sin tener que volver a seleccionar el resto de objetos que formaban el grupo.*

Objetos superpuestos

Si sus diapositivas contienen muchos objetos superpuestos (por ejemplo, dos imágenes superpuestas, o una imagen insertada sobre un cuadro de texto), en ocasiones puede resultar difícil seleccionar el que se desea modificar. Para trabajar simultáneamente con varios objetos superpuestos, utilice los comandos incluidos en la opción Ordenar objetos del menú desplegable del botón **Organizar** que se encuentra en el grupo Dibujo de la ficha contextual Formato de Herramientas de dibujo.

El comando Traer al frente envía el objeto seleccionado al primer plano de entre varios objetos superpuestos. El comando opuesto es Enviar al fondo, mediante el que colocará el objeto seleccionado en el plano más alejado respecto al resto de objetos.

Por último, los comandos **Traer adelante** y **Enviar atrás**, respectivamente, adelantan o retrasan una posición el objeto seleccionado respecto a los objetos contiguos.

Nota:

Si está trabajando con imágenes en lugar de con objetos, los comandos que acabamos de explicar se encuentran dentro del mismo grupo y ficha contextual pero de Herramientas de imagen.

Efectos de animación

Los efectos de animación no se aplican a las propias diapositivas, sino a los objetos que éstas contienen. Dichos efectos, permiten animar textos, títulos e imágenes insertados en una presentación PowerPoint.

Para aplicar un efecto animado a cualquier objeto incluido en una diapositiva, seleccione el objeto y, posteriormente, seleccione una las opciones de animación, haga clic en la flecha desplegable de Animar dentro del grupo Animaciones de la ficha con el mismo nombre para seleccionar un efecto de animación. Si lo prefiere, puede seleccionar más efectos a aplicar al objeto seleccionado que se encuentran dentro del menú desplegable para abrir los cuadros de diálogo correspondientes o abriendo el menú **Agregar animación** de Animación avanzada dentro de la misma ficha (véase la figura 12.10).

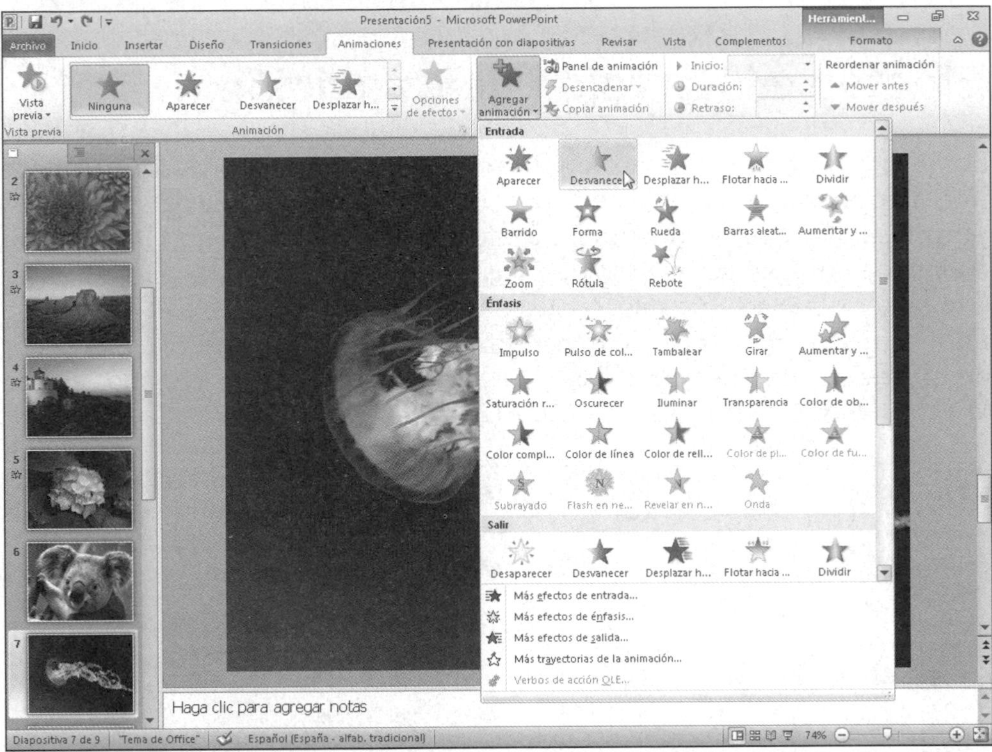

Figura 12.10. Agregue animaciones a sus objetos gráficos.

Tras aplicar efectos a sus objetos, podrá utilizar el Panel de animación, que se abre en la parte derecha de la ventana al hacer clic en el botón del mismo nombre dentro del grupo Animación avanzada de la ficha Formato en las herramientas del objeto gráfico correspondiente para personalizar su comportamiento.

Una vez seleccionado el efecto deseado, PowerPoint le mostrará una vista previa del mismo en la propia diapositiva. Si no le gusta el resultado, pulse el botón **Quitar** del panel de tareas Panel de animación para eliminarlo.

Si establece más de un efecto para un mismo objeto, podrá ordenar la secuencia en la que deben aparecer en la pantalla arrastrando sus iconos de un sitio a otro en el Panel de animación o haciendo clic en **Mover antes** y **Mover después** en el grupo Intervalos de la ficha Animaciones.

Truco:

Para obtener una vista previa de los efectos incorporados en una diapositiva, haga clic en el botón **Vista previa** *de la ficha* Animaciones.

Efectos e intervalos de transición

Los efectos de transición son efectos especiales que modifican la forma en que una diapositiva se presenta en la pantalla del ordenador. (Se denominan así porque el efecto se produce al pasar de una diapositiva a otra.) PowerPoint cuenta con numerosos efectos de transición predefinidos que puede aplicar a toda la presentación o sólo a determinadas diapositivas.

Para configurar un efecto de transición, seleccione la diapositiva y haga clic en una de las opciones ofrecidas en el grupo Transición a esta diapositiva de la ficha Transiciones (véase la figura 12.11).

Figura 12.11. Seleccione un efecto de transición predefinido.

En la primera sección del grupo puede observar una colección gráfica de los efectos que se encuentran disponibles. Haga clic sobre cualquiera de ellos y PowerPoint ejecutará una vista previa del efecto de transición sobre la diapositiva activa.

Truco:

Para aplicar un efecto de transición a más de una diapositiva, ha de seleccionarlas primero en el clasificador de diapositivas o bien en las fichas Diapositivas *o* Esquema *de la ventana de PowerPoint.*

A continuación, debe configurar la velocidad de la transición y, si lo desea, aplicar un sonido que se reproducirá conjuntamente con el efecto visual con ayuda de las opciones recogidas en el grupo Intervalos de la ficha Transiciones. Seleccione si desea que la transición se ejecute al hacer clic (es la opción por defecto y la más recomendable) o automáticamente una vez transcurrido cierto tiempo de visualización de la diapositiva precedente.

Para aplicar la configuración especificada a todas las diapositivas que componen la presentación, haga clic en el botón **Aplicar a todo**, para reproducir el efecto de transición en la diapositiva actual, haga clic en el botón **Vista previa** y para iniciar el modo de presentación de diapositivas haga clic en el botón **Presentación con diapositivas** que se encuentra en la barra de tareas.

PowerPoint dispone de una función que le permitirá comprobar las transiciones entre las diferentes diapositivas mientras el programa asigna automáticamente a cada diapositiva el tiempo de transición que considera oportuno.

Para ensayar los intervalos de transición de una presentación:

1. Haga clic en el botón **Clasificador de diapositivas** que se encuentra en la barra de tareas.
2. Haga clic en el botón **Ensayar intervalos** del grupo Configurar de la ficha Presentación con diapositivas. La presentación comenzará a ejecutarse en modo pantalla completa, y sobre ella aparecerá la barra flotante Grabación (véase la figura 12.12).

En la sección central de la barra puede observar el tiempo transcurrido desde que se mostró la diapositiva actual. A la derecha, un segundo reloj muestra el tiempo total de ejecución de la presentación.

Los restantes controles de la barra Grabación tienen la siguiente utilidad:

- Haga clic sobre el botón **Siguiente** para pasar a la siguiente diapositiva de la presentación, o bien utilice la tecla **Intro** o la flecha **Siguiente** que se encuentra en la esquina inferior izquierda.

Figura 12.12. Ensayo de los intervalos de una presentación.

- Haga clic sobre el botón **Pausa** para parar los relojes.
- Haga clic sobre el botón **Repetir** para volver a ensayar la diapositiva actual. El contador parcial (el de la propia diapositiva) se pondrá a cero y el global (a la derecha) volverá a mostrar el intervalo de tiempo original disponible antes de iniciar la diapositiva.

Si cierra la barra flotante Grabación, llega al final de la presentación o pulsa la tecla **Esc**, aparecerá en la pantalla del ordenador el cuadro de diálogo que muestra la figura 12.13. Dicho cuadro le informará sobre el tiempo total empleado en la presentación y le preguntará si desea que PowerPoint guarde los intervalos de diapositiva para utilizarlos la próxima vez que la ejecute.

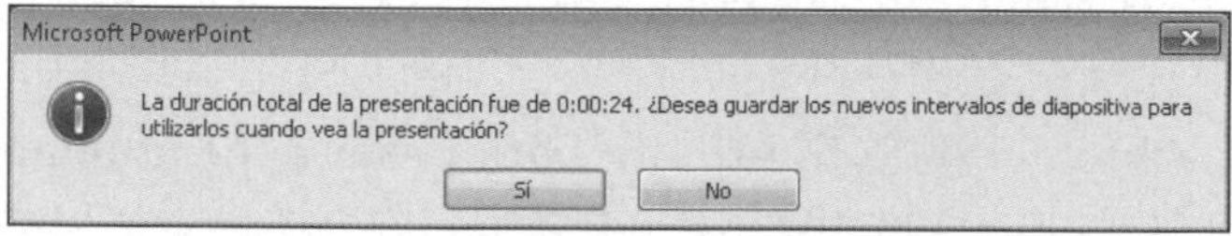

Figura 12.13. Cuadro de diálogo final del ensayo de intervalos.

Truco:

Si sabe qué intervalo desea utilizar para una diapositiva, puede escribirlo directamente en el cuadro Tiempo de exposición *de la barra flotante* Grabación.

Botones de acción

PowerPoint ofrece una útil herramienta para crear presentaciones totalmente interactivas. Los botones de acción (que citamos anteriormente cuando creábamos formas) facilitarán la navegación a través de una presentación incluso en el caso de que la persona que la esté ejecutando no conozca las técnicas propias de PowerPoint. En la vista Normal inserte un botón de acción de la forma deseada desde el menú desplegable del botón **Formas** que se encuentra dentro del grupo Ilustraciones de la ficha Insertar o seleccione uno de los botones de acción creados anteriormente y haga clic con el botón derecho del ratón para seleccionar la opción Modificar hipervínculo de su menú contextual. En ambos casos se abrirá el cuadro de diálogo Configuración de la acción.

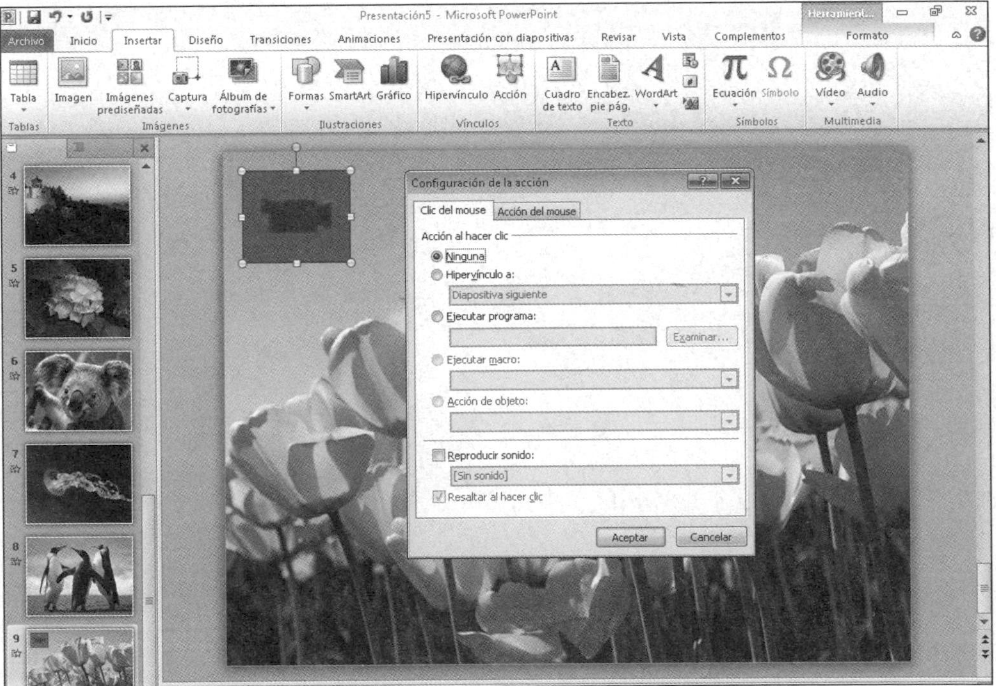

Figura 12.14. Cuadro de diálogo Configuración de la acción y botón de acción.

En la pestaña **Clic del mouse**, seleccione la acción que desea ejecutar al hacer clic sobre el botón. Si configura una acción desde la pestaña **Acción del mouse**, la acción se ejecutará con sólo pasar el cursor del ratón sobre el botón.

Utilizar notas durante la presentación

Cuando presente en público sus diapositivas, le será muy útil contar con un guión en el que anotar todos los comentarios que va a exponer durante la presentación de las distintas diapositivas. PowerPoint le facilita esta tarea mediante la utilización de notas.

Las notas se pueden imprimir como páginas con objeto de emplearlas durante la presentación o bien, si se trata de notas que van dirigidas a la audiencia, distribuirlas para complementar la propia presentación de diapositivas.

Tal como hemos indicado en otro capítulo, puede escribir sus notas para cada diapositiva mientras trabaja en la vista **Normal** (véase la figura 12.15).

Figura 12.15. Escriba y edite notas en la vista Normal.

Tenga en cuenta que puede aplicar a sus notas el formato que desee con sólo seleccionar el texto y usar los mismos procedimientos que utiliza para dar formato en todas las aplicaciones de Office 2010.

Si quiere ver las notas tal y como quedarán impresas, utilice la ficha Vista y haga clic en el botón **Página de notas** del grupo Vistas de presentación (véase la figura 12.16). Haga clic en el botón **Patrón de notas** para crear encabezados y pies de página o bien añadir o modificar otras opciones para la impresión.

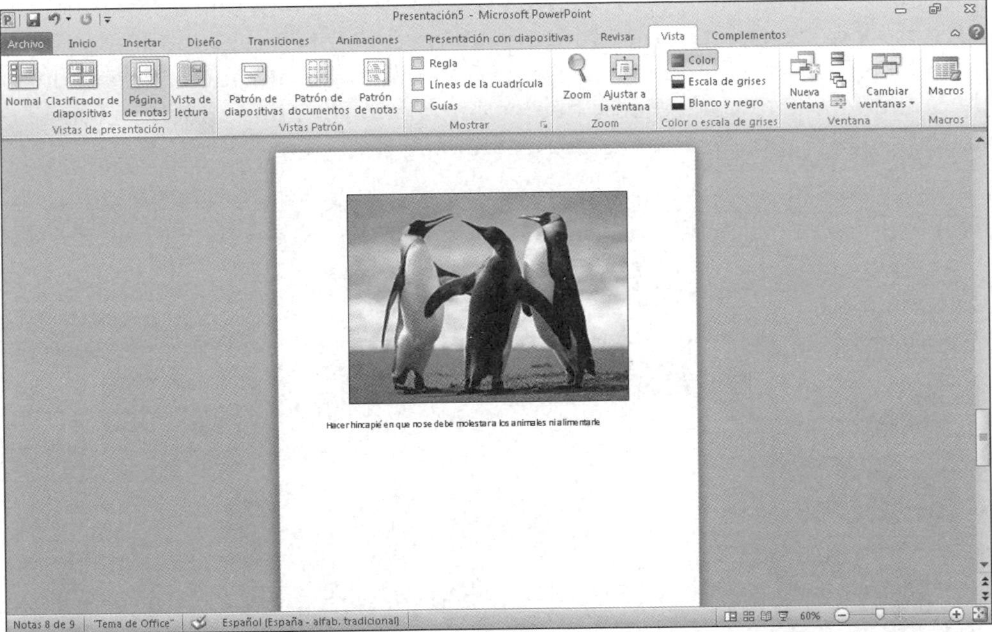

Figura 12.16. Vista Página de notas.

Observe que en la pantalla aparece una versión en tamaño reducido de la diapositiva y de las notas correspondientes. Cada página de notas corresponde a una diapositiva de la presentación. Desde esta vista, puede adornar las notas con gráficos, imágenes o tablas, así como agrandar, cambiar la posición o dar formato al área de la imagen de diapositivas o notas.

Advertencia:

Las imágenes o cualquier otro objeto que inserte en la vista **Página de notas** *no son visibles desde la vista* Normal. *Además, tampoco se mostrarán en el navegador cuando se guarde la presentación como una página Web.*

Diseño de la presentación con Temas

Tras crear la presentación y realizar todos los pasos que hemos indicado a lo largo de estos capítulos dedicados a PowerPoint, sólo tiene que imprimirla o visualizarla. Pero antes, quizá desee cambiar totalmente el diseño de todas las diapositivas para que tengan un estilo común y ofrezcan un diseño profesional. Con PowerPoint 2010 se trata de una tarea muy sencilla. Simplemente tiene que seleccionar una diapositiva en la vista normal y elegir una de las diversas opciones ofrecidas, en forma gráfica, por PowerPoint en el grupo Temas de la ficha Diseño. Por ejemplo, en la figura 12.17 hemos utilizado el tema Forma de onda del menú de Temas y hemos cambiado simultáneamente el diseño de todas las diapositivas de la presentación.

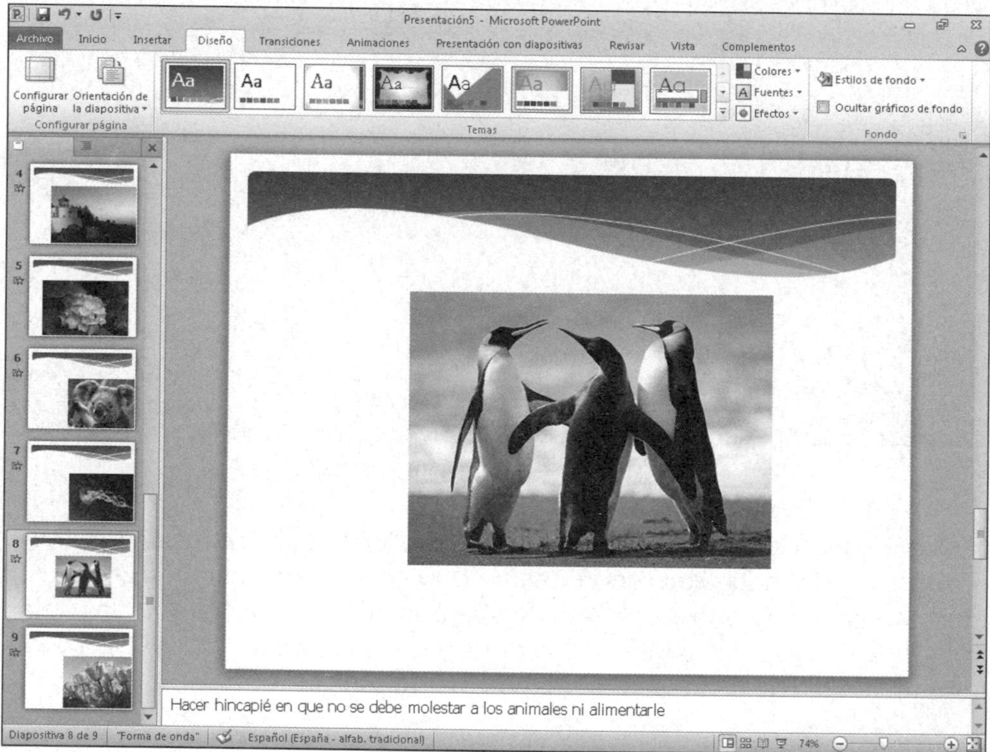

Figura 12.17. Aplicación de Temas para cambiar la apariencia de todas las diapositivas de la presentación simultáneamente.

Asimismo, hemos cambiado la combinación de colores utilizando la flecha desplegable de **Colores** y seleccionando el color Flujo predeterminado y hemos aplicado el efecto Técnico seleccionándolo desde el menú del botón **Efectos**. ¡Así de fácil! Como puede comprobar, sólo hemos tenido que hacer clic sobre las distintas opciones para que nuestra presentación cambie todas las diapositivas a la vez para ofrecer un diseño mucho más profesional.

Imprimir documentos

En muchas ocasiones puede ser útil imprimir las presentaciones con una, dos, tres, cuatro, seis o nueve diapositivas por página (por ejemplo, si desea entregar a los asistentes a su exposición un resumen que les pueda servir de referencia futura, o si desea imprimir un borrador de su trabajo con PowerPoint). Cuando queramos trabajar con documentos de PowerPoint utilizaremos la opción Imprimir de la ficha Archivo, ya que nos ofrece una vista previa donde podremos comprobar el aspecto final del documento impreso y podremos utilizar la lista desplegable del cuadro Configuración para decidir cómo deseamos imprimir las diapositivas (véase la figura 12.18).

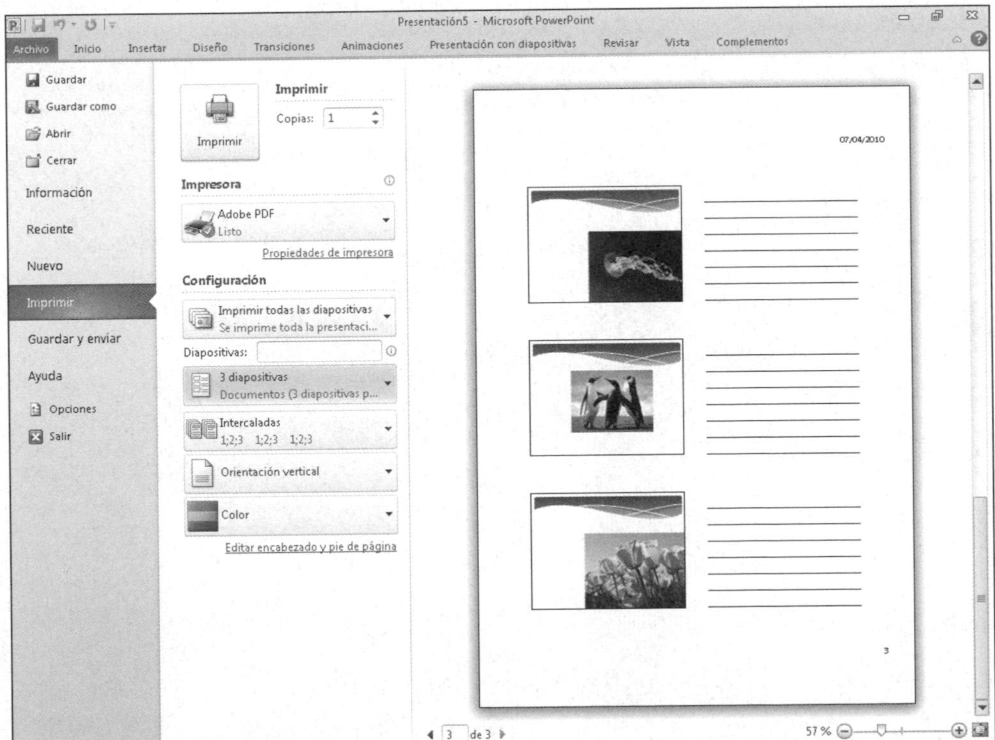

Figura 12.18. Vista preliminar de un documento de tres diapositivas por página.

Truco:

El documento de tres diapositivas por página proporciona espacio para que los asistentes a la exposición puedan tomar sus propias notas.

Truco:

Desde la opción Imprimir *de la ficha* Archivo *podrá incluir o editar fácilmente un encabezado y pie de página haciendo clic en el vínculo correspondiente.*

Capítulo 13

Microsoft Outlook 2010

En este capítulo aprenderá a:

- Conocer los elementos que componen la interfaz de Outlook.
- Configurar cuentas de correo electrónico.
- Enviar y recibir correo electrónico con Outlook.
- Organizar la bandeja de mensajes de correo electrónico.

Office 2010 incluye entre sus aplicaciones una versión de Outlook muy eficaz. Si nunca ha trabajado con Outlook, le conviene saber que este programa es un verdadero gestor y organizador personal.
Con Outlook no sólo podrá enviar y recibir correo electrónico, sino también controlar su agenda y calendario, proyectar reuniones con miembros de su equipo de trabajo, etc. En este capítulo describiremos en detalle las características generales de la aplicación (sus posibilidades como programa o su interfaz de usuario), así como su función como gestor de correo electrónico. En esta nueva versión, comprobará que el programa ha adoptado completamente el diseño de la cinta de opciones, común al resto de programas de Office, y que ha incluido el sistema de almacenamiento de mensajes por conversaciones que nos permite recoger en un mismo sitio todo lo relacionado con un determinado mensaje. Asimismo, veremos otras opciones nuevas incluidas, como la opción de limpieza o el nuevo Panel de personas.

Introducción a Outlook

Como ya hemos comentado, Outlook ha sido diseñado para permitirle gestionar eficazmente su información personal. Así, puede utilizar el programa para enviar y recibir correo electrónico, administrar su agenda, tareas y contactos, llevar un registro de sus actividades, etc.
También encontrará opciones como el Panel de navegación y el Panel de lectura, opciones de administración de la Bandeja de entrada, como los filtros de correo no deseado, carpetas de búsqueda o creación rápida de marcas, opciones de limpieza o el sistema de almacenamiento de mensajes, etc.
En este capítulo describiremos la interfaz de usuario de Outlook y profundizaremos en una de sus funciones más importantes: la herramienta de gestión de correo electrónico.

La ventana de Outlook

Para ejecutar Outlook, haga clic sobre su icono en la carpeta Todos los programas>Microsoft del menú Iniciar de Windows. Aparecerá en pantalla la ventana principal del programa tal como se ilustra en la figura 13.1.
De forma predeterminada, el programa se inicia con la ficha Inicio activa, mostrando ahora en esta nueva versión del programa, una interfaz muy parecida a la del resto de aplicaciones de Office con ya que utiliza la típica cinta de opciones y que pasamos a examinar en los siguientes apartados.

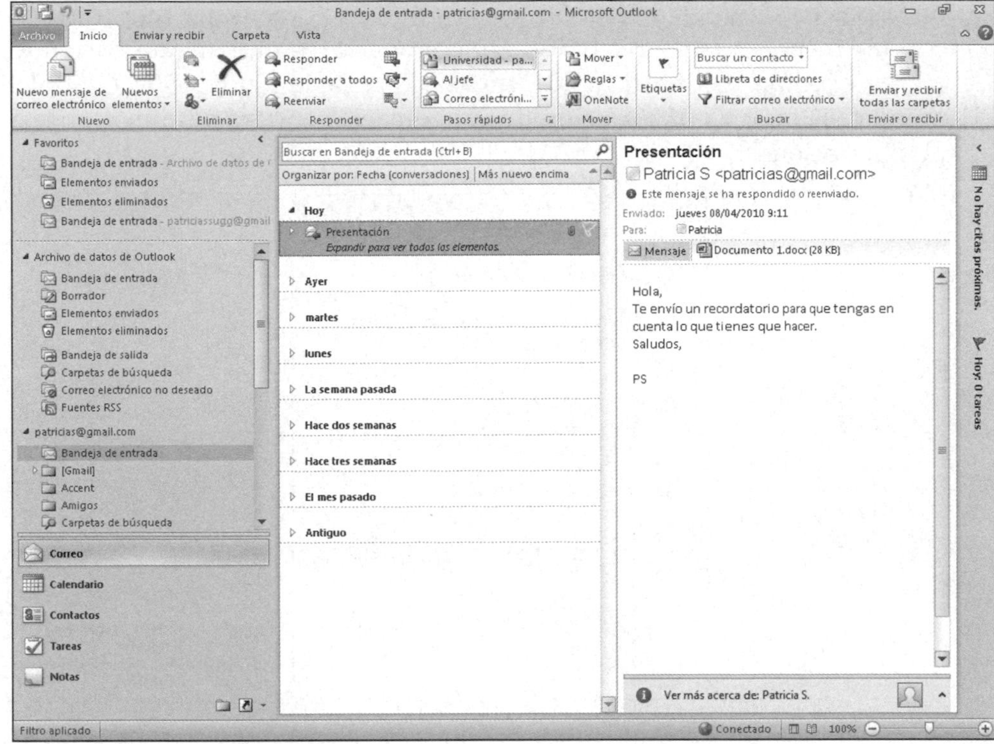

Figura 13.1. Ventana principal de Outlook.

Cinta de opciones

Como ha podido comprobar, la cinta de opciones en Outlook nos ofrece ahora las siguientes fichas:

- **Archivo:** Ficha que presenta opciones de configuración propias del programa, tal como explicaremos a continuación.
- **Inicio:** Incluye todas las opciones necesarias para trabajar con los mensajes dentro de sus grupos: Nuevo, Eliminar, Responder, Pasos rápidos, Mover, Buscar y Enviar o recibir.
- **Enviar y recibir:** Incluye los grupos Enviar y recibir, Descargar, Servidor y Preferencias de conexión.
- **Carpeta:** Desde esta ficha podrá administrar las carpetas desde los grupos Nuevo, Acciones, Limpiar, Favoritos, IMAP y Propiedades.
- **Vista:** Presenta los grupos Vista actual, Conversaciones, Organización, Diseño, Panel de personas y Ventana. Las conversaciones son nuevas

opciones en Outlook y le permiten ver todos los mensajes relacionados con un mensaje, tanto recibidos como enviados, simplemente haciendo clic en el botón de expansión del mensaje (véase la figura 13.2). Desde el menú del botón **Configuración de conversación**, podrá administrar esta nueva opción.

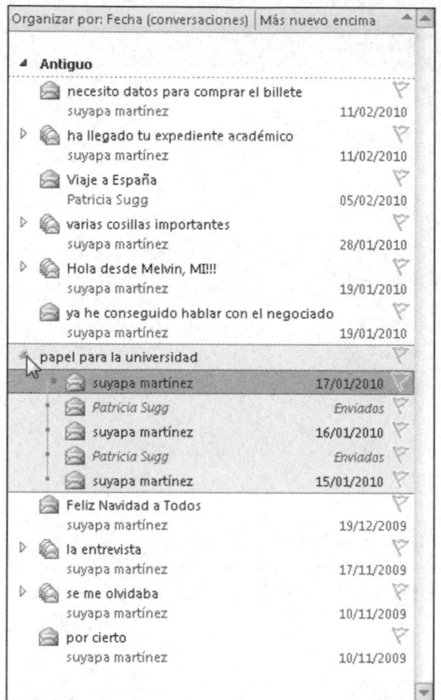

Figura 13.2. Una conversación le permite ver simultáneamente todos los mensajes relacionados.

Igual que en el resto de aplicaciones que componen Microsoft Office 2010, la ficha Archivo recoge todas las opciones de configuración propias del programa (véase la figura 13.3).

En esta ficha encontrará las siguientes opciones:

- **Guardar como:** Abre el cuadro de diálogo del mismo nombre para poder guardar el mensaje activo dentro de cualquier carpeta de su equipo.
- **Guardar datos adjuntos:** Le permite guardar los datos adjuntos enviados en el mensaje activo, dentro de cualquier carpeta de su propio equipo.
- **Información:** Presenta opciones sobre información de las cuentas configuradas, la opción de configurar nuevas cuentas, opciones de limpieza de buzones y opciones para administrar reglas y alertas.

- **Ayuda:** Presenta diversas opciones de soporte, como Ayuda de Microsoft Office, una introducción sobre las novedades del programa, la opción de ponerse en contacto con Microsoft para ayudar a mejorar Office y otras herramientas para trabajar con Office, como opciones para personalizar el idioma y la presentación de otros programas o buscar actualizaciones más recientes.

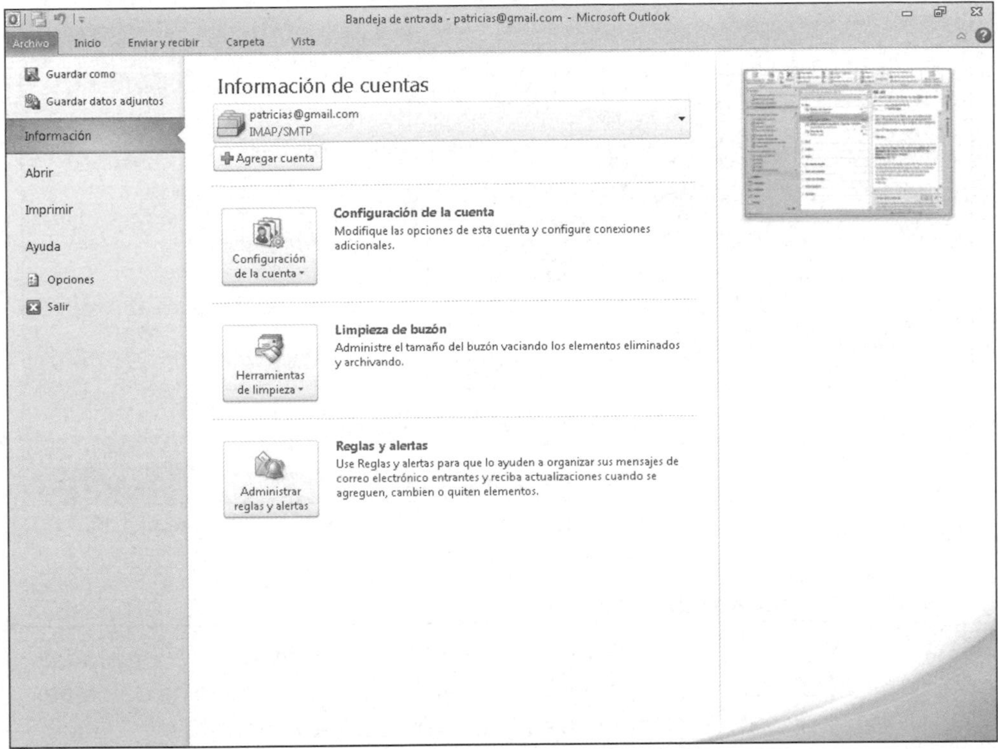

Figura 13.3. Ficha Archivo de Outlook recoge todas las opciones de configuración propias del programa.

- **Opciones:** Desde esta ficha podrá acceder al cuadro de diálogo Opciones de Outlook que muestra diversas opciones de configuración propias del programa, tal como sucede en el resto de aplicaciones de Office. Desde aquí podrá, entre otras acciones, cambiar la forma de redactar los mensajes, personalizar los paneles de Outlook, administrar la limpieza de conversaciones así como otras opciones de calendario, contactos, tareas, notas y diario o de personalización de la cinta de opciones o complementos (véase la figura 13.4).

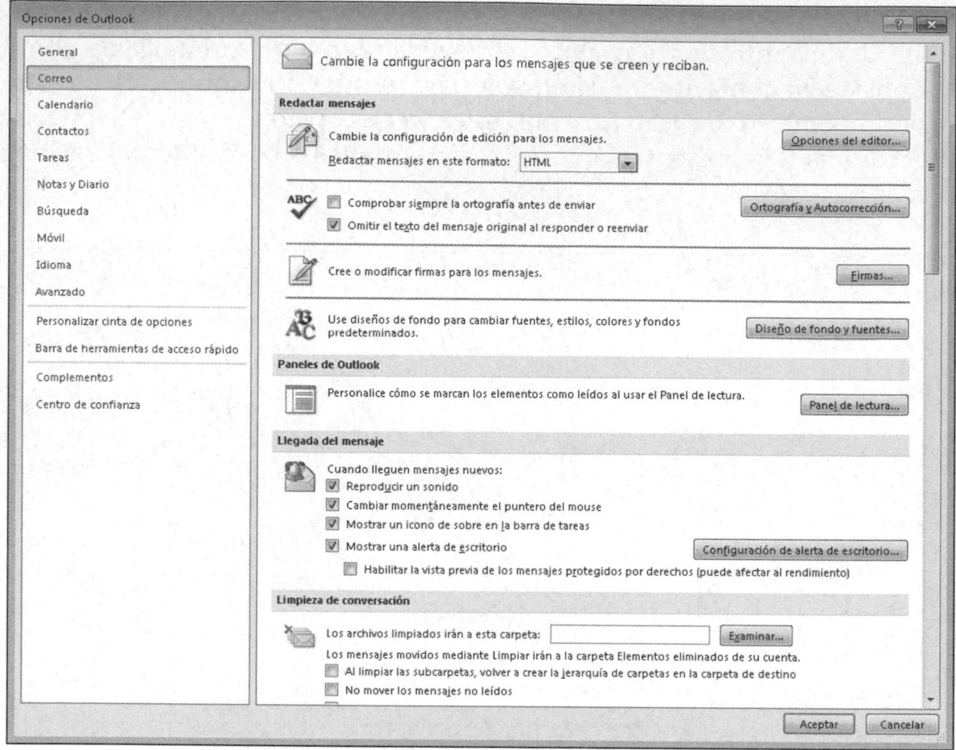

Figura 13.4. Opciones de Outlook.

Outlook para hoy

En esta nueva versión del programa, para poder ver la pantalla Outlook para hoy, *deberá seleccionar la carpeta* Archivo de datos de Outlook *en el* Panel de navegación. *Si desea que Outlook se inicie siempre con la ventana de* Outlook para hoy, *haga clic en el botón* **Personalizar Outlook para hoy** *que se encuentra en la esquina superior derecha del área de trabajo. A continuación, active la casilla de verificación* Al iniciar, ir directamente a Outlook para hoy *de la sección* Inicio *y haga clic en el botón* **Guardar cambios**.

Paneles

En el lateral izquierdo de la pantalla, aparece el panel de navegación, que proporciona un acceso rápido y directo a las distintas funciones del programa, representadas mediante iconos. Así, podrá acceder desde este panel a su calendario, a sus contactos o a sus tareas. A no ser que lo cierre haciendo clic en el botón **Minimizar el panel de navegación** (‹) (que se convertirá entonces en el botón **Expandir el panel de navegación** (›)), el panel estará visible en todo momento mientras trabaje con el programa.

El área de trabajo del programa puede dividirse a su vez en dos secciones diferentes. En la figura 13.1, observamos que la zona central, o área de trabajo propiamente dicha, muestra todos los mensajes de correo disponibles en la bandeja de entrada de Outlook. La sección de la derecha, representa el Panel de lectura. Dicho panel muestra una vista previa de la información seleccionada en cada momento en el área de trabajo de la aplicación. La mayoría de las herramientas de Outlook disponen de un panel de lectura como éste.

Una de las novedades que ofrece esta nueva versión de Outlook es la presentación de un Panel de personas. Éste se encuentra minimizado justo debajo del Panel de lectura (véase la figura 13.5) y en él podrá configurar cuentas de redes sociales para agregar a la persona que le haya enviado un mensaje, ver los mensajes recibidos y respondidos de esa persona, etc.

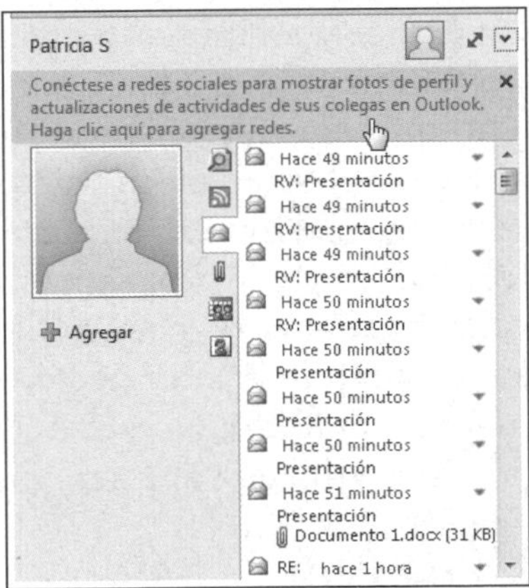

Figura 13.5. Panel de personas en Outlook.

Truco:

Para expandir o contraer cualquier panel de Outlook, haga clic en los botones de flecha correspondientes. También puede arrastrar los bordes de los paneles hacia arriba, hacia abajo, hacia la derecha o hacia la izquierda.

Para modificar la ubicación o desactivar cualquiera de estos paneles, seleccione la opción correspondiente desde los menús de los botones **Panel de**

Navegación o **Panel de lectura** que se encuentran en el grupo Diseño de la ficha Vista o bien desde el menú del comando Panel de personas dentro del grupo con el mismo nombre en la ficha Vista.

Gestionar el correo

Outlook permite gestionar el correo electrónico y los faxes que enviemos y/o recibamos desde el ordenador. Para ello, lógicamente, debe disponer de algún tipo de servidor de correo. En este sentido, Outlook permite trabajar simultáneamente con diversas cuentas de correo: por ejemplo, puede gestionar desde Outlook una cuenta de correo en Internet tipo Hotmail o una cuenta de correo POP3.

Configurar las cuentas de correo

El primer paso para poder enviar y recibir correo electrónico desde Outlook consiste en configurar correctamente sus cuentas de correo.
La configuración es mucho más sencilla si antes de instalar Office 2010 ya utilizaba algún otro programa de correo electrónico, como Outlook Express o Netscape Messenger. En este caso, puede importar la información de sus cuentas de correo electrónico en esos programas utilizando el comando Archivo>Importar y exportar para abrir el cuadro de diálogo Asistente para importar y exportar. Proporcione toda la información que se le pide en las sucesivas ventanas del asistente y Outlook ya estará listo para enviar y recibir correo con la configuración que utilizaba antes de instalarlo.

Truco:

El Asistente para importar y exportar *también le permite importar todos sus contactos y mensajes desde el programa de correo electrónico que venía utilizando antes de instalar Office 2010.*

Si nunca antes ha utilizado el correo electrónico desde el ordenador, deberá configurar manualmente las cuentas que desea utilizar con Outlook. Para ello, haga clic sobre el botón **Agregar cuenta** de la ficha Archivo dentro de Información para abrir el cuadro de diálogo Agregar nueva cuenta (véase la figura 13.6). Haga clic en el botón **Nuevo** y, posteriormente, haga clic en **Siguiente**.

Figura 13.6. Cuadro de diálogo Agregar nueva cuenta.

En la siguiente pantalla, seleccione el tipo de cuenta de correo electrónico que desea configurar, haga clic sobre el botón **Siguiente** y cumplimente todos los pasos hasta que Outlook le informe de que la cuenta ha sido creada. Recuerde que para poder crear la cuenta es imprescindible disponer de sus datos de conexión al correo electrónico que le debe haber proporcionado su proveedor de servicios de Internet.

Truco:

Para asegurarse de que la cuenta ha sido configurada de forma correcta, ha de verificar su buen funcionamiento cuando Outlook se lo sugiera. Recuerde que para poder probarla, debe estar conectado a Internet.

Enviar y recibir correo

Para trabajar con el correo electrónico, utilizaremos las carpetas Bandeja de entrada, Bandeja de salida, Borrador, etc. Si hace clic sobre el botón **Correo** del panel de navegación de Outlook obtendrá una lista de todas las carpetas disponibles en el sistema bajo distintos epígrafes. Para acceder a la bandeja de entrada (la bandeja donde se colocan todos los mensajes recibidos nuevos) haga clic sobre su icono en las secciones correspondientes del panel de navegación. Para activar el envío y la recepción de todos los mensajes, haga clic en **Enviar y recibir todas las carpetas** de la ficha mencionada o en el botón con el mismo nombre que se encuentra dentro de la ficha Inicio.

Truco:

Para enviar y recibir todos los mensajes de todas las carpetas rápidamente pulse **F9**.

Redactar un mensaje

Para redactar un nuevo mensaje, haga clic en el botón **Nuevo mensaje de correo electrónico** de la ficha Inicio. De forma predeterminada, Outlook abre una ventana especialmente diseñada para el envío de mensajes de correo electrónico. En este caso, la cinta de opciones le ofrecerá las fichas Mensaje, Insertar, Opciones, Formato de texto y Revisar con los comandos correspondientes para ayudarle a crear un nuevo mensaje. La ventana será muy parecida a la mostrada en la figura 13.7.

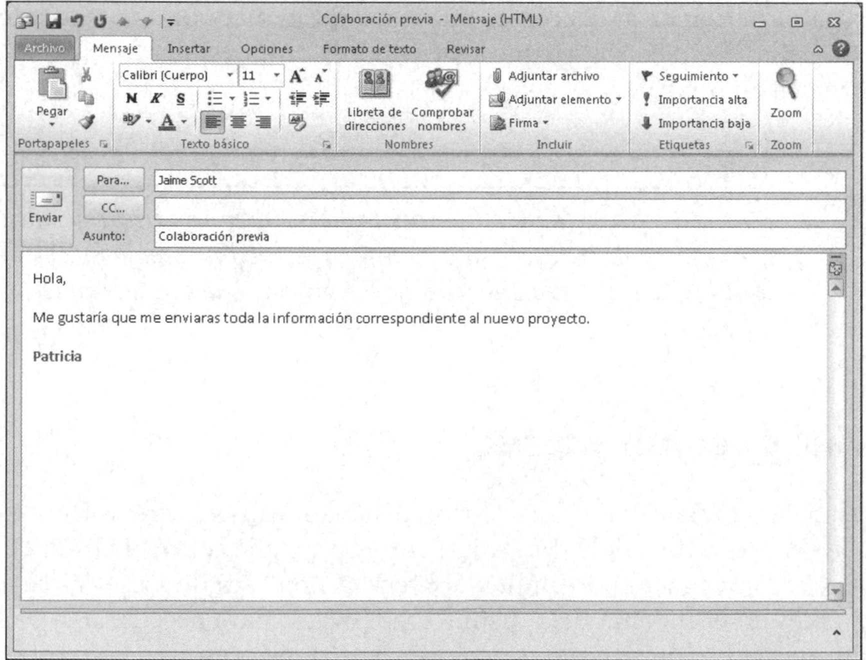

Figura 13.7. Ventana para un nuevo mensaje.

Para redactar un mensaje:

- Escriba la dirección de correo electrónico del destinatario en el cuadro de texto Para. (Si hace clic sobre el botón **Para** accederá a su libreta de contactos y podrá seleccionar desde una lista el destinatario al que quiere enviar el mensaje). Recuerde que puede especificar tantos destinatarios como desee, siempre que separe sus nombres con un punto y coma.
- Si desea que alguna otra persona reciba una copia del mensaje, escriba su dirección de correo electrónico en el cuadro de texto CC ("con copia").
- Escriba el título que quiere dar al mensaje en el cuadro Asunto.
- Finalmente, redacte el contenido del mensaje en la sección en blanco de la parte inferior de la pantalla.

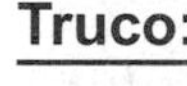

Para enviar una copia oculta a alguien sin que el destinatario sepa que ha enviado el mensaje a dicha persona, haga clic en el botón CC *y escriba o seleccione de la lista el destinario al que desea enviar una copia oculta del mensaje en el campo* CCO.

Outlook proporciona las mismas posibilidades de gestión del correo electrónico que cualquier otro programa especializado. Por lo tanto, si lo desea puede adjuntar documentos a sus mensajes, solicitar acuses de recibo, o establecer la prioridad de cada mensaje utilizando las distintas opciones y grupos de las fichas ofrecidas.

No abra nunca un documento adjunto a un mensaje de correo electrónico si desconoce su procedencia o no dispone de un programa antivirus actualizado.

Responder y reenviar mensajes recibidos

Además de redactar un mensaje nuevo, puede redactar mensajes en respuesta a mensajes recibidos, así como reenviar un mensaje a otros destinatarios. Para ello, seleccione el mensaje al que desea responder o que desea reenviar y siga estos pasos:

- Si desea responder al remitente de un mensaje recibido, haga clic en el botón **Responder** de la ficha Mensaje que se muestra al abrir el mensaje recibido.
- Si desea responder al remitente y al resto de destinatarios del mensaje original, abra éste y haga clic el botón **Responder a todos** de la ficha Mensaje.
- Si desea reenviar el mensaje recibido a un nuevo destinatario, haga clic en el botón **Reenviar** de la ficha Mensaje.

Dentro del grupo Pasos rápidos de la ficha Inicio, puede utilizar las distintas opciones ofrecidas en el menú para mover el mensaje a otra carpeta, crear un nuevo correo electrónico para su equipo, responder y eliminar el mensaje o crear y administrar un nuevo paso rápido (véase la figura 13.8). Esta nueva opción le facilita la inserción de acciones habituales para su posterior uso.

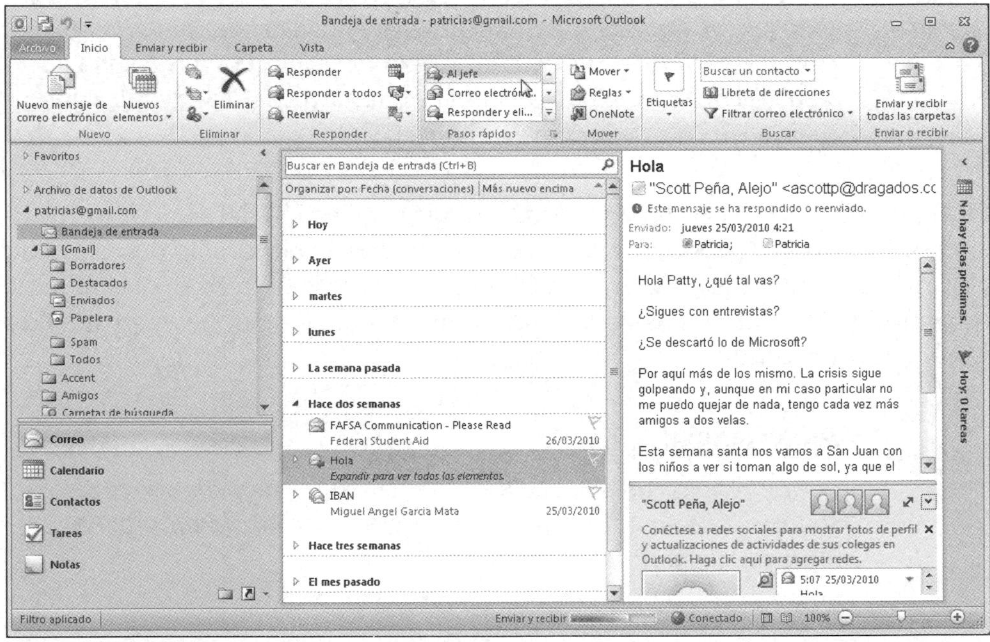

Figura 13.8. Cree pasos rápidos para ejecutar rápidamente tareas habituales.

Truco:

Para ejecutar rápidamente un paso rápido sobre un mensaje seleccionado, haga clic con el botón derecho del ratón sobre éste y seleccione la opción deseada de Pasos rápidos.

Enviar y recibir un mensaje

Para enviar un mensaje, haga clic en el botón **Enviar** que se encuentra a la izquierda de los botones **Para** y **CC** en la ventana de redacción de mensajes. Outlook cerrará de manera automática dicha ventana y colocará el mensaje en la Bandeja de salida. Esta bandeja contiene los mensajes que se tienen que enviar, pero que aún no han sido enviados.

Advertencia:

La instalación típica de Outlook intenta enviar los mensajes inmediatamente. Si no dispone de una conexión permanente a Internet, puede cambiar esta opción y configurar Outlook para que envíe y reciba correo cuando usted lo desee.

Gestión de las bandejas de correo

Para organizar los mensajes de correo electrónico de una manera eficiente, Outlook utiliza las llamadas bandejas de correo. Estas bandejas no son más que carpetas que contienen los diferentes mensajes. Así, la Bandeja de salida contiene los mensajes pendientes de enviar, y la bandeja Elementos enviados guarda los mensajes que ya se han enviado.

Truco:

Para facilitarle la tarea de gestión de mensajes, es conveniente que los marque. Para ello, haga clic con el botón derecho del ratón sobre el mensaje deseado y seleccione Seguimiento *y, a continuación, la opción deseada.*

Las distintas columnas de información disponibles en cada bandeja sirven para mostrar los detalles de cada mensaje: fecha de envío o recepción, asunto, destinatario o remitente, prioridad, si el mensaje incluye algún documento adjunto, etc. En cada bandeja, puede ordenar sus mensajes por cualquiera de estos conceptos. Para ello, haga clic sobre el botón de cabecera de cada columna. Para abrir un mensaje, haga doble clic sobre él, de esta forma podrá leerlo, responderlo si es un mensaje recibido o modificarlo si es un mensaje de salida, eliminarlo, etc. Dependiendo de las opciones de configuración del programa, el mensaje se mostrará también en el panel de lectura.

La creación de nuevas carpetas, y acciones la puede llevar a cabo a través de la ficha Carpeta utilizando las distintas opciones ofrecidas por las fichas mencionadas anteriormente.

El menú desplegable del nuevo botón **Limpiar carpeta** le permite limpiar una carpeta sólo o una carpeta con sus subcarpetas, eliminado los mensajes redundantes y desplazándolos a la carpeta Elementos eliminados (véase la figura 13.9) y las subcarpetas que contiene, mientras que el menú del botón **Purgar** le permite depurar elementos marcados en distintas opciones, así como establecer las opciones de purga.

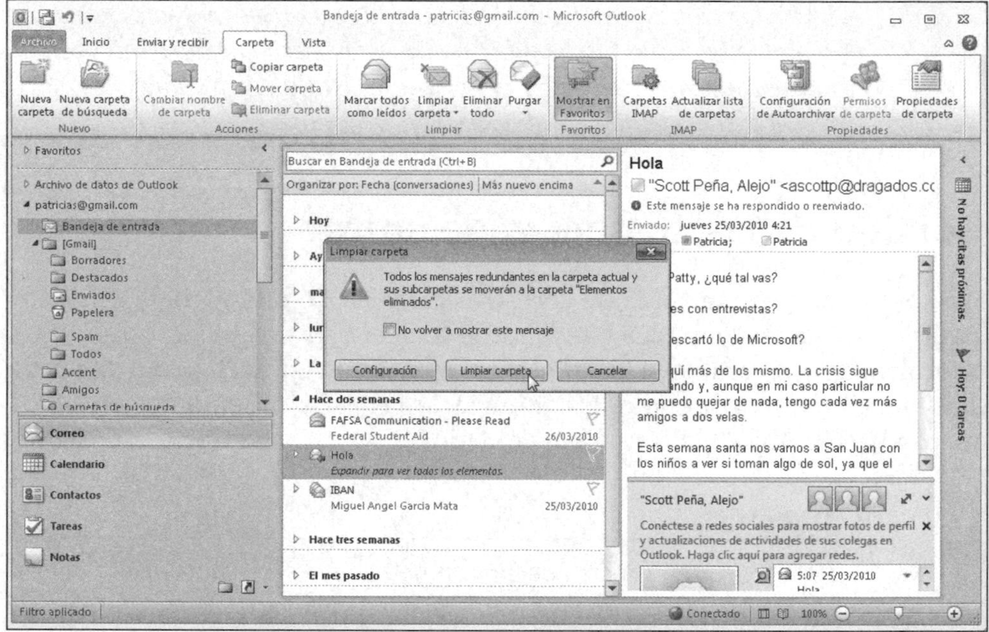

Figura 13.9. Utilice las nuevas opciones de limpieza de carpetas para eliminar mensajes redundantes.

Para mover un mensaje de una bandeja a otra, seleccione el mensaje que desea mover, haga clic con el botón derecho del ratón y seleccione la opción correspondiente de la opción Mover.

Truco:

Para buscar un mensaje de correo determinado, escriba las palabras que desee buscar en el cuadro de búsqueda que se encuentra encima del panel central, sobre el primer mensaje.

Capítulo 14

Organizar el trabajo con Outlook

En este capítulo aprenderá a:

- Conocer las fichas de la cinta de opciones.
- Utilizar el calendario de Outlook como agenda personal.
- Gestionar las citas y compromisos de su calendario.
- Organizar tareas y convocar citas y reuniones.
- Mantener una libreta de direcciones con los contactos de Outlook.
- Utilizar las notas y el diario de Outlook.

En el capítulo anterior hemos estudiado las principales características de Outlook, así como el modo de trabajar con este programa para gestionar su correo electrónico.
En este capítulo aprenderá a utilizar el programa para gestionar su libreta de direcciones, a proyectar reuniones con otros miembros de su equipo y a organizar su calendario personal y su agenda de trabajo.

Gestionar la agenda de trabajo con el Calendario

Para acceder a la ventana del **Calendario** de Outlook sólo tiene que hacer clic en el icono correspondiente del panel de navegación. En la figura 14.1 se muestra la vista predeterminada de la aplicación.

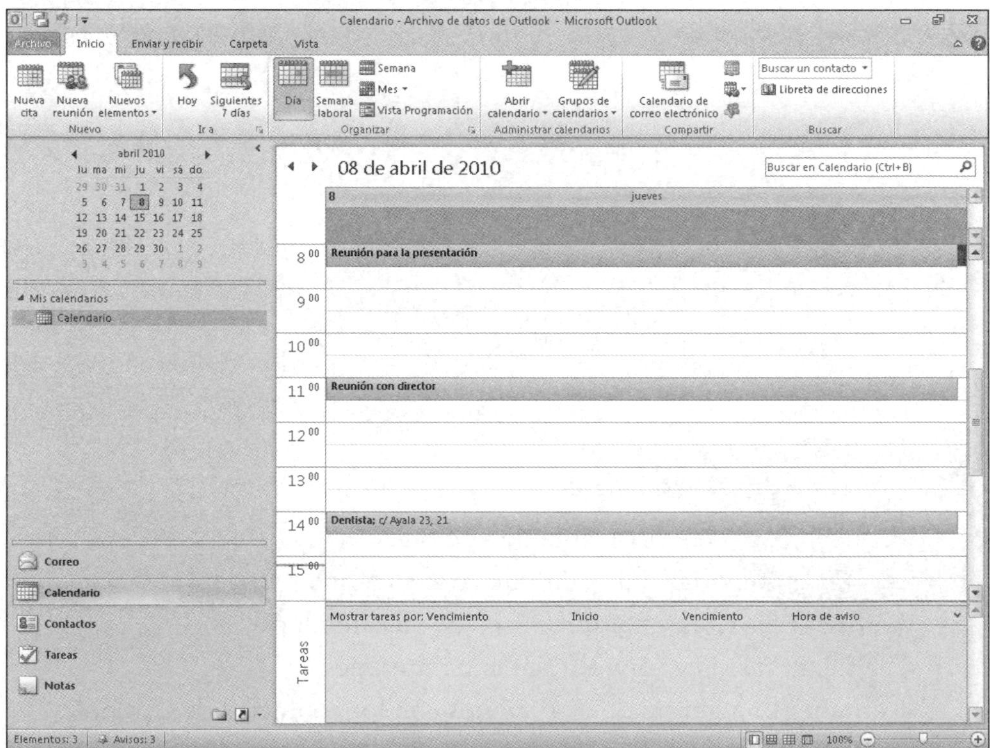

Figura 14.1. La ventana Calendario de Microsoft Outlook con su agenda y un calendario.

Cinta de opciones

Con ayuda de la cinta de opciones, podrá gestionar y utilizar su calendario. Las fichas ofrecidas y sus opciones son las siguientes:

- **Archivo:** Es la misma ficha que analizamos en el capítulo correspondiente al correo electrónico y contiene las mismas opciones específicas para Microsoft Outlook.
- **Inicio:** Proporciona los grupos Nuevo, Ir a, Organizar, Administrar calendarios, Compartir y Buscar que recogen los comandos correspondientes para abrir nuevas citas, reuniones o elementos, desplazarse entre las distintas anotaciones, organizar los elementos por días, semanas o meses, crear grupos de calendarios o buscar contactos en la libreta de direcciones.
- **Enviar y recibir:** Los comandos de esta ficha le permiten enviar y recibir correos y descargar mensajes.
- **Carpeta:** Con ayuda de los comandos contenidos en esta ficha podrá administrar sus calendarios, copiarlos y abrirlos y compartirlos.
- **Vista:** Dentro de esta ficha podrá utilizar las opciones recogidas en los grupos Vista actual, Organización, Color, Diseño, Panel de personas y Ventana para organizar sus citas y editar sus calendarios, entre otras acciones.

Calendario

El área principal de la pantalla muestra la agenda del día actualmente seleccionado. En el borde superior del panel de navegación encontrará a su disposición un calendario para recorrer fácilmente las distintas anotaciones que haya realizado durante el mes.

De este modo, la ventana Calendario proporciona todas las características de una agenda de mesa. Si lo prefiere puede modificar la vista predeterminada de la agenda para que, en lugar de ver las citas y reuniones planificadas para el día en curso, se muestre un esquema de la semana laboral, de toda la semana, o del mes en curso. Para ello, haga clic en los botones correspondientes del grupo Organizar dentro de la ficha Inicio.

Para añadir una nueva cita o compromiso a su agenda de trabajo, haga clic en la hora en la que desee anotarla y teclee su descripción. Al terminar de escribir, pulse la tecla **Intro** y verá la tarea anotada.

Nota:

Al seleccionar una tarea o una cita, se abrirán las Herramientas de la lista de tareas diarias *y las* Herramientas de calendario *respectivamente que le ayudarán a editar sus tareas y citas.*

Si la fecha planificada para la cita es distinta a la fecha actualmente activa, selecciónela primero en el calendario del panel de navegación.

Para desplazarse por las distintas citas, haga clic en los botones correspondientes del grupo Ir a de la ficha Inicio o utilice los distintos botones de flecha proporcionados.

Con Outlook puede destacar sus entradas en la agenda con distintos colores, en función de la urgencia o del tipo de compromiso en cada caso. Para ello, seleccione una cita o tarea y haga clic en el botón **Categorizar** de la ficha de herramientas correspondiente para abrir el menú desplegable de etiquetas, desde donde puede seleccionar una (véase la figura 14.2) simplemente haciendo clic sobre ella.

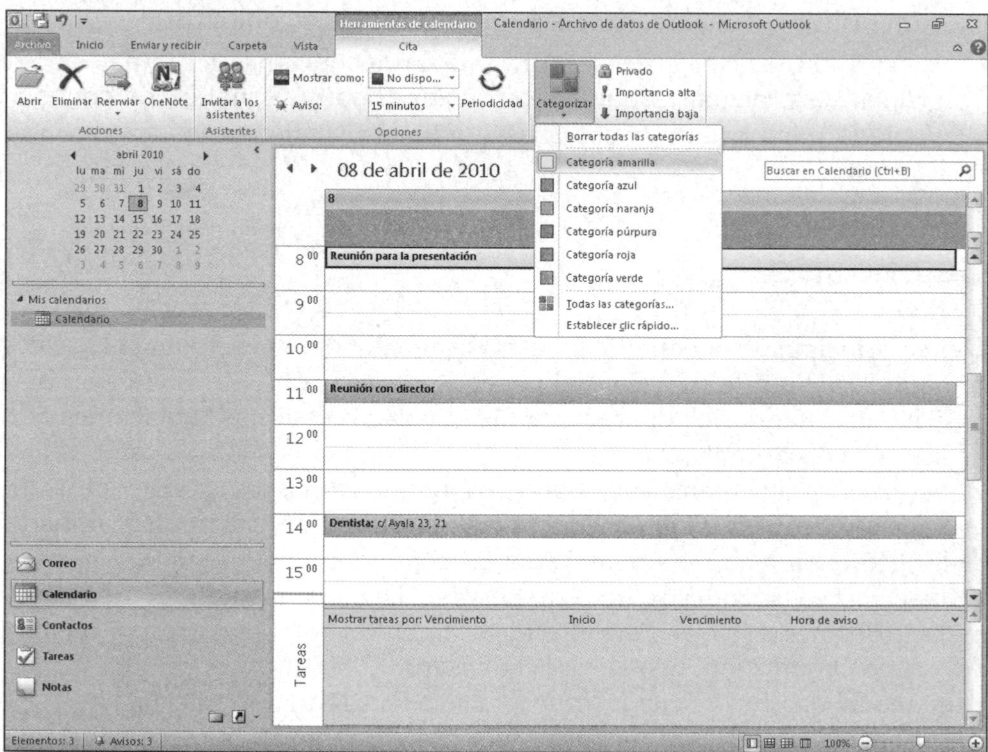

Figura 14.2. Etiquetas de color de Categorizar.

Nota:

Para cambiar los nombres asignados a las etiquetas de forma predeterminada, seleccione la opción Todas las categorías *de la lista desplegable del botón* **Categorizar** *dentro de la ficha de herramientas de citas o de tareas.*

Además, con Outlook puede configurar las diversas anotaciones del Calendario con opciones avanzadas de suma utilidad recogidas en los distintos grupos de las fichas Archivo, Cita, Insertar, Formato de texto y Revisar de la ventana Cita, que se abre al hacer doble clic sobre una (véase la figura 14.3).

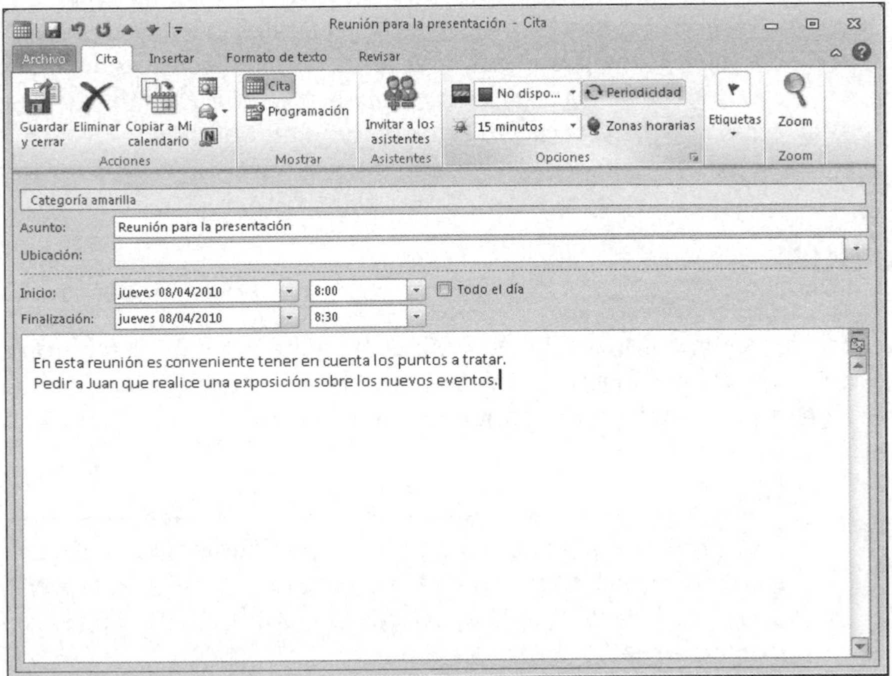

Figura 14.3. Ventana Cita.

Desde esta ventana puede establecer la periodicidad de la anotación haciendo clic en el botón **Periodicidad** de la ficha Cita dentro del grupo Opciones. Esta opción es muy útil si, por ejemplo, quiere programar en el Calendario una reunión que va a tener lugar todos los viernes del mes.

Además, si establece un tiempo en el cuadro Aviso del mismo grupo y ficha, Outlook le avisará con antelación de la proximidad de la cita. Por otro lado, el botón **Invitar a los asistentes** del grupo Acciones de la ficha Cita le permite enviar un mensaje de correo electrónico a los miembros de su equipo o a las personas que quiera que acudan a la reunión.

Tras la configuración de la cita, haga clic en el botón **Guardar y cerrar** del grupo Acciones en la misma ficha para que Outlook valide los cambios.

El resto de las operaciones que puede realizar con las citas resultan totalmente intuitivas. Por ejemplo, para cambiar la hora de una cita, arrástrela con el ratón hasta la nueva ubicación en el calendario o, para eliminarla, selecciónela con el ratón y pulse la tecla **Supr**.

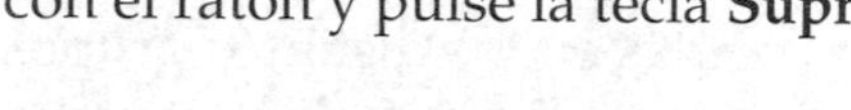

Advertencia:

Si no puede ver los botones correspondientes a las opciones que vamos a explicar a continuación, haga clic en la flecha de lista desplegable del botón **Configurar botones** *que se encuentra en la esquina inferior derecha del panel de navegación y seleccione el botón que desee visualizar desde la opción* Agregar o quitar botones.

Tareas

Para abrir la ventana Tareas de Outlook 2010, haga clic sobre su botón en el panel de navegación o haga clic en el icono del comando **Tareas** que se encuentra en la parte inferior del panel de navegación (véase la figura 14.4).

Nota:

Para abrir la ventana Lista de tareas pendientes, *haga clic en el botón del mismo nombre que se encuentra en el panel de navegación, debajo de* Mis tareas. *Así podrá comprobar todas las tareas pendientes, incluidas las del día en curso.*

Esta ventana le permite introducir, modificar y eliminar tareas. Para introducir una nueva tarea, haga clic en la sección Haga clic aquí para agregar un nuevo Tarea, escriba su descripción y pulse la tecla **Intro**. Si hace clic en la columna Vencimiento, podrá seleccionar del calendario desplegable una fecha de vencimiento para la misma. Por otro lado, haciendo doble clic sobre una tarea, accederá a la ventana de configuración avanzada en la que, de nuevo, podrá especificar su prioridad o periodicidad, asignar la tarea a un miembro de su equipo y avisarle de ello por medio del correo electrónico, etc.

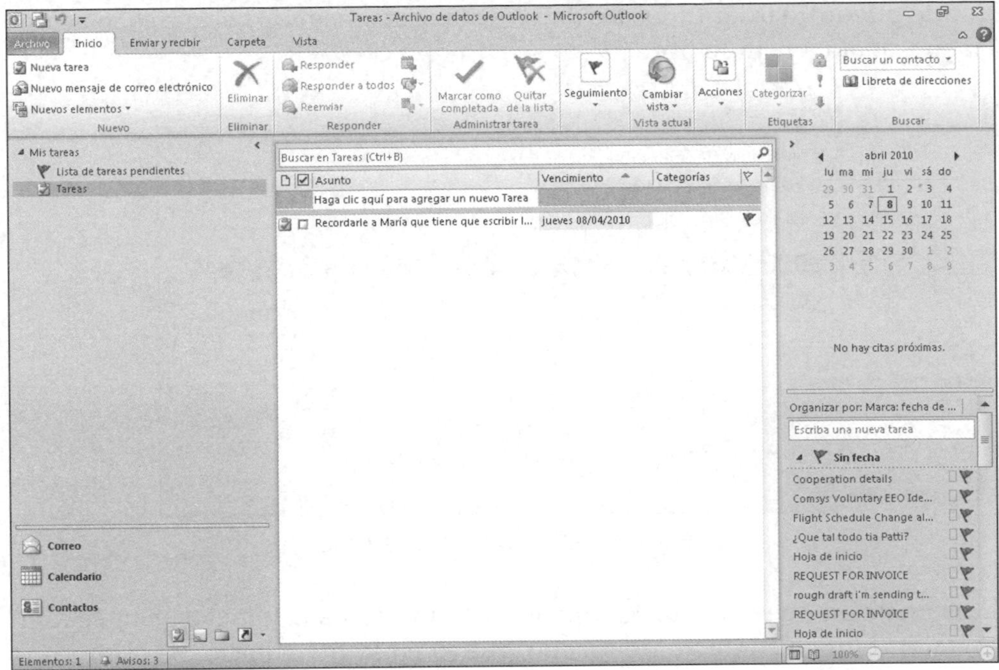

Figura 14.4. Ventana Tareas.

Truco:

En la opción Correo, *para ver el panel de tareas, sólo tiene que hacer clic en el botón de expansión del panel que se encuentra a la derecha de la pantalla.*

Si especifica un tiempo de aviso en el cuadro de una tarea o de una cita, al acercarse la fecha de vencimiento Outlook puede notificarle con una ventana de aviso como la que se muestra en la figura 14.5. Este cuadro de diálogo le permite descartar el aviso si la tarea ya no es necesaria o ha sido realizada, abrir la tarea para editarla, o indicar a Outlook que le avise de nuevo pasado un tiempo determinado.

Contactos

Para abrir la ventana Contactos de Outlook, haga clic sobre su icono en el panel de navegación o haga clic en el botón del mismo nombre en la parte inferior de dicho panel. La ventana Contactos es una libreta de direcciones, donde puede guardar todos los datos de las personas con las que se relaciona en su trabajo y tiempo libre.

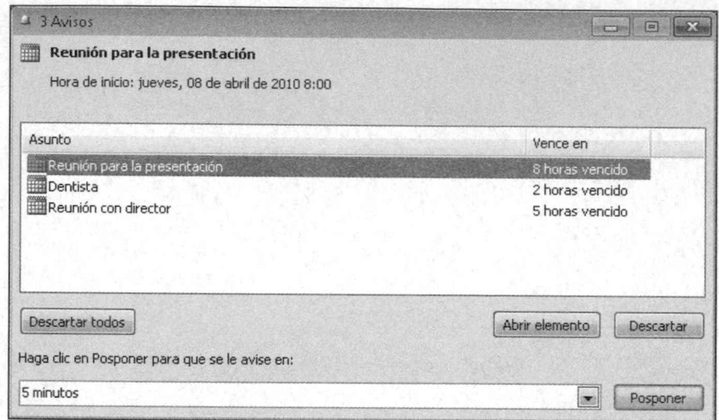

Figura 14.5. Ventana de avisos.

Para crear un nuevo contacto, una vez en la ventana Contactos, haga clic en el botón **Nuevo contacto** del grupo Nuevo en la ficha Inicio. Se abrirá una ventana en la que podrá introducir todos los datos para el contacto mediante las distintas categorías de información, representadas por las secciones correspondientes.

Una vez creado, haga clic sobre el botón **Guardar y cerrar** para volver a la ventana Contactos, o en el botón **Guardar y nuevo** para seguir introduciendo nuevos contactos.

Puede modificar los datos de un contacto haciendo doble clic sobre su entrada en la ventana Contacto para abrir la ventana del contacto. También puede suprimirlo pulsando la tecla **Supr** tras seleccionarlo. Los contactos introducidos en Outlook no sólo permiten consultar los datos introducidos, sino también enviarles mensajes de correo electrónico, acceder automáticamente a sus páginas Web o marcar su número de teléfono. Para ello, utilice los botones correspondientes recogidos en las distintas fichas de la ventana (véase la figura 14.6).

Truco:

Utilice la libreta de direcciones de Outlook para guardar la información referente a sus contactos y conseguirá agilizar extraordinariamente el envío de mensajes de correo electrónico y facilitar el trabajo en equipo.

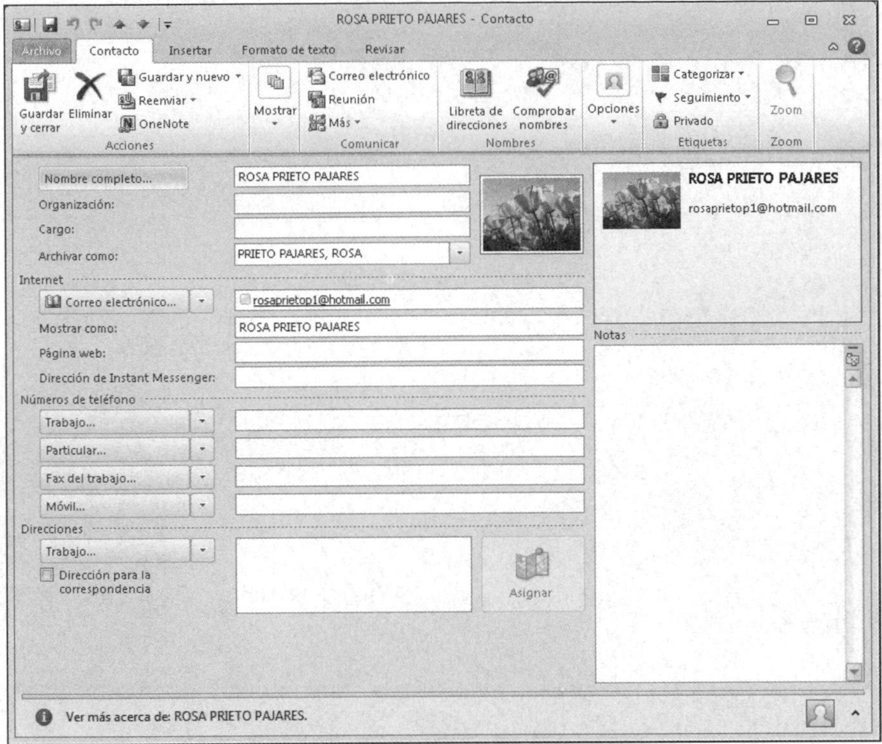

Figura 14.6. Ventana Contacto.

Notas

La ventana **Notas** de Outlook permite crear notas similares a las notas adhesivas que suele pegar en el marco de la pantalla de su ordenador o en su mesa de trabajo. Las notas creadas desde Outlook permanecerán visibles en el escritorio de su ordenador hasta que las cierre.

Para crear una nota, haga doble clic en cualquier punto del área en blanco de la ventana **Notas** o haga clic en el botón **Nuevo** de la barra de herramientas. A continuación, escriba directamente el texto que desee en la nota que aparecerá en la pantalla (véase la figura 14.7).

Truco:

Arrastre la esquina inferior derecha de la nota para aumentar su tamaño.

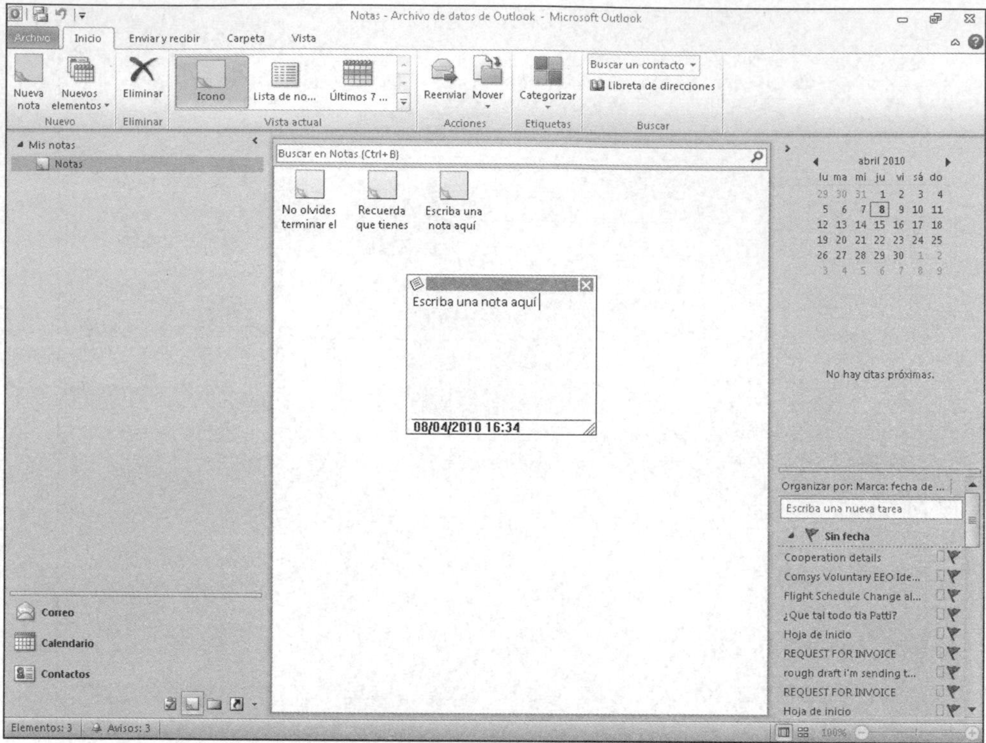

Figura 14.7. Notas de Outlook.

El diario de Outlook

El Diario de Outlook es un registro de todas las actividades llevadas a cabo con un determinado contacto de la libreta de direcciones o aplicación del entorno. Por ejemplo, si desea llevar un registro de las actividades realizadas o de la correspondencia mantenida con un miembro del equipo, puede configurar el diario para que le muestre, para ese contacto, las convocatorias de reuniones, los mensajes de correo electrónico, o los archivos de Office con los que han estado trabajando.

No obstante, el mejor método para realizar un seguimiento de las actividades llevadas a cabo con un contacto es utilizar las distintas opciones de la página de Actividades de su ventana de contacto a la que puede acceder haciendo clic en el botón del mismo nombre dentro del grupo Mostrar de la ficha Contacto.

Para activar el Diario, haga clic sobre su icono en el panel de navegación. La primera vez que acceda a la ventana Diario, Outlook mostrará un cuadro de diálogo como el que ilustra la figura 14.8 que le permitirá iniciar un seguimiento automático de la utilización de sus documentos Office.

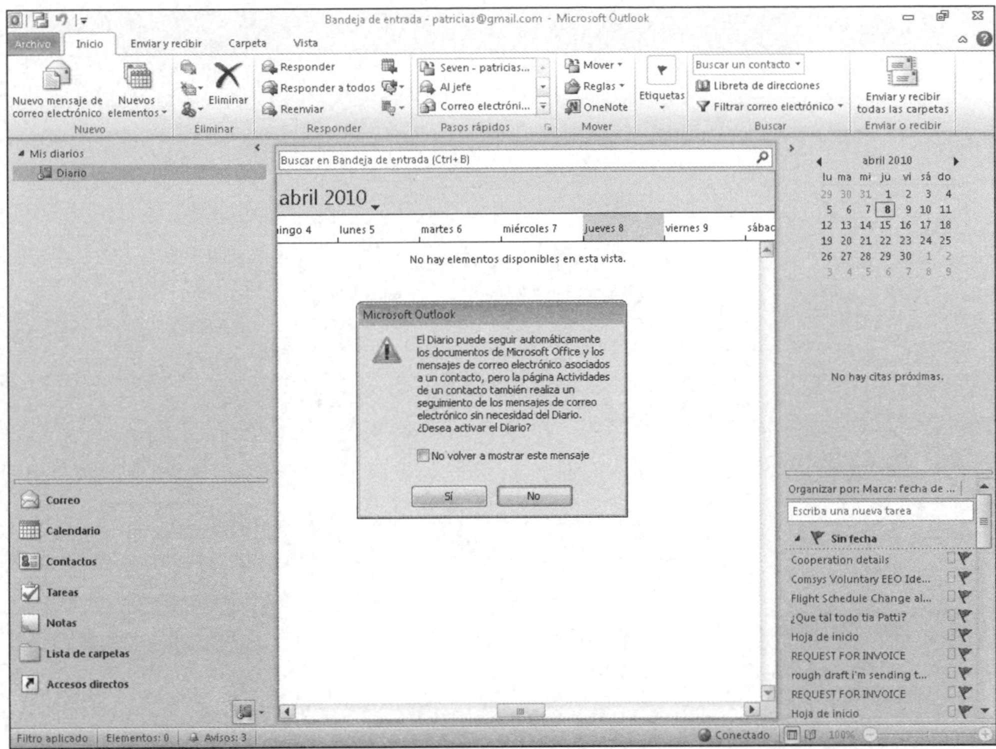

Figura 14.8. Outlook permite realizar un seguimiento automático de los documentos de Office.

Haga clic sobre el botón **Sí** y, a continuación, configure el diario para los contactos que desee utilizando las distintas opciones del cuadro de diálogo Opciones del Diario.

Capítulo 15

Microsoft Access 2010

En este capítulo aprenderá a:

- Conocer el funcionamiento de una base de datos.
- Abrir y cerrar Access.
- Crear una base de datos.
- Crear tablas utilizando diferentes procedimientos.
- Crear relaciones entre tablas.

En este capítulo iniciamos el aprendizaje de Access, la aplicación de Office 2010 para la administración de bases de datos. Empezaremos familiarizándonos con los conceptos fundamentales de las bases de datos y estudiaremos los principales componentes de la aplicación.

Gestión de bases de datos

En general, una base de datos es un conjunto de información organizada sistemáticamente. Por ejemplo, una agenda telefónica es, de hecho, una base de datos. En este caso, la información sobre los contactos contenidos en la agenda está organizada de manera que, para cada contacto, la agenda sistematiza la información sobre el número de teléfono, la dirección postal o de correo electrónico, etc. También podríamos organizar en una base de datos elementos de información tales como ventas y datos de clientes, compras y datos de proveedores, la contabilidad de una empresa, etc. Dentro de una base de datos, la información se guarda en tablas, tal como se ilustra en la figura 15.1.

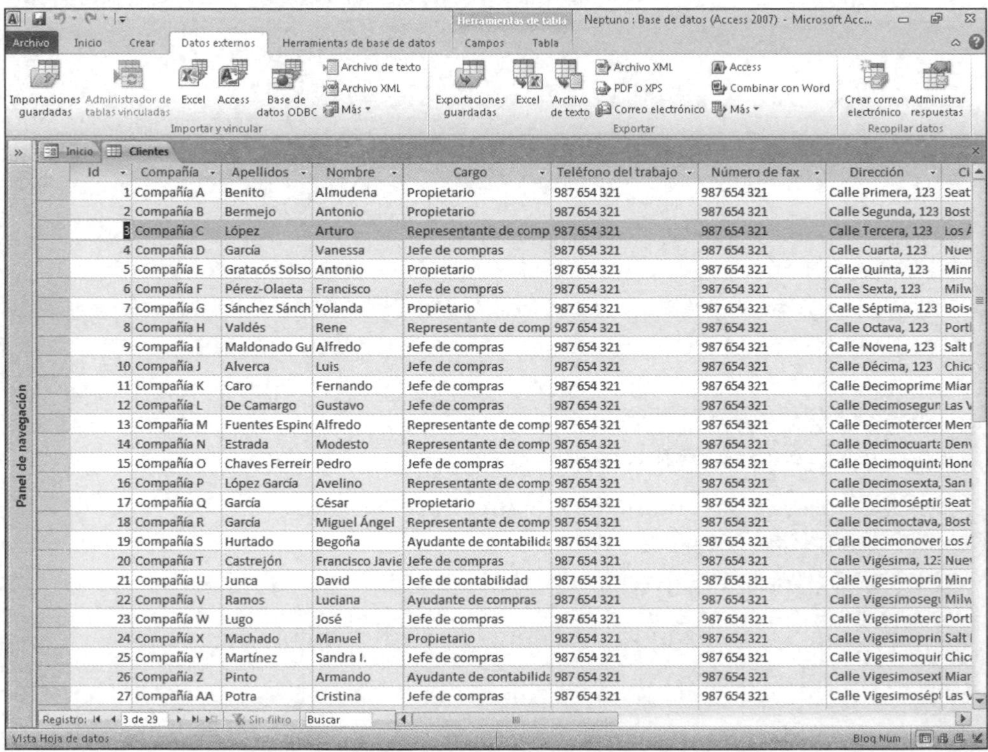

Figura 15.1. Ejemplo de tabla de base de datos.

Como se puede ver en la figura 15.1, la tabla está formada por filas y columnas. En la terminología de bases de datos, las filas se denominan registros y las columnas campos.
Cada registro muestra los datos de un cliente, mientras que cada campo muestra los datos de una misma categoría (por ejemplo, `Compañía` o `Cargo`) para todos los clientes introducidos en la tabla.
Por su parte, los datos de la base de datos son el contenido de las celdas de intersección entre cada registro y cada campo. Por ejemplo, el dato `López` se corresponde con el campo `Apellidos` del registro `3`.

Bases de datos planas

Las bases de datos formadas por una única tabla son las más sencillas y fáciles de comprender, y se denominan bases de datos planas o simples. Si bien hay muchos casos en que una base de datos plana es suficiente para organizar la información, en muchas ocasiones utilizar una única tabla de datos acarrea una serie de complicaciones que restarán eficiencia a nuestro trabajo.
Si tomamos como ejemplo una tabla que recoge las facturas correspondientes a las ventas efectuadas a diversos clientes durante un período de tiempo, dicha tabla sólo será útil si tiene pocos clientes ya que cada vez que se factura una venta a un mismo cliente, la tabla repetirá sus datos de identificación para cada registro (en este caso, cada registro se corresponde con los datos de una factura). Si trabaja con una sola tabla, ésta contendrá la misma información repetidas veces. En este caso, si desea modificar un dato, será necesario cambiar todos los registros que contengan el mismo, lo que puede suponer un problema importante si la base de datos es muy grande.
Además, si se olvida de actualizar uno de los registros en los que aparece el dato modificado, la tabla puede contener incoherencias.
Por último, tenga en cuenta que cuanto mayor sea el número de datos que contiene la base de datos, más tiempo tardará el ordenador en procesarlos, por lo que siempre es recomendable evitar en lo posible la duplicación de datos.

Bases de datos relacionales

Las bases de datos relacionales organizan la información en más de una tabla para evitar precisamente los problemas derivados de la duplicación de información.
Por ejemplo, la figura 15.2 muestra dos tablas relacionadas entre sí únicamente por el `Id. de pedido`, sin repetir información.

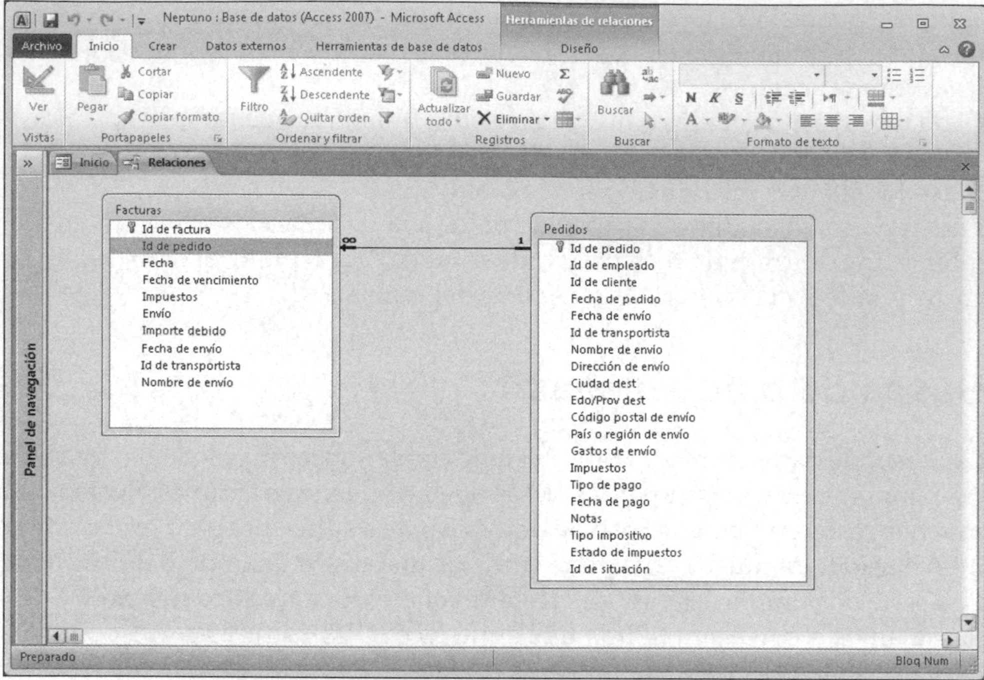

Figura 15.2. Base de datos relacional que utiliza dos tablas.

Así, en la tabla `Facturas`, cada uno de los registros se asocia al pedido correspondiente utilizando el campo `Id. de pedido`, que coincide con los utilizados en la tabla `Pedidos`. En este caso, si se modifica uno de los pedidos, sólo deberemos actualizarlo en el correspondiente registro de la tabla `Pedidos`, y la relación entre ésta y la tabla `Facturas` garantizará que ésta última también esté actualizada.

Lógicamente, para que una base de datos relacional sea útil es esencial garantizar la correcta configuración de las distintas relaciones que asocian a las diversas tablas que la componen, tal como indicaremos más adelante en el capítulo.

Otros objetos de las bases de datos Access

Hasta ahora hemos visto únicamente uno de los tipos de objetos que puede contener una base de datos Access: las tablas. Éstas guardan los datos contenidos en la base de datos, estructurándolos en filas y columnas, pero en ocasiones

le resultará más útil trabajar con presentaciones de los datos más atractivas o utilizar herramientas que faciliten la gestión de sus bases de datos.
En este sentido, además de tablas, las bases de datos Access pueden contener, entre otros, los siguientes objetos:

- **Plantillas:** Nos permiten trabajar sobre una plantilla que nos sirva de base para crear una nueva base de datos.
- **Consultas:** Permiten consultar los datos contenidos en una base de datos. Por ejemplo, combinando los datos de las tablas `Facturas` y `Pedidos`, podemos crear una consulta que calcule de manera automática la suma de todos los pedidos facturados.
- **Formularios:** Facilitan el proceso de introducción y edición de los datos utilizando una interfaz más agradable al usuario que las tablas.
- **Informes:** Se utilizan para imprimir los datos de una forma atractiva.
- **Macros y código:** Permiten configurar las operaciones que se hacen con frecuencia para que Access las ejecute de modo automático.

Interfaz de Access

Cuando se inicia Access 2010, bien a través del botón **Inicio** de Windows o bien mediante un acceso directo de escritorio, se abre la aplicación con la ficha Archivo activa, cuyas opciones son las mostradas en la figura 15.3:

Nota:

Las opciones que aparecen deshabilitadas se habilitarán en el momento que cree una base de datos.

- **Guardar:** Guarda la base de datos activa en su ubicación actual.
- **Guardar objeto como:** Guarda el objeto de base de datos activo como una tabla, una consulta, un formulario o un informe.
- **Guardar base de datos como:** Guarda la base de datos en la ubicación que especifique.
- **Cerrar base de datos:** Cierra la base de datos actual sin cerrar la aplicación.
- **Información:** Contiene información sobre la base de datos actual y ofrece la posibilidad de compactar y reparar la base de datos así como cifrarla con una contraseña.

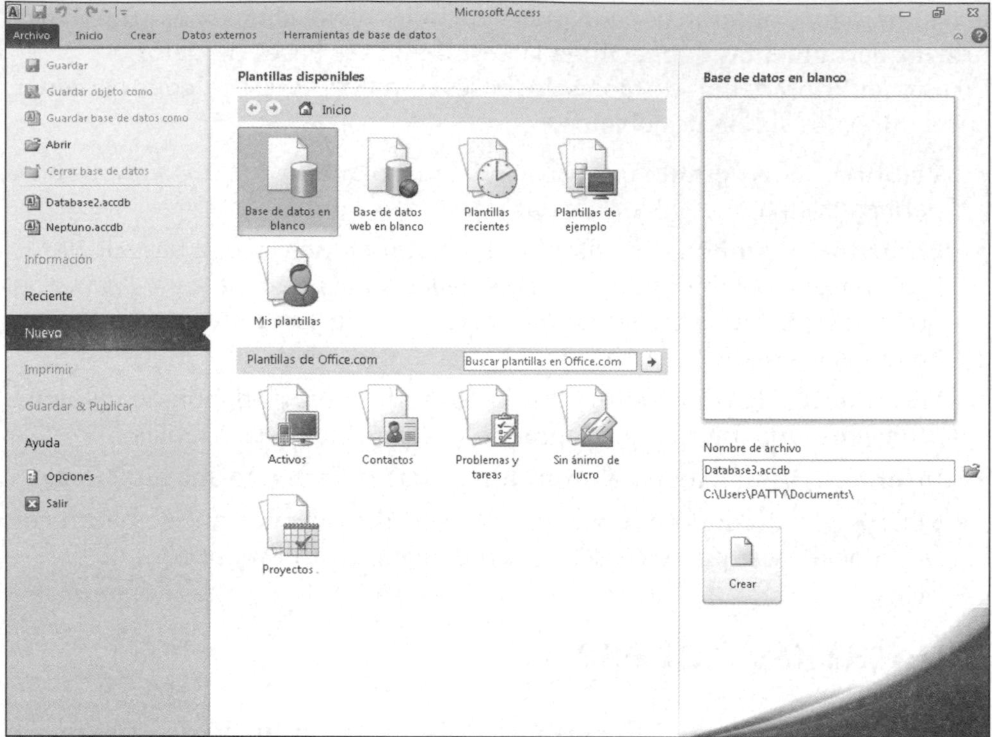

Figura 15.3. Ficha Archivo de Microsoft Access mostrando el menú Nuevo.

- **Reciente:** Muestra las bases de datos sobre las que ha trabajado recientemente.
- **Nuevo:** Es la ficha que se abre de forma predeterminada al iniciar la aplicación. Dentro de esta ventana podrá seleccionar una de las plantillas ofrecidas tanto en la sección de Plantillas disponibles como en la sección Plantillas de Office.com. Asimismo, podrá obtener una vista previa de la plantilla en la parte derecha de la ventana.
- **Imprimir:** Ofrece las distintas opciones de impresión de base de datos.
- **Guardar y publicar:** Desde esta ficha podrá guardar la base de datos en formatos de versiones anteriores de Access compatibles con Access 2010 o guardarla como plantilla. Además, las opciones Avanzadas le permiten empaquetar y firmar la base de datos, compilarla en un archivo sólo ejecutable, realizar una copia de seguridad regularmente y compartir la base de datos con SharePoint.

  En Guardar objeto como puede guardar el objeto actual como un objeto nuevo o como un objeto de cliente y publicar una copia del objeto como archivo PDF o XPS. La opción Publicar en Access Services le permite compartir la base de datos con su equipo, amigos u organización a través de Access Services y Share Point. Asimismo podrá comprobar si la aplicación de base de datos es compatible con la Web e identificar los elementos y configuraciones incompatibles.

- **Ayuda:** En esta ventana encontrará los recursos disponibles en la Web para obtener ayuda sobre la aplicación.
- **Opciones:** Abre el cuadro de diálogo Opciones de Access desde donde podrá configurar los distintos valores de configuración de la aplicación (véase la figura 15.4).

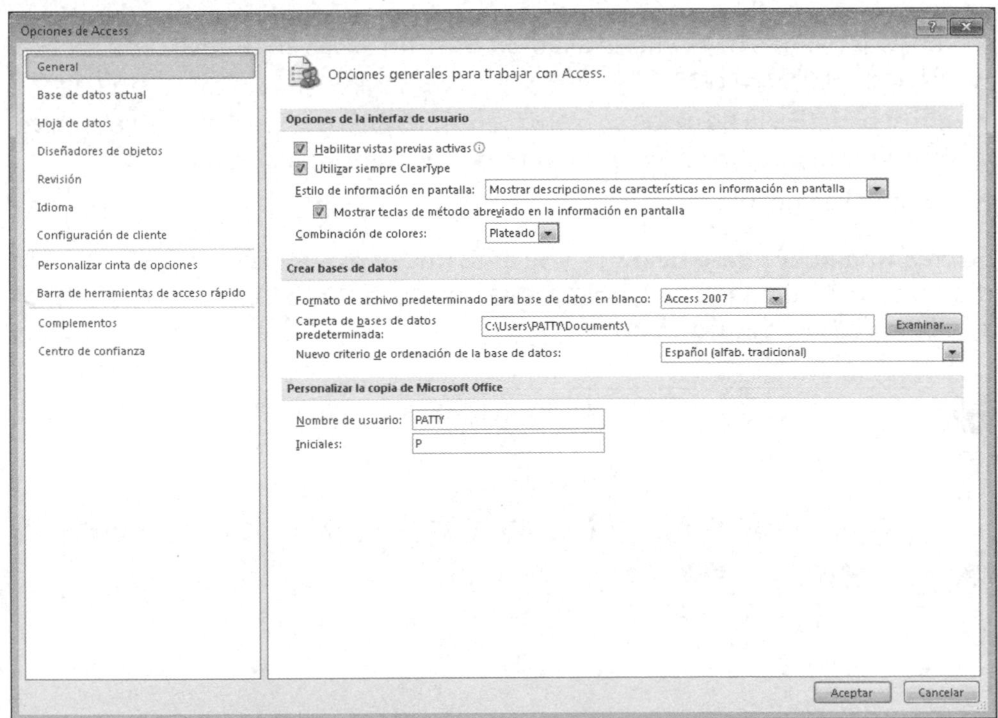

Figura 15.4. Cuadro de diálogo Opciones de Access.

- **Salir:** Cierra la base de datos actual y la aplicación.

Nota:

Entre el botón **Cerrar base de datos** *y la ficha* Información *podrá ver las bases de datos abiertas recientemente.*

Como puede comprobar, la aplicación ofrece además las fichas Inicio, Crear, Datos externos y Herramientas de base de datos en su cinta de opciones y que utilizaremos a lo largo de éste y otros capítulos dedicados a Access.

Abrir y cerrar una nueva base de datos en blanco

Para abrir una nueva base de datos en blanco, abra Access desde **Inicio** o desde un acceso directo para abrir la ficha Archivo con la opción Nuevo activada.

- En esta página, haga clic en el botón **Base de datos en blanco** de la sección Plantillas disponibles.
- En el panel Base de datos en blanco, en el cuadro de texto Nombre de archivo, escriba un nombre de archivo o utilice el nombre proporcionado.
- Haga clic en **Crear**.

Se crea una nueva base de datos y se abre una nueva tabla en la vista Hoja de datos, ofreciendo además las Herramientas de tabla con dos fichas: Campos y Tabla (véase la figura 15.5).

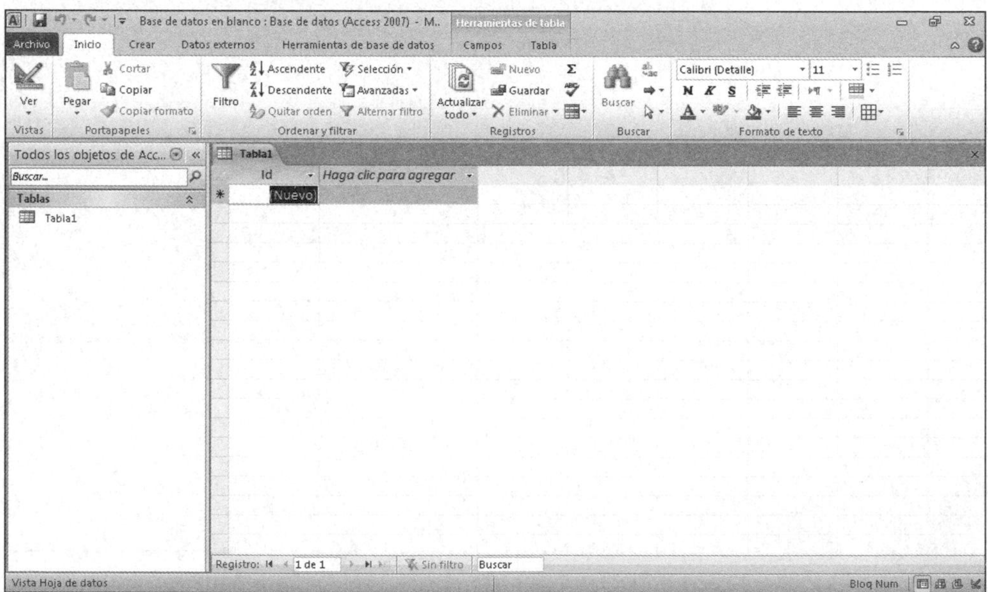

Figura 15.5. Tabla de la base de datos en blanco.

En esta ventana, además de las fichas de la cinta de opciones mencionadas anteriormente, aparecen los siguientes elementos:

- **Panel de navegación:** Se encuentra en la parte izquierda de la ventana y en él aparecerán los distintos objetos que cree en la base de datos.

Truco:

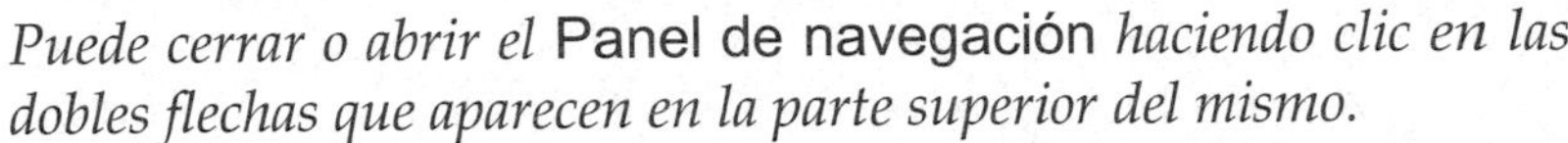

Puede cerrar o abrir el Panel de navegación *haciendo clic en las dobles flechas que aparecen en la parte superior del mismo.*

- **Área de trabajo:** Los formularios, tablas, consultas, informes, y demás objetos de una base de datos aparecerán en forma de fichas en la sección central de la pantalla. En la figura, el documento con fichas predeterminado es Tabla1.
- **Barra de estado:** Es la barra situada en la parte inferior de la ventana del programa en la que se muestra distinta información que incluye en su esquina inferior derecha los botones que permiten cambiar de vista: **Vista Hoja de datos** o **Vista Diseño**.

Para cerrar la base de datos, haga clic en el botón **Cerrar** de la ventana o bien seleccione el comando Cerrar desde el icono de la aplicación que se encuentra en la esquina superior izquierda de la ventana.

Crear tablas y relaciones entre tablas

Como hemos comprobado, el objeto que aparece de forma predeterminada en Access cuando creamos una nueva base de datos es el objeto Tablas. El programa nos ofrece varios procedimientos diferentes para la creación de nuevas tablas que estudiaremos en las siguientes secciones.

Crear una tabla en Vista Diseño

Esta opción permite crear la tabla especificando manualmente todas sus características de configuración. Abra esta ventana haciendo clic en el botón **Ver** del grupo Vistas en la ficha Inicio o bien haciendo clic en el icono **Vista Diseño** ( ) que se encuentra en la esquina inferior derecha de la ventana. En ambos casos se abrirá la ventana que muestra la figura 15.6.

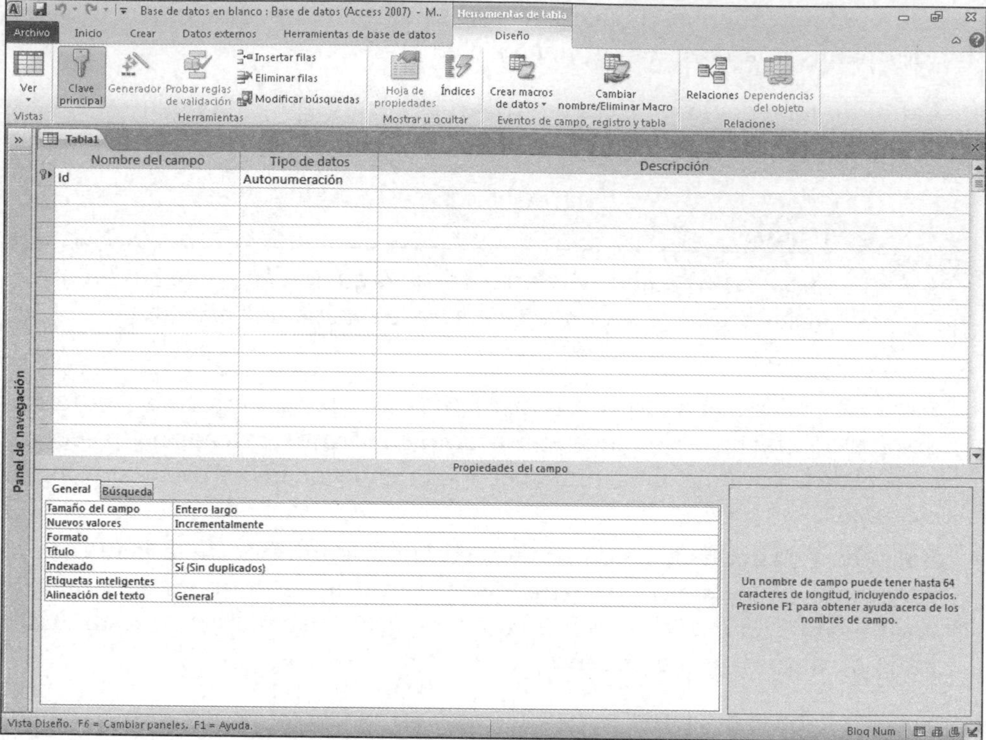

Figura 15.6. Vista Diseño de la tabla predeterminada.

Nota:

Al cambiar de vista aparecerá un mensaje solicitando que guarde la tabla actual. Haga clic en **Aceptar** *para aplicar el nombre predeterminado ofrecido o escriba un nombre para su tabla antes de confirmar la acción.*

Como puede observar, esta ventana se divide en tres secciones (hemos minimizado el Panel de navegación para evitar confusiones en la explicación). En la superior puede definir los nombres y propiedades de los distintos campos que contendrá la tabla. En la sección inferior izquierda podrá especificar parámetros adicionales para cada campo, tales como su tamaño en caracteres o si se trata o no de un campo obligatorio. Por su parte, la sección inferior derecha le proporcionará ayuda para las distintas operaciones que puede efectuar desde esta ventana. Asimismo, la ficha contextual Herramientas de tabla ofrece sólo la ficha Diseño, con las opciones necesarias para diseñar la nueva tabla.

En la columna Nombre del campo de la sección superior, introduzca el nombre de los distintos campos. Lógicamente, es aconsejable que el nombre de los campos se corresponda con su contenido. Una misma tabla no puede contener campos con un mismo nombre. Para insertar el nombre de un campo, sitúese en la primera fila y escriba el texto que desea utilizar.

A continuación, pulse la tecla **Tab** para desplazarse a la columna Tipo de datos que le permitirá especificar si los datos que contiene el campo son de texto, numéricos, de fecha y hora, etc. La tabla 15.1 describe los diferentes tipos de datos que se pueden usar en Access. Una vez seleccionado el tipo de dato deseado, pulse de nuevo la tecla **Tab** para, si lo desea, introducir una breve descripción del campo en la columna Descripción.

Tabla 15.1. Tipos de datos que puede usar en Access.

Tipo de datos	Descripción
Texto	Opción predeterminada. Utilícela para datos de texto o que combinen letras y números (por ejemplo, para nombres propios, ciudades, nombres de países, etc.).
Memo	Para datos extensos, como notas o comentarios.
Número	Para datos numéricos con los que desee realizar operaciones.
Fecha/Hora	Para guardar fechas y horas. Seleccione el formato exacto que desea utilizar en el panel inferior izquierdo de la ventana.
Moneda	Para guardar precios o cantidades monetarias.
Autonumeración	Cada vez que introduzca un nuevo registro, Access incrementará el valor del campo de forma automática.
Sí/No	Para los datos que solo puedan presentar dos valores, como `Sí` o `No`, `Verdadero` o `Falso`, etc.
Objeto OLE	Utilizado para objetos incrustados o vinculados en una base de datos de Access (por ejemplo, un documento de Word, una fotografía o una hoja de cálculo Excel).
Hipervínculo	Para insertar datos que funcionen como hipervínculos o enlaces de Internet.
Datos adjuntos	Para adjuntar imágenes, archivos de hoja de cálculo, documentos, gráficos y otros tipos de archivos admitidos, a los registros de la base de datos de forma similar a como adjunta archivos a los mensajes de correo electrónico.

Tipo de datos	Descripción
Calculado	Este nuevo tipo de datos permite crear un campo basado en el cálculo de otros campos de la misma tabla.
Asistente para búsqueda	Si selecciona esta opción Access iniciará el Asistente para búsquedas para crear un campo que le permita elegir entre los posibles valores (por ejemplo, si quiere crear un campo `Provincia` que le permita elegir el valor a utilizar de un cuadro de lista que incluirá los nombres de todas las provincias).

Nota:

La Vista Diseño *no se encuentra disponible para las tablas Web. En su lugar, utilice las características de diseño incluidas en la vista* Hoja de datos.

La figura 15.7 muestra una tabla de proveedores creada desde la Vista Diseño.

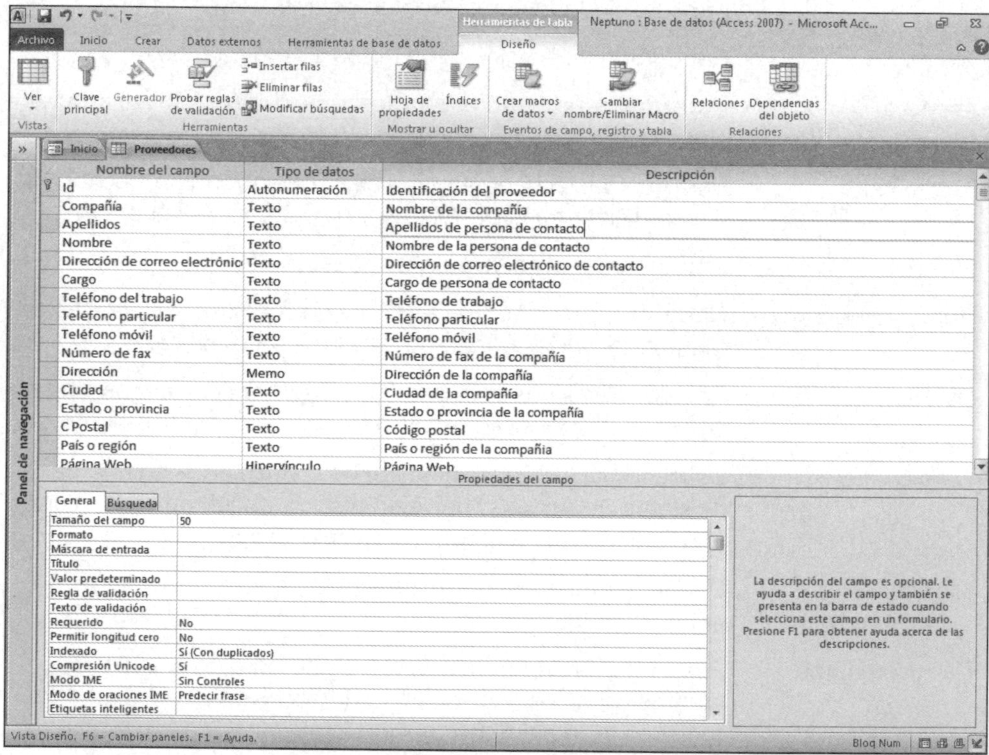

Figura 15.7. Ventana de diseño de una tabla con campos ya definidos.

Tras finalizar la introducción de datos en los campos deseados, es conveniente que la guarde utilizando el botón **Guardar** de la barra de herramientas de acceso rápido o seleccionando el comando Guardar del menú contextual que se abre al hacer clic con el botón derecho del ratón sobre el título de la ficha. Si es la primera vez que guarda la tabla, escriba un nombre para la tabla y, a continuación, haga clic en **Aceptar**.

Truco:

Si desea cambiar el nombre de una tabla tras haberla guardado, haga clic con el botón derecho del ratón sobre la tabla en el Panel de navegación *y seleccione* Cambiar nombre *del menú contextual. Tenga en cuenta que para cambiar el nombre a una tabla, primero debe estar cerrada para lo cual haga clic en el botón* **Cerrar** *de su ficha.*

Definir una clave principal

La clave principal de una tabla consta de uno o varios campos que identifican de forma única cada fila guardada en la tabla. Normalmente, hay un número de identificación exclusivo, como un número de Id., un número de serie o un código que sirve de clave principal. Por ejemplo, en una tabla de `Clientes`, cada cliente podría tener un número de `Id. de cliente` distinto. El campo `Id. de cliente` sería, en ese caso, la clave principal de la tabla.

Un buen candidato para una clave principal debe tener varias características:

- Identificar inequívocamente cada fila.
- No estar nunca vacío ni ser nulo (siempre debe contener un valor).
- Preferiblemente, no debe cambiar. Access utiliza campos de clave principal para reunir rápidamente los datos de varias tablas.

Siempre se debe especificar una clave principal para una tabla. Access crea automáticamente un índice para la clave principal, que permite agilizar las consultas y otras operaciones.

Asimismo comprueba que cada registro tenga un valor en el campo de clave principal y que éste sea siempre distinto.

Al crear una nueva tabla en la vista Hoja de datos, Access crea automáticamente una clave principal y le asigna un nombre de campo de `Id.` y el tipo de datos Autonumeración. El campo está oculto en la vista Hoja de datos, pero se puede ver en la Vista Diseño.

Modificar la estructura de la tabla

En cualquier momento puede modificar la estructura de la tabla utilizando los siguientes procedimientos:

- Si lo que desea es cambiar el nombre o tipo de datos de un campo, haga clic sobre la casilla correspondiente y realice las modificaciones oportunas.
- Para insertar un campo nuevo en una posición determinada haga clic en la fila donde quiera insertarlo y haga clic en el botón **Insertar filas** del grupo Herramientas en la ficha Diseño de Herramientas de tabla en la Vista Diseño. A continuación introduzca el nombre y tipo de datos del campo. Si desea añadir un campo nuevo al final, haga clic en la primera fila libre, escriba el nombre del campo y especifique el tipo de datos que contendrá.
- Para eliminar un campo haga clic en la fila que lo contiene y, posteriormente, en el botón **Eliminar filas** del grupo Herramientas en la ficha Diseño de Herramientas de tabla. También puede seleccionar la fila haciendo clic en el selector de fila de su extremo izquierdo y pulsar a continuación la tecla **Supr**.
- Para eliminar la clave principal sitúese en el campo correspondiente y haga clic en el botón **Clave principal** del grupo Herramientas en la ficha Diseño de Herramientas de tabla.

Crear una tabla a partir de una plantilla

Para crear una tabla `Contactos`, `Tareas`, `Problemas`, `Comentarios` o `Usuarios`, tal vez desee partir de una de las plantillas de tablas para estos temas incluidas en Access 2010.

Para crear una tabla a partir de una plantilla, siga estos pasos:

Nota:

Con este procedimiento, además de poder crear relaciones simples con las tablas guardadas en la base de datos, se crearán también consultas, formularios e informes sobre los que podrá trabajar.

1. Si tiene abierta una base de datos, haga clic en la flecha desplegable de **Elementos de aplicación** del grupo Plantillas en la ficha Crear (véase la figura 15.8).

Advertencia:

En esta nueva edición de Office, tal como hemos comentado en otros capítulos del libro, deberá hacer clic en **Habilitar contenido** *en la advertencia de seguridad que se abre cada vez que abra una base de datos.*

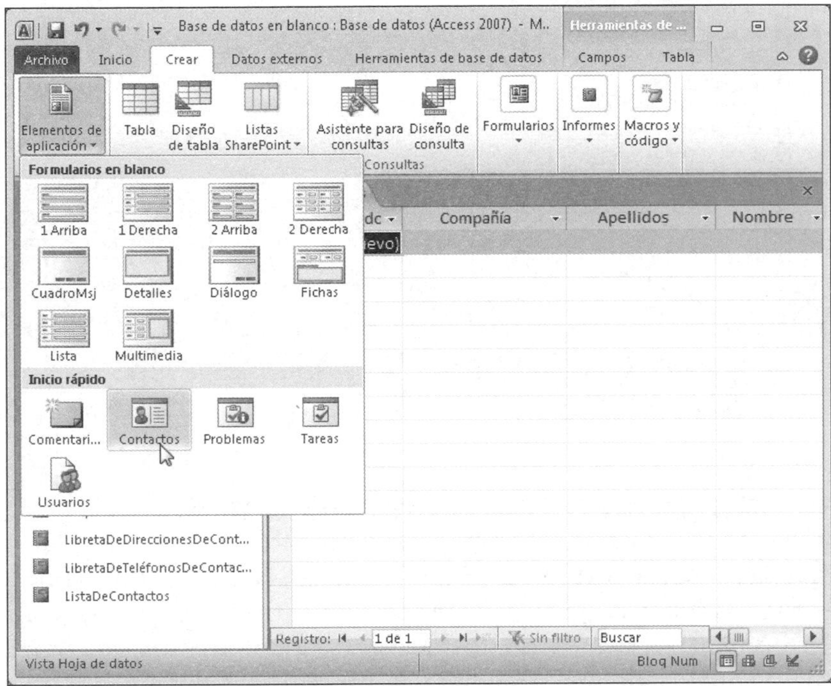

Figura 15.8. Seleccione una plantilla de tabla.

2. Seleccione una plantilla de las ofrecidas dentro de la sección Inicio rápido (nosotros, por ejemplo, hemos seleccionado la plantilla Contactos).
3. Se abrirá el cuadro de diálogo Crear relación simple. Desde este cuadro podrá especificar una relación con la tabla que especifique cuando se importe la nueva plantilla Contactos.
4. Por el momento, seleccione No existe ninguna relación y haga clic en **Crear**.
5. Se inserta una nueva tabla basada en la plantilla seleccionada, lista para la introducción de datos (véase la figura 15.9). Asimismo, se insertarán las consultas, los formularios y los informes correspondientes en el panel de navegación.

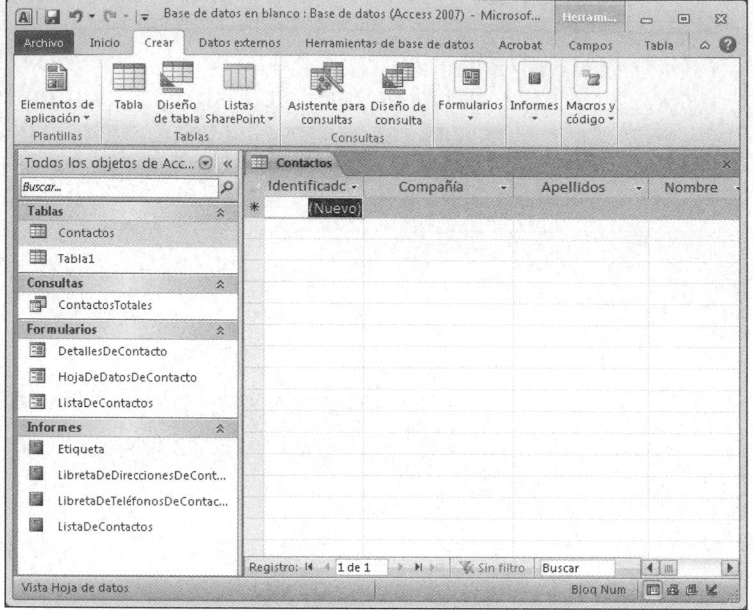

Figura 15.9. Tabla creada a partir de la plantilla Contactos.

Crear una tabla introduciendo datos

Si hace clic en el botón **Tabla** del grupo Tablas en la ficha Crear, se abrirá una tabla en blanco sobre la que puede empezar a introducir los datos sin haber definido todavía los campos, por lo que éste es un modo muy sencillo de crear una tabla. Tenga en cuenta, sin embargo, que utilizar esta opción no es muy aconsejable pues al final suele acarrear problemas de diseño.

Para definir los campos, haga clic con el botón derecho del ratón sobre cada una de las columnas y seleccione el comando Cambiar nombre de columna del menú contextual (véase la figura 15.10), o bien cambie a la Vista Diseño para definir la estructura de la tabla en dicha vista.

Tipos de relaciones entre tablas

Las distintas tablas que componen una base de datos pueden relacionarse de diferentes maneras:

- **Relación uno a varios:** Es el tipo de relación más habitual. En este tipo de relaciones, cada registro de la tabla principal puede tener más de un registro enlazado con la tabla secundaria pero cada registro de la tabla secundaria sólo puede enlazar con un registro de la tabla principal. Por ejemplo, un registro de la tabla principal Clientes puede enlazar con más de un registro de la tabla secundaria Facturas (ya que un mismo cliente puede tener varias facturas), pero un registro de la tabla Facturas sólo puede asociarse a un registro de la tabla Clientes (ya que una factura sólo puede asociarse a un cliente).

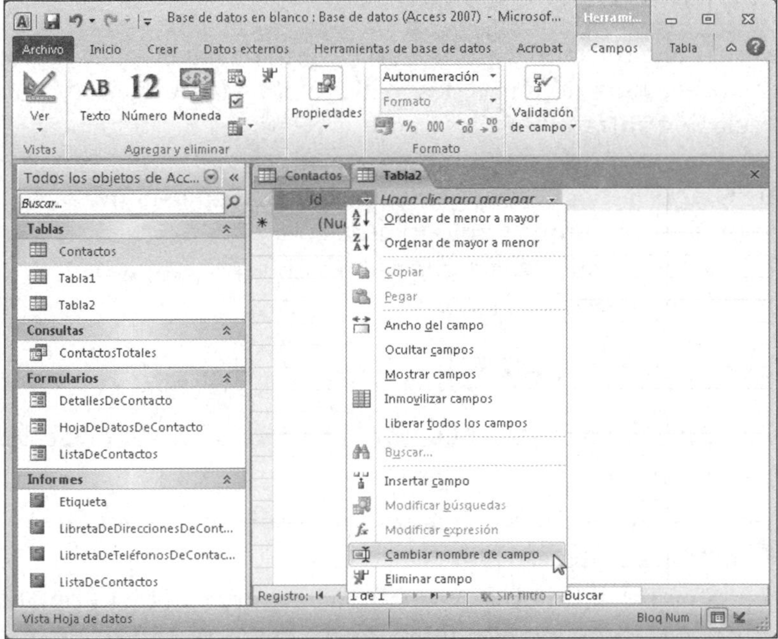

Figura 15.10. Cambie el nombre de la columna de la tabla en blanco.

- **Relación de varios a varios:** En este tipo de relaciones, cada registro de la tabla principal puede enlazar con más de un registro de la tabla secundaria y viceversa. Por ejemplo, si en lugar de facturas la tabla secundaria contuviera registros de carga de camiones, cada camión podría trasladar pedidos de más de un cliente de la tabla principal.
- **Relación de uno a uno:** Es muy poco habitual, y sería el caso en que un registro de la tabla principal sólo pudiera asociarse a un registro de la secundaria, y viceversa.

En todo caso, sea cual sea la relación que creemos entre dos tablas, siempre deberán respetarse las denominadas reglas de la integridad referencial, por las que una tabla secundaria no puede contener registros huérfanos o no asociados a la tabla primaria (es decir, toda factura deberá asociarse a un cliente), y no es posible borrar un registro de la tabla principal que esté relacionado con un registro de la secundaria (por ejemplo, no podrá eliminar los datos de un cliente que tenga asociada una o más facturas). Estas reglas aseguran que los datos se mantendrán correctamente relacionados y evitan su eliminación accidental.

Crear relaciones en Access

Se puede crear una relación de tabla con la ventana Relaciones o arrastrando un campo en una hoja de datos desde el panel Lista de campos. Cuando se crea una relación entre tablas, los campos comunes no tienen que tener los mismos nombres, aunque sus nombres suelen coincidir. Sin embargo, dichos campos tienen que tener el mismo tipo de datos. No obstante, si el campo de clave principal es un campo Autonumeración, si la propiedad Tamaño del campo de los dos campos tiene el mismo valor, el campo de clave externa puede ser un campo de tipo Número.

Crear una relación de tabla con la ventana Relaciones

Para utilizar la ventana Relaciones, abra una base de datos que contenga tablas y siga estos pasos:

1. Haga clic en el botón **Relaciones** del grupo Relaciones en la ficha Herramientas de base de datos.
2. Si todavía no ha definido ninguna relación, aparecerá automáticamente el cuadro de diálogo Mostrar tabla (véase la figura 15.11).
3. Si no se abre el cuadro de diálogo, haga clic en el botón **Mostrar tabla** del grupo Relaciones en la ficha Diseño dentro de Herramientas de relaciones.
4. En el cuadro de diálogo Mostrar tabla se muestran todas las tablas y consultas de la base de datos. Para ver únicamente las tablas, seleccione la ficha Tablas. Para ver únicamente las consultas, seleccione Consultas. Para ver las tablas y las consultas, seleccione Ambas.
5. Seleccione una o varias tablas o consultas y haga clic en **Agregar**. Cuando termine de agregar tablas y consultas a la ventana, haga clic en **Cerrar**.
6. Arrastre un campo (normalmente el campo de clave principal) de una tabla al campo común (la clave externa) en la otra tabla. Para arrastrar varios campos, presione la tecla **Control**, haga clic en cada uno de ellos y arrástrelos. Se abrirá el cuadro de diálogo Modificar relaciones (véase la figura 15.12).

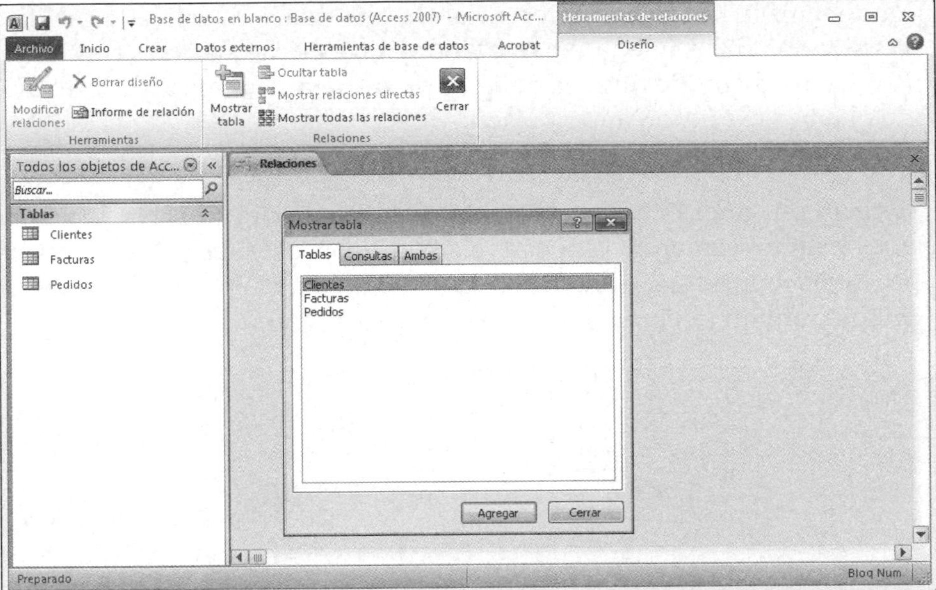

Figura 15.11. Tablas sin relacionar y cuadro de diálogo Mostrar tabla.

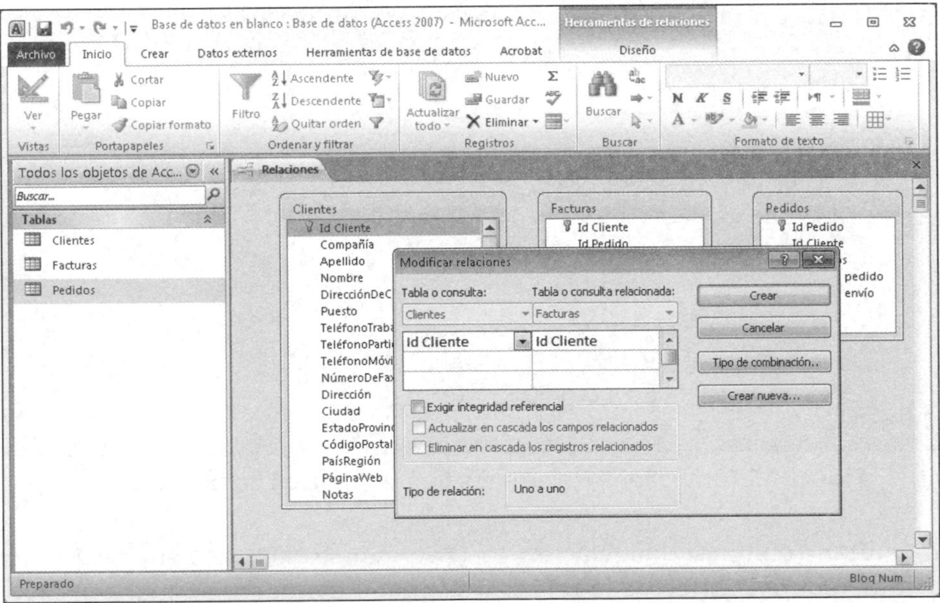

Figura 15.12. Cuadro de diálogo Modificar relaciones.

7. Compruebe que los nombres de campo son los campos comunes de la relación. Si uno es incorrecto, haga clic en él y seleccione otro de la lista.

8. Para exigir la integridad referencial de esta relación, active la casilla de verificación **Exigir integridad referencial**. En este caso, Access configurará la relación de modo que sea obligatorio respetar las reglas de integridad que hemos explicado anteriormente.
9. Haga clic en **Crear**.

Se dibujará una línea entre las dos tablas (véase la figura 15.13) en la ventana Relaciones representando la nueva relación. En uno de sus extremos, el símbolo `1` indica que en ese lado de la relación está la tabla principal; en el otro, el símbolo infinito (∞) indica cuál es la tabla secundaria.

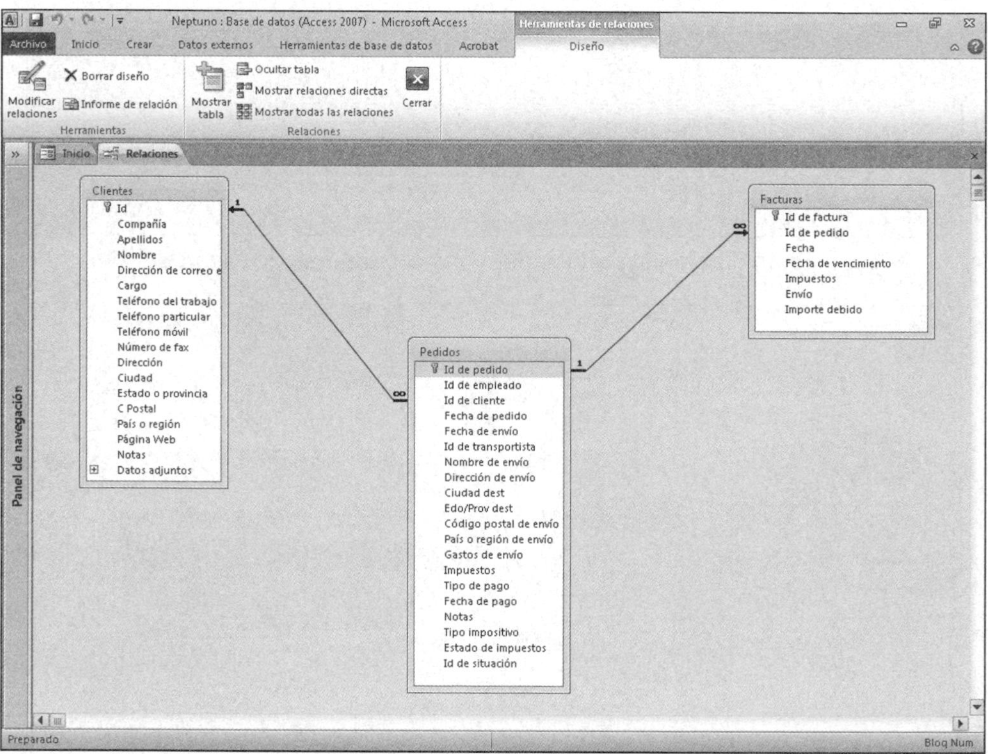

Figura 15.13. Ventana Relaciones tras la creación de una relación.

Para editar o eliminar una relación, en la ventana Relaciones sitúe el puntero del ratón sobre la línea de la relación y abra el menú contextual correspondiente haciendo clic con el botón derecho del ratón. A continuación, ejecute el comando Eliminar para deshacer la relación o el comando Modificar relación para cambiar sus opciones de configuración utilizando el cuadro de diálogo Modificar relaciones.

Capítulo 16

Trabajar con tablas y formularios

En este capítulo aprenderá a:

- Gestionar las tablas que contiene una base de datos.
- Introducir y editar datos en una tabla de Access.
- Crear y editar formularios.
- Introducir datos en un formulario.

En este capítulo aprenderemos a trabajar con las tablas de Access tras su creación. Así, aprenderemos a administrar las distintas tablas de la base de datos y a introducir y editar los datos que vayan a contener. Los procedimientos que vimos en Excel nos serán de gran utilidad para explicar el trabajo con tablas en Access.

En el apartado dedicado a los formularios aprenderemos a crearlos y modificarlos para facilitar la introducción de los datos de una base de datos.

Administración de las tablas de una base de datos

Una vez creada una tabla, ésta aparecerá en el Panel de tareas al seleccionar la opción Todas las tablas de su flecha de menú desplegable. Si por cualquier motivo desea cambiar su nombre, haga clic con el botón derecho del ratón sobre ella y seleccione la opción Cambiar nombre de su menú contextual.

También puede hacer una copia de la tabla con sólo seleccionarla y ejecutar sucesivamente los comandos Copiar y Pegar del grupo Portapapeles en la ficha Inicio. Al pegar la tabla, Access le pide el nombre que desea dar a la copia, y le da la opción de pegar solamente la estructura de la tabla, o tanto la estructura como los datos que contenga así como anexar datos a la tabla existente.

Para eliminar la tabla, selecciónela y pulse la tecla **Supr** o bien haga clic sobre el botón **Eliminar** del grupo Registros en la ficha Inicio. Si desea imprimir una tabla, selecciónela y, como en el resto de aplicaciones de Office, seleccione Imprimir de la ficha Archivo. Desde este grupo de opciones podrá especificar cómo desea llevar a cabo el proceso de impresión y podrá obtener una vista previa del objeto antes de imprimirlo haciendo clic en el botón **Vista preliminar** desde donde podrá configurar los valores deseados antes de su impresión, como puede ver en la figura 16.1.

Introducir y editar datos en una tabla

Para abrir la tabla de modo que pueda empezar a introducir los datos, haga doble clic en ella. La tabla se abrirá en modo Vista Hoja de datos, pero en cualquier momento puede pasar a la Vista Diseño si desea modificar su estructura (y viceversa cuando desee introducir o editar los datos que contiene) haciendo clic en el botón correspondiente del menú desplegable del botón **Vistas** en el grupo Vistas de la ficha Inicio.

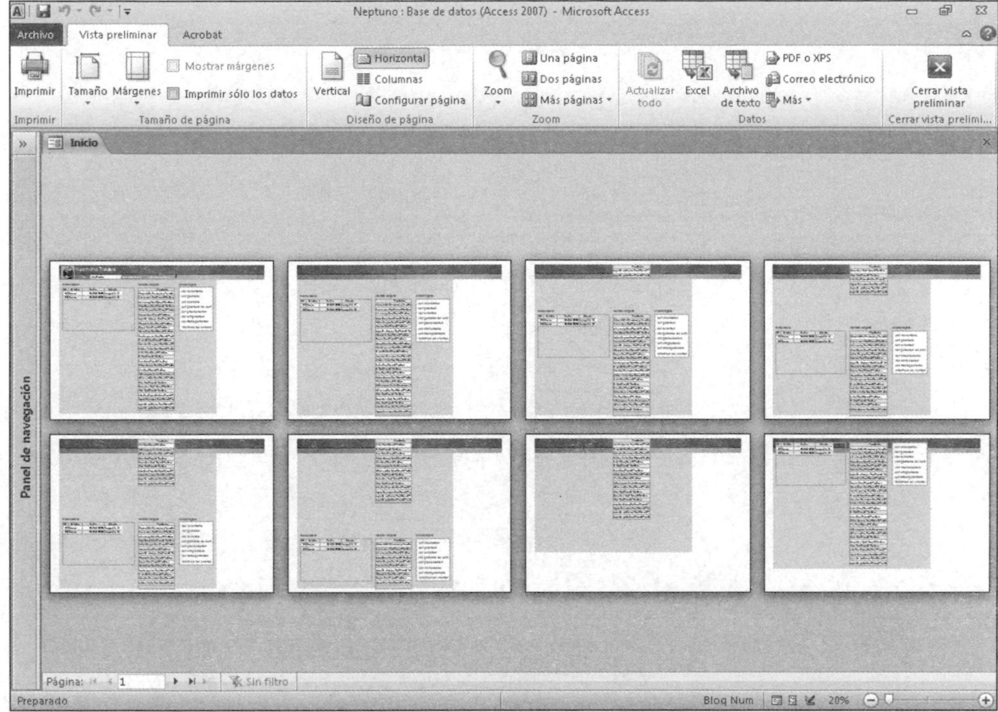

Figura 16.1. Vista preliminar de objetos antes de imprimirlos.

Los procesos de introducción y edición de datos en las tablas de Access son iguales que en el caso de las tablas de Excel, por lo que no nos detendremos en explicarlos en profundidad. Desplácese por las diferentes celdas utilizando la tecla **Tab** o utilizando el ratón, y escriba los datos correspondientes en los campos. Cuando haya introducido el último campo de un determinado registro, Access creará automáticamente una nueva fila para un registro adicional. Observe que en la parte inferior de la ventana de la tabla Access le indica en qué registro se encuentra, así como el número total de registros introducidos. Utilice los botones de flecha situados junto al cuadro de registro para pasar a los registros siguiente o anterior, o para saltar al primer o último registro (véase la figura 16.2).

Truco:

En el cuadro de registro escriba el número de registro y pulse la tecla **Intro** *para desplazarse de forma rápida al registro deseado. En una tabla con muchos registros, haga clic en el botón de flecha* **Nuevo registro vacío** *( ) para crear un nuevo registro.*

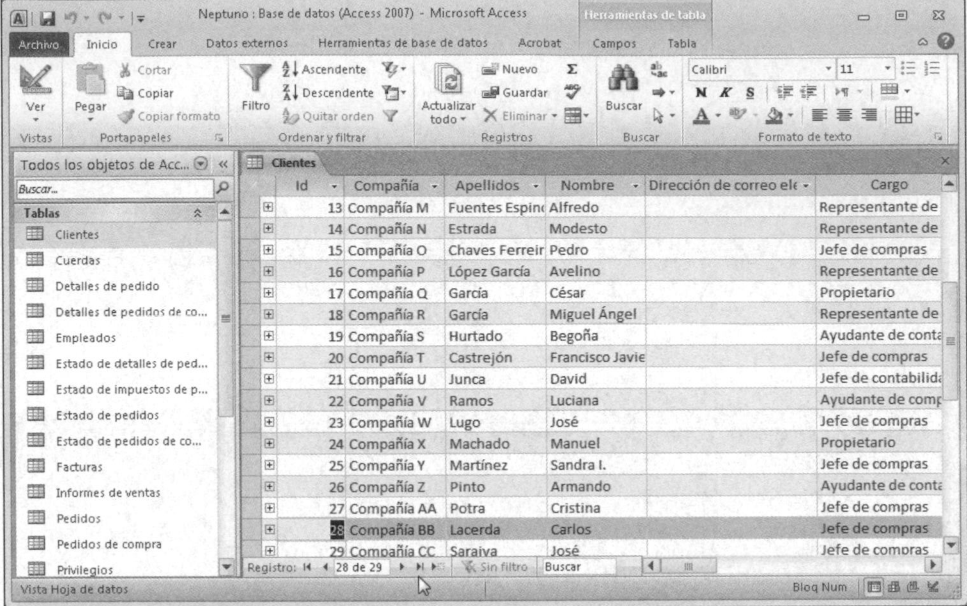

Figura 16.2. Desplácese por los registros con ayuda de los botones de flecha y los cuadros de registro.

Trabajar con formularios

Acabamos de aprender a introducir los datos que compondrán la base de datos utilizando tablas. Sin embargo, Access incorpora una herramienta que facilita las tareas de introducción y edición de los datos. Por ejemplo, la figura 16.3 muestra un formulario creado para introducir datos sustituyendo a la tabla de la figura 16.2.

Como puede comprobar, la introducción de datos utilizando el formulario es más agradable y fácil al poder ver los nombres de todos los campos y presentar en la pantalla la información de un único registro. Además, en un formulario puede insertar totales y gráficos y, lo que es más importante, puede configurarlos de modo que pueda introducir datos de varias tablas simultáneamente.

Crear un formulario

Para crear un formulario puede utilizar diversas opciones que vamos a presentar en las siguientes secciones.

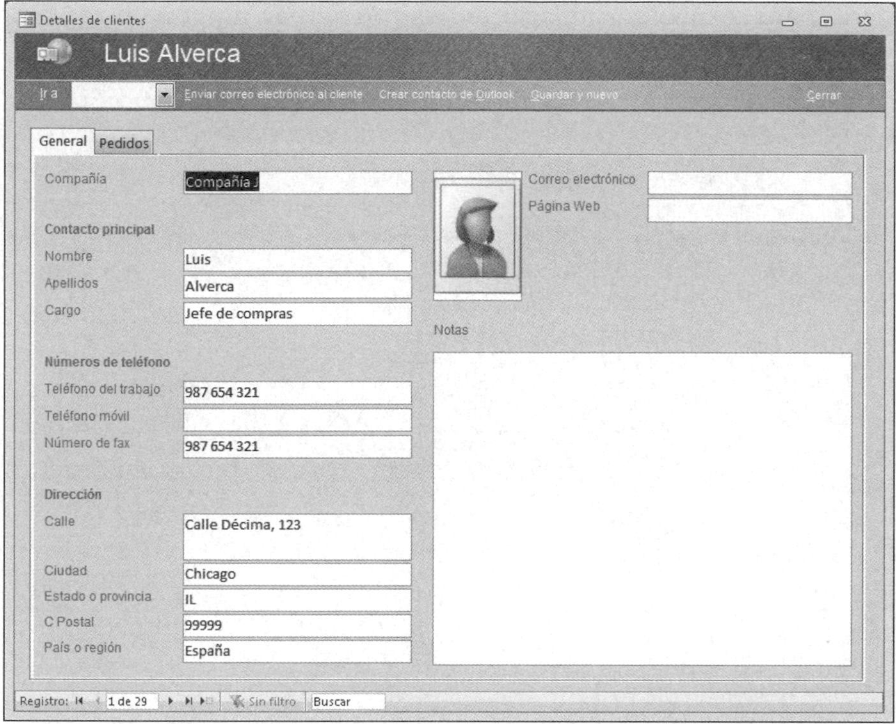

Figura 16.3. Ejemplo de formulario para introducción de datos de clientes.

Formulario

Si desea crear un formulario con un solo clic en su base de datos, utilice el botón **Formulario** del grupo Formularios en la ficha Crear. Al utilizar esta herramienta, todos los campos del origen de datos (tabla activa) se colocan en el formulario (véase la figura 16.4). Puede comenzar a utilizar inmediatamente el nuevo formulario, o bien, puede modificarlo en la Vista Presentación o en la Vista Diseño para ajustarlo a sus necesidades. Asimismo, se abrirán las Herramientas de presentación de formulario con las fichas Diseño, Organizar y Formato que le ayudarán a personalizar su formulario.

En la Vista Presentación, puede realizar cambios de diseño en el formulario mientras presente datos, como ajustar el tamaño de los cuadros de texto para que quepan los datos si es necesario. Si Access encuentra una sola tabla que tenga una relación uno a varios con la tabla o consulta utilizada para crear el formulario, agregará una hoja de datos al formulario basado en la tabla o consulta relacionada. Puede eliminar la hoja de datos del formulario si no es necesaria. Si hay más de una tabla con una relación uno a varios con la tabla utilizada para crear el formulario, Access no agrega ninguna hoja de datos al formulario.

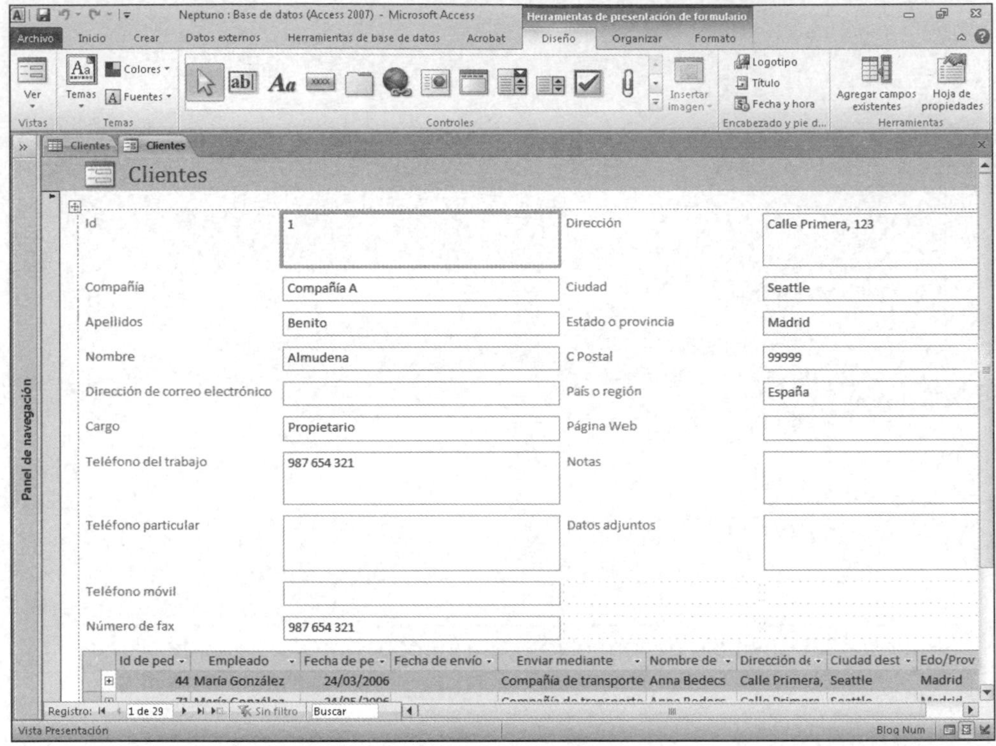

Figura 16.4. Creación de un formulario a partir de la tabla activa.

Nota:

Para entrar en las distintas vistas, selecciónelas desde el menú desplegable del botón **Ver** *dentro del grupo* Vistas *en la ficha* Diseño *de* Herramientas de presentación de formulario.

Formulario dividido

La opción Formulario dividido le permite obtener dos vistas de los mismos datos simultáneamente: un formulario en la sección superior y una tabla de datos en la sección inferior (véase la figura 16.5).

Para crear un formulario dividido haga clic en el botón de lista desplegable **Más formularios** de la sección Formularios en la ficha Crear y seleccione Formulario dividido. Access crea el formulario y lo muestra en la Vista Presentación. En esta vista puede realizar cambios de diseño en el formulario mientras muestra datos. Asimismo, las Herramientas de formulario le ofrecen las fichas Diseño, Organizar y Formato desde donde podrá editar el formulario para que se ajuste a sus necesidades y preferencias.

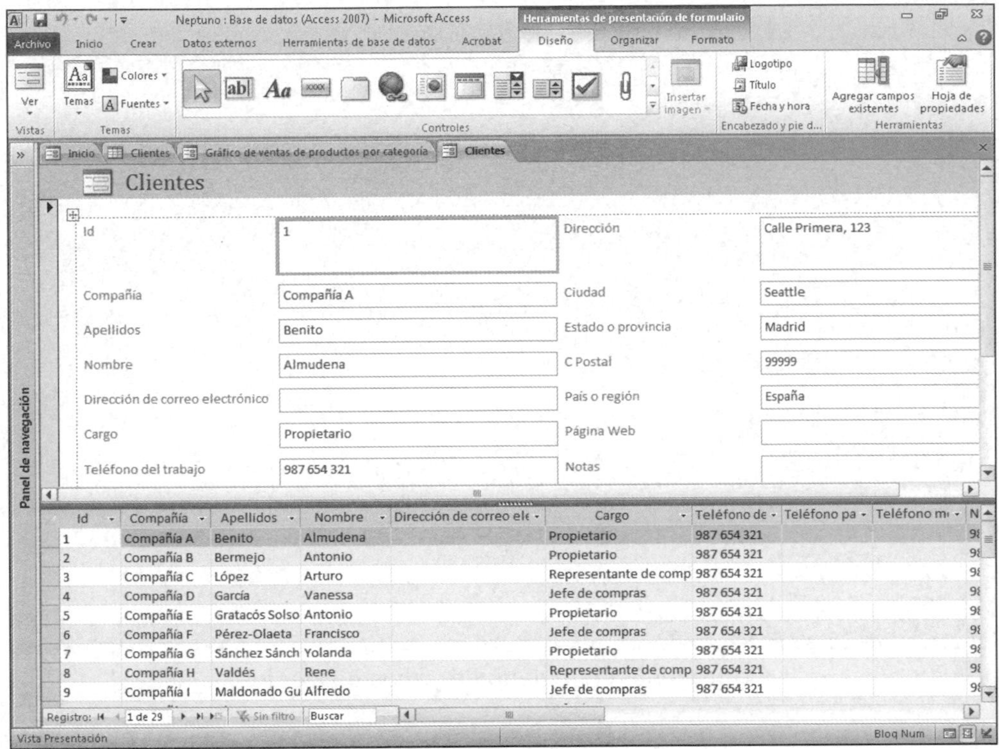

Figura 16.5. Formulario dividido.

Varios elementos

También puede crear un formulario que muestre varios registros en una hoja de datos, con un registro por fila, con ayuda de la opción Varios elementos de la lista desplegable del botón **Más formularios** dentro del grupo Formularios en la ficha Crear. Cuando crea un formulario de este tipo, se mostrarán varios registros (véase la figura 16.6).

Al utilizar esta opción, el formulario creado por Access se parece a una hoja de cálculo. Los datos se organizan en filas y columnas y se visualiza más de un registro a la vez. Sin embargo, un formulario de varios elementos proporciona más opciones de personalización que una hoja de datos, como la posibilidad de agregar elementos gráficos, botones y otros controles.

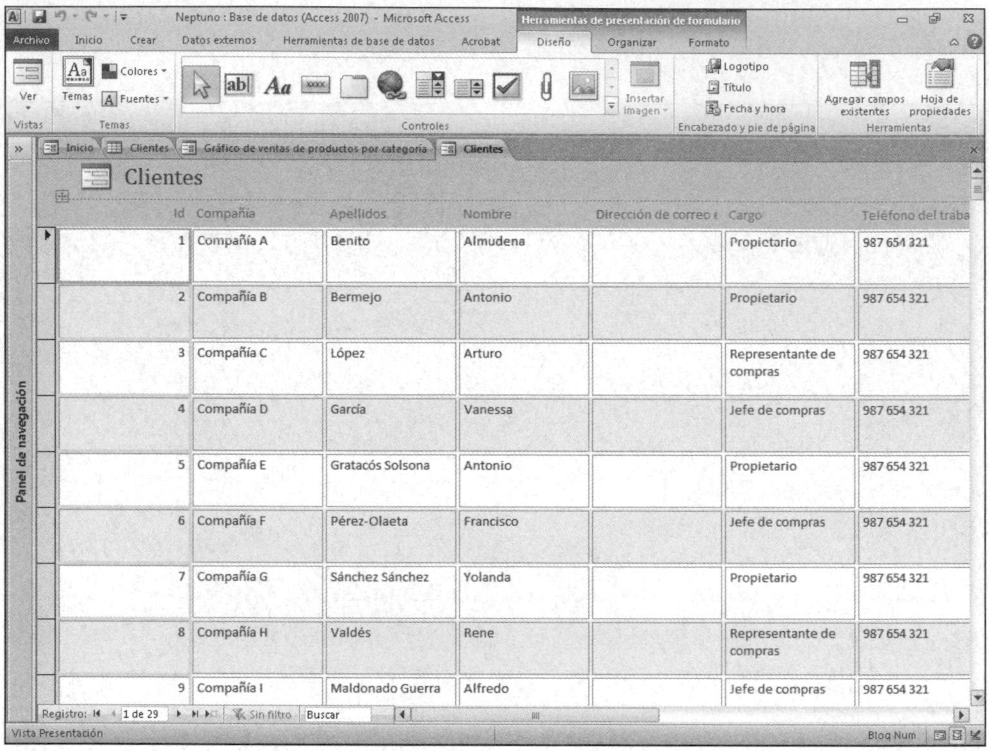

Figura 16.6. Formulario de Varios elementos.

Cuadro de diálogo modal, Gráficos y Tablas dinámicas

En Access puede utilizar las opciones correspondientes para la creación de un cuadro de diálogo o de un gráfico o tabla dinámica. Cuadro de diálogo modal, Gráfico dinámico y Tabla dinámica son distintos tipos de formularios que presenta Access en el menú desplegable del botón **Más formularios** del grupo Formularios en la ficha Crear.

Para crear uno de estos formularios, selecciónelo desde la lista del botón desplegable **Más formularios** y diseñe su cuadro, gráfico o tabla con ayuda de las opciones proporcionadas en las fichas contextuales correspondientes para obtener el resultado deseado (véase la figura 16.7).

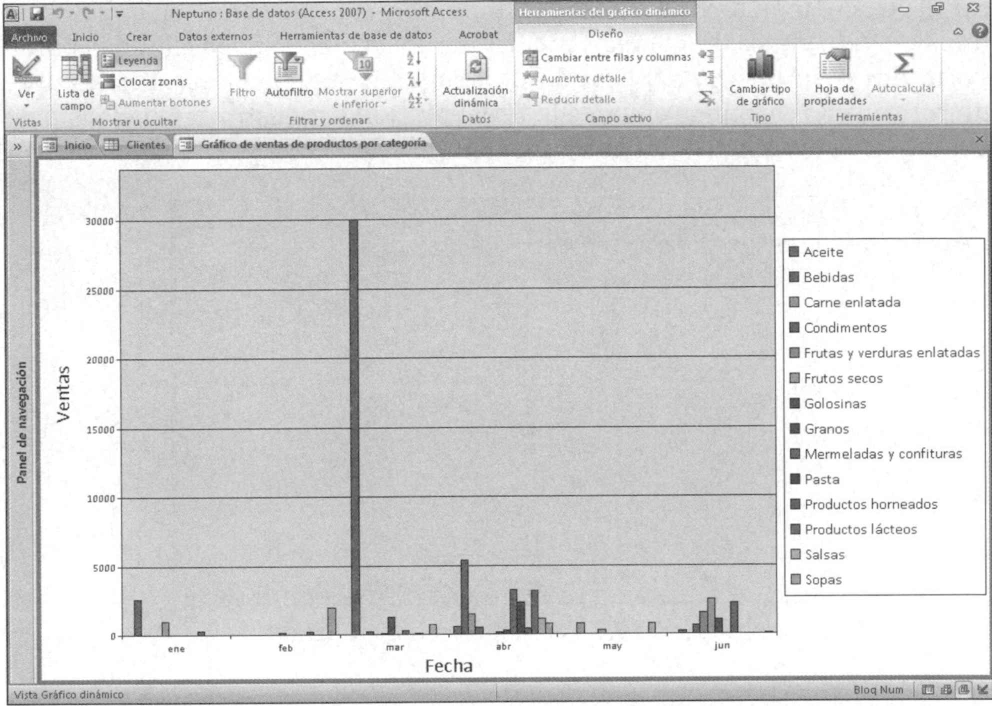

Figura 16.7. Formulario de Gráfico dinámico creado con Access 2010.

Asistente para formularios

Puede utilizar el Asistente para formularios para crear un formulario y así seleccionar más detalladamente los campos que van a aparecer en el mismo. Asimismo, este asistente le permite definir cómo se agrupan y se ordenan los datos, y utilizar campos de más de una tabla o consulta siempre y cuando defina con antelación las relaciones entre las tablas y consultas. Para utilizar el Asistente para formularios haga clic en el botón del mismo nombre en el grupo Formularios de la ficha Crear y siga las instrucciones que aparecen en las distintas páginas del asistente (véase la figura 16.8). Para avanzar una página haga clic en **Siguiente**. Para retroceder, haga clic en **Atrás**. En la última página, haga clic en **Finalizar**.

Formulario en blanco

Si el asistente o las herramientas de creación de formulario no se ajustan a sus necesidades, puede utilizar la opción de Formulario en blanco para crear un formulario. Se trata de un método que puede llegar a ser una forma muy rápida de crear un formulario, especialmente si está pensando en incluir sólo unos pocos campos. Para crear un formulario en blanco haga clic en el botón **Formulario en blanco** del grupo Formulario en la ficha Crear. Access abre un formulario en blanco en la Vista Presentación y muestra el panel Lista de campos a la derecha (véase la figura 16.9).

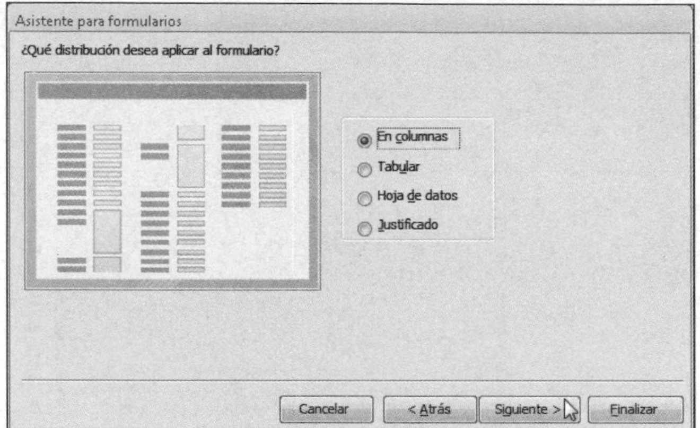

Figura 16.8. Asistente para formularios.

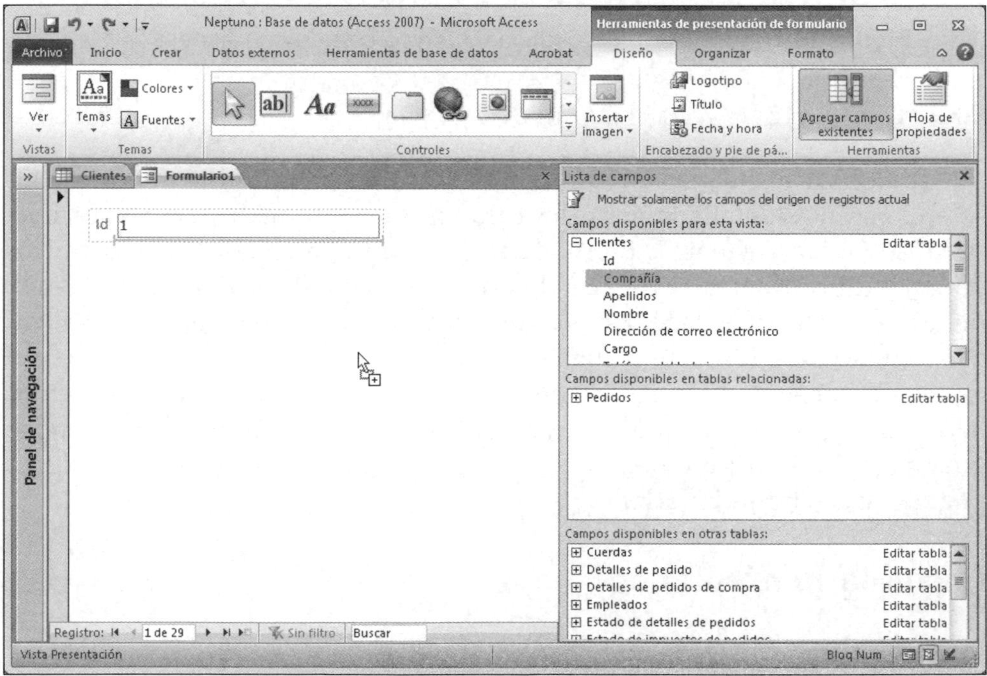

Figura 16.9. Creación de un formulario en blanco.

En el panel Lista de campos, haga clic en el signo más (+) situado junto a la tabla o las tablas que contienen los campos que desee ver en el formulario. Para agregar un campo al formulario, haga doble clic en él o arrástrelo hasta el formulario. Para agregar varios campos a la vez, mantenga pulsada la tecla **Control**, haga clic en varios campos y arrástrelos todos hasta el formulario.

Nota:

El orden de las tablas en el panel Lista de campos *puede cambiar dependiendo de la zona del formulario que esté seleccionada actualmente. Si no puede agregar un campo al formulario, seleccione una parte distinta del mismo y pruebe a agregar el campo de nuevo.*

Introducir datos en el formulario

Para introducir datos en el formulario, las teclas para desplazarse entre los distintos campos son las mismas que en Excel, y lo más recomendable es utilizar el ratón o las teclas **Tab** y **Mayús-Tab**. Cuando llegue al último campo del registro activo, pulse la tecla **Tab** y pasará automáticamente al siguiente registro.

Al pasar de un registro a otro, Access guarda los datos de forma automática por lo que los registros que vaya añadiendo se incorporarán en la tabla o tablas origen del formulario.

Si desea visualizar o editar los datos de registros ya introducidos, utilice los botones de desplazamiento de la parte inferior de la ventana tal como explicamos al introducir los datos en tablas.

Modificar la estructura del formulario

Si desea modificar la estructura del formulario tras su creación, abra el formulario, haga clic con el botón derecho del ratón sobre su ficha con el nombre y seleccione Vista Diseño del menú contextual (véase la figura 16.10).

Observe que la ventana de diseño está dividida mediante varias barras horizontales. Éstas separan el formulario en secciones. Las tres secciones habituales de un formulario son el Detalle (muestra el contenido en sí del formulario y se repite una vez por cada registro), el **Encabezado** (contendrá lo que desea que aparezca una única vez al principio del formulario) y el **Pie del formulario** (lo que desea que aparezca también una sola vez al final del formulario aunque en la figura, debido al gran tamaño del formulario, no lo pueda apreciar). Para configurar las secciones como desee, haga doble clic sobre la barra horizontal correspondiente. Se abrirá un panel **Hoja de propiedades** donde podrá modificar distintas opciones.

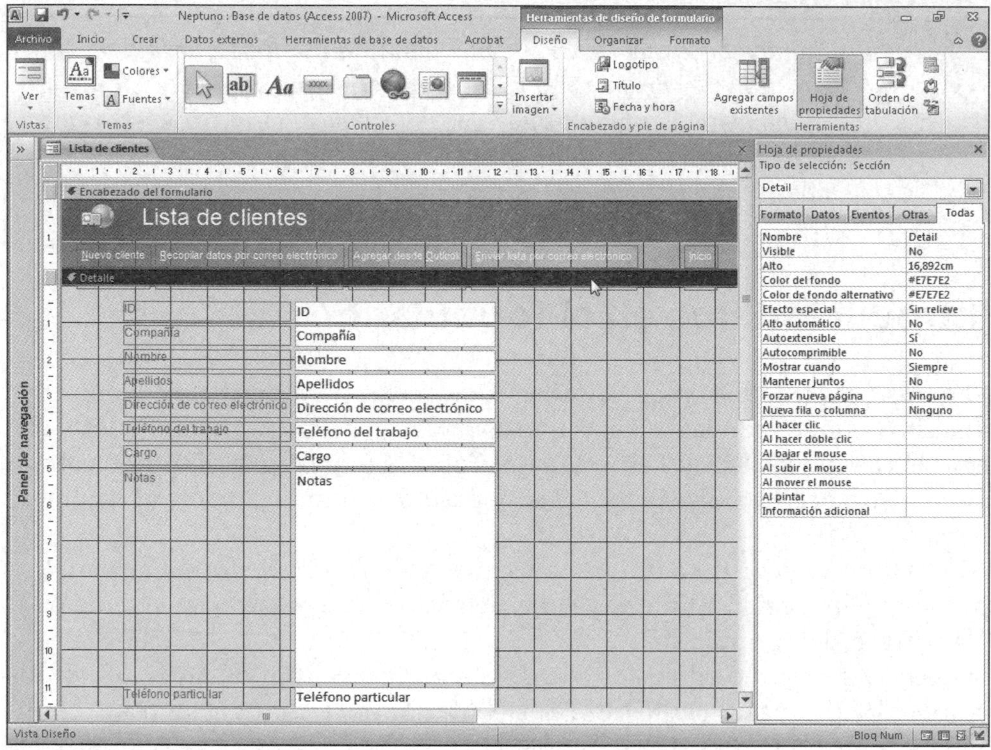

Figura 16.10. Vista Diseño de un formulario.

La regla y la cuadrícula de la ventana de diseño del formulario le permitirán colocar con precisión los distintos campos y etiquetas en el lugar deseado. En la ventana de diseño del formulario, los distintos elementos que éste contiene se denominan controles. Con las opciones que ofrece el grupo **Controles** de la ficha **Formato** de **Herramientas de diseño de formulario**, puede agregar al formulario diversos controles, como un logotipo, un título, números de páginas o la fecha y la hora.

Para modificar los controles del formulario, debe aprender a configurarlos como desee. Para ello, utilice los siguientes procedimientos:

Tabla 16.1. Trabajar con controles.

Operación	Procedimiento
Seleccionar un control	Haga clic sobre el control que desee seleccionar.
Seleccionar varios controles	Haga clic sobre ellos manteniendo pulsada la tecla **Mayús**.
Mover un control	Una vez seleccionado, utilice las teclas del cursor del teclado o bien sitúe el ratón sobre cualquier borde del control y arrástrelo hasta su nueva situación.
Mover sólo el control o la etiqueta	Observe que al mover un control se mueve tanto el cuadro de texto como su etiqueta. Si desea mover sólo la etiqueta o sólo el control, sitúe el ratón sobre la esquina superior izquierda del elemento a mover y arrástrelo con el ratón a la nueva ubicación.
Alinear varios controles	Selecciónelos y utilice la opción deseada de la ficha Organizar de Herramientas de diseño de formulario.
Añadir un nuevo control	Haga clic en el tipo de control deseado en el grupo Controles de la ficha Diseño de Herramientas de diseño de formulario y haga clic en la posición del formulario donde desee insertarlo.
Eliminar controles	Tras seleccionarlos, pulse la tecla **Supr**.

Truco:

También puede utilizar los comandos Copiar, Cortar *y* Pegar *de la forma habitual para modificar el formulario.*

Capítulo 17

Consultas e informes en Access

En este capítulo aprenderá a:

- Crear diversos tipos de consultas.
- Familiarizarse con el uso de expresiones y operadores booleanos para definir consultas complejas.
- Crear y editar informes para lograr una impresión atractiva de sus bases de datos.

En este capítulo finalizaremos el estudio de las principales características de Access aprendiendo a trabajar con las consultas y los informes. Las primeras permiten "hacer preguntas" a Access sobre los datos de las tablas que cumplen determinadas condiciones.
Por su parte, los informes se utilizan para imprimir los datos guardados en las tablas de un modo más atractivo que utilizando solamente el comando Imprimir.

Las consultas

En Access, las consultas permiten obtener un listado de los registros que cumplen una serie de condiciones de selección. En los ejemplos que hemos venido utilizando, podríamos utilizar consultas para obtener los registros de los clientes de la provincia de Madrid, o el total facturado a un determinado cliente.

Crear una consulta

Para crear una consulta utilizaremos los mismos procedimientos que hemos utilizado para crear tablas y formularios. Así, con el grupo Consultas de la ficha Crear, podemos crear una consulta utilizando la herramienta Diseño de consulta o con ayuda del Asistente para consultas. Imaginemos, por ejemplo, que queremos obtener la relación de todos los clientes de Madrid. Haciendo clic en el botón **Asistente para consultas** del mencionado grupo se abrirá el cuadro de diálogo Nueva consulta mostrado en la figura 17.1.

Nota:

Puede cerrar el panel Hoja de propiedades *que se abre a la derecha de la ventana haciendo clic en su botón* **Cerrar** *o haciendo clic en el botón* **Hoja de propiedades** *del grupo* Mostrar u ocultar *de la ficha contextual* Diseño *de* Herramientas de consultas.

En este cuadro de diálogo seleccionaremos la opción Asistente para consultas sencillas y, tras hacer clic en **Aceptar**, se abrirá la primera pantalla del Asistente para consultas sencillas
En esta pantalla seleccionaremos en primer lugar la tabla que contiene los datos que deseamos obtener. En nuestro caso, como puede ver en la figura

17.2, seleccionaremos la tabla **Clientes**. Tenga en cuenta que puede seleccionar más de una tabla (por ejemplo, si quisiera obtener la relación de clientes de Madrid a los que les ha facturado un importe mayor de 20.000 euros debería seleccionar la tabla **Clientes** y la tabla **Facturas**).

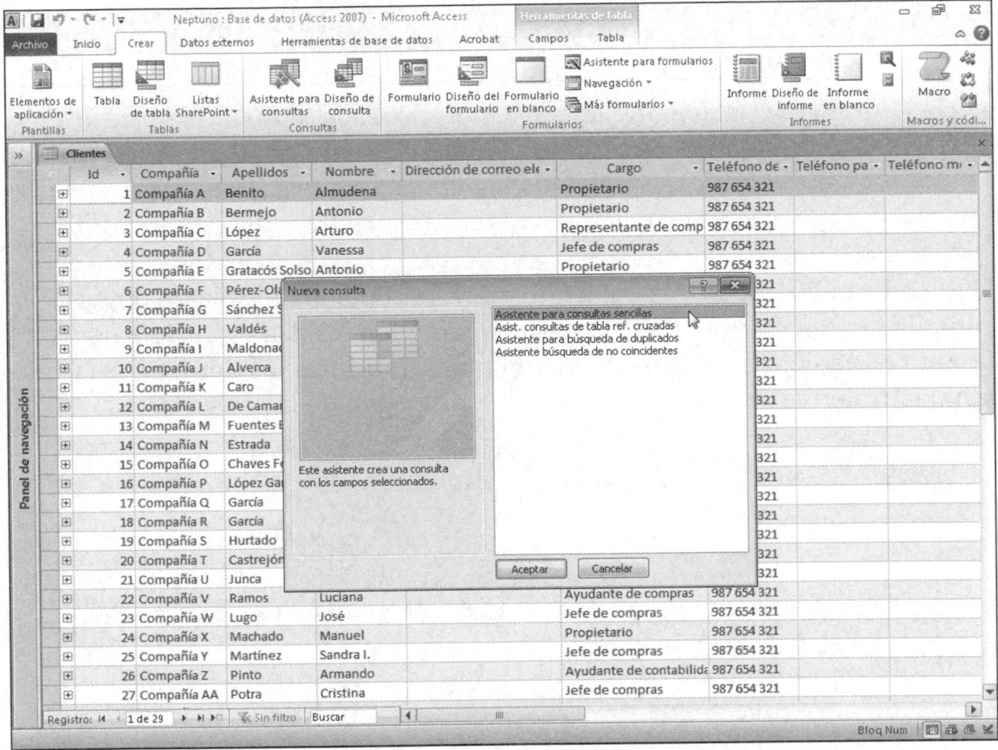

Figura 17.1. Cuadro de diálogo Nueva consulta del Asistente para consultas.

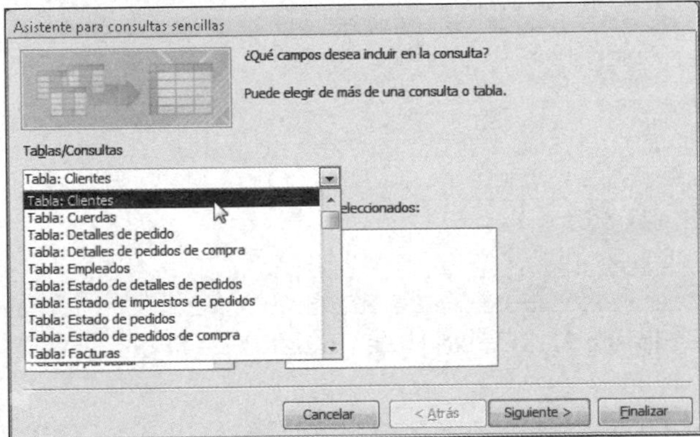

Figura 17.2. Seleccione una tabla en el Asistente para consultas sencillas.

A continuación seleccionaremos los campos de la tabla seleccionada que nos interesan. En el ejemplo, seleccionaremos únicamente los campos Compañía, Nombre y Ciudad. Una vez elegidos los campos, haga clic en el botón **Siguiente** para abrir la segunda pantalla del asistente donde deberá escribir un nombre para la consulta.

Advertencia:

Si elige incluir algún campo numérico en la consulta, el asistente le preguntará además si desea obtener como resultado el dato numérico o si desea realizar con él algún tipo de cálculo resumen (suma, promedio, valor máximo o valor mínimo).

Haga clic en **Finalizar**. Access le mostrará la ventana de Hoja de datos de la consulta, (véase la figura 17.3) de estructura idéntica a la vista Hoja de datos de una tabla normal. Tenga en cuenta que si modifica los datos en esta ventana, también se modificarán en la tabla de origen de la consulta.

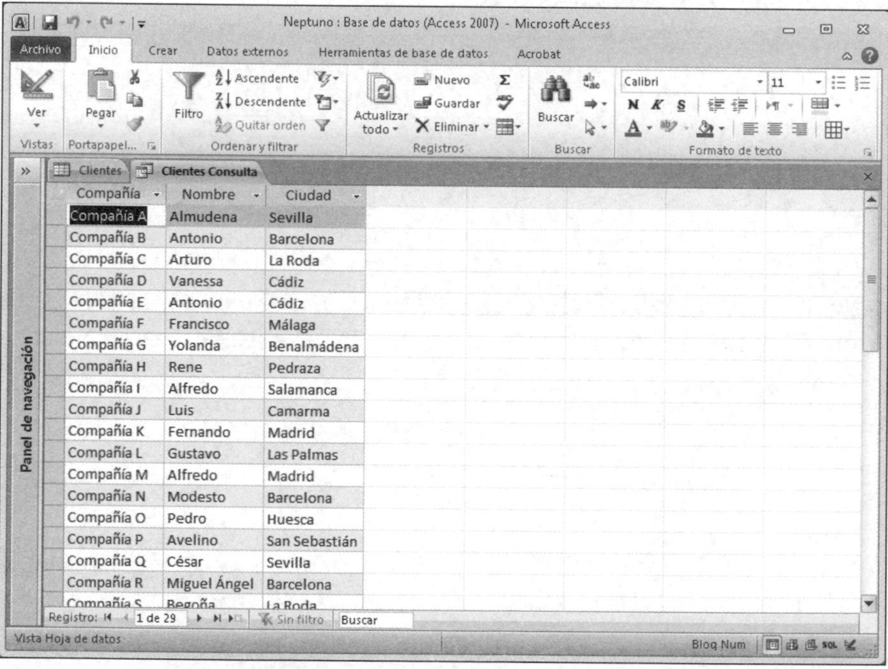

Figura 17.3. Vista Hoja de datos de la consulta.

Observe que la figura 17.3 muestra los datos de los campos `Compañía`, `Nombre` y `Ciudad` de todos los registros de la tabla. Sin embargo, aún no hemos conseguido el objetivo final que nos habíamos propuesto (obtener sólo los clientes de Madrid).

Para indicar las condiciones que deben cumplir los registros que muestra el resultado de la consulta debemos acudir a la Vista Diseño. Para ello, haga clic en la lista desplegable del botón **Ver** en el grupo Vistas de la ficha Inicio y seleccione Vista Diseño.

Truco:

Para desplazarse rápidamente entre las distintas vistas, utilice los botones correspondientes que se encuentran en la esquina inferior derecha de la ventana en la barra de tareas.

El panel superior de la ventana muestra un esquema de la tabla de origen de la consulta con una lista de todos sus campos. En la cuadrícula del panel inferior se muestran en columnas los campos solicitados en la consulta.

En esta cuadrícula, la primera y segunda fila de cada columna nos muestra, respectivamente, el nombre del campo incluido en la consulta y la tabla a la que pertenece. En la tercera fila puede configurar la consulta de modo que sus resultados se presenten ordenadamente según un campo, en sentido ascendente o descendente.

Al seleccionar o anular la selección de las casillas de la fila Mostrar podrá establecer si el campo correspondiente debe aparecer o no en el resultado de la consulta.

El resto de filas (Criterios y fila o) contendrán la definición de las condiciones que deben cumplir los resultados de la consulta.

En nuestro ejemplo, el criterio que deben seguir los resultados de la consulta es que el campo Ciudad sea Madrid, por lo que en la fila Criterios escribiremos **="Madrid"** (véase la figura 17.4).

Para obtener los resultados finales de la consulta vuelva a la Vista Hoja de datos o bien ejecute la consulta haciendo clic en el botón **Ejecutar** del grupo Resultados en la ficha contextual de Diseño de Herramientas de consultas. El resultado final se muestra en la figura 17.5.

Especificar los criterios de la consulta

Para especificar los criterios que debe seguir la consulta debe utilizar las denominadas expresiones. Así, en el ejemplo anterior, la expresión utilizada para definir el criterio de selección ha sido ="Madrid".

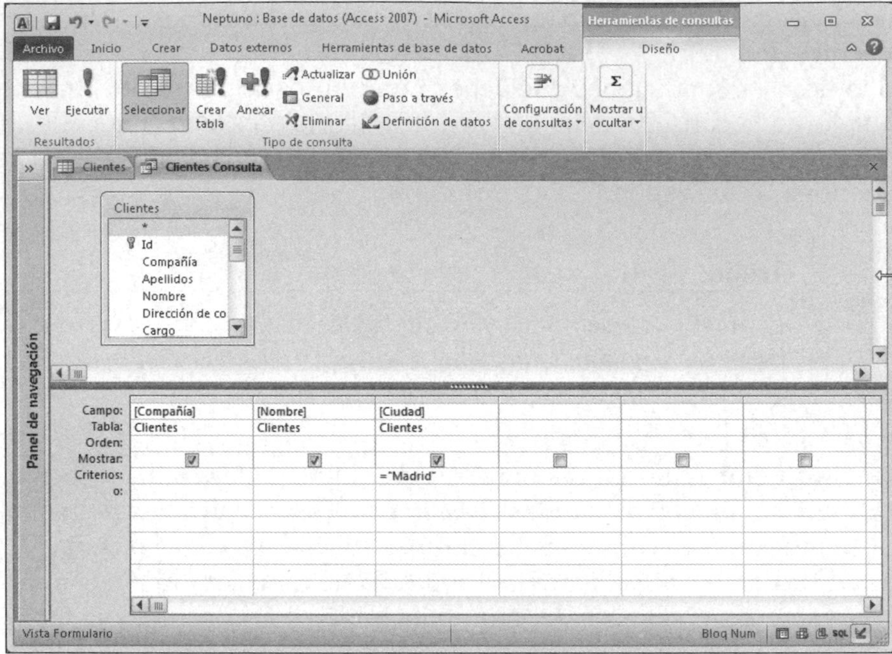

Figura 17.4. Definición de criterios de una consulta.

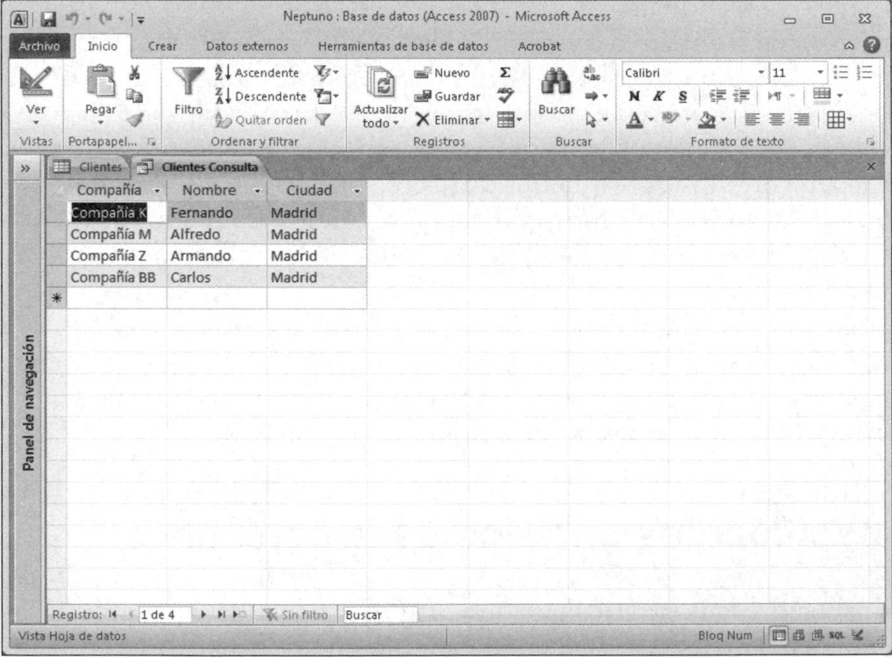

Figura 17.5. Resultados finales de la consulta.

La ayuda de Access le proporcionará toda la información que necesita para generar todo tipo de expresiones. Además, desde la Vista Diseño puede utilizar el botón **Generador** del grupo Configuración de consultas de la ficha Diseño en Herramientas de consultas para introducir la expresión deseada, y Access le guiará a lo largo de todo el proceso de definición de la expresión (véase la figura 17.6).

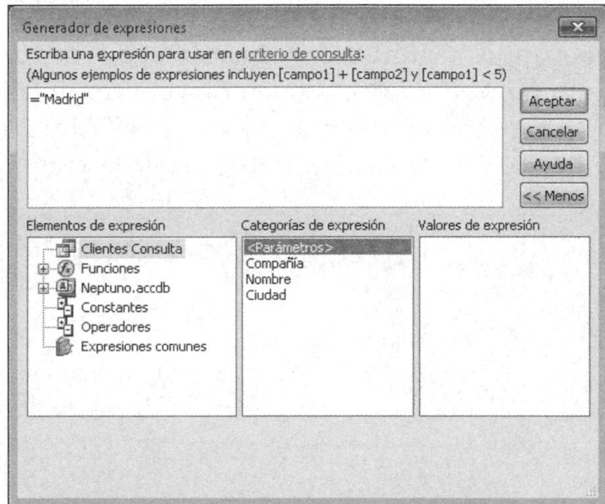

Figura 17.6. Cuadro de diálogo Generador de expresiones.

En todo caso, al escribir expresiones debe tener en cuenta las siguientes normas básicas:

- Los textos deben escribirse entrecomillados (" ").
- Las fechas se escriben entre signos de almohadilla (#).
- Las expresiones de los controles calculados empiezan siempre con el signo igual (=).
- Los nombres de campos, tablas, consultas, formularios, informes y controles se escriben entre corchetes ([ ]).

Especificar varias condiciones a la vez

Si desea que los resultados de la consulta cumplan varias condiciones a la vez, deberá utilizar los operadores booleanos Y u O. El primero de ellos obliga a que se cumplan todas las condiciones especificadas, mientras que el segundo devuelve los registros que cumplen, al menos, una de ellas.

Al utilizar estos operadores, tenga en cuenta las siguientes normas generales:

- Si las condiciones se refieren a un mismo campo (por ejemplo, que los clientes sean de Madrid o de Barcelona), escríbalas seguidas en la celda correspondiente a ese campo de la fila **Criterios** en la vista de diseño.
- Si se refieren a campos distintos y tienen que cumplirse todas (operador booleano Y), utilice distintas celdas de la misma fila de criterios (las referidas a los campos correspondientes).
- Si se refieren a campos distintos pero basta con que se cumpla una de las condiciones (operador booleano O), escriba las condiciones en distintas celdas de filas de criterios diferentes. La figura 17.7 ilustra los resultados de una consulta que utiliza varios criterios de selección.

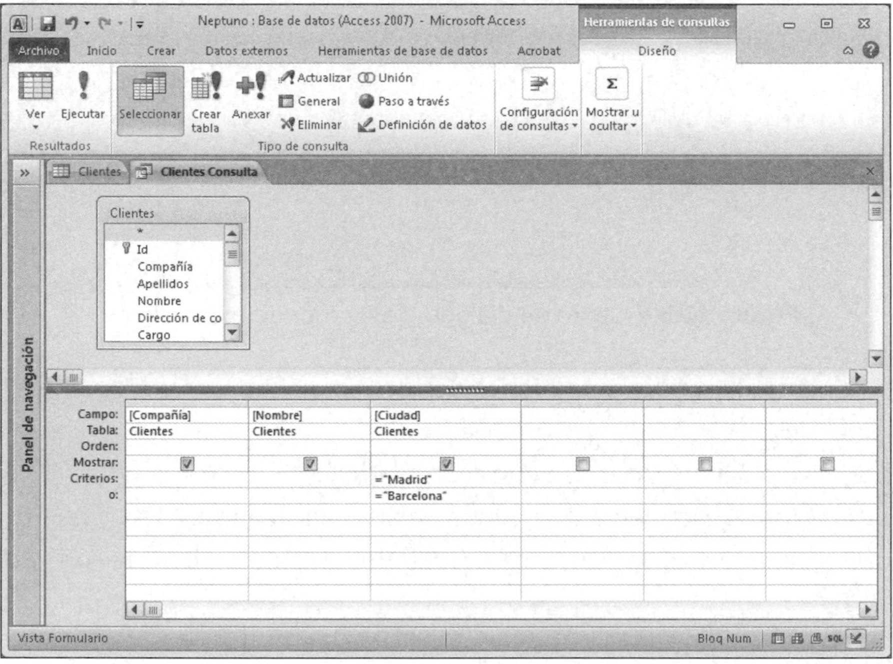

Figura 17.7. Consulta con criterios de selección múltiple.

Consultas sobre varias tablas

Como ya indicamos con anterioridad, una de las principales ventajas de la utilización de tablas en Access es que permiten visualizar información de varias tablas diferentes de forma simultánea. El programa utilizará la estructura de relaciones de la base de datos para vincular correctamente los datos.

Siguiendo el esquema de ejemplos que hemos desarrollado en apartados anteriores, la próxima pregunta que podríamos plantearnos es, por ejemplo, ¿a cuánto han ascendido nuestras ventas en la provincia de Madrid?

Lo primero que tendremos que hacer es incluir la tabla Facturas al diseño de nuestra consulta. En la Vista Diseño, haga clic en el botón **Mostrar tabla** del grupo Configuración de consultas de la ficha Diseño en Herramientas de consultas en la barra de herramientas. En el cuadro de diálogo Mostrar tabla (véase la figura 17.8) seleccione la ficha que contiene el elemento que desea incorporar a la consulta (en este caso, para incorporar la tabla Facturas, la ficha Tablas o bien la ficha Ambas). A continuación, seleccione la tabla o consulta que desea incorporar al diseño y haga clic sobre el botón **Agregar**. Cuando haya terminado, haga clic sobre el botón **Cerrar** para cerrar el cuadro de diálogo Mostrar tabla.

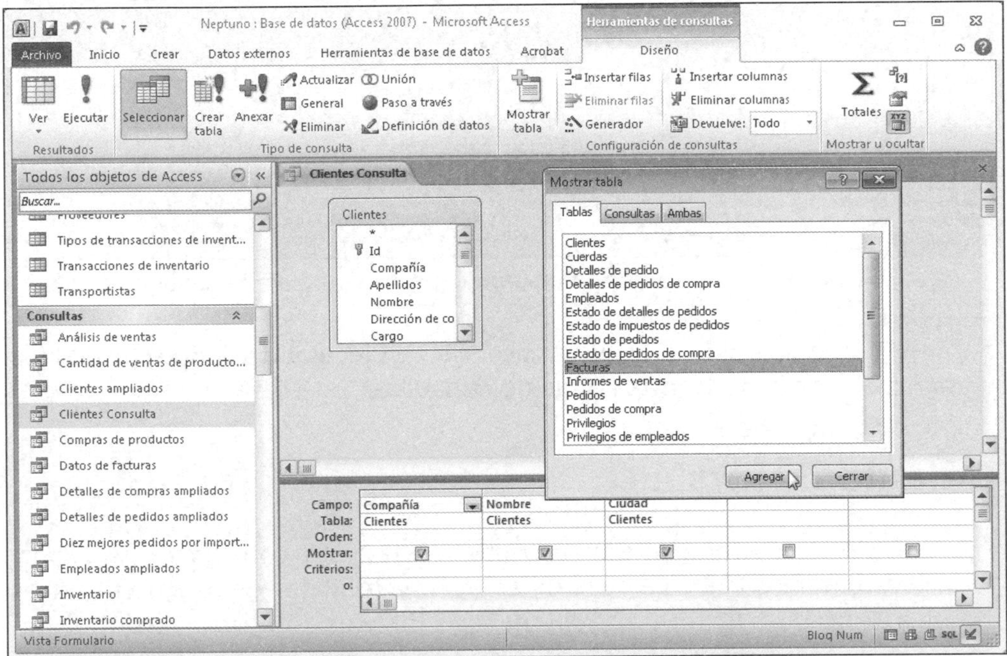

Figura 17.8. Cuadro de diálogo Mostrar tabla.

La tabla Facturas aparecerá ahora representada en el panel superior del diseño de la consulta. Dado que existe una relación ya establecida entre ambas tablas, ésta será representada mediante una línea que une ambas representaciones. Para completar la consulta, arrastre los campos Nº Factura e Importe a la cuadrícula de diseño (véase la figura 17.9).

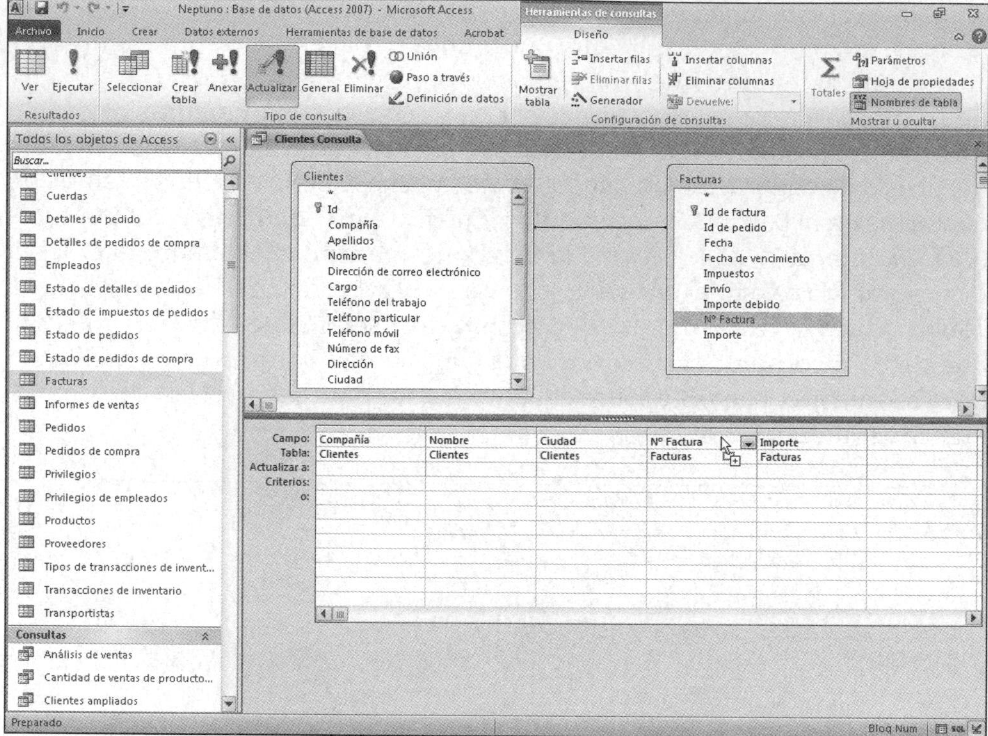

Figura 17.9. Incorporación de campos de otra tabla a la consulta.

Para ejecutar esta consulta, vuelva a hacer clic en **Ejecutar** del grupo Resultados en la ficha Diseño de Herramientas de consultas.

Cálculo de totales

Avanzando un escalón más en el desarrollo de nuestra consulta en este apartado estudiaremos la forma de obtener la suma total de ventas para nuestros clientes de Madrid. La forma de obtener esta información es convertir nuestra consulta de selección en una consulta de cálculo de totales.

Como paso previo, eliminaremos de la cuadrícula de diseño el campo `N° Factura`. Nuestro objetivo es obtener una suma total de facturas para cada proveedor de Madrid. Si mantenemos el campo `N° Factura` obtendremos como resultado la suma de facturas organizada por proveedor y, además, por número de factura o lo que es lo mismo, el resultado que ya tenemos.

Seleccione la columna Nº Factura de la cuadrícula de diseño haciendo clic sobre su encabezado y, a continuación, pulse **Supr**.

Para convertir la consulta actual en una consulta de cálculo de totales, haga clic sobre el botón **Totales** del grupo Mostrar u ocultar en la ficha Diseño de Herramientas de consultas. Una nueva fila, Total, se incorporará a la cuadrícula de diseño.

El valor contenido en la fila Total para los distintos campos ya incluidos en la consulta es Agrupar por. Esto significa que los resultados de la consulta se "agruparán por" los distintos resultados que ofrezca el campo al que corresponden. Es decir, por nombre de empresa, dentro de cada empresa por nombre de la persona de contacto, etc.

Abra la lista desplegable de la fila Total correspondiente a la columna Importe. Como observará, la fila Total puede tomar diferentes valores. Además de la opción Agrupar por que vimos anteriormente, el programa permite realizar diferentes cálculos matemáticos tales como sumas, cálculo de promedios, cálculo de máximos y mínimos, etc.

Seleccione la opción Suma (véase la figura 17.10) y haga clic en **Ejecutar** para observar los resultados.

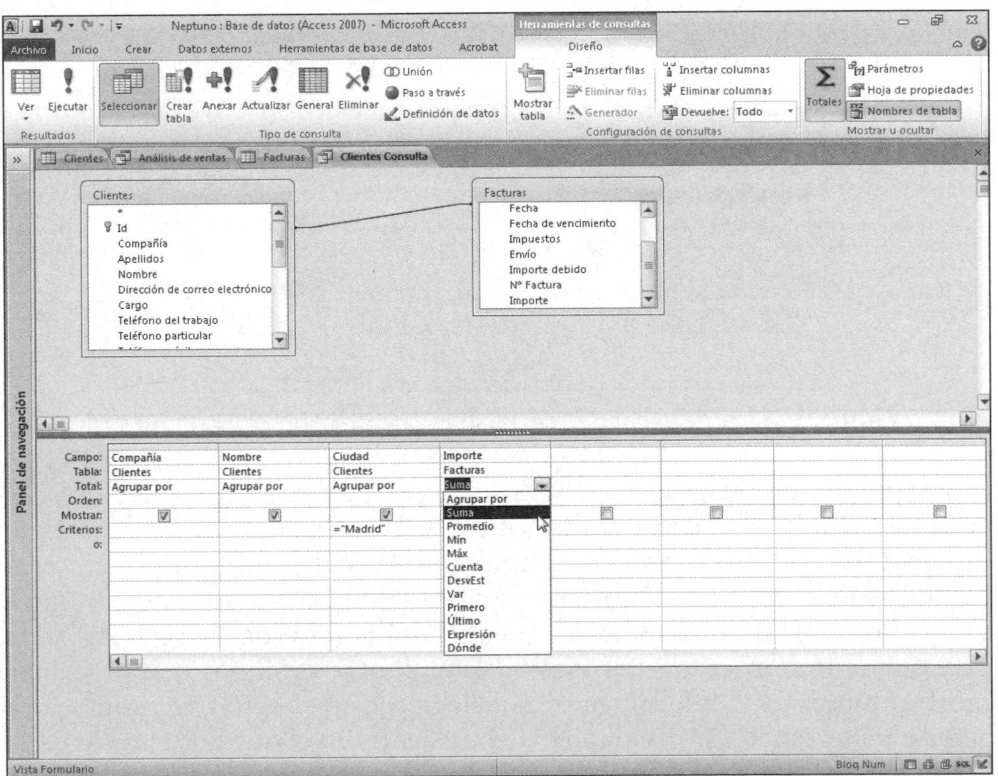

Figura 17.10. Seleccione una de las opciones para el cálculo de totales.

Los informes

Como ya hemos indicado, los informes de Access sirven para mostrar la información que contienen las tablas y las consultas de modo que presenten un formato de impresión atractivo y de fácil lectura.

Crear un informe

Como en el caso del resto de herramientas de las bases de datos de Access, la aplicación nos permite crear informes mediante asistentes o utilizando la Vista Diseño.

En el primer caso, tras hacer clic en el botón **Asistente para informes** en el grupo Informes de la ficha Crear, aparecerá en la pantalla el cuadro de diálogo mostrado en la figura 17.11.

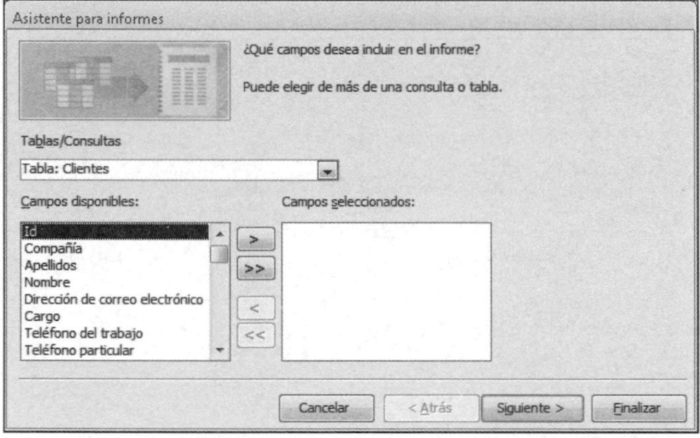

Figura 17.11. Primer cuadro de diálogo del Asistente para informes.

Como puede apreciar, este cuadro de diálogo es idéntico al que hemos visto en el caso de las consultas, y sirve para especificar las tablas y/o consultas de origen del informe así como los campos que éste debe contener.

El siguiente cuadro de diálogo le permite especificar las opciones de agrupamiento de los diversos campos que incluirá el informe. El agrupamiento permite definir un criterio de clasificación para los campos que deseemos mostrar juntos en el informe impreso. Haga clic en el botón **Siguiente** para acceder al tercer cuadro de diálogo del asistente, en el que podrá ordenar la aparición de los registros en el documento impreso en función de los campos escogidos.

Advertencia:

Sólo podrá ordenar el informe por los campos que no hayan sido agrupados.

Los últimos cuadros de diálogo del asistente le permiten elegir el formato que utilizará el informe para presentar los datos. Utilice las vistas previas del asistente para decidirse por el que más se ajuste a sus preferencias hasta finalizar todo el proceso. El informe ya creado se abrirá en modo de Vista previa. La figura 17.12 muestra un ejemplo de informe creado a partir de una tabla de productos.

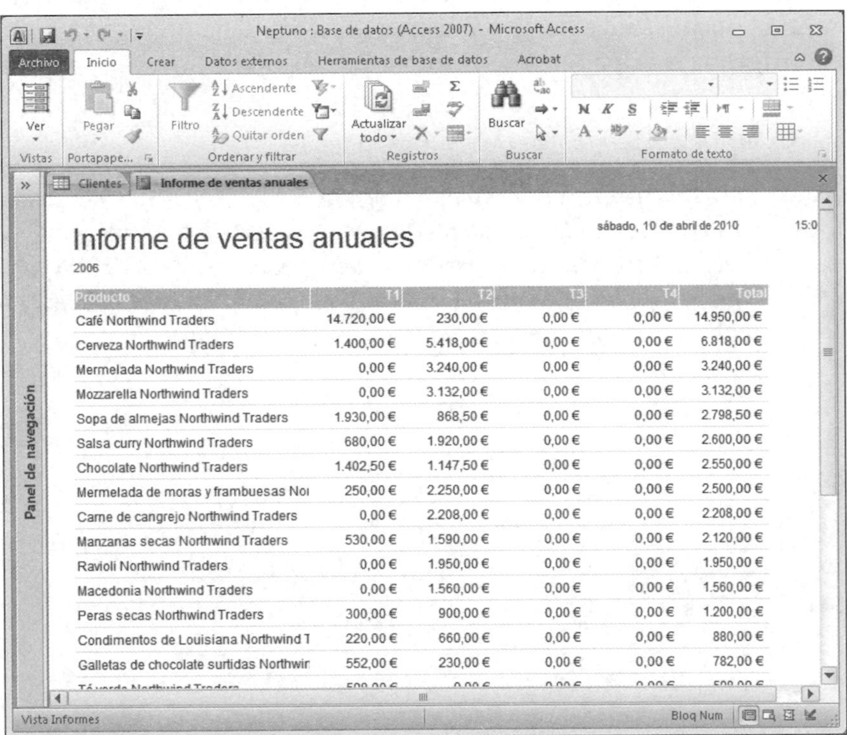

Figura 17.12. Ejemplo de informe.

Editar un informe

Para editar el informe tras su creación, recurriremos de nuevo a la Vista Diseño, vista que nos permitirá configurar hasta el más mínimo detalle de la apariencia final del informe del mismo modo que hicimos en el caso de los formularios. Como entonces, podremos añadir nuevos controles al informe, modificar los existentes tanto en su apariencia (color, tamaño, etc.) como funcionamiento (campo del que dependen, expresiones que los definen, etc.), e incluso incrustar objetos como gráficos, otros archivos de Office, etc.

Imprimir un informe

El objetivo final de cualquier informe es obtener una copia impresa de la información que contiene. En la Vista Diseño o la Vista preliminar del informe, haga clic el botón **Imprimir**. Se abrirá el cuadro de diálogo Imprimir, que nos permitirá configurar todas las características del trabajo de impresión.
Si lo prefiere, puede utilizar la ventana Imprimir de la ficha Archivo, desde donde podrá configurar las opciones de impresión deseadas para el informe.

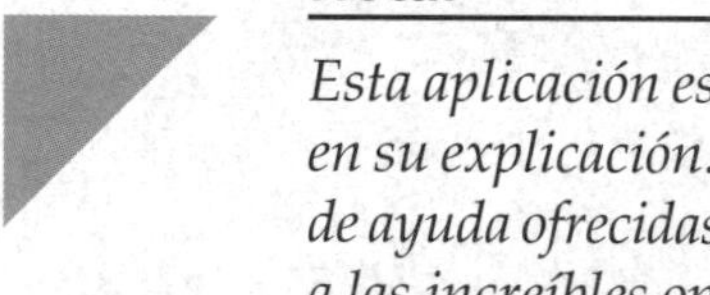

Nota:

Esta aplicación es muy completa y aquí no podemos extendernos más en su explicación. Le recomendamos que utilice las distintas opciones de ayuda ofrecidas por el programa para poder sacar el máximo partido a las increíbles opciones de macros y módulos que ofrece el programa para poder agilizar su trabajo con las bases de datos.

Capítulo 18

Microsoft Publisher 2010

En este capítulo aprenderá a:

- Crear una publicación y guardar una publicación.
- Imprimir una publicación.
- Enviar la publicación por correspondencia o por correo electrónico.
- Convertir una publicación en un sitio Web.

Microsoft Publisher 2010 es el programa de Microsoft Office 2010 diseñado para ayudar a las empresas y a personas individuales a crear publicaciones internas y profesionales de forma rápida y personalizada y en esta nueva edición presenta una interfaz totalmente nueva, acorde con el resto de aplicaciones de Office. Con Publisher, puede crear, diseñar y publicar materiales profesionales de marketing y comunicación para imprimir, enviar por correo electrónico y publicar en Web y descubrirá lo fácil que es crear una publicación. En Publisher 2010 puede abrir publicaciones creadas en versiones anteriores y utilizar las nuevas funciones ofrecidas por este programa.

Características más destacadas

Publisher 2010 simplifica los procesos de crear y abrir publicaciones rápidamente. Con las plantillas de Publisher, diseñadas profesionalmente, puede crear sus propias publicaciones, personalizarlas si es necesario e incluso cambiar de un tipo de publicación a otro con tan solo un clic de botón.
Las características más destacadas de esta aplicación son las siguientes:

- Publisher ofrece una interfaz de usuario actualizada incluyendo la cinta de opciones que tienen todas las aplicaciones de Office y un área de trabajo muy limpia, que le permite ejecutar sus tareas de forma más rápida.
- Permite imprimir rápida y fácilmente documentos tanto simples como complejos, permitiéndole ver las dos caras de una página, los límites de las mismas y otra información de impresión pertinente y utilizar la nueva opción de configuración de impresión comercial.
- Los bloques de creación con un contenido creado previamente, las galerías de estilos y los temas de fuentes y colores le ayudarán a conseguir resultados sorprendentes.
- Permite escribir publicaciones eficaces, personalizar una publicación con los colores y las fuentes del logotipo de su empresa, preparar una publicación para una lista de correspondencia o de correo electrónico, hacer un seguimiento de la eficacia de sus campañas de marketing y realizar un marketing por correo electrónico.
- Permite guardar sus publicaciones como archivos de Formato de Documento Portátil (PDF) y archivos de Especificación de Papel XML (XPS) y compartirlos como publicaciones de sólo lectura. Así podrá compartir con facilidad sus documentos con clientes, compañeros o familiares que no tengan instalado Publisher en sus equipos. Para utilizar esta opción deberá instalar un complemento.

Éstas son algunas de las características más destacadas, aunque evidentemente no todas. Familiarícese con el programa y podrá crear enseguida publicaciones profesionales de forma eficaz.

Crear una nueva publicación

Puede crear una nueva publicación en blanco o utilizar una de las plantillas disponibles en el menú Nuevo de la ficha Archivo y personalizarla a su gusto para posteriormente guardarla como plantilla para su uso futuro. Si desea crear una nueva publicación basada en una plantilla, siga estos pasos.

1. Inicie Publisher a través del menú Iniciar de Windows o haciendo clic en uno de los accesos directos del programa.
2. Se abrirá la ficha Archivo con las opciones del menú Nuevo del programa, que contiene todas las plantillas disponibles para crear una publicación.

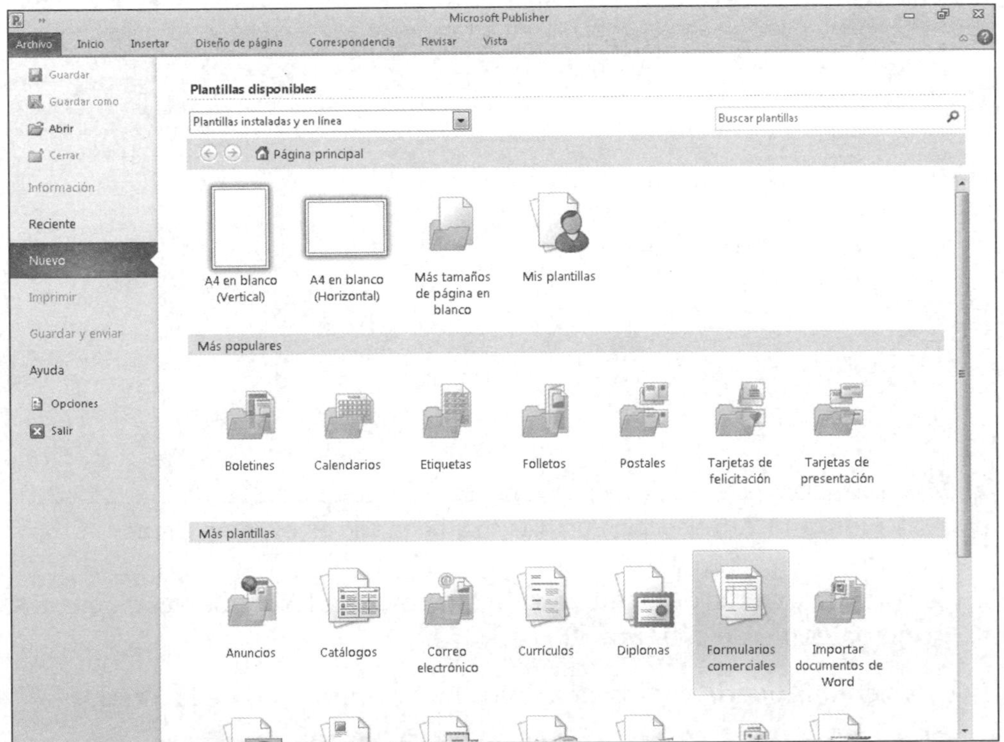

Figura 18.1. Plantillas de la opción Nuevo en Publisher.

Nota:

Las opciones que aparecen deshabilitadas en el menú Nuevo, *se habilitarán en el momento en el que abra una publicación.*

3. Haga clic en el icono de la publicación **Boletines** dentro de la sección Más populares.
4. Seleccione el diseño que desee en el panel central (nosotros hemos elegido la plantilla Marcador) y haga clic en **Crear** (véase la figura 18.2). El panel de vista previa le ayudará a elegir entre las distintas plantillas disponibles.

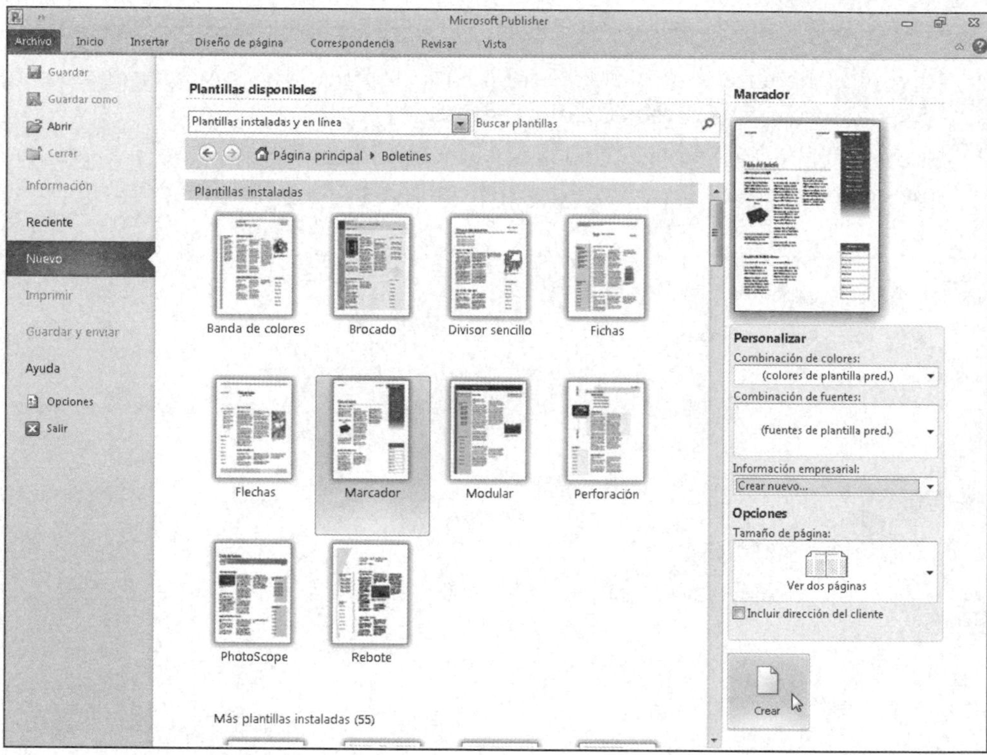

Figura 18.2. Seleccione un diseño y haga clic en el botón Crear.

5. Se abrirá la ventana de la publicación que contiene los siguientes elementos principales (véase la figura 18.3).

En esta ventana puede ver los elementos más importantes de la interfaz:

- **Cinta de opciones:** La cinta de opciones de Publisher contiene las siguientes fichas:

- **Inicio:** Con los grupos Portapapeles, Fuente, Párrafo, Estilos, Objetos, Organizar y Edición.
- **Insertar:** Con los grupos Páginas, Tablas, Ilustraciones, Bloques de creación, Texto, Vínculos y Encabezado y pie de página.
- **Diseño de página:** Contiene los grupos Plantilla, Configurar página, Diseño, Páginas, Combinaciones, Fuentes y Fondo de página.
- **Correspondencia:** Contiene los grupos Inicio, Escribir e insertar campos, Vista previa de resultados y Finalizar.
- **Revisar:** Con los grupos Revisión e Idioma.
- **Vista:** Contiene los grupos Vistas, Diseño, Mostrar, Zoom y Ventana.

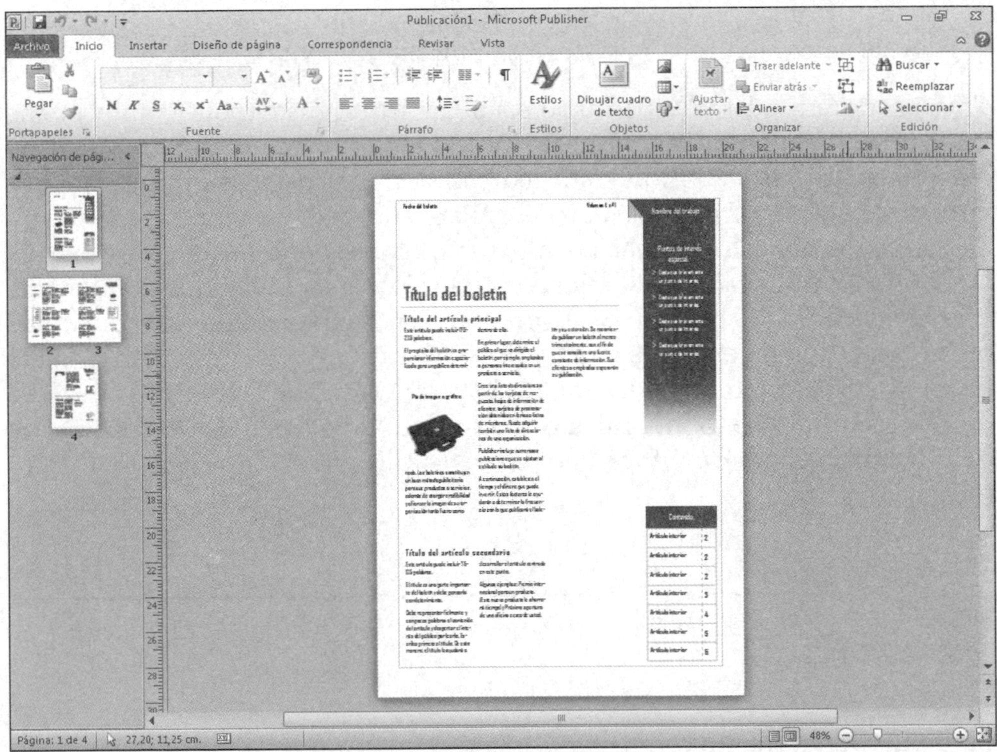

Figura 18.3. Ventana de Publisher con un Boletín abierto.

- **Panel Navegación de páginas:** En la parte izquierda de la ventana puede ver este panel que le permite desplazarse por las páginas del boletín. Para contraer o expandir este panel, haga clic en el botón de flecha correspondiente que se encuentra a la derecha de su título.

Truco:

Para ver una página o dos páginas en el panel Navegación de páginas, *haga clic en los botones correspondientes del grupo* Diseño *dentro de la ficha* Vista *o en el icono correspondiente que se encuentran en la esquina inferior derecha de la ventana, en el panel de tareas.*

- **Barra de tareas:** En la parte inferior, la barra de tareas presenta distinta información y en su parte derecha, ofrece los botones de una vista o dos vistas para el documento así como el botón de **Muestra toda la página** para encajar la página en la pantalla. Además, en la parte derecha se encuentran los botones de zoom.
- **Área de trabajo:** Es la zona más amplia que ocupa gran parte de la pantalla donde se encuentra la hoja de la publicación activa.

Tras insertar una plantilla, podrá personalizarla a su gusto (por ejemplo, puede insertar el logotipo de su empresa, incluir algún objeto o imagen y mucho más) haciendo clic en los diversos marcadores de texto o de otros elementos y reemplazarlos por los suyos propios. Para ello, cada vez que seleccione un elemento, se abrirán las fichas contextuales correspondientes. Por ejemplo, en el boletín que acabamos de insertar, al seleccionar el cuadro donde debe escribir el título del boletín, se abrirán las fichas contextuales Herramientas de dibujo y Herramientas de cuadro de texto, que a su vez presentan su ficha Formato correspondiente, desde donde podrá cambiar el formato tanto del dibujo como del texto, del mismo modo que lo haría en cualquiera de las demás aplicaciones de Office que hemos explicado en capítulos anteriores (véase la figura 18.4).

Truco:

Utilice los botones de Zoom para acercar o alejar la vista del boletín.

Para guardar el boletín como plantilla con el fin de poderlo utilizar una y otra vez con los elementos personalizados siga estos pasos:

1. Seleccione la ficha Archivo y haga clic en el botón **Guardar como**. Se abrirá el cuadro de diálogo del mismo nombre.
2. Escriba un nombre para su plantilla en el cuadro Nombre de archivo y seleccione Plantilla de Publisher (*.pub) de la lista desplegable del cuadro Tipo. Haga clic en **Guardar**.

La próxima vez que necesite utilizar la plantilla, sólo tiene que hacer clic en Mis plantillas de la sección Plantillas disponibles dentro del menú Nuevo de la ficha Archivo.

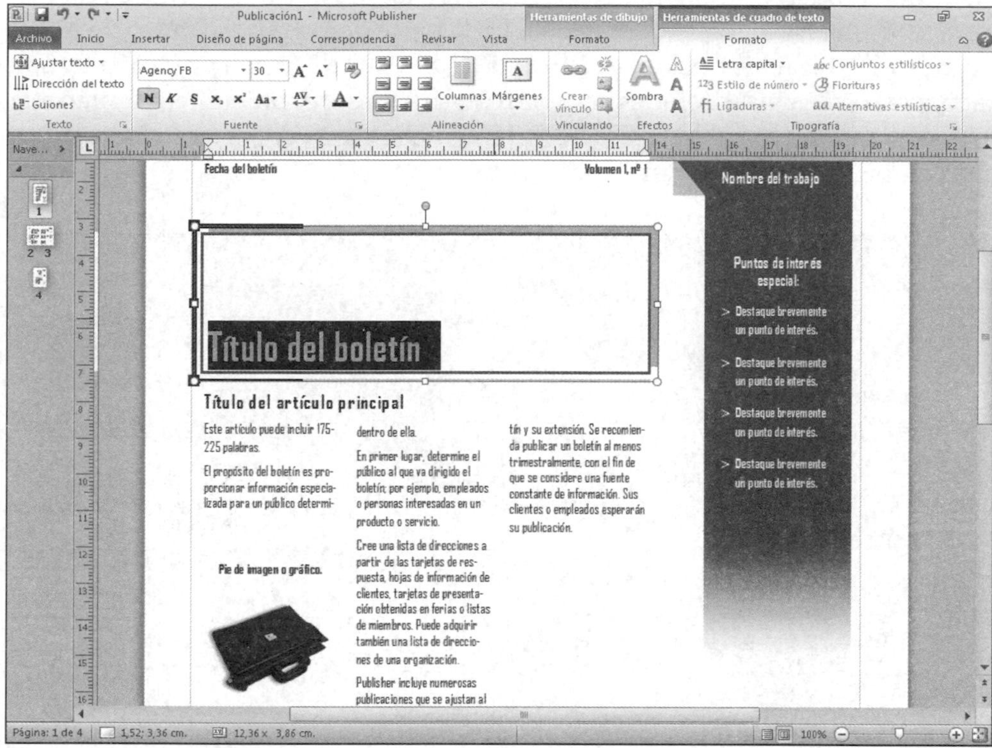

Figura 18.4. Fichas contextuales de los elementos de un boletín.

Nota:

Si no encuentra la plantilla que acaba de guardar, utilice el cuadro de búsqueda, Buscar plantillas, *que se encuentra en la parte superior derecha de la ventana* Nuevo *dentro de la ficha* Archivo.

Crear rápidamente una plantilla

Imagínese que está creando un boletín pero le interrumpen para crear una tarjeta de visita que contenga las mismas combinaciones del boletín. En este caso, puede hacer clic en el botón **Cambiar plantilla** del grupo Plantilla que se encuentra dentro de la ficha **Diseño de página** y hacer doble clic sobre **Tarjetas de presentación** dentro de **Página principal** en **Plantillas disponibles** del cuadro de diálogo **Cambiar plantilla.**

Se abrirán todas las opciones disponibles de tarjetas, desde donde podrá seleccionar una haciendo clic sobre ella. En la parte derecha del cuadro de diálogo, podrá utilizar las opciones de **Personalizar**, que de forma predeterminada recogerán las combinaciones de colores y fuentes del boletín cuya plantilla está utilizando (véase la figura 18.5). Haga clic en **Aceptar** tras efectuar sus selecciones para crear la tarjeta de visita.

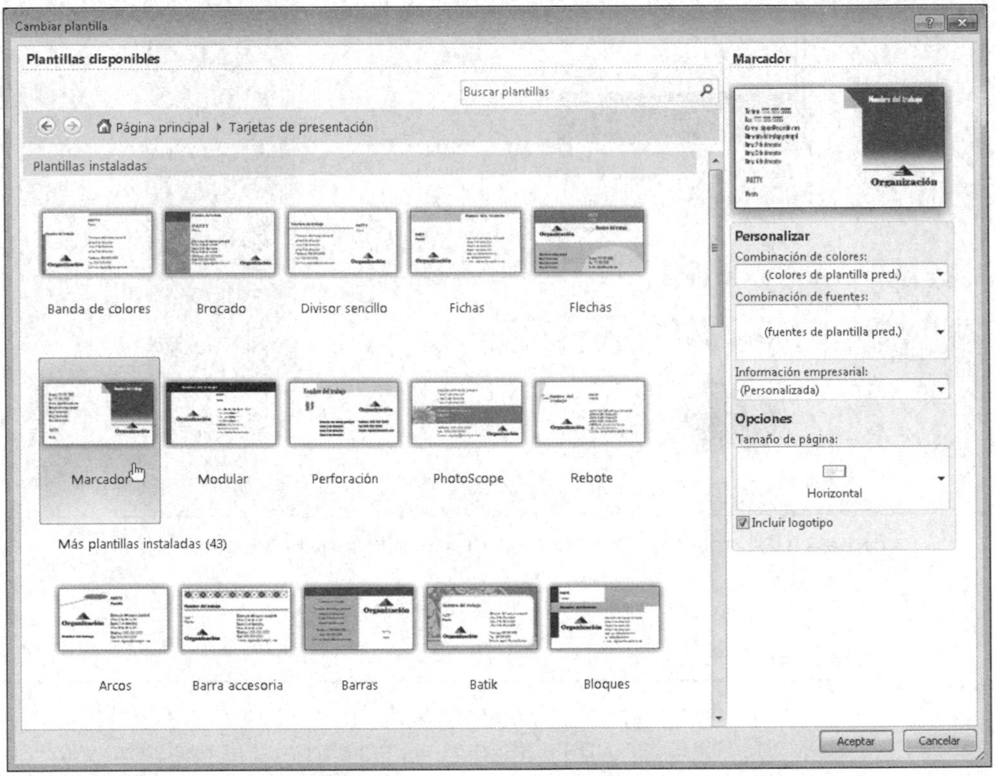

Figura 18.5. Utilice Cambiar plantilla para crear una rápidamente.

Advertencia:

Si convierte una publicación guardada en un tipo de publicación diferente, asegúrese de guardar la nueva publicación con un nombre de archivo nuevo o sobrescribirá la publicación anterior.

Bloques de creación

Si crea logotipos, listas de servicios, relatos de éxito, planos de ubicación de un negocio, testimonios e imágenes que desea reutilizar en futuras publicaciones para su negocio, puede guardar todos estos elementos en los Bloques de creación.

Para ello, haga clic con el botón derecho del ratón en el elemento que desea agregar a la galería y seleccione la opción Guardar como bloque de creación para abrir el cuadro de diálogo Crear nuevo bloque de creación mostrado en la figura 18.6.

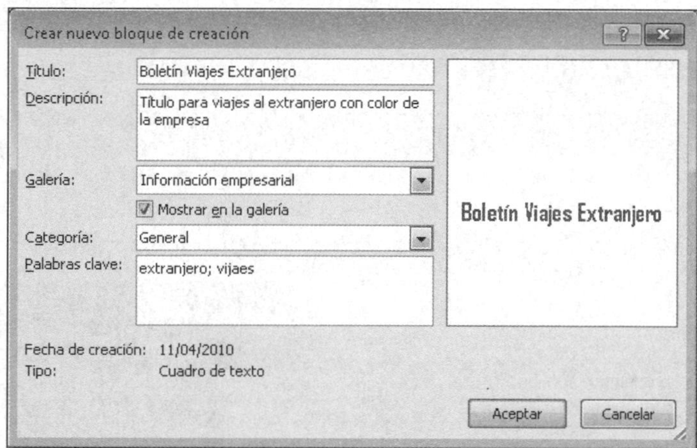

Figura 18.6. Cuadro de diálogo Crear nuevo bloque de creación.

Éstas son las secciones del cuadro de diálogo:

- **Título:** Escriba un nombre para el contenido que está agregando a la galería de bloques de creación.
- **Descripción:** Incluya una descripción del bloque.
- **Galería:** Seleccione la galería en la que desee que se incluya el nuevo bloque.
- **Categoría:** Muestra las categorías disponibles de la galería.
- **Palabras clave:** Incluya alguna palabra clave para localizar fácilmente el elemento.
- **Fecha de creación:** Muestra la fecha en que se ha creado el bloque.
- **Tipo:** Muestra el tipo de objeto del bloque.

Guardar el contenido de los bloques de creación

Vamos a realizar un ejercicio práctico para utilizar las opciones explicadas, centrándonos en las opciones disponibles de la Biblioteca de bloques de creación. Para ello, vamos a crear nuestra propia tarjeta de visita y la vamos a personalizar. En primer lugar, abra Publisher y seleccione la opción Tarjetas de presentación del panel central o izquierdo en la ventana de inicio de Publisher. Seleccione un diseño de tarjeta y, si lo desea, personalice sus combinaciones de color y fuente (nosotros hemos elegido el diseño Marcador con la combinación de colores y fuentes personalizada y el tamaño de página horizontal). Cuando haya terminado, haga clic en **Crear**. Aparecerá una tarjeta parecida a la mostrada en la figura 18.7.

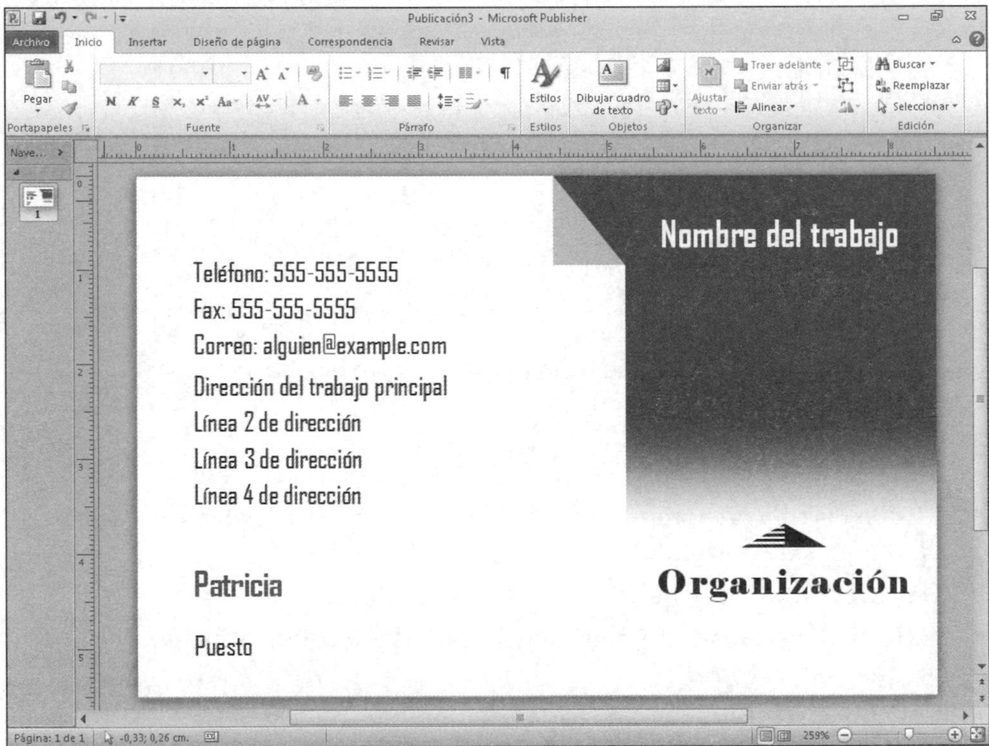

Figura 18.7. Tarjeta de presentación para la creación de una tarjeta personalizada.

Ahora seleccione los distintos marcadores de texto y escriba los datos requeridos, como el nombre del trabajo, su dirección, su nombre, etc.

Seleccione el cuadro del logotipo y haga clic en el botón **Imagen** de la ficha Insertar para buscar e insertar el logotipo. Si lo desea, desplácese por los distintos cuadros de texto de la tarjeta y organice el diseño a su gusto arrastrando sus controladores de tamaño y cuadro delimitador.

Nota:

Para seleccionar y mover un elemento, haga clic sobre él y arrástrelo con el ratón a la ubicación deseada cuando el puntero se convierta en una flecha de cuatro puntas.

La imagen predeterminada de la tarjeta se reemplazará con la imagen seleccionada. Ahora haga clic con el botón derecho sobre dicha imagen con el botón derecho del ratón y seleccione Guardar como bloque de creación. Escriba los datos solicitados en el cuadro de diálogo, seleccione una galería donde guardar el logotipo y haga clic en **Aceptar**. El logotipo recién insertado se agregará a la galería especificada, como puede ver en la figura 18.8.

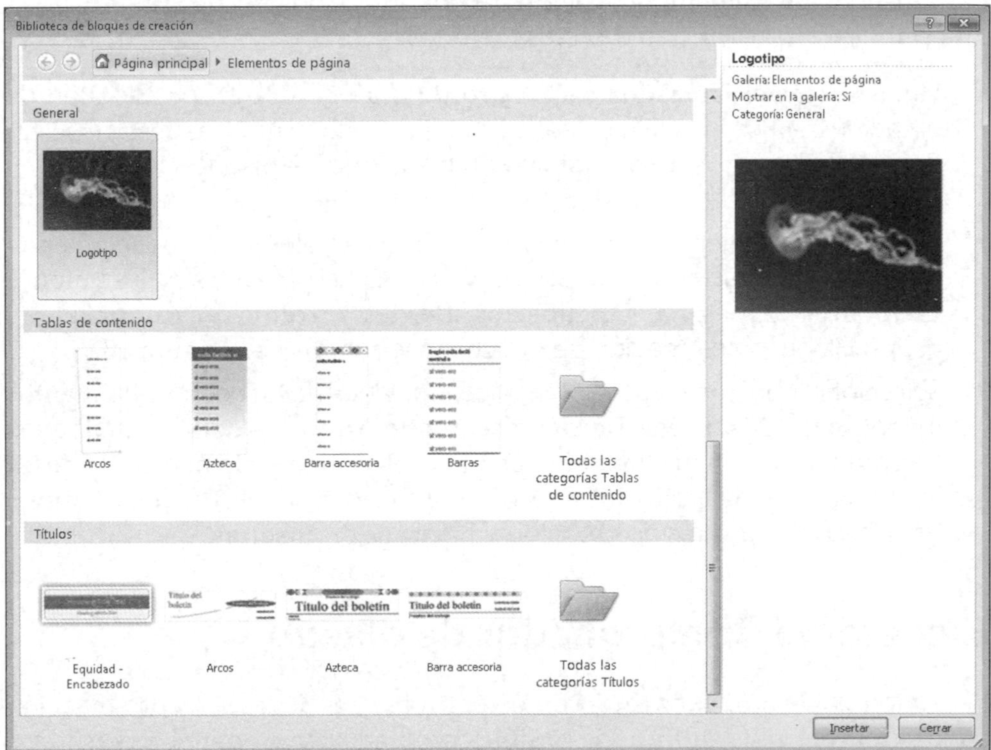

Figura 18.8. Biblioteca de bloques de creación con un nuevo elemento agregado.

Como cualquier otro programa de Office, Publisher ofrece otros métodos para agregar contenido a la Biblioteca de bloques de creación. Dichos métodos se encuentran dentro del propio grupo de Bloques de creación en la ficha Insertar. Para agregar un elemento de página, un calendario, un objeto de bordes o énfasis o un anuncio a la galería correspondiente, seleccione el objeto en cuestión dentro de la publicación y posteriormente seleccione la opción Agregar selección a la Galería de [Nombre del elemento] del botón correspondiente: **Elementos de página**, **Calendarios**, **Bordes y acentos** o **Anuncios**.
Siga agregando elementos a la biblioteca siguiendo uno de los métodos explicados anteriormente y cuando haya terminado, compruebe que todos los elementos se han agregado a la biblioteca y que se han clasificado en la categoría apropiada.

Reutilizar el contenido de los bloques de creación

Para insertar un elemento guardado dentro de los bloques de creación, abra una publicación y siga uno de estos métodos:

- Haga clic en el **Iniciador de cuadro de diálogo** del grupo Bloques de creación dentro de la ficha Insertar, busque el elemento que desea insertar dentro de las carpetas de Objetos de la Galería de diseño y haga clic en **Insertar**.
- Haga clic en el elemento recién insertado como bloque de creación en la categoría Utilizado recientemente de las listas desplegables de los botones **Elementos de página**, **Calendarios**, **Bordes y acentos** o **Anuncios** del grupo Bloques de creación de la ficha Insertar (véase la figura 18.9).
- Seleccione la opción Más [objeto correspondiente] de los botones **Elementos de página**, **Calendarios**, **Bordes y acentos** o **Anuncios** del grupo Bloques de creación de la ficha Insertar, busque y seleccione el elemento que desea insertar dentro de las distintas secciones ofrecidas por el cuadro de diálogo Biblioteca de bloques de creación y haga clic en **Insertar**.

Ejecutar el Comprobador de diseño

El Comprobador de diseño revisa diversos problemas de diseño y presentación en la publicación. Identifica los posibles problemas y proporciona opciones para corregirlos dentro del panel Comprobador de diseño que se abre al hacer clic en **Ejecutar el Comprobador de diseño** dentro del menú Información de la ficha Archivo (véase la figura 18.10).

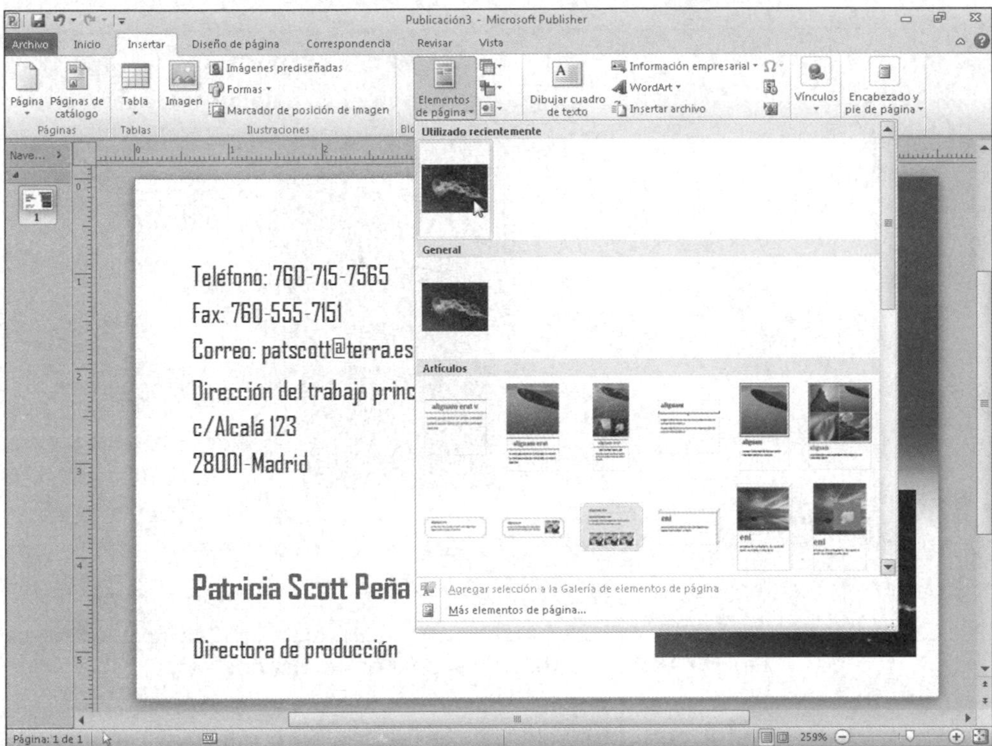

Figura 18.9. Utilice los comandos del grupo Bloques de creación para insertar elementos de la biblioteca.

Puede especificar los tipos de problemas que debe buscar este comprobador de diseño en el cuadro de diálogo Opciones de Comprobador de diseño que se abre al hacer clic en el enlace del mismo nombre que se encuentra en la parte inferior del panel de tareas. Este cuadro de diálogo está formado por dos fichas, General y Comprobaciones, que le ayudan a personalizar la determinación de problemas. Además de estas opciones, el panel de tareas Comprobador de diseño tiene las siguientes características

- Al abrir el panel de tareas Comprobador de diseño, se actualiza automáticamente la lista de problemas, según se van produciendo o corrigiendo.
- La opción Ejecutar comprobaciones de diseño generales comprueba problemas de diseño, como cuadros de texto vacíos, que puedan tener un impacto negativo en la publicación.

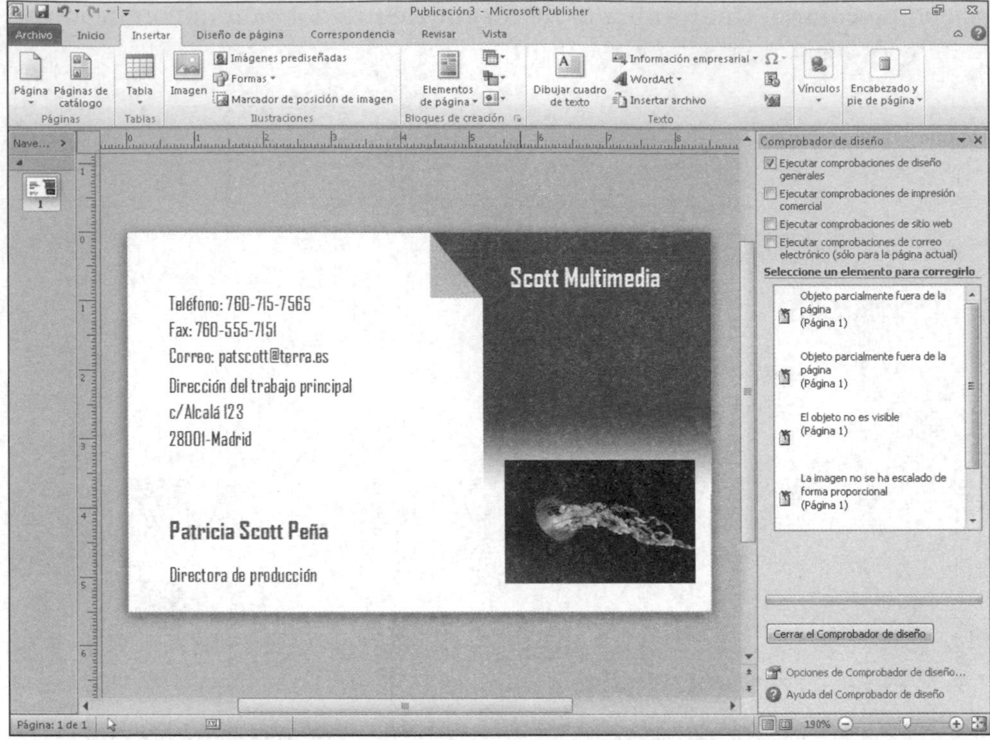

Figura 18.10. Panel Comprobador de diseño.

- La opción Ejecutar comprobaciones de impresión comercial revisa problemas, como imágenes en modo RGB, que puedan tener un impacto negativo en la impresión de la publicación en un servicio de impresión comercial.
- La opción Ejecutar comprobaciones de sitio Web verifica problemas, como imágenes sin texto alternativo, que puedan tener un impacto negativo en la publicación del sitio Web.
- La opción Ejecutar comprobaciones de correo electrónico (sólo para la página actual) comprueba problemas como texto que contiene división con guiones, que puede insertar espacios en el mensaje cuando se ve en algunos visores de correo electrónico.
- En la sección Seleccione un elemento para corregirlo se muestran los problemas encontrados en la publicación. Todos los problemas enumerados incluyen una descripción y el lugar donde se encuentran. La mayoría de los problemas se produce en una página específica. No obstante, algunos problemas afectan a toda la publicación. Al hacer clic sobre un problema,

podrá localizarlo en la ventana de la publicación y al hacer clic en la flecha desplegable podrá ejecutar distintas acciones (véase la figura 18.11).

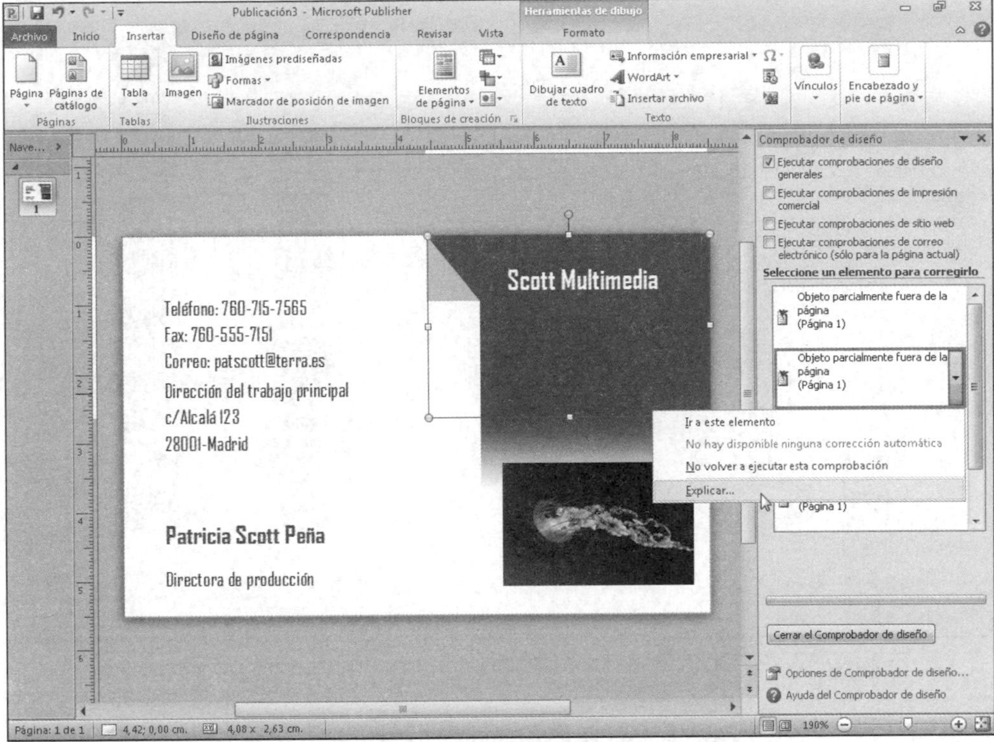

Figura 18.11. Opciones de solución de problemas.

- El botón **Cerrar el Comprobador de diseño** detiene la comprobación y cierra el panel de tareas.

Imprimir una publicación

Tras la creación de una publicación, lo más probable es que desee imprimirla. Existen diversas opciones de impresión que vamos a explicar a continuación.

Imprimir en una impresora de escritorio

Para imprimir una publicación existente, seleccione el menú Imprimir de la ficha Archivo y siga estos pasos (véase la figura Archivo>Imprimir. En el cuadro de diálogo Imprimir mostrado en la figura 18.12 siga estos pasos:

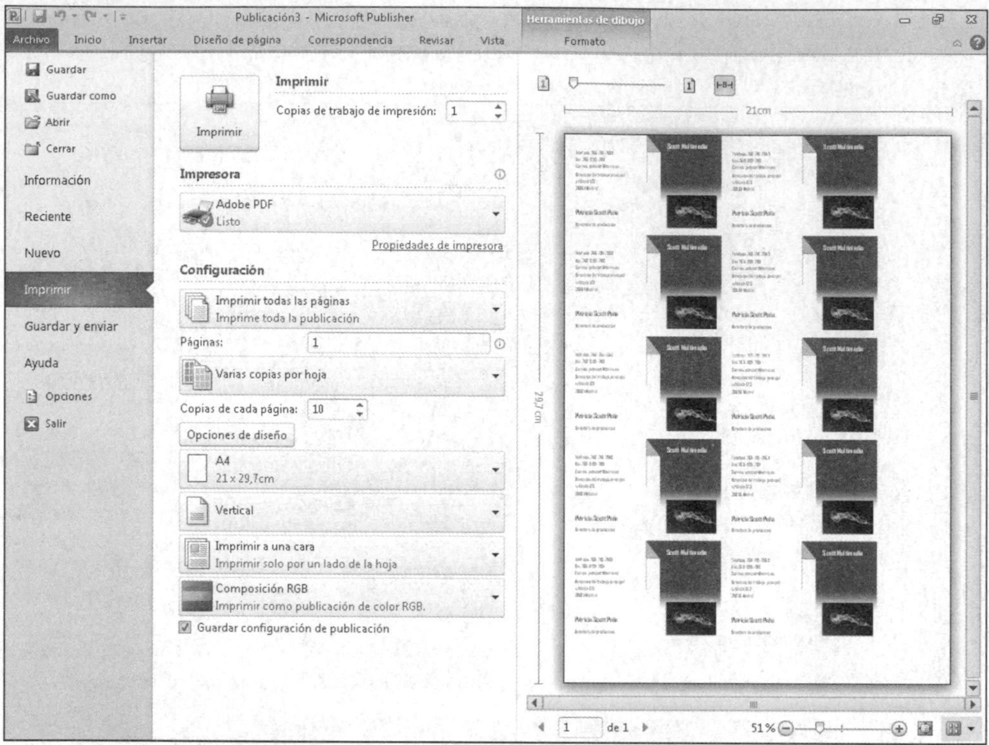

Figura 18.12. Opciones de impresión en una impresora de escritorio.

- Para especificar las copias que desea imprimir de todo el trabajo de impresión, utilice el cuadro Copias de trabajo de impresión que se encuentra en la sección Imprimir.
- Para imprimir páginas específicas, escriba un intervalo de páginas, como **1,3** ó **5-12**, para imprimir un intervalo o **2** ó **3** para imprimir una página individual, dentro del cuadro Páginas en la sección Configuración. También puede seleccionar las distintas opciones ofrecidas en el menú desplegable: Imprimir todas las páginas, Imprimir selección, Imprimir página actual o Imprimir intervalo personalizado.
- Para imprimir varias copias por hoja, seleccione su número desde Copias de cada página o seleccione una de las opciones ofrecidas por el menú desplegable.
- Si va a imprimir etiquetas o tarjetas de presentación, la opción predeterminada será Varias copias por hoja. Con esta opción, puede ajustar las guías de márgenes para aumentar o reducir el número de copias de la publicación que pueden caber en una sola hoja de papel.

- Desde el menú Información de la ficha Archivo, puede elegir entre las siguientes opciones de la lista desplegable del botón **Configuración de impresión comercial**:
    - **Elegir el modelo de color:** Elija un modelo RGB, de cuatro colores o de colores directos desde el cuadro de diálogo Modelo de color que se abre al hacer clic en esta opción.
    - **Administrar fuentes incrustadas:** Seleccione las opciones de fuentes de sustitución y sus subconjuntos desde el cuadro de diálogo Fuentes que se abre al hacer clic en esta opción (véase la figura 18.13).

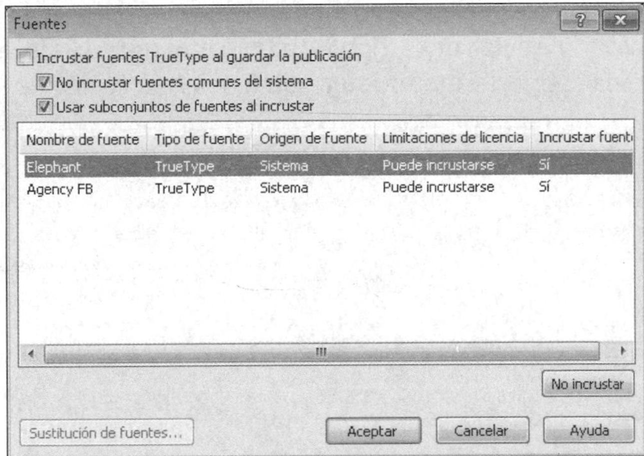

Figura 18.13. Opciones de incrustación de fuentes.

-
    - **Configuración de registro:** Administre las configuraciones de reventado, sobreimpresión y colores directos desde el cuadro de diálogo Configuración de registro de publicación que se abre al hacer clic en estas opción.

Truco:

Para imprimir en un producto de un determinado fabricante, por ejemplo una hoja de etiquetas, imprima primero en una hoja de papel en blanco para asegurarse de que la publicación quedará correctamente alineada en el producto.

Existen otras opciones de impresión, por supuesto, pero éstas son las más destacadas para su impresora de escritorio.

Imprimir en una impresora comercial

Los distintos proyectos de impresión pueden requerir métodos de impresión diferentes. Por ejemplo, imprimir en una impresora de escritorio no es costoso si sólo necesita algunas copias pero imprimir proyectos que requieren muchas copias puede resultar más económico cuando se realizan en copisterías y servicios de impresión comerciales. Además del costo, hay que tener en cuenta las opciones de calidad, calendario, papel, así como de encuadernación y finalización. Puede consultar su proyecto con el experto en impresión de una copistería o un servicio de impresión comercial ya que ofrecen una gran variedad en los servicios ofrecidos. No obstante, para facilitarle la labor, dentro del menú Guardar y enviar de la ficha Archivo, encontrará de suma utilidad las opciones de la sección Empaquetar publicaciones (véase la figura 18.14):

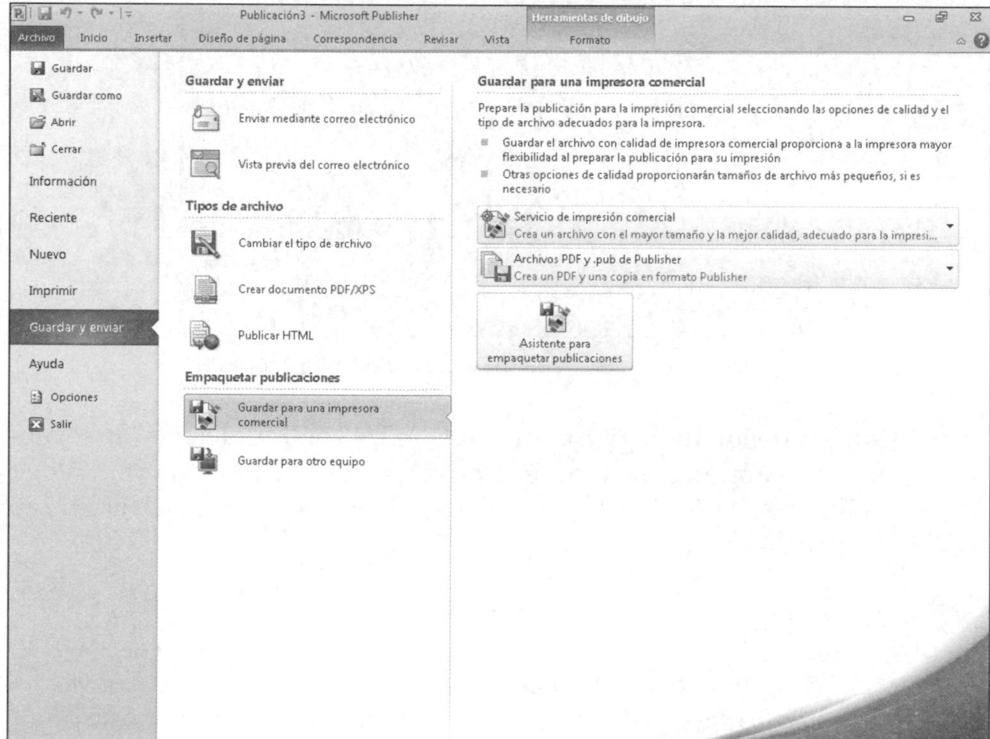

Figura 18.14. Opciones de Empaquetar publicaciones.

- **Guardar para una impresora comercial:** Esta opción le ayuda a preparar la publicación para una impresión comercial seleccionando la calidad y el tipo de archivo adecuados para la impresora en cuestión. Entre sus opciones se encuentran la de crear un archivo de distintos tamaños y calidades y la de crear archivos y copias en formato Publisher. El Asistente para empaquetar publicaciones le guiará a través de este proceso de configuración.

- **Guardar para otro equipo:** Esta opción le ayuda a preparar su publicación para poderla llevar a otro equipo. Desde aquí también podrá abrir el Asistente para empaquetar publicaciones que le guiará a lo lardo del proceso.

Imprimir como un archivo PDF

Puede guardar como un archivo PDF o XPS una publicación de Publisher 2010 utilizando las opciones presentadas en el menú Guardar y enviar de la ficha Archivo. Para ello, siga estos pasos:

1. Abra la publicación que desea guardar como archivo PDF.
2. Seleccione la opción Crear documento PDF/XPS del menú Guardar y enviar de la ficha Archivo.
3. Haga clic en el botón **Crear documento PDF o XPS** para abrir el cuadro de diálogo Publicar como PDF o XPS.
4. Escriba un nombre para el archivo y haga clic en **Publicar**.
5. Se abrirá el archivo en formato PDF, como puede ver en la figura 18.15.

Crear un sitio Web a partir de un boletín impreso

Puede convertir un boletín impreso en una publicación Web, pero antes de iniciar la conversión del boletín a una publicación Web, es importante realizar todos los cambios deseados en el boletín impreso ya que tras iniciar la conversión algunas opciones de edición ya no están disponibles.

Éstas son las modificaciones que podría realizar en el boletín impreso antes de convertirlo en una publicación Web:

- Si el texto de un artículo abarca varias páginas, considere la posibilidad de facilitar la lectura del artículo ajustando el texto para que quepa en una sola página, o bien, tras la conversión, utilice hipervínculos para conectar secciones del artículo con otras.
- Si la última página del boletín impreso contiene marcadores de posición de texto para la dirección de correo del cliente y la información de contacto

de la empresa, podría eliminar esta página, cambiar la información de contacto o trasladarla a otras páginas.

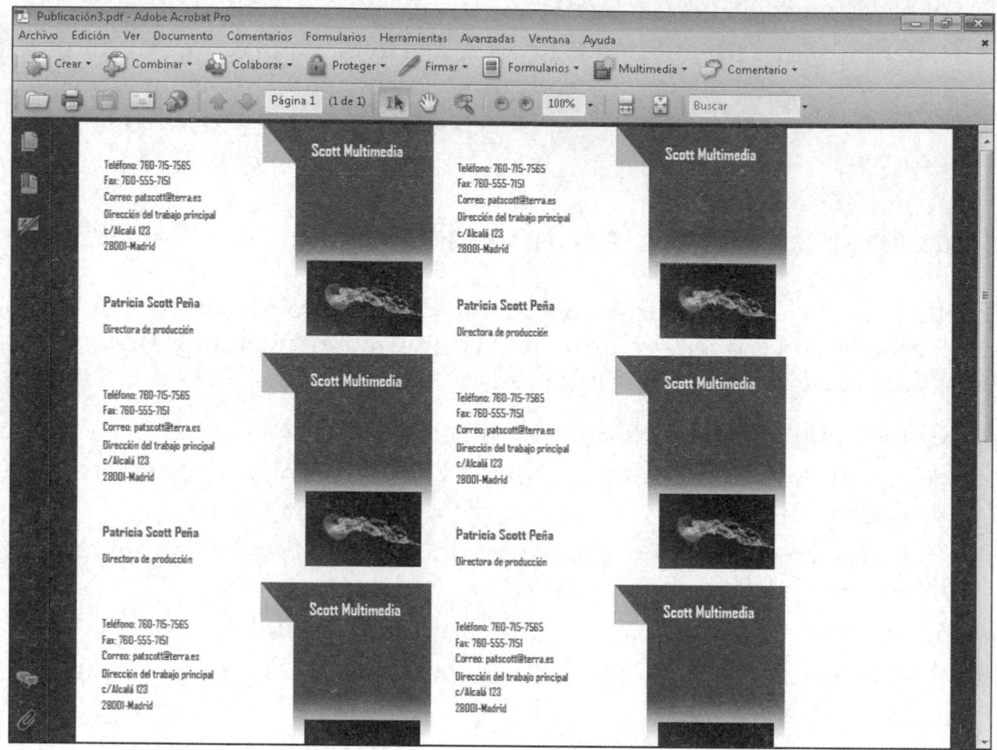

Figura 18.15. Publicación guardada como PDF.

- Como en la Web es más fácil leer una columna que varias, considere la posibilidad de cambiar el diseño de varias columnas del boletín impreso a una publicación Web de una sola columna utilizando las opciones del botón **Columnas** del grupo Alineación que se encuentra dentro de la ficha Formato de las Herramientas de cuadro de texto.
- Los boletines impresos tienen características de diseño específicas para la impresión que no son necesarias en la Web, como los números de página de la tabla de contenido y de cada página de la publicación o la información de correo del cliente.

Tras realizar todas las modificaciones deseadas, siga estos pasos:

1. En Publisher, abra el archivo del boletín impreso que desea convertir.
2. Realice los cambios en el contenido o el diseño del boletín (como cambiar un artículo de varias páginas a otro de una sola página, cambiar un diseño

de varias columnas a una publicación de una sola columna, quitar el área de direcciones de correo de los clientes, eliminar características de diseño específicas para la impresión, etc.).

3. Seleccione la opción Publicar HTML del menú Guardar y enviar de la ficha Archivo.
4. Seleccione una de las opciones ofrecidas en la lista desplegable de la sección Publicar HTML:
   - **Página Web (HTML):** Crea un archivo HTML con objetos en posiciones fijas en la página e incluye archivos auxiliares de imágenes y sonidos.
   - **Página Web de un solo archivo (MHTML):** Crea un archivo MHTML con imágenes integradas en la página y no se genera ninguna carpeta de archivos auxiliares.
5. Haga clic en el botón **Publicar HTML** y escriba un nombre para la página en el cuadro de diálogo Publicar en la Web. Por último, haga clic en **Guardar**.

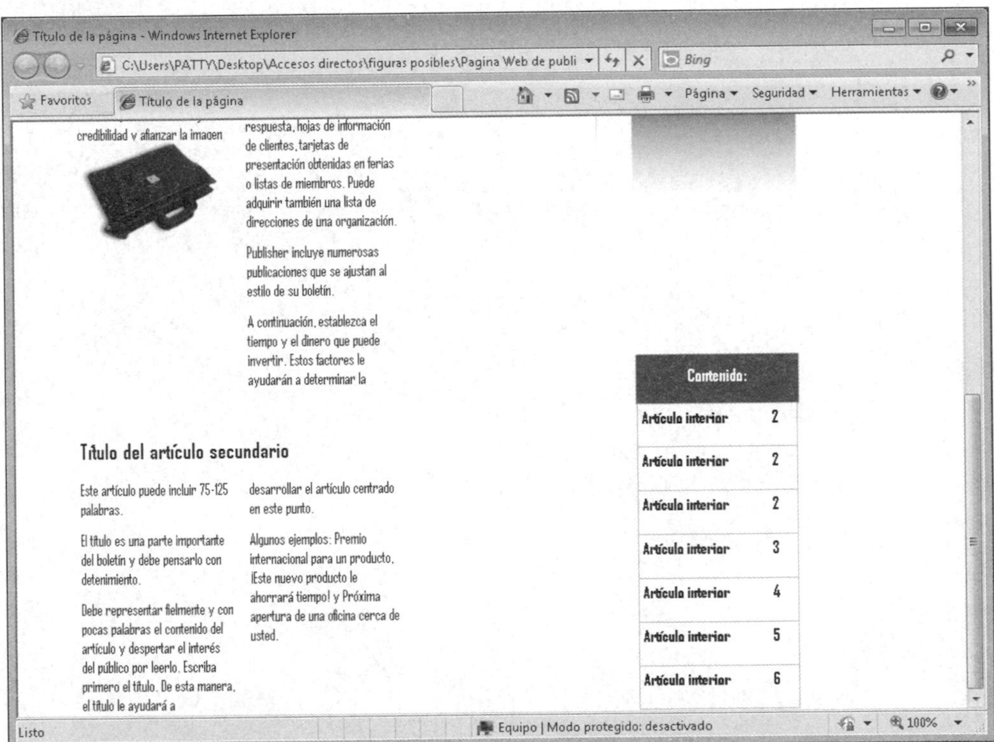

Figura 18.16. Vista previa de la página Web.

Dependiendo de si ha seleccionado crear un archivo auxiliar o no, se creará la página Web y el archivo o sólo la página Web en la ubicación indicada.
Para obtener una vista previa de la página, haga clic en el archivo `.html` correspondiente para abrirla en el explorador predeterminado de su ordenador.

Capítulo 19

Otras aplicaciones de Microsoft Office 2010

En este capítulo aprenderá a:

- Utilizar Microsoft OneNote 2010.
- Utilizar Microsoft Office SharePoint Workspace 2010.
- Utilizar Microsoft InfoPath 2010.

Ya hemos analizado los programas más destacados de Microsoft Office 2010. En este capítulo vamos a explicar brevemente tres aplicaciones más: Microsoft OneNote 2010, Microsoft SharePoint Workspace 2010 y Microsoft InfoPath 2010, el resto de aplicaciones que componen Office 2010 en su versión profesional.

Introducción a Microsoft OneNote

Microsoft OneNote 2010 es una utilidad de Office independiente que permite crear y administrar notas como si de un bloc de notas real se tratase. Las notas se pueden introducir utilizando el teclado e incluso utilizando un Tablet PC. No es necesario guardar el trabajo en ningún momento ya que, al igual que ocurre con un bloc de notas normal, la información que se escriba, quedará escrita.

Asimismo, el programa permite la grabación de comentarios y su vinculación de forma automática a nuestras anotaciones, con lo que resulta ideal para reuniones o conferencias, o cualquier otro evento al que asistamos. Al abrir por primera vez el programa desde el menú Iniciar o desde un icono de acceso directo, Microsoft OneNote abre la ventana que muestra la figura 19.1. Esta ventana está diseñada para obtener información sobre OneNote y de sus características más importantes. Asimismo nos ayudará a guardar las notas que escribamos en un bloc de notas determinado y a administrar los distintos bloc generados. Consulte las distintas fichas de proyectos para familiarizarse con el programa.

Ya puede cerrar la ventana principal haciendo clic en el botón **Cerrar** de la aplicación. Compruebe que a pesar de cerrar la aplicación, queda un icono de la misma en la barra de tarea de Windows. Éste será el lugar al que debemos acudir para todo lo relacionado con OneNote.

Tomar notas

Para tomar notas con esta aplicación sólo tiene que hacer clic en el icono del programa en la barra de tarea de Windows y escribir la nota.

Al abrir una nueva nota, podrá ver la ventana de la aplicación con la cinta de opciones minimizada. Si prefiere maximizarla, sólo tendrá que hacer clic en el botón de expansión de la ventana ( ). Las distintas fichas le proporcionan los comandos necesarios para realizar diversas tareas, tal como haría en cualquier otra aplicación de Office 2010:

- **Archivo:** Ofrece información sobre la nota así como las distintas opciones de guardado, ayuda, información e impresión.
- **Inicio:** Incluye opciones para aplicar formatos en el grupo Texto básico y opciones de inserción de audio, vídeo y recorte de pantalla en el grupo Insertar.

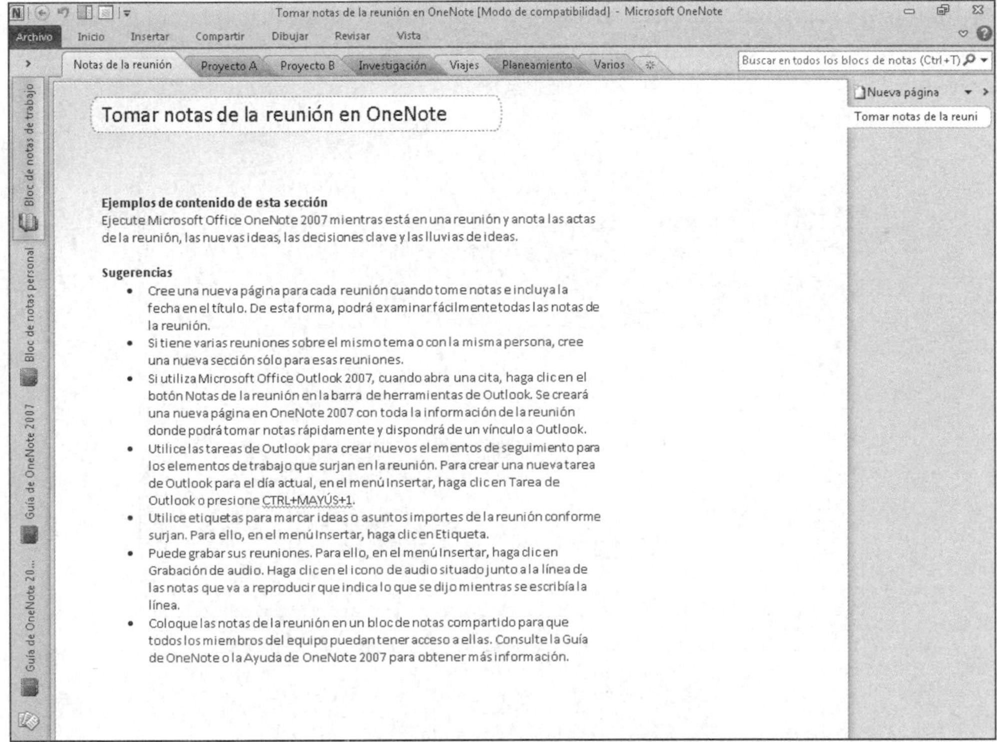

Figura 19.1. Ventana principal de OneNote 2010.

- **Dibujar:** Ofrece herramientas de dibujo y edición de espacios.
- **Vistas:** Desde esta ficha podrá configurar distintas opciones de página, de zoom y de vista, como mantener visible siempre la ventana.
- **Páginas:** Desde el grupo Navegar podrá desplazarse por las notas y buscarlas. Asimismo, desde el grupo Página podrá crear nuevas páginas, moverlas o eliminarlas.

Tras abrir la ventana y establecer sus opciones de escritura, escriba la nota. Ésta quedará siempre visible encima del resto de ventanas. Si deseas ocultarla, anule la activación del botón **Mantener visible** dentro del grupo Ventana en la ficha Vista haciendo clic sobre él.

Tras escribir la nota, ésta quedará siempre visible en pantalla. Si desea ocultarla, active o desactive el botón **Mantener siempre visible** (primer botón de la barra de herramientas de la nota).

Cuando termine de escribir la nota, con ayuda de los distintos botones, podrá cambiar su formato, etiquetarla, añadirla a una tarea, etc. Asimismo, podrá arrastrarla por la ventana e incluso pegarla como texto en cualquier otra aplicación de Office simplemente arrastrándola. Para ello, sitúe el cursor del ratón sobre la barra de la nota y cuando se convierta en una flecha de cuatro puntas, arrastre la nota al lugar deseado, ya sea dentro de la ventana o a otra ventana activa de otra aplicación (véase la figura 19.2).

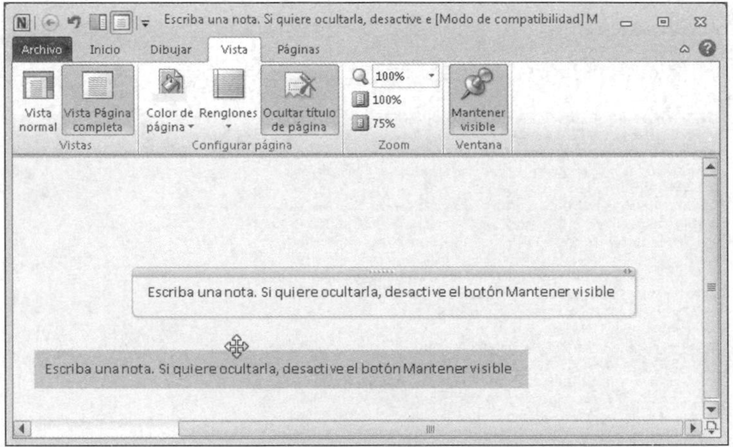

Figura 19.2. Arrastre la nota a la ubicación deseada.

Administrar las notas

Para administrar las notas escritas y guardadas en la sección de notas sin archivar, abra OneNote. Para ello, haga clic con el botón derecho del ratón sobre el icono del programa en la barra de tareas y seleccione Abrir OneNote. Se abrirá la aplicación con la ficha Notas de trabajo abierta. Haga clic en el botón **Notas sin archivar** que se encuentra debajo de Guía de OneNote2010 en el panel de navegación y expanda éste haciendo clic en la flecha de expansión que se encuentra en la esquina superior derecha del panel para ver la pantalla mostrada en la figura 19.3

Guarde cada una de las notas escritas que se encuentran en el panel de notas sin archivar arrastrando su título hasta el bloc de notas deseado que se encuentra en la sección Blocs de notas del panel de navegación expandido. Si desea eliminar una nota, haga clic sobre su título con el botón derecho del ratón y seleccione **Eliminar** del menú contextual.

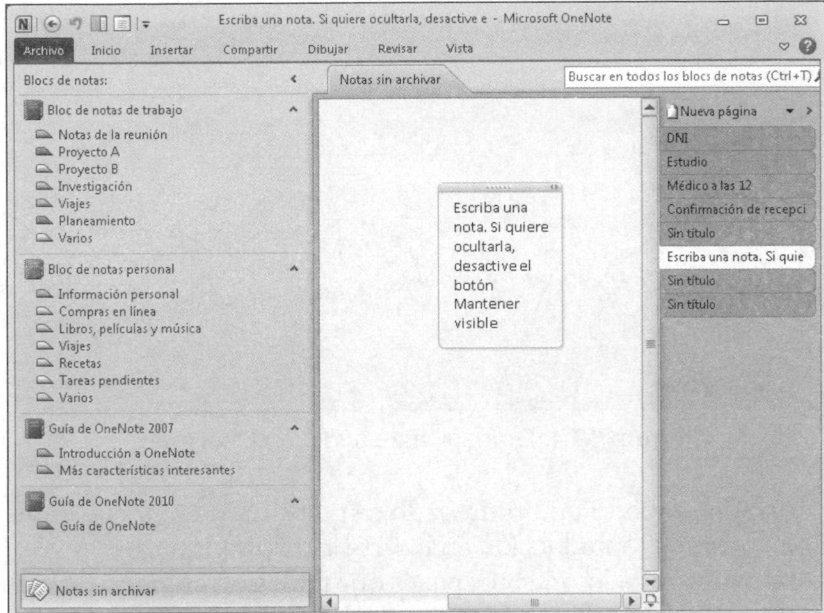

Figura 19.3. Pantalla de Notas sin archivar con el panel de navegación expandido.

Truco:

Puede crear fácilmente un bloc de notas haciendo clic con el botón derecho del ratón sobre una de las fichas del panel de navegación y seleccionando Nuevo bloc de notas *del menú contextual.*

Insertar audio y vídeo

OneNote permite grabar audio mientras se toman notas. Al reproducir la grabación, se mostrarán las notas que se tomaron en un momento concreto de la misma.

Para grabar audio, seleccione Iniciar grabación de audio desde el menú contextual del icono de la aplicación en la barra de tareas de Windows.

Se abrirá una nueva nota mostrando la ficha Audio y video e indicando que la grabación se ha iniciado (véase la figura 19.4).

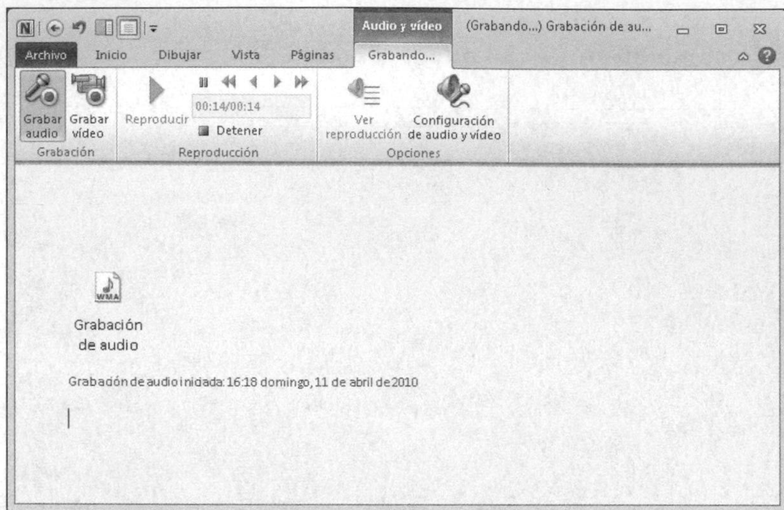

Figura 19.4. Grabación de audio en OneNote.

A continuación grabe el audio deseado. Al terminar, haga clic en el botón **Detener** del grupo Reproducción en la ficha Audio y vídeo.

Para grabar vídeo, siga los mismos pasos que para grabar audio pero en lugar de seleccionar Grabar audio, seleccione Iniciar grabación de vídeo.

Nota:

Desde la ficha Audio y vídeo *podrá grabar audio y vídeo haciendo clic en los botones correspondientes del grupo* Grabación. *Para configurar opciones de audio y vídeo, haga clic en* Configuración de audio y vídeo *en el grupo* Opciones *de la misma ficha.*

Introducción a Microsoft SharePoint Workspace 2010

Microsoft SharePoint Workspace 2010 es un software para establecer conexiones directas con diversas personas y ofrece tres tipos de área de trabajo:

- **Áreas de trabajo de SharePoint:** Permiten crear una copia de un sitio SharePoint en el equipo, que se sincroniza automáticamente cuando se efectúa una conexión con el servidor y sólo puede incluir un miembro: el autor del área.

- **Áreas de trabajo de Groove:** Contienen una serie de herramientas de productividad que se agregan según sean necesarias y puede tener uno o más miembros que se unen a través de invitación. Todos los miembros que están en línea pueden ver las actualizaciones realizadas por ellos o por otros miembros de forma instantánea y recibir actualizaciones en cada conexión.
- **Carpetas compartidas:** Tipos especiales de áreas de trabajo de Groove que permiten compartir el contenido de una carpeta del sistema de archivos de Windows.

Iniciar el programa

Cuando abra por primera vez la aplicación, tendrá que crear una nueva cuenta. Siga los pasos solicitados por el Asistente para configuración de cuenta para crearla. Al finalizar el proceso de creación de cuenta, se abrirá la aplicación en su Barra de inicio, como puede ver en la figura 19.5.

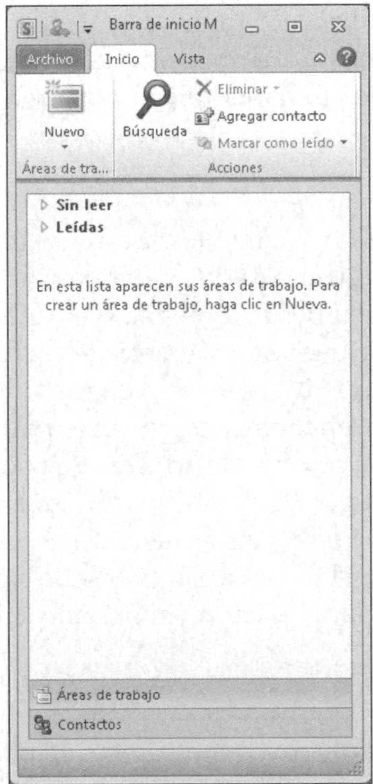

Figura 19.5. Barra de inicio en Microsoft SharePoint Workspace.

Nota:

Al instalar Microsoft SharePoint, se abre un icono nuevo en la barra de tareas de Windows desde donde se puede abrir el programa en sucesivas ocasiones y seleccionar otras opciones desde su menú contextual.

Crear un área de trabajo

Para crear un área de trabajo en SharePoint, siga estos pasos:

1. Abra el programa haciendo clic con el botón derecho del ratón sobre su icono en la barra de tareas de Windows y seleccionando Barra de inicio.
2. Seleccione una de las áreas de trabajo ofrecidas por el menú desplegable del botón **Nuevo** dentro del grupo Áreas de trabajo. (Nosotros hemos seleccionado la opción Área de trabajo de Groove.)
3. Asigne un nombre al área de trabajo y una versión que deben tener todos los invitados para unirse a esta área de trabajo.
4. Para ver otras opciones del área de trabajo, haga clic en **Opciones**. (El botón **Opciones** sólo está disponible si existen diversas identidades en la cuenta de Groove).
5. Haga clic en **Crear**.

SharePoint crea el área de trabajo y le muestra como miembro inicial con la función de Administrador. Ahora puede personalizar los componentes del área de trabajo y enviar invitaciones a la misma (véase la figura 19.6).
Para invitar a otro usuario a un área de trabajo, escriba el nombre y dirección de correo electrónico del destinatario en el cuadro Invitar al área de trabajo en el panel Miembros que se encuentra en la parte inferior de la ventana. Haga clic en Más para ver más opciones de adición y búsqueda de destinatarios en el cuadro de diálogo Agregar destinatarios. Haga clic en **Ir** para abrir el cuadro de diálogo Enviar invitación, agregue texto al mensaje, si lo desea y haga clic en **Invitar** para enviar la invitación (véase la figura 19.7). Los invitados recibirán una invitación para entrar en el área de trabajo.

Nota:

Para invitar a diversos contactos y asignarles funciones diferentes, envíe invitaciones diferentes por cada función.

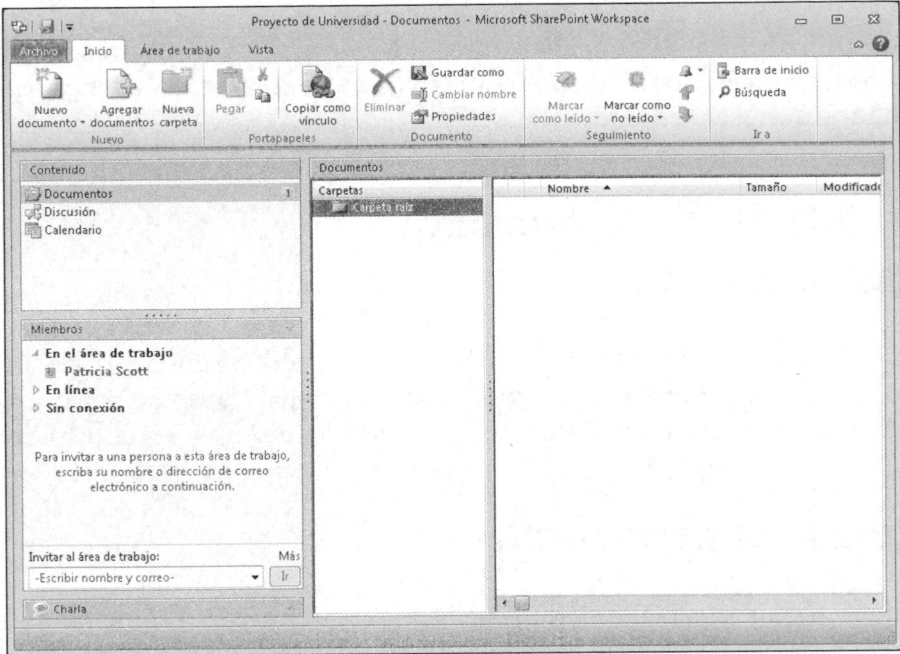

Figura 19.6. Creación de un área de trabajo.

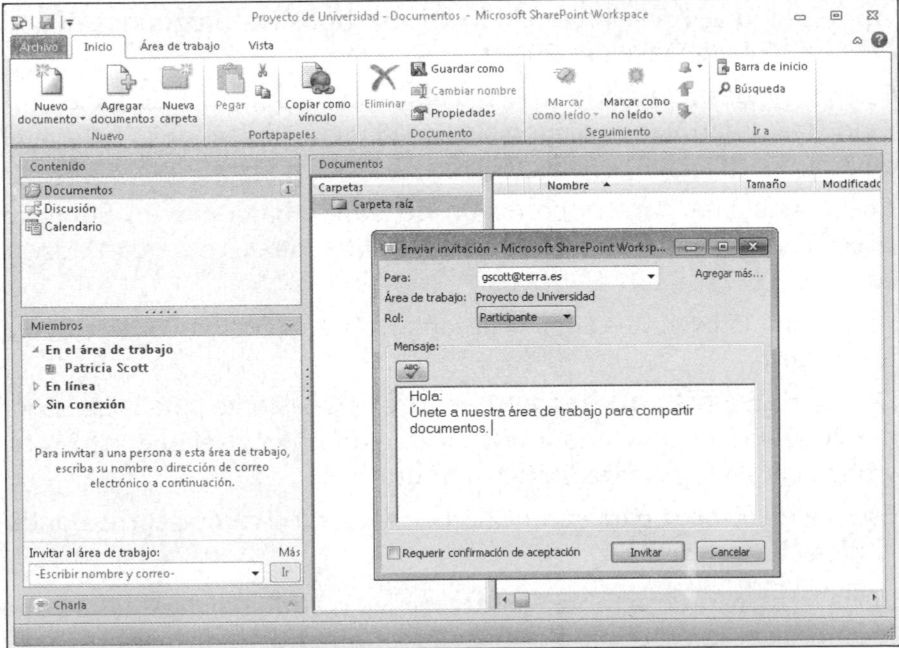

Figura 19.7. Configuración de invitación a un área de trabajo.

En el momento en que sus invitados acepten unirse a su área de trabajo, podrá utilizar todas las opciones ofrecidas por SharePoint Workspace para compartir contenido e incluso establecer una sala de conversaciones con los invitados que estén en línea.

Introducción a Microsoft InfoPath 2010

Microsoft InfoPath 2010 es una aplicación que genera formularios sencillos a partir de listas de SharePoint y otros orígenes de datos y proporciona opciones de diseño de página y secciones, herramientas de diseño y reglas rápidas.

Utilizar el programa

Vamos a seguir un sencillo ejemplo en el que crearemos un formulario a partir de los datos de una base de datos de Access guardada en el ordenador. Para ello, siga estos pasos:

1. Abra la aplicación seleccionando Inicio>Todos los programas>Microsoft Office>InfoPath Designer 2010.
2. Seleccione Base de datos de Plantillas de formulario avanzadas dentro de Plantillas de formulario disponibles en el menú Nuevo de la ficha Archivo y haga clic en **Diseñar formulario**.
3. En el Asistente para la conexión de datos, haga clic en **Seleccionar base de datos** para buscar la base de datos de Access guardada en su equipo.
4. Seleccione la base de datos y la tabla sobre cuyos datos desea crear el formulario.
5. Dentro de Estructura del origen de datos del Asistente para la conexión de datos, seleccione los campos que desea que contenga el nuevo formulario y haga clic en **Siguiente** (véase la figura 19.8).
6. Escriba un nombre para la conexión de datos en el campo correspondiente y haga clic en **Finalizar**.

   En la ventana que se abre, observará las distintas fichas de la cinta de opciones que le ayudarán a diseñar su formulario. Dentro de la ficha Inicio encontrará los siguientes elementos (véase la figura 19.9):

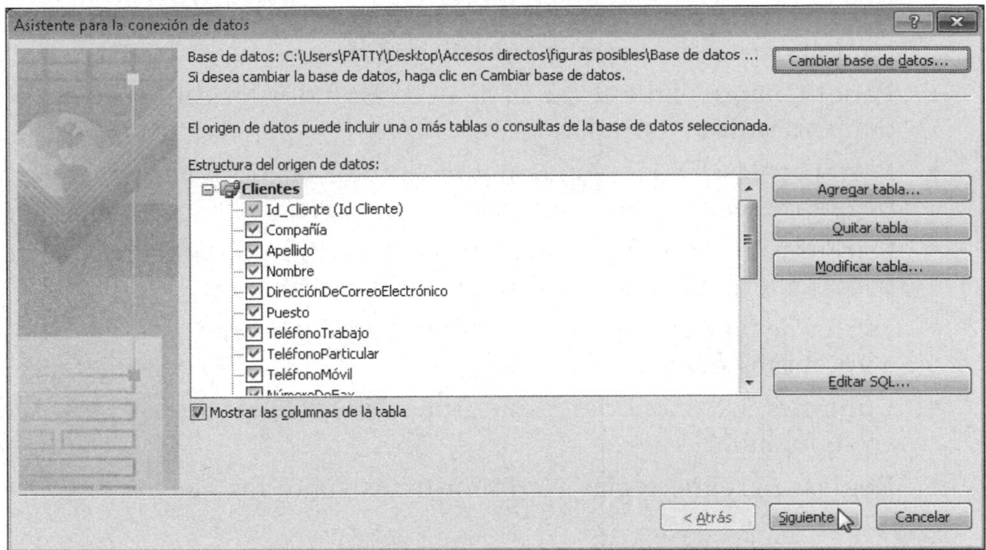

Figura 19.8. Seleccione los campos del formulario.

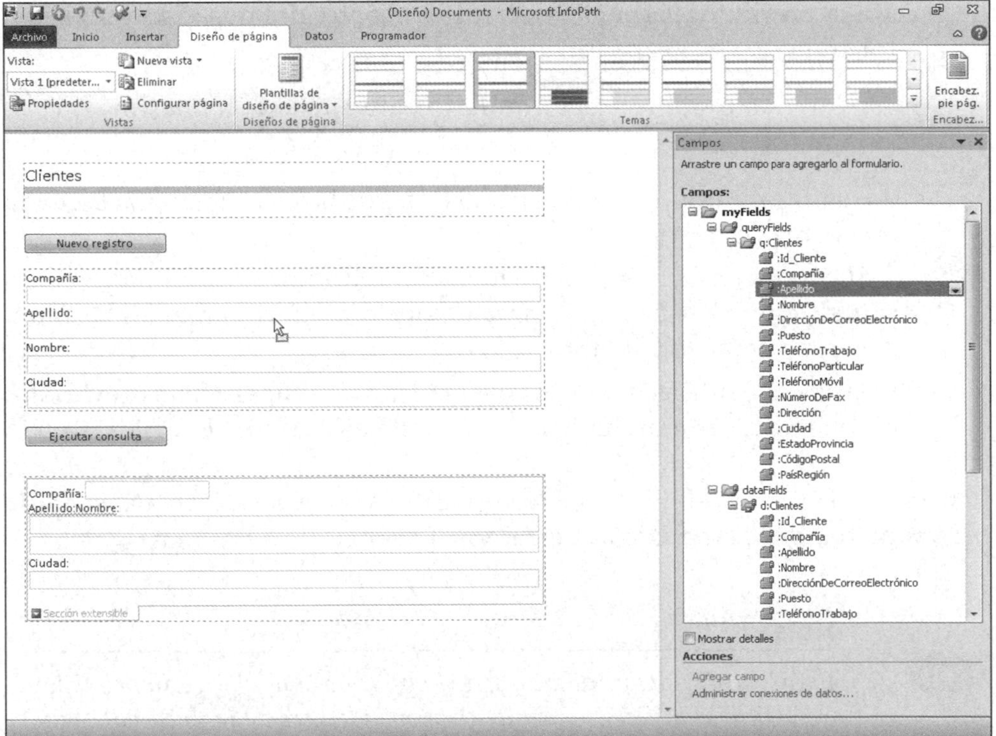

Figura 19.9. Formulario creado a partir de una base de datos de Access.

- **Área de trabajo principal:** Es la zona que ocupa la mayor parte de la pantalla y es donde vamos a trabajar normalmente.
- **Panel Campos:** En este panel aparecerán todos los campos que podemos añadir al formulario.
- **Portapapeles:** Desde donde podrá ejecutar las opciones de copia y pegado deseadas sobre los objetos seleccionados.
- **Dar formato al texto:** En este grupo encontrará las opciones necesarias para dar formato al texto de los objetos seleccionados.
- **Estilos de fuente:** Elija uno de los estilos predefinidos para aplicarlos a los objetos seleccionados.
- **Controles:** Seleccione desde este grupo los controles que desea insertar en su formulario.
- **Reglas:** Agregue reglas y adminístrelas sobre los objetos seleccionados.
- **Edición:** Desde este grupo podrá revisar la ortografía, buscar un texto o seleccionar todo el texto de un formulario.
- **Vista previa:** Al hacer clic en este botón obtendrá una vista previa del formulario.

Ahora vamos a modificar el formulario para ajustarlo a nuestras necesidades. Para ello:

1. Arrastre los campos desde el panel Campos hasta la ubicación deseada en el área de trabajo.
2. Utilice los comandos proporcionados tanto por la ficha Inicio como por el resto de fichas de la cinta de opciones para cambiar el estilo y el diseño de su formulario.
3. Cuando esté satisfecho con los resultados, haga clic en **Vista previa** para obtener una vista preliminar de su trabajo (véase la figura 19.10).

Para cerrar la vista preliminar del formulario y volver de nuevo a la ventana principal, haga clic en el botón **Cerrar vista previa**.

Nota:

Para guardar su formulario, obtener información sobre él, imprimirlo o publicarlo utilice los menús correspondientes de la ficha Archivo *de* Microsoft InfoPath 2010.

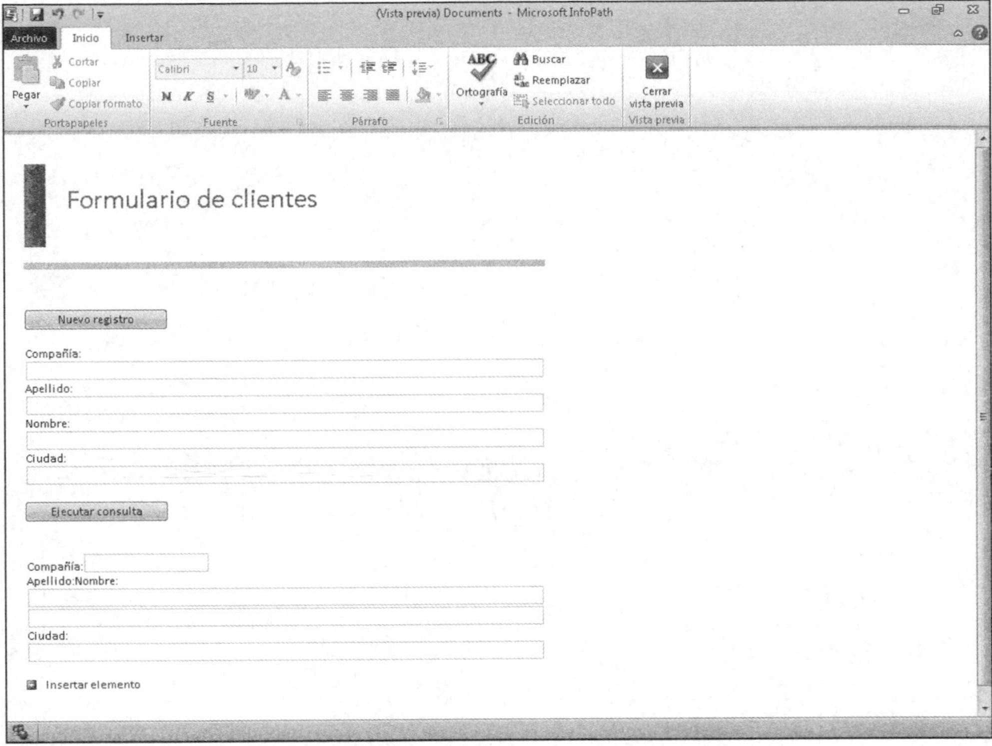

Figura 19.10. Vista previa del formulario.

Capítulo 20

Herramientas de Office

En este capítulo aprenderá a:

- Utilizar las herramientas de Office.
- Crear un certificado digital para proyectos VBA.
- Utilizar la Galería multimedia.
- Configurar el idioma en Microsoft Office 2010.
- Utilizar el Centro de descargas de Microsoft.
- Utilizar Picture Manager.
- Conocer las opciones de traducción de Office.

En capítulos anteriores hemos examinado los programas que componen Microsoft Office 2010. En este capítulo explicaremos las distintas herramientas que pone a disposición Microsoft Office para ayudarnos a mejorar el uso de dichos programas.

Certificado digital para proyectos de VBA

Ésta es la primera de las herramientas de Microsoft Office 2010 que vamos a explicar brevemente. Tanto ésta como las siguientes herramientas que vamos a presentar se abren haciendo clic en el botón **Iniciar** de Windows y seleccionando la opción de herramientas desde Todos los programas>Microsoft Office.

Con Certificado digital para proyectos de VBA podremos crear un certificado digital con una firma personal que podremos utilizar para macros personales. Office sólo permitirá confiar en un certificado de firma personal que se haya emitido en el mismo equipo en el que esté trabajando. Para obtener un certificado autenticado para macros comerciales, tendrá que solicitar uno a una entidad emisora de certificados.

Al iniciar esta herramienta, se abrirá el cuadro de diálogo Crear certificado digital mostrado en la figura 20.1.

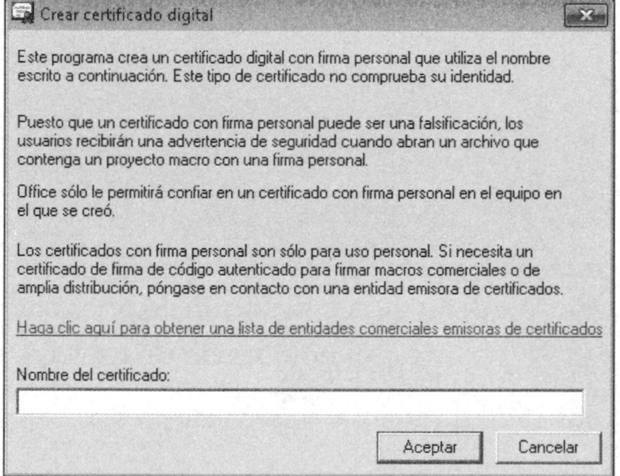

Figura 20.1. Cuadro de diálogo Crear certificado digital.

Escriba un nombre para el certificado en el cuadro Nombre del certificado y haga clic en **Aceptar**. Se abrirá un mensaje indicando que se ha creado con éxito el certificado. Haga clic en **Aceptar** para cerrarlo.

Nota:

Si necesita un certificado autenticado por una entidad emisora de certificados, haga clic en el vínculo Haga clic aquí para obtener una lista de entidades comerciales emisoras de certificados.

Galería multimedia

La Galería multimedia de Microsoft contiene una serie de archivos de imagen y multimedia (como clips de audio o vídeo y animaciones) que pueden agregarse fácilmente a los documentos de Office. Con esta herramienta podrá realizar las siguientes acciones:

- Agregar clips o imágenes a la galería de forma automática o manual.
- Organizar los distintos elementos de la galería.
- Acceder a las distintas carpetas en las que se clasifica el contenido multimedia y ver las miniaturas de todas las imágenes.
- Insertar imágenes y clips en documentos con tan solo arrastrar la miniatura hasta la ventana del documento.

Para localizar una imagen o un clip en este cuadro de diálogo (véase la figura 20.2), haga clic en el botón **Buscar** de la barra de herramientas, escriba una palabra clave en el cuadro Buscar dentro del panel del mismo nombre que se abre a la izquierda de la ventana y haga clic en el botón **Buscar**. Aparecerán todas las imágenes, clips o archivos de vídeo y audio (según las opciones seleccionadas en la sección Opciones de búsqueda).
El funcionamiento básico para el resto de acciones es el siguiente:

- Para agregar clips a la galería, utilice las opciones del menú Archivo, que le permiten añadir una nueva colección y agregar clips desde los archivos guardados en el ordenador o bien desde un escáner o una cámara.
- Para copiar, mover o cambiar el nombre de una selección, utilice las opciones disponibles en el menú Edición.
- Para obtener una vista previa o de las propiedades de un clip, o actualizar la galería, utilice las opciones disponibles en el menú Ver.
- Desde el menú Herramientas, podrá buscar clips en la galería multimedia en línea o compactar una colección.

Esta galería estará disponible para las aplicaciones de Microsoft al utilizar el comando **Imágenes prediseñadas** de la ficha Insertar.

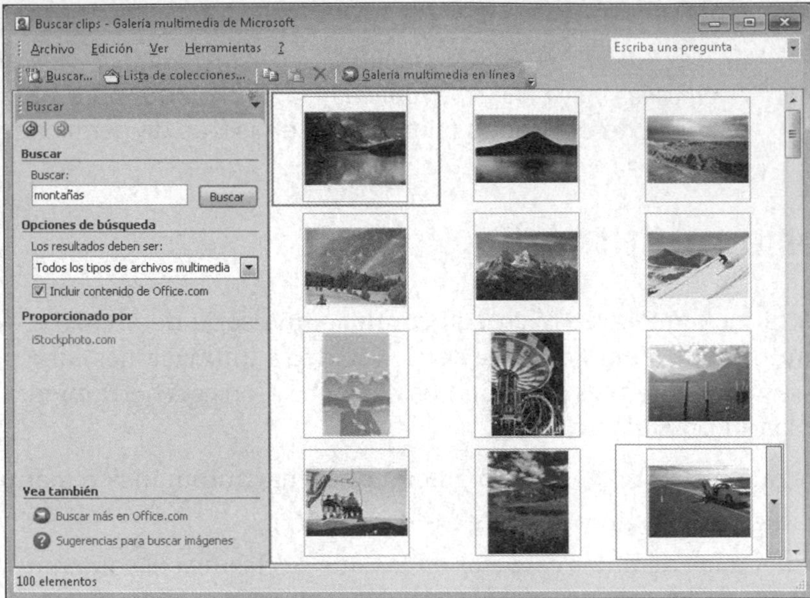

Figura 20.2. Buscar clips en la Galería multimedia de Microsoft.

Configuración de idioma

Para cambiar la configuración de idioma en las aplicaciones de Office, seleccione esta herramienta. Se abrirá el cuadro de diálogo Preferencias de idioma de Microsoft Office 2010 que puede ver en la figura 20.3.

Nota:

Estas opciones también se encuentran disponibles en las principales aplicaciones de Office desde su cuadro de diálogo Opciones, *dentro de la ficha* Idioma.

Dentro de la sección Elegir idiomas de edición podrá ejecutar las siguientes tareas:

- Agregar idiomas adicionales para la edición de documentos, que afecta a herramientas como diccionarios o la revisión gramatical. Para agregar un nuevo idioma, haga clic en la flecha de lista desplegable de Agregar idiomas de edición adicionales, seleccione un idioma de la lista y haga clic en **Agregar**.

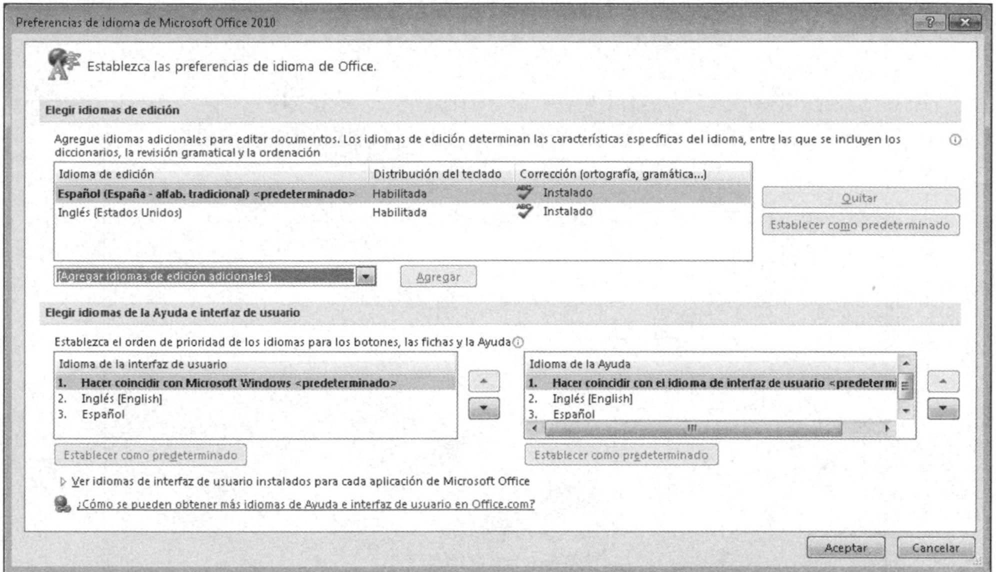

Figura 20.3. Cuadro de diálogo Preferencias de idioma de Microsoft Office 2010.

- Establecer un idioma como predeterminado para la edición de documentos seleccionado el idioma de la lista de idiomas de edición instalados y haciendo clic en **Establecer como predeterminado**.
- Quitar un idioma instalado de la lista de idiomas de edición seleccionando dicho idioma y haciendo clic en el botón **Quitar**.

Dentro de la sección Elegir idiomas de la Ayuda e interfaz de usuario podrá realizar las siguientes tareas:

- Establecer el orden de prioridad de los idiomas para los botones, las fichas y la ayuda, seleccionando la opción deseada desde Idioma de la interfaz de usuario o Idioma de la Ayuda y haciendo clic en los botones de flecha hacia arriba o hacia abajo.
- Establecer una de las opciones ofrecidas en dichos cuadros como opción predeterminada seleccionándola y haciendo clic en **Establecer como predeterminado**.
- Para ver los idiomas de interfaz de usuario instalados para cada aplicación de Microsoft Office, haga clic en la flecha desplegable con el mismo nombre.

Tras realizar los cambios deseados, haga clic en **Aceptar** para que tenga efecto y cerrar el cuadro de diálogo.

Centro de carga de Microsoft Office

Desde esta opción podrá establecer la administración de cargas de documentos de Microsoft Office en los servidores Web (véase la figura 20.4).

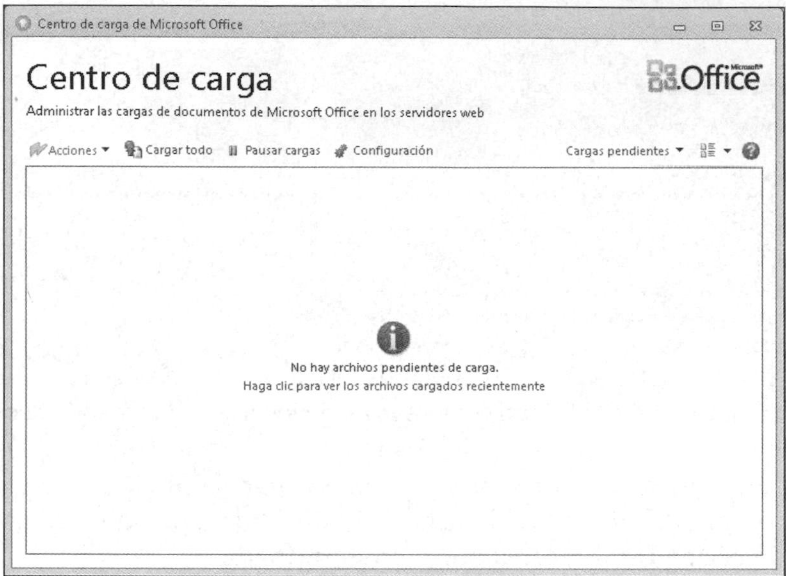

Figura 20.4. Centro de carga de Microsoft Office 2010.

- Para cargar todos los documentos pendientes en el servidor, haga clic en **Cargar todo**.
- Para detener momentáneamente la carga, haga clic en **Pausar cargas**.
- Para cambiar las opciones de configuración, haga clic en **Configuración**.
- Para ver las cargas pendientes de descargar, haga clic en **Cargas pendientes** y seleccione la opción deseada.
- Para cambiar la vista del cuadro de diálogo, haga clic en el botón **Cambiar vista**.

Microsoft Picture Manager

Microsoft Picture Manager permite retocar imágenes y fotografías, aplicar distintos efectos y realizar diversas modificaciones, así como compartirlas. Abra la herramienta para poder realizar distintas operaciones entre las que destacan las ofrecidas por el panel de tareas Editar imágenes que puede abrir seleccionándolo desde el menú desplegable del panel de tareas que se encuentra a la derecha de la ventana (véase la figura 20.5).

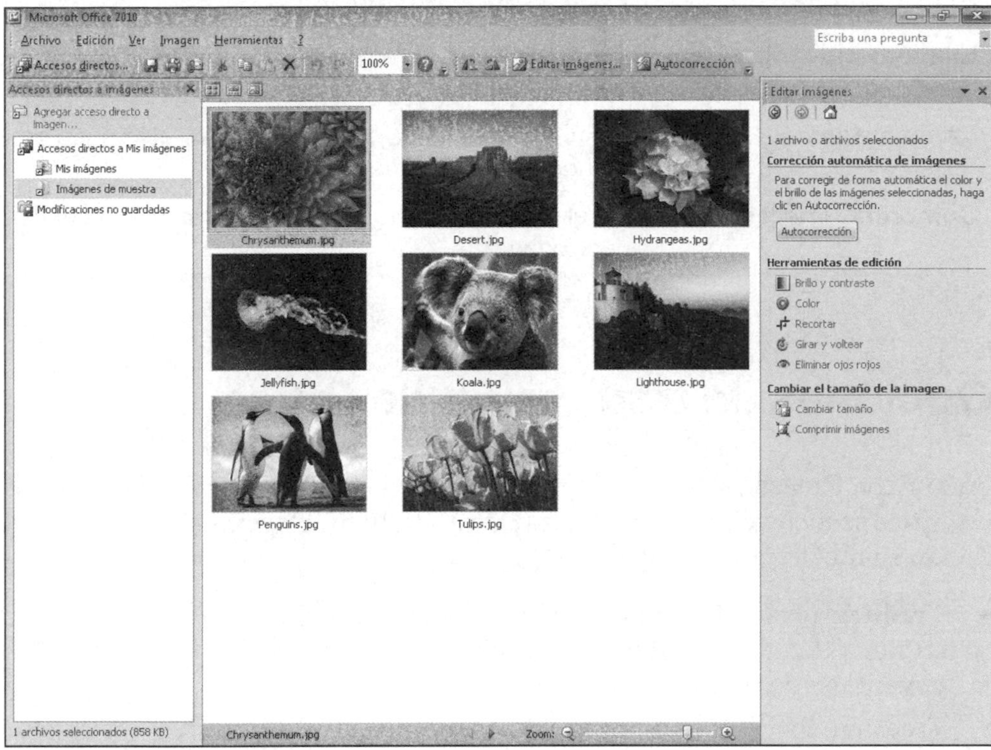

Figura 20.5. Microsoft Picture Manager con el panel Editar imágenes abierto.

Las opciones de este panel se recogen en la tabla 20.1.

Tabla 20.1. Opciones del panel Editar imágenes.

Opción	Función
Autocorrección	Corrige automáticamente el color y el brillo de las imágenes seleccionadas.
Brillo y contraste	Permite definir estas características de las imágenes.
Color	Permite configurar la cantidad, el matiz y la saturación de los colores de la imagen.

Opción	Función
Recortar	Permite modificar el tamaño de la imagen.
Girar y voltear	Permite dar la vuelta, girar las imágenes.
Eliminar ojos rojos	Permite eliminar este antiestético efecto producido por el flash de muchas cámaras.
Cambiar tamaño	Abre el panel que le ayudará a cambiar el tamaño de la imagen seleccionada.
Comprimir imagen	Abre el panel que le ayudará a comprimir las imágenes seleccionadas.

Opciones de traducción de Office

En la ficha Revisar, dentro del grupo Idioma de las principales aplicaciones de Office se incluye un elemento muy útil: **Traducir**. Dependiendo de la aplicación se mostrarán las siguientes opciones:

- **Traducir texto seleccionado:** Muestra la traducción de servicios locales y en línea dentro del panel Referencia, que se abre en la parte derecha de la ventana de la aplicación.
- **Traducir documento:** Muestra una traducción automática en el explorador Web predeterminado del equipo.
- **Minitraductor:** Esta nueva opción permite señalar una palabra en el texto o seleccionar una frase para ver una traducción rápida. Para activar esta opción, seleccione Minitraductor de la lista desplegable del botón **Traducir** dentro del grupo Idioma de la ficha Revisar en una de las aplicaciones de Office principales, seleccione un idioma para traducir y haga clic en **Aceptar**. Posteriormente seleccione una palabra o frase y apunte con el cursor del ratón sobre ella para ver la traducción (véase la figura 20.6).

Nota:

Las opciones de idiomas para la traducción varían de una aplicación a otra, siendo las más completas las opciones que presenta Microsoft Word.

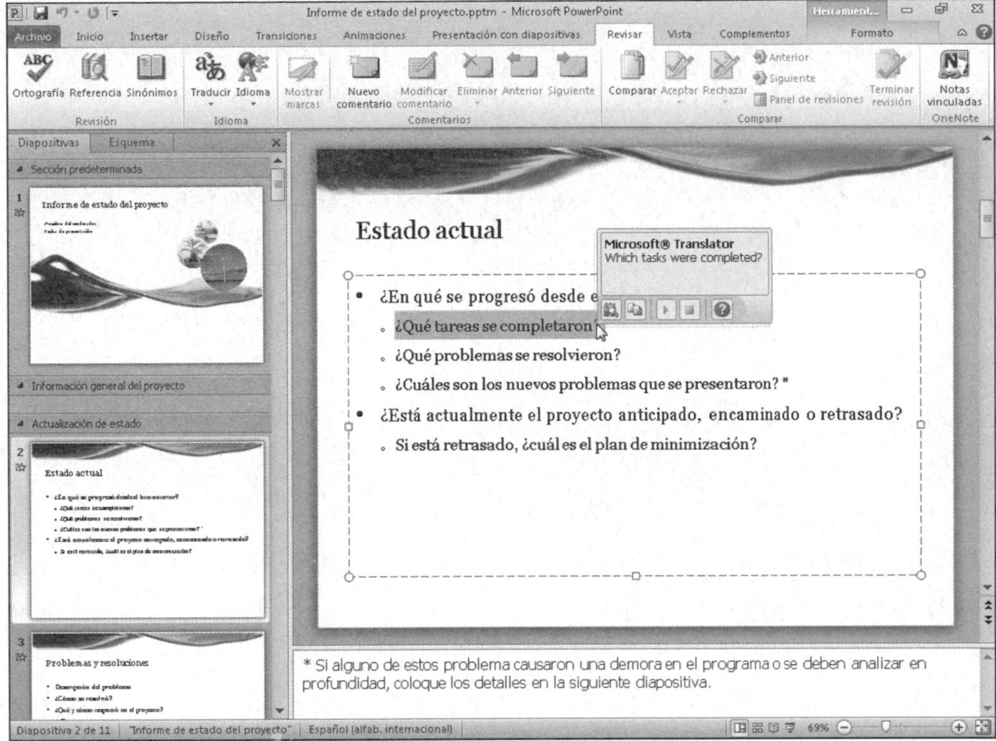

Figura 20.6. Minitraductor en PowerPoint.

Índice alfabético

A

B

C

D

E

F

G

H

I

L

M

N

O

P

Q

R

S

T

U

V

W

X

Y

Z